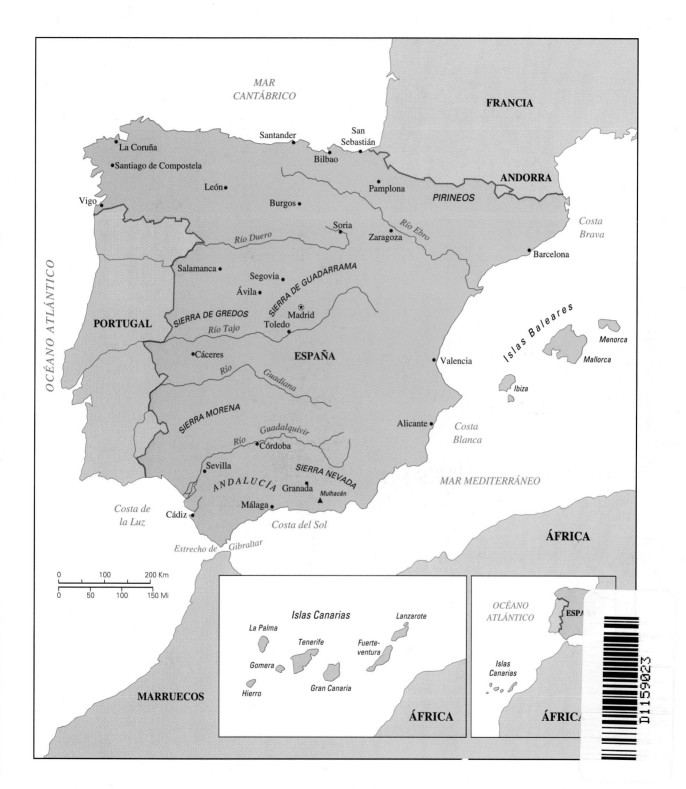

MAR CANTÁBRICO

FRANCIA

Santander
San Sebastián
La Coruña
Bilbao
Santiago de Compostela
ANDORRA
León
Pamplona
PIRINEOS
Vigo
Burgos
Soria
Río Ebro
Zaragoza
Río Duero
Costa Brava
Salamanca
Barcelona
Segovia
SIERRA DE GUADARRAMA
Ávila
OCÉANO ATLÁNTICO
SIERRA DE GREDOS
Madrid
Toledo
Río Tajo
PORTUGAL
Islas Baleares
Menorca
ESPAÑA
Valencia
Mallorca
Cáceres
Río Guadiana
Ibiza
SIERRA MORENA
Alicante
Guadalquivir
Costa Blanca
Río
Córdoba
Sevilla
SIERRA NEVADA
ANDALUCÍA
MAR MEDITERRÁNEO
Granada
Mulhacén ▲
Málaga
Costa de la Luz
Cádiz
Costa del Sol
ÁFRICA
Estrecho de Gibraltar

0   100   200 Km
0   50   100   150 Mi

Islas Canarias
Lanzarote
La Palma
Tenerife
Fuerte-ventura
Gomera
Gran Canaria
Hierro

OCÉANO ATLÁNTICO
ESPAÑA

Islas Canarias

MARRUECOS
ÁFRICA
ÁFRICA

ESPAÑA

FUENTES

Conversación y gramática

FUENTES
SECOND EDITION
Conversación y gramática

Debbie Rusch
Boston College

Marcela Domínguez
University of California, Los Angeles
Pepperdine University

Lucía Caycedo Garner
University of Wisconsin–Madison, Emerita

with the collaboration of
Donald N. Tuten   *Emory University*
Carmelo Esterrich   *Columbia College Chicago*

Houghton Mifflin Company   *Boston   New York*

Director, Modern Language Programs: E. Kristina Baer
Development Manager: Beth Kramer
Development Editor: Sandra Guadano
Editorial Associate: Lydia Mehegan
Project Editor: Harriet C. Dishman
Senior Production/Design Coordinator: Jennifer Waddell
Senior Manufacturing Coordinator: Marie Barnes
Associate Marketing Manager: Tina Crowley Desprez

Cover design: Rebecca Fagan
Cover illustration: Tracy Walker

Credits for texts, photos, illustrations, and realia begin on p. vi of the Student Edition and are continued at the back of the book.

Printed in the U.S.A.

Library of Congress Catalog Card Number: 99-71925

ISBN: 0-395-96278-1

2 3 4 5 6 7 8 9-QH-03 02 01 00

Instructor's Guide

Contents

Philosophy of the *Fuentes* Program

Fuentes: Conversación y gramática (FCG) and *Fuentes: Lectura y redacción* (FLR), Second Edition, present an integrated skills approach to intermediate Spanish that develops both receptive and productive skills simultaneously. The primary objective of the program is to offer students an opportunity to acquire communicative skills while developing an awareness and appreciation of Hispanic cultures.

The two texts are coordinated by chapter theme, grammar, functions, and vocabulary. Although FCG and FLR are designed to be used together, they can also be used independently of each other. For information on coordinating the two texts, see FLR.

The following are the leading principles that inspired the creation of the *Fuentes* program:

- We learn by doing. By using the language to communicate original thoughts, in oral and written form, and by interacting with written texts and recorded conversations, students will acquire a high degree of proficiency. See activity 17 in Chapter 4 of FCG and activity 7 in Chapter 8 of FLR.
- Skill integration promotes language development. Each skill reinforces the others; therefore, students learn to comprehend and produce language while practicing specific strategies for listening, reading, and writing. Many activities combine skills to better reflect real-life language use. See activity 23 in Chapter 5 of FCG, activity 23 in Chapter 4 of FLR, and activity 21 in Chapter 3 of the Workbook section in the student *Activities Manual*.
- Language is culture, and culture is reflected in language. By being exposed to real-life situations and by comparing the new cultures with their own, students acquire an awareness of and respect for other peoples. See activity 21 in Chapter 10 of FCG and activity 12 in Chapter 4 of FLR.
- Spiraling of material is essential to move students from learning to acquisition. Continuous and systematic reentry of previously studied material while learning about new topics leads students to acquisition of language needed to carry out specific functions. See the table of contents in FCG for a list of specifically recycled material.
- Learning is enhanced when it is enjoyable. If the material presented places students in a relaxed, pleasant atmosphere, and if students enjoy class activities, their rate of success increases. See activity 28 in Chapter 1 of FCG and activity 22 in Chapter 6 of FLR.

Features and Changes

Functionally and Thematically Organized Components

- Structures and vocabulary presented are functionally grouped so that students can more easily practice and assimilate them. For example, in Chapter 3 of FCG, the preterit, adverbs of time, and the pluperfect are presented to support the function of narrating in the past.
- Themes presented in the initial listening section of each chapter in FCG are focused on throughout the chapter.
- Themes are expanded upon in FLR and in the ancillaries to provide students with a solid base of cultural knowledge.

Clear and Concise Grammar Explanations
- Explanations recognize the knowledge gained during the first year and expand upon that knowledge, pinpointing specific problem areas.
- Examples illustrate concepts and include contrastive sentences for key topics such as the subjunctive. See page 116.
- Easy-to-locate charts and diagrams provide helpful visualization of important points for study and review. See pages 88 and 283.
- A grammar appendix with explanations of tense formation and verb conjugations serves as a handy all-in-one reference for consultation throughout the course.

Ample Number of Activities
- FCG provides an abundant variety of activities for each topic, allowing instructors to use all or some of them.
- Activities in FCG are contextual and personalized and move from controlled to open in nature, encouraging students to express personal wants, needs, desires, and opinions.
- Both FCG and FLR provide opportunities for students to express themselves orally and to exchange ideas and information through pair, group, and class activities that also include opportunities to engage in connected discourse.

Integrated Listening Comprehension Program
- All chapters of FCG contain a listening section accompanied by pre-listening, on-going listening, and post-listening activities.

Reading, Writing, and Listening Strategies
- FLR systematically presents, practices, and recycles reading and writing strategies.
- Additional writing practice is available in the Workbook section of the accompanying *Activities Manual* and through the journal entries in FLR.
- The lab program presents and practices listening strategies that parallel the reading strategies presented in FLR.

Culture Integration in All Aspects of the Program
- Authentic texts from newspapers and magazines, literature, realia, and interviews with native speakers provide students with an inside view of Hispanic cultures in FLR and FCG.
- The **¿Lo sabían?** sections of FCG provide additional cultural insights related to the content of each chapter.
- Activities ask students to make inferences about cultural topics and to examine their own culture and opinions.
- Both large-"C" and small-"c" culture are included.

Student Annotations in FCG and FLR
- Annotations in the margin of the student text provide information to help students while studying, help focus students while doing activities, and offer additional cultural information.

New Features in *Fuentes,* Second Edition

- Improved coordination with FLR through annotations containing suggested links to FLR, more thematic and vocabulary ties, and expanded information in the front matter of FLR on how to coordinate the two volumes.
- New and revised chapter listening sections to shorten and enliven listening selections.
- Revisions in grammar sequencing and presentations to better balance chapters.
- Added annotations with grammar drills and vocabulary practice throughout FCG.
- More opportunities to practice connected discourse in activities.
- Updated cultural information in activities and *¿Lo sabían?* readings.
- New appendix containing basic first-year vocabulary arranged thematically.
- A Web site and topics in the text for Internet exploration.
- Updated Computer Study Modules that contain a new authoring feature and allow instructors to check student work.
- A revised test program with self-contained tests, items for FLR, and a cassette for listening portions.
- Increased self-checking in the Workbook to minimize instructor correction.
- Icons in the text to facilitate coordination with other program components:

 indicates when to play the audio CD or cassette

 indicates suggested links to readings in FLR

 indicates links to additional cultural information on specific topics

Instructors and institutions that wish to incorporate elements of the National Standards in their programs will find ample opportunity to do so with the *Fuentes* program. The five Cs (communication, cultures, connections, comparisons, communities) are reflected in numerous aspects of the program. These include paired activities where students make decisions and exchange information (FCG Ch. 6, Act. 7; Ch. 10, Act. 31), listening and reading sections where students are exposed to differing cultural perspectives and encouraged to relate and compare them to their own experiences and culture (FCG Ch. 11, *¿Coca o cocaína?*, p. 255; Ch. 4, *¿Lo sabían?*, p. 87), connections to other disciplines (such as art, business, ecology, economics, geography, history, music, and sociology), and Web activities and cultural links where students are introduced to a vast Spanish-speaking community.

Program Components

Fuentes: Conversación y gramática contains the following:

- A short preliminary chapter that eases students into the second year of study and allows instructors to quickly evaluate student performance in both oral and written form and determine whether any students may have been placed in the course inappropriately
- Eleven chapters organized by functions and theme to review, introduce, and expand upon vocabulary and structures commonly dealt with in introductory courses
- A final chapter that offers a review of narration in the past, present, and future

- A reference section of appendixes with verb conjugations in all tenses and moods, gender of nouns, object pronouns, accentuation and syllabication rules, and basic first-year vocabulary grouped thematically
- A Spanish-English end vocabulary
- Maps of the Hispanic world

Fuentes: Lectura y redacción contains the following:

- Thirteen chapters (including a preliminary chapter) coordinated by theme, grammar, vocabulary, and functions with FCG
- Three readings per chapter—a newspaper or magazine article, a cultural reading, and a work of literature
- Reading and writing strategies with systematic practice, and recycling
- Journal-writing topics
- A Spanish-English end vocabulary
- Maps of the Hispanic World

For a description of chapter parts, see the Instructor's Guide in FLR.

Student Audio CD or Cassette contains recordings of all listening sections in FCG.

Fuentes: **Activities Manual** contains the following:

- A Workbook section with controlled to open-ended activities corresponding to material presented in each chapter of FCG
- An answer key to the Workbook activities
- A Lab Manual section that offers pronunciation practice, systematic presentation of listening strategies, and listening comprehension activities
- Scripts for the listening sections presented in FCG

Computer Study Modules are available in Macintosh and IBM formats. Written specifically to accompany FCG, they provide additional drill material to practice structure, vocabulary, and reading comprehension.

Instructor's Resource Manual contains the following:

- Tests covering listening, speaking, vocabulary, functional grammar, reading, and writing
- A transcript of the Lab Manual recordings
- An answer key to the Lab Manual activities

Test Cassette contains the listening portions of chapter tests.

Audio CDs or Cassettes contain recordings of pronunciation and listening activities for each chapter, coordinated with the Lab Manual.

Fuentes: **Web Site** contains the following:

- Activities linked to Spanish-language sites for practice of chapter topics
- Cultural links for each chapter for exploration of topics presented in FCG and FLR
- The address is http://www.hmco.com/college/languages

Communicative Language Teaching

Although intended primarily for inexperienced instructors, the information in this section may serve as a useful review for experienced instructors. It describes six steps or phases for ensuring an effective communicative class: overview, input, drill, activity setup, the activity, check.

Overview
When planning a communicative class, functions[1] are center stage. Ask yourself these questions: (1) What structures are being presented? (2) What is the vocabulary being presented? (3) What are the functions highlighted by the text? (4) How do these high-frequency functions coincide best with the background knowledge and interests of the students? (5) Where, when, and by whom are these functions used?

Once the function and context have been identified, they provide the basis on which to plan the lesson and give students an overview of the material to be presented. For example, in the case of an introduction to narrating in the past (the preterit tense), students could be told, **Uds. ya saben decir qué van a hacer mañana y qué hacen todos los días. Ahora van a aprender a decir qué hicieron ayer.**

Input
When presenting a new topic, comprehension should precede production. Plan some sort of "comprehensible input" at the "i + 1" level[2] so that the students will hear the functions in a somewhat realistic setting. This can be done by you as an individual or through the use of a tape, a video, or a reading. You might rely on acting ability, creativity in constructing examples, or the use of visuals. Many times it is a combination of the above. The input phase doesn't mean explaining but rather exemplifying.

During this phase, you will need to make sure that students comprehend by "negotiating meaning"—in other words, by having students demonstrate that they understand what they hear. To negotiate meaning, have students respond physically (i.e., gestures, actions), answer yes/no questions, answer either/or questions, give information, and even laugh at the right time to demonstrate that they have understood. For example, when working with the subjunctive in adjective clauses, you might say **Jane** (a student in class) **busca un novio que sea inteligente. ¿Tiene Jane novio?** Students reply **no. ¿Existe esta persona?** Students respond **no.**

The input phase may be short (two minutes) or long, as the material and class dictate. *Clarity in presentation is of the utmost importance to ensure comprehension.*

Drill
The next step, after the input phase, should be devoted to drilling. The purpose of the drill is to give students the structural or lexical practice needed to carry out the function or functions highlighted in the overview and input phases. If students don't see the relationship between the input and the drill, you should point it out (e.g., **Estamos hablando de alguien que no sabemos si existe o no. Para eso necesitamos usar verbos especiales. ¿Quién sabe cómo se llaman esos verbos? Sí, presente del subjuntivo.**). You can plan the drill around the individuals in your class

---

[1] *Function* indicates the purpose of the utterance (to express likes and dislikes, to ask and give information, to describe physical appearance, to ask and give directions, etc.).

[2] *Comprehensible input at the i + 1 level* is language that is a little above the students' current level of production.

and their interests, something a text can never do. The drill will be more meaningful to students if you talk about individuals in the class and their abilities, especially if accompanied by some humor. Personalizing the drill helps to solidify form and meaning, which is the aim of the drill phase—an ability to manipulate certain forms so that students can carry out a function. Many people call this the "skill-getting" phase, and correction is needed during this period. Drills may take as little as two minutes for a simple structure or longer, depending on the needs of the class.

Drills can take the form of a game. The **dice game** will help students master verb conjugations and also take responsibility for their own learning. This example uses material from Chapters 1 and 2, but a variation of it can be used any time a new tense is presented and manipulation of forms needs to be mastered.

Write the following on the board:

1. yo
2. tú
3. él/ella/Ud.
4. nosotros
5. vosotros
6. ellos/ellas/Uds.

Pair students, assigning one to do the even numbers and the other the odds, and give each pair a die and the following handout:

1. cerrar	16. volver	31. correr	46. regresar
2. acostarse	17. poder	32. probar	47. pedir
3. necesitar	18. despertarse	33. dormir	48. pensar
4. ponerse	19. tener	34. almorzar	49. comer
5. querer	20. divertirse	35. empezar	50. vestirse
6. servir	21. entender	36. aprender	51. sentarse
7. maquillarse	22. encontrar	37. comenzar	52. venir
8. decir	23. ser	38. poder	53. vender
9. perder	24. querer	39. levantarse	54. lavarse
10. visitar	25. caminar	40. empezar	55. perder
11. dormirse	26. preferir	41. salir	56. probarse
12. jugar	27. decir	42. acostarse	57. sentarse
13. estar	28. ir	43. recibir	58. despertar
14. almorzar	29. cerrar	44. querer	59. decir
15. perder	30. poder	45. jugar	60. ser

The student who does the odd numbers rolls the die for verb 1; depending on the number rolled, he/she must give the proper conjugation (e.g., verb 1 is **cerrar,** the student rolls a 4, the corresponding subject pronoun is **nosotros**, so the student says **cerramos**). The other student does 2, etc. Model the activity with the students. Students depend on each other for correction and verification. When in doubt, they should ask the instructor.

Activity Setup

This part of a lesson is sometimes referred to as the "skill-using" phase. The activities in this phase should be *task* oriented, communicative,[3] and usually done in pairs or small groups. The objective is to utilize the function or functions focused on in the

[3] A *communicative activity* is often a paired or small-group activity in which the instructor can predict the functions that will be used and, therefore, the structures/vocabulary needed to carry out the function(s). The instructor may or may not be able to predict exactly what message the students will want to convey since the students will be creating with language.

input and skill-getting phases. Activities will most likely include functions previously studied (in earlier chapters or lessons), since the very nature of communicative activities builds in a certain amount of recycling of previously learned material.

Clarity in direction giving is imperative. Before doing an activity, you need to "set it up." You should approach the setup phase as if the students did not have any printed instructions in front of them. Setup may include pairing the students, giving them roles, telling them where the conversation takes place, physically moving them, etc. Then focus the students' attention on the structures and/or vocabulary needed to carry out the functions by practicing a few of the key phrases that they will have to use. Show how the activity works, modeling the beginning of the activity with a student, if needed. Rather than following up instructions with the question "Do you understand?" have students *show* that they understand. Then comes the last step of the setup: giving a time limit. The time limit may be shorter than the time you expect the activity to take. A short time limit can motivate students to get down to business right away.

Forming Pairs. Forming pairs and small groups should be quick. Here are a few tips for their formation:

1. Point at individuals sitting near each other and say, **tú con él, Mary con John y Phil, Uds. dos,** etc.
2. To form pairs or small groups with students who don't sit near each other, have all students stand, point at them and say **tú con él, Mary con John y Phil, Uds. dos,** etc. As you call out names, the students make eye contact with each other and sit down. When you are finished, they all move to work with their partner.
3. As students enter the room, have two piles of paper—one with capitals of countries, one with the names of countries. Organize the papers so that the top one is Madrid and the bottom one is España, the second from the top is Caracas and the second from the bottom is Venezuela, and so forth. Hand out one from the top and one from the bottom, thus always ensuring a pair. As a warm-up, have students find their partner. Other topics could include dates and events (**711/invasión de los moros**) or famous people and what they did (**Andrés Segovia/tocaba la guitarra**).
4. Some activities require assigning a role. This can be done while forming the pairs, by pointing at the students and saying, **A y B; padre y madre; profesora y estudiante; cliente y agente de viajes; jefa y empleado;** etc. In activities that require each student to look at different information—for example, the travel agent may need to look at certain information and the client at other information—have all clients use their hand to cover the material for the agent and vice versa.
5. If you have an uneven number of students, form one group of three. The instructor should not participate in paired activities, since his/her responsibility is to mingle and monitor.

The Activity

While an activity is in progress, the instructor and the students have very specific duties. Discuss with students their responsibilities during activities at the start of the year in order to form good habits. This is best done after a day full of paired activities. Instructor and student responsibilities are as follows:

INSTRUCTOR RESPONSIBILITIES	STUDENT RESPONSIBILITIES
Monitor, but don't hover. Circulate among the groups.	Work on task.
Offer suggestions if needed.	Work cooperatively.
Answer questions, but don't be overly available.	Look only at your own information if appropriate: don't peek at partner's.
Correct individual errors when communication is impeded.	Ask partner for clarification if needed.
Note grammatical and pronunciation errors for further classroom work.	Enunciate and speak clearly.
Call a time-out to correct a common error that will be repeated a number of times in the activity.	Correct each other's grammar when needed.
Abandon the activity if it isn't working. Failure could be due to poor setup or not enough linguistic preparation.	Speak only in Spanish; use gestures if needed to convey meaning.

The instructor should also decide when to stop the activity. It is not necessary for all groups to finish each activity—when two or three groups have finished, either they can reverse roles, or you can end the activity for the whole class.

Check

Depending on how you choose to end the activity, you may or may not need to do a check. For certain types of activities, it is important that the students know how they will be held accountable for what is accomplished during the pair or small-group activity. Here are a few suggestions for possible wrap-up activities:

1. Have some individuals report their findings to the class.
2. Identify a group that has done something humorous and have them share with their peers, either by reporting back or by acting out the activity for the class.
3. Have students self-check in pairs by putting their books side-by-side and comparing their pictures, lists, data, etc.
4. Collect and correct for accuracy activities that require a specific interchange of data.
5. Assign a brief composition, newspaper article, follow-up letter, etc., based on the contents of the activity.

The preceding steps may occur a number of times within a single class period. The class should be conducted in Spanish so that students' exposure to the target language is as great as possible. Remember that the input phase should be at "i + 1," but the communicative activities should not. The purpose of the skill-using phase is for students to acquire language, not to invent language. It is when students are pushed beyond their ability that they rely on their native language for assistance, and errors occur.

Suggested Strategies and Techniques for Working with FCG

Chapter Opener

The chapter opener contains a photo or work of art that introduces the chapter theme, followed by a list of communicative goals that will be the focus of the chapter. Use the opener to ask questions or elicit comments that orient students to the theme, and encourage them to refer to goals during the course of the chapter as a check on their progress.

Listening Comprehension

An initial listening comprehension passage accompanied by pre-, ongoing, and post-listening activities is designed to give instructors a means of helping students develop their listening skills as well as introduce them to the chapter theme. Many of these conversations, ads, monologues, etc., are semiscripted to provide natural-sounding passages. Some are authentic poems or interviews. In all cases, aspects of Hispanic culture are presented and discussed by the students.

The pre-listening activity, photograph, and expressions before each conversation serve to focus students' attention on what they are about to hear. It helps to activate background knowledge so that students can better comprehend the content of the passage.

The next two activities generally provide ongoing listening practice. Instructors should go over instructions and read any items given in lists prior to listening. In this manner, students know what to listen for and can *scan* for specific information without being concerned about the meaning of each and every word. The instructor should then play the listening selection and check responses. The second of these two activities usually asks students to listen to the selection again and answer more specific questions, put items in order, take notes, etc. At this point, the instructor can vary the presentation:

- Play the selection and then ask the questions.
- Read the questions, play the selection, and then ask the questions.
- Read a question, play the selection, pause when the answer is given, and pose the question again to the class. Continue this process until finished.

The post-listening activity at the end of this section provides students with an opportunity to expand on the theme and cultural elements presented in the passage.

The scripts to the chapter listening passages can be found at the end of this Instructor's Guide as well as at the end of the *Activities Manual*.

Functional Grammar and Thematic Vocabulary

Functions (for example, narrating in the past) and the grammar that supports them (preterit, time expressions, pluperfect) are presented in building-block fashion. Each explanation is followed by a series of activities that progress from more controlled to open, allowing students ample opportunity to use their new knowledge to express their own ideas in a meaningful fashion.

Vocabulary is presented in thematic groups (such as politics, employment, the environment) and usually appears after a main grammar point. Lexical items are also presented, when needed, in grammar explanations (e.g., time expressions to sequence past events). Each presentation of lexical items is followed by a series of activities to enable students to practice the words as well as the chapter functions in meaningful contexts.

All functional grammar explanations and thematic vocabulary lists can be assigned for study as homework. Workbook activities and some controlled activities from the text can also be assigned to reinforce students' learning as they progress through the chapter.

In class, regardless of whether the students have already studied the point in question at home, the instructor should provide *comprehensible input* when presenting a topic—that is, highlight the new construction in a functional and meaningful context (e.g., when presenting the preterit, discuss what you did yesterday). Next, try to elicit rules from the students if deemed necessary.

Practicing Verb Conjugations

In order to express ideas clearly in Spanish, it is important not only to know what tense to use but also to conjugate forms correctly. Students get practice working with different conjugations throughout each chapter, in the Workbook, and through the computer program. This may be enough in most cases (i.e., the imperfect, future, or conditional). At other times, it may be necessary to spend class time practicing verb conjugations.

The following suggested drills should be done quickly in class *only when necessary*, as dictated by the needs of the individual class:

- Write a list of verbs on an overhead transparency and have students work in pairs to organize them into categories—for example, stem-changing verbs in the present (**e > ie, o > ue, e > i, u > ue** and then subcategories **-ar, -er, -ir**).
- Create three teams and have students number off. Then say a verb and a subject, and call out a number (for example, three). Students with that number run to the board and write the specified form of the verb. Keep points for a competition among teams.
- Play the dice game, as described on page IAE 13.

Oral and Written Activities

FCG provides a variety of activities ranging from controlled to more open, for individual, pair, group, class work. Instructor annotations provide information for carrying out many of the pair and group activities, follow-up ideas for connected discourse, and answers to many controlled activities. The first instructor annotation in each chapter opener lists a series of activities or parts of activities that can (but need not) be prepared at home and later checked in class. These activities are more controlled or provide students with an opportunity to think about their responses prior to class. If they are assigned as homework, the following tips may help make the class run smoothly:

- Write homework assignments on the board in the order in which they are to be done to help students organize their study time.

    Estudiar: X, página X
    Escribir: actividades X, Y, y Z del Cuaderno de ejercicios
                     actividades X y Y, FCG (para entregar)

- Collect textbook activities. If they are corrected in class, you can simply check them off as done or not done. If you collect them, students will do them.

Many activities in FCG are communicative and should be done in class. Most of these are for pairs or small groups. For information on how to implement these activities as well as how to form pairs, see the "Communicative Language Teaching" section on page IAE 12.

It is also advisable to get the students out of the textbook whenever possible by putting an activity on an overhead transparency. The activity could be intact as printed in the text, or it could be slightly altered to include examples pertinent to your class or events in the news.

Circumlocution and Connected Discourse

Many activities in FCG encourage students to practice circumlocution. In the directions to these activities, students are encouraged to use specific phrases, such as **es una cosa que . . . , es una acción que. . . .** Examples of this type of activity are activity 26 in Chapter 6 and activity 21 in Chapter 3.

Opportunities for students to engage in connected discourse are presented throughout FCG. An example of this type of activity is activity 6 in Chapter 6. When giving directions for paired and small-group activities that require connected discourse, it is important to provide students with a model that clearly shows them what your expectations are. When checking these activities, encourage students to explain their opinions or to expand on what they are saying by asking leading questions, such as **¿Por qué?, ¿Y?,** and **¿Qué quieres decir con eso?**

Error Correction

When teaching a language with a communicative approach, instructors are confronted with a dilemma: when to correct and when to ignore errors. To help reduce the possibility of errors during communicative activities, make sure students are prepared lexically and linguistically to carry out the activities by providing a clear input and drill phase.

Correction is needed and accuracy is important; however, balance correction with encouragement so that students will be willing to take chances and to speak in class. Students must realize that errors are a part of the learning process.

- Correct frequently during the drill and set-up phases of activities.
- Correct by simply using a student's response and offering the correct form, then follow up with an opportunity for the student to self-correct.
  S: Yo **fue** al cine el sábado pasado.
  T: Yo también **fui** al cine. **Fui** al Roxy. ¿Adónde fuiste tú?
  S: **Fui** al Majestic.
- Use a faded cue to lead the student to the error and allow him/her an opportunity to self-correct.
  S: El sábado pasado yo **fue** al cine.
  T: El sábado pasado yo (*raising voice slightly*)
  S: Ohh, **fui**. Yo **fui** al cine.
- Offer an option (without actually indicating the correct response).
  S: Me **gusta** las películas.
  T: ¿Te **gusta** la película o te **gustan** las películas? (*implying, I'm sorry but I didn't catch what you said*)
  S: Me **gustan** las películas.
- Elicit help from other members of the class and, when needed, review appropriate rules.

    S: Vi John y Jim ayer en una discoteca.
    T: Vi . . .
    Ss: Vi a John y a Jim
    T: ¿Por qué?

- React to what is said, showing the student that he/she has miscommunicated.
    T: ¿Qué hace tu padre?
    S: Tu padre es ingeniero.
    T: No, mi padre no es ingeniero, es médico.
    S: *(Realizing his/her error, the student self-corrects and says:)* Mi padre es ingeniero.

- During pair and small-group work, circulate and offer brief error correction. Certain errors heard in pair and small-group work can be noted and then used as the basis for future class warm-up activities.

- If an activity just isn't working, abandon it. Return to the activity at a later point when students are better prepared, repeat the instructions, or omit the activity altogether.

¿Lo sabían?

Throughout each chapter, pertinent cultural information is explained in the **¿Lo sabían?** sections. These appear sporadically in each chapter to expand on or provide information related to the cultural content of the listening selections and activities. Many times, these **¿Lo sabían?** sections end with a discussion question that asks students to examine aspects of their own culture or cultures to gain greater insight into Hispanic cultures.

    These cultural readings can be assigned as homework or read in class. Have students compare their own culture with the target culture. Check comprehension by asking either/or, yes/no, informational, or opinion questions. Allow time in class for students to briefly discuss questions posed after reading the text. Remind students that differences in culture are usually of degree and not kind.

Planning a Syllabus

The *Fuentes* program was written keeping in mind different course configurations and teaching styles. Course goals and the total number of class meetings available vary from one institution to another, so these will be key elements to consider in planning a syllabus. During the study of Spanish at the intermediate level, some institutions have classes that meet four times a week, others three times, and some only twice. The *Fuentes* program can be used in all of these possible scenarios with slight adaptations or omissions.

    Although it is best to use both FCG and FLR in conjunction, doing most activities presented, if an institution chooses to focus on listening and speaking skills as provided in FCG, allowances can be made to pick and choose from the readings in FLR. On the other hand, if the institution opts to focus more on developing reading and writing skills in FLR, it can place less emphasis on FCG.

Sample Syllabi for the *Fuentes* Program

Semester System. First semester, three-day-per-week schedule: four quizzes, two exams, and a final exam scheduled during the semester. Exams will take the complete hour and quizzes half a class period. The number of days allotted per chapter assumes use of both FCG and FLR.

Second semester, three-day-per-week schedule: three quizzes, two exams, and a final exam scheduled during the semester. Exams will take the complete hour and quizzes half a class period. Chapter 12 in FCG serves as a review for the course and the final exam. Therefore, no quiz is scheduled.

SEMESTER 1				SEMESTER 2			
Week	Day 1	Day 2	Day 3	Week	Day 1	Day 2	Day 3
1	Prelim.	Prelim.	Prelim./1	1	Review	7	7
2	1	1	1	2	7	7	7
3	1	Quiz, Ch. 1	2	3	7	Quiz, Ch. 7	8
4	2	2	2	4	8	8	8
5	2	2	Exam, Ch. P–2	5	8	8	8/review
6	3	3	3	6	Exam, Ch. 7–8	9	9
7	3	3	3	7	9	9	9
8	Quiz, Ch. 3	4*	4	8	9	9	Quiz, Ch. 9
9	4	4	4	9	10	10	10
10	4	4	4/review	10	10	10	10
11	Exam, Ch. 3–4	5*	5	11	10/review	Exam, Ch. 9–10	11
12	5	5	5	12	11	11	11
13	5	Quiz, Ch. 5	6	13	11	11	Quiz, Ch. 11
14	6	6	6	14	12*	12	12
15	6	Quiz, Ch. 6	Review for final exam	15	12	12	12

* More time is allowed for work with the preterit and imperfect in Chapter 4 and the subjunctive in Chapter 5.

* Chapter 12 in FCG reviews material from the entire course.

Quarter System. First, second, and third quarters, three-day-per-week schedule: one midterm and a final exam scheduled each quarter. The number of days allotted per chapter assumes use of both FCG and FLR.

QUARTER 1				QUARTER 2			
Week	Day 1	Day 2	Day 3	Week	Day 1	Day 2	Day 3
1	Prelim.	Prelim.	Prelim./1	1	Review	5	5
2	1	1	1	2	5	5	5
3	1	2	2	3	5	5	6
4	2	2	2	4	6	6	6
5	2	2	Midterm, Ch. P–2	5	6	6	Midterm, Ch. 5–6
6	3	3	3	6	7	7	7
7	3	3	3	7	7	7	7
8	3	4	4	8	7	8	8
9	4	4	4	9	8	8	8
10	4	4	Review for final exam	10	8	8	Review for final exam

QUARTER 3			
Week	Day 1	Day 2	Day 3
1	Review	9	9
2	9	9	9
3	9	9	10
4	10	10	10
5	10	10	10
6	Midterm, Ch. 9–10	11	11
7	11	11	11
8	11	11	11
9	12*	12	12
10	12	12	12

* Chapter 12 FCG reviews material from the entire course.

 ## Lesson Planning

When planning a lesson, keep in mind the following general points:

1. Clearly define your daily objectives.
2. Plan your lesson thinking of your students as individuals.
3. Write homework assignments on the board prior to starting the class.
4. Begin the class with an active warm-up.
5. Involve students actively in the learning process.
6. Anticipate possible student errors or questions.
7. Do not do anything for your students that they can do for themselves.
8. Maintain a brisk pace.
9. Allow for a variety of activities.
10. Establish a pleasant, relaxed atmosphere.

Each day, after class, ask yourself the following questions:

1. What percentage of the class time did students talk?
2. Did the students and I use Spanish as much as possible?

When planning a lesson using the *Fuentes* program, keep in mind the following points:

1. Do activities from both FCG and FLR in the same lesson rather than having days dedicated specifically to reading or speaking.
2. Pick and choose from the various activities presented. It is not necessary to do all of them. Pick those that best match your students' needs and your teaching style.
3. The computer program is optional but can be a valuable tool for those who require more practice to master material or simply enjoy on-screen work versus pen and paper. If the instructor actively promotes use of the program, students will be more apt to try it and thus benefit from it.
4. If you have students do the **Cuaderno personal** entries in FLR, collect them in small batches during each class period, except exam and quiz days.

5. Assign Workbook activities during the course of each chapter and collect them at the end of each chapter on the day of the quiz or exam. Since answers are provided for most activities, students can be held responsible for correcting their own answers. Only open-ended sections need to be checked, and although thorough checking is preferable, spot-checking is sufficient.

6. Assign the Lab Manual activities the last few days of each chapter and have students hand them in on the day of the quiz or exam. Answers to the Lab Manual activities can be provided to students for self-correction, or the instructor can choose to correct these.

Sample Lesson Plan

The following is a sample lesson plan for Chapter 3. It is based on a fifty-minute class, spending six full class periods, with about twenty minutes of review on the seventh day followed by a quiz.

Note: Specific time limits are offered for each aspect of Day 1; general time limits are offered for subsequent days. Days 1 and 2 are completely planned; after that point, activity numbers are given. In all cases, instructors should feel free to use all activities or omit some activities or parts of activities, as deemed appropriate for class needs. All three readings in FLR are included in the lesson plan. However, you may choose to do one, or any combination of two readings. It is also possible to do or omit any, some, or all of the **Cuaderno personal** entries or the **Redacción** sections. FLR links in FCG point out related topics that can be used to create a transition between the two texts. See FLR for more information on coordinating the two texts.

Prior to beginning Chapter 3, assign the following homework:

Escribir:	Act. 1, FLR
Leer:	Estrategia de lectura, pág. 42, FLR
Escribir:	Act. 2–3, FLR

Day 1 (Tape recorder and text listening cassette needed.)
Homework written on the board:

Estudiar:	Narrating in the Past, points A and B, págs. 67–69 y págs. 72–73, FCG
Repasar:	Formación del pretérito, Apéndice A, FCG
Escribir:	Act. 3–4, FCG
	Act. 1–2, Cuaderno de ejercicios
Leer:	Lectura 1, págs. 44–45, FLR
Escribir:	Act. 5, Cuaderno personal 3–1, FLR
Opcional:	(Corresponding computer program activities)

1. Warm-up, introduction to Chapter 3 theme in FCG (4 minutes):

- Have students look at the map of Spain inside the front of their book. Group them in pairs and project the following questions on an overhead transparency: **¿Cómo se llaman las montañas que separan España y Francia? ¿Dónde está Andalucía, en el norte o el sur? ¿Cómo se llama el país que está al otro lado del Estrecho de Gibraltar? ¿Cuál es la religión que predomina en España? ¿Y en el norte de África?**

2. Do the listening passage in FCG (20 minutes):

• *Pre-listening:* Present expressions that precede the listening passage. Follow annotations in the margin. (4 minutes)

Introduce the theme of the listening passage and have students do activity 1A individually to activate background knowledge. Check when finished. (4 minutes)

• *Ongoing listening:* Present activity 1B, read through the items aloud, play the listening selection, and check. Present activity 2, play the listening selection again, and check. (8 minutes)

• *Post-listening:* Read **¿Lo sabían?,** discuss the information presented, and use it as a transition to the reading in FLR. (4 minutes)

3. Reading for cultural information in FLR (18 minutes):

• Check and discuss activity 1. Bring in pictures of places mentioned, if possible. (4 minutes)
• Check and discuss activities 2–3. (5 minutes)
• Do activity 4 in pairs. Check by having students instruct you on how to draw the arrows; draw the arrows on an overhead transparency of a map of Spain. (9 minutes)

4. Hand back exam, Chapters P–2 (8 minutes):

• Go over problematic areas in the exam.

At the end of the class, collect the assignment (activities 1–3 FLR) simply to check it off as done and return it the next class period. (If assignments are collected, it will stop students from writing in their texts, thus helping to eliminate the problem of students in subsequent years having the answers because they have a used, marked-up book. It will also encourage students to prepare the homework more thoroughly. Bookkeeping is simple since the instructor need only mark assignments as completed without worrying about correcting each item.)

Day 2
Homework written on the board:

Estudiar:	Narrating in the Past, point C, pág. 74 and point D, pág. 76
Repasar:	Formación del pretérito, Apéndice A, FCG
Escribir:	Act. 3–5, Cuaderno de ejercicios
Leer:	Estrategia de lectura, p. 47, FLR
Escribir:	Act. 8, 9A y B, FLR
Opcional:	(Corresponding computer program activities)

1. Warm-up (10 minutes):

• Using the itinerary in "Al-Andaluz" as an example, do activities 7A and 7B in FLR.
• Transition to narration in the past by asking individuals, **¿Conoces Nueva York? ¿Visitaste Nueva York el año pasado? ¿Te gustó la visita?** (etc.)

2. Present narration in the past (18 minutes):

- Provide comprehensible input to highlight the preterit tense. Discuss something of interest to you, including cultural information if possible (e.g., a real or an imaginary trip you have taken to Andalucía).
- During the analysis phase, place time lines on the board and write specific examples underneath taken from the comprehensible input you provided.
- Check activity 3 in FCG.
- Work with the formation of regular verbs, including verbs like **pagar, tocar,** and **empezar**. Write the following on the board to help students focus on spelling conventions: **ga gue gui go gu, ca que qui co cu, za ce ci zo zu.**
- Check activity 4 in FCG. Practice reading years and do activity 5 in FCG.

3. Communicative practice of narration in the past (15 minutes):

- Have students close their books. Present a series of events that took place in your lifetime (try not to include the most obvious, leaving those for the students to write). Write these on the board. Then have students do activity 6A. Set a time limit and begin. Provide vocabulary as needed.
- Present activity 6B by having students ask you when different events occurred. Have them form pairs and do activity 6B.
- Do activity 7A. Practice asking questions and giving possible responses; form pairs; and begin.
- Do activity 7B. Change partners; set a brief time limit; and have them complete the activity. Spot-check by calling on a few students.

4. Review and practice some common irregular preterit forms and stress those mentioned in the explanation for Narrating in the Past, point B (7 minutes):

- Review and practice forms.
- Do activity 8.

Collect activities 3–4 in FCG.

Day 3
Homework written on the board:

Estudiar:	Narrating in the Past, point E, pág. 78, FCG
	Formación de participios pasivos, Apéndice A, FCG
Escribir:	Act. 17–18, FCG
	Act. 6–8, Cuaderno de ejercicios
Estudiar:	Vocabulario—La conquista, pág. 79, FCG
Escribir:	Act. 9–10, Cuaderno de ejercicios
Opcional:	(Corresponding computer program activities)

1. Warm-up (12 minutes):

- Play a verb conjugation game to practice forms. See dice game, page IAE 13, for suggestions.

- Do activity 9.

2. Narrating in the Past, point C (18 minutes):

- Provide comprehensible input to highlight time expressions.
- Do activities 11–12. *Note:* Activity 11 has items that require the use of the present indicative tense as well as the preterit.

3. Narrating in the Past, point D (15 minutes):

- Provide comprehensible input to highlight adverbs of time used to sequence events.
- Do activities 13–14.

4. Introduce the **Panorama cultural** section in FLR (5 minutes).

- Check activities 8, 9A and B. Collect activities 8, 9A and B.

Day 4
Homework written on the board:

Estudiar:	Time and Age in the Past, pág. 81, FCG
Escribir:	Act. 9–15, Cuaderno de ejercicios
Leer:	Lectura 2, págs. 48–50, FLR
Escribir:	Act. 10–12, FLR
Opcional:	(Corresponding computer program activities)

1. Warm-up (8 minutes):

- Review adverbs of time and sequence.
- Do activity 15 or 16.

2. Present Narrating in the Past, point E (20 minutes):

- Provide comprehensible input about history using the pluperfect and the preterit. Place time lines from Narrating in the Past, points A and E, on the board. Have students say which event happened when.
- Drill past participle forms if needed.
- Check activities 17–18.
- Do activity 19.

3. Present vocabulary (17 minutes):

- Briefly present vocabulary, providing comprehensible input based on Spanish history.
- Do activities 21–22.

4. Introduce the **Panorama cultural** reading in FLR (5 minutes):

- Do activity 9C. Use this activity to give a brief overview of the reading. Use this as an opportunity to review structures presented so far about narration in the past.

Collect Act. 17–18, FCG.

Day 5
Homework written on the board:

Repasar:	Todo el Capítulo 3, FCG
Escribir:	Terminar el Cuaderno de ejercicios para el . . . (day 7 of sample lesson plan)
Escuchar:	Terminar el Manual de laboratorio para el . . . (day 7 of sample lesson plan)
Leer:	Cuento, pág. 54, FLR
Escribir:	Act. 16, 17A, 18, FLR
Leer:	Cuento, págs. 56–57, Estrategia de redacción, pág. 59, FLR
Escribir:	Act. 19, 20 y Cuaderno personal 3–3, FLR

1. Warm-up (9 minutes):

- Review vocabulary items and do activity 23.
- Transition to historical information and review the use of the pluperfect by giving students two past events in Spanish history and having them form sentences.

2. Present telling time and age in the past (14 minutes):

- Present time first by providing comprehensible input about your activities the day before. This will incorporate the preterit and time telling.
- Do activity 24.
- Present stating age in the past by discussing how old you were when the actions in activity 25 occurred. Do activity 25.

3. Do the **Panorama cultural** section in FLR (20 minutes):

- Discuss the reading.
- Check activities 10–12.
- Do activity 13.

4. Introduce new reading (7 minutes):

- Do activity 14 in FLR, then activity 15 with books closed. You may want to project the lines of the reading on an overhead transparency, exposing each line as students make predictions.

Collect activities 10, 11, and 12, FLR.

Day 6
Homework written on the board:

Estudiar:	Prueba, Capítulo 3
Escribir:	Terminar el Cuaderno de ejercicios
Escuchar:	Terminar el Manual de Laboratorio
Escribir:	Act 23 C, FLR, para el . . . (day 8 in sample syllabus, the day after the chapter quiz)
Opcional:	Todo el programa de computadora

1. Warm-up (5 minutes):

- Review age in the past. List five world events on the board and ask students: **¿Cuántos años tenían cuando . . .?**

2. Work with reading in FLR (35 minutes):

- Make a transition to the reading by asking students what types of stories they read when they were six years old. This will serve as a lead-in to **Las mil y una noches.**
- Check activities 16 and 18.
- Have students create a summary of the story or ask a series of comprehension questions on the story.
- Have students share their answers for activity 17A. Then have them do activity 17B. As they share their happy ending, have them compare it to the ending in the second story.
- Check activities 19 and 20.

3. Writing strategy (10 minutes):

- Briefly go over the writing strategy.
- Do activities 22, 23A and B.

Collect activities 16, 17A, and 18, FLR.

Day 7
Homework written on the board:

> Escribir: Act. 23C, FLR
> (Plus additional work to prepare students for Chapter 4.)

1. Warm-up (7 minutes):

- Do activity 26, FCG.

2. Review for quiz (15 minutes):

- Do any activities that you may have omitted while doing the chapter to review salient concepts.

3. Give the quiz (rest of class period).

Collect Workbook and Lab Manual for Chapter 3.

 ## Scripts for Chapter Listening Passages

Capítulo preliminar: La facultad

Ramón   ¿Y cómo te va en la facultad?
Mónica   ¡Ay! ¿No te dije? Creo que voy a cambiar de carrera.
Ramón   **¿En serio?** ¿Qué pasa? ¿No . . . no te gusta la medicina?
Mónica   No, creo que la medicina no es para mí.
Ramón   **¡No me digas!**

Mónica   Sí, hace un año que . . . . que estoy en medicina y la verdad es . . . no sé . . . creo que no me gusta. Curso materias que no me interesan . . . y no sé. Me parece que estoy perdiendo el tiempo.

Ramón   ¿Y . . . qué vas a hacer?

Mónica   Mira. La opción que estoy considerando es estudiar derecho.

Ramón   ¡No me digas! ¿Derecho? ¿Abogada, tú?

Mónica   Sí, sí, ¿por qué no? Me interesa mucho el derecho constitucional. Creo que es una carrera donde tengo más posibilidades. En este país hay tantos médicos que para . . . encontrar trabajo, es casi . . . casi imposible.

Ramón   Sí, la verdad es que no se necesitan médicos en las grandes ciudades y yo no quiero vivir en un pueblo. Pero, dime una cosa, y en la facultad de derecho, ¿te revalidan algunas de las materias de medicina?

Mónica   No, no me revalidan nada. Ninguna de las materias que cursé. Cero, ni una. Cursé ocho materias: biología, anatomía y seis más, y no me revalidan ninguna. Es una lástima.

Ramón   ¿En serio? ¡Qué suerte tienes!

Mónica   Sí, pero ¿qué puedo hacer? Tendré que **volver a empezar de cero.** Por suerte, por suerte, sólo he estado en medicina un año y no dos o tres años. ¿Te imaginas? ¿Volver a empezar de cero después de cursar tantas materias?

Ramón   No, de verdad que no me lo imagino. Demasiado trabajo para mí. Y dime, ¿a qué edad vas a terminar la carrera?

Mónica   Pues . . . tengo diecinueve . . . y se necesitan cinco años, así que a los . . . a los veinticuatro me recibo de abogada. ¿Qué crees? Y eso sí, esta vez no vuelvo a cambiar de carrera.

Ramón   Estás segura, ¿no? Quiero tener una amiga abogada . . . puedo necesitar tu ayuda en cualquier momento. Pero bueno, mucha suerte.

Mónica   Órale, pues.

Capítulo 1:   Una cuestión de identidad

Pedro   Discúlpame, Silvia. Te quería hacer una pregunta.

Silvia   Sí, dime.

Pedro   Hace una hora que estoy completando una solicitud para entrar a una universidad de California y **me llama la atención** la cantidad de categorías que hay: Chicano/Mexican American, Latino, Latin American, Puerto Rican, Other Hispanic . . . **Son unos pesados.** Esto es una ensalada de palabras. ¿Quién es qué? Dime, ¿quién es el Mexican American?

Silvia   Bueno, el mexicoamericano es el ciudadano de los Estados Unidos que es descendiente de mexicanos, es decir, que sus padres o abuelos o bisabuelos eran mexicanos, y que se identifica con la cultura mexicana.

Pedro   ¡Ah! O sea, que el mexicoamericano es ciudadano de los Estados Unidos, pero habla español.

Silvia   Algunos hablan sólo inglés y otros hablan inglés y español.

Pedro   Y el chicano, ¿quién es el chicano?

Silvia   Bueno, la palabra la usan algunos mexicoamericanos, es decir, gente de ascendencia mexicana, pero creo, creo que la palabra tiene una connotación política.

Pedro   Política, ¿eh? Pues, entonces yo, ¿qué marco en esta solicitud?

Silvia   Marca latino.

Pedro   Sí, ya sé que soy latinoamericano porque soy de Latinoamérica, pero latinoamericano también incluye a los brasileros porque ellos hablan portugués y el portugués es una lengua latina. Pues, marco Latino, Latin American y listo.

Silvia Ya vas a aprender más cuando estés allí. Vas a ver que en la universidad no sólo asistes a clase; también participas en otras actividades como jugar al fútbol, cantar en el coro.

Pedro ¿Qué dices? ¿Cantar?

Silvia Sí, allí no es como aquí que cuando sales de clase, tomas el autobús y te vas a tu casa.

Pedro O te vas a un bar a tomar algo con tus amigos . . . o a donde sea . . .

Silvia Exacto. Pero **en cambio** en los Estados Unidos todas las facultades están juntas en la ciudad universitaria, o el "campus", como se dice allí. Y hay muchas cosas para hacer. Es muy divertido.

Pedro El "campus", ¿eh? No veo la hora de estar allí. Me parece que lo voy a pasar muy bien.

Capítulo 2:   La invitación para esta noche

Bill ¡Hola, Laura! ¡Qué alegría verte! ¿Cómo estás?

Laura Bien. Muy bien, Bill. Pero **tengo prisa.** Quiero ir a comprarme unos zapatos para esta noche. ¿Vas a ir?

Bill ¿Esta noche? ¿Adónde?

Laura A mi casa. ¿Cómo? Te dejé un mensaje en el contestador automático.

Bill Ay, odio esos inventos de la tecnología moderna porque nunca funcionan.

Laura Bueno, de todos modos, mi hermana y yo organizamos una comida en nuestro apartamento con algunos amigos. Nos pasamos la tarde cocinando.

Bill Y, ¿a qué hora es la cena?

Laura A las 9:00. ¿Vienes? **Te vas a divertir un montón.**

Bill Sí, creo que sí.

Laura Tienes que ir. Mira que soy buena cocinera, ¿eh?

Bill Bueno. Entonces a las 9:00 en tu casa.

Laura ¿Tienes mi dirección?

Bill Sí, sí. Me acuerdo dónde está tu casa.

Laura Bueno. Nos vemos esta noche. ¡Chau!

Bill ¡Chau, chau!

Silvia ¿Quién es?

Bill Soy yo, Bill, amigo de Laura.

Silvia ¡Ah, Bill! ¿Qué tal? Pasa, pasa. ¡Pero qué temprano llegaste! Laura se está vistiendo.

Bill ¡¿Temprano?! ¿Soy el primero en llegar? Pero son las 9:10.

Laura ¡Bill, ya voy! ¡Me pongo los zapatos, me maquillo y ya estoy en la sala contigo!

Silvia Bill. Soy Silvia, la hermana menor de Laura.

Bill Mucho gusto.

Silvia ¿Te provoca tomar algo?

Bill No, te agradezco. No tengo sed. ¡Mmm! ¡Qué rico aroma! ¿Qué es?

Silvia ¡Ay! ¡Es el pollo! ¡Se está quemando el pollo! Laura, el pollo!

Laura **¡Ya voy!**

Capítulo 3:   Un anuncio histórico

Todos sabemos algo de la historia de España:

En el año 711 los musulmanes, o moros como los llamaban aquí en España, invadieron la Península Ibérica para llevar la palabra del Corán. 711, **año clave** en la historia de España.

En el año 718 Don Pelayo ganó la primera de muchas batallas contra los moros y así empezó la Reconquista. 718, año clave en la historia de España.

Entre 1252 y 1284, durante el reinado del rey Alfonso X, o Alfonso el Sabio, cristianos, moros y judíos pudieron explorar juntos la filosofía y las ciencias. 1252 a 1284, años claves en la historia de España.

En 1478 empezó la Inquisición española, época de persecución contra los judíos y los moros. 1478, año clave en la historia de España.

En 1492 los Reyes Católicos, Fernando e Isabel, expulsaron a los moros de España y Cristóbal Colón llegó a América. 1492, año clave en la historia de España.

Compren la serie de libros *Años claves en la historia de España: 711 a 1492*. El primer libro estará a la venta en todos los quioscos **el** próximo **lunes.** Una colección esencial para su biblioteca. El lunes en su quiosco. Todos **los lunes**, un nuevo libro de la serie *Años claves en la historia de España: 711 a 1492*.

Capítulo 4:   La leyenda del maíz

Bueno, hoy les voy a contar una historia, una leyenda, que es la leyenda del maíz. Ésta es una leyenda de los toltecas. Bueno, resulta que **había una vez** en el cielo dos dioses, el dios Sol y la diosa Tierra, que tenían muchos, muchos hijos. Y un buen día uno de los hijos, que se llamaba Quetzalcóatl, les dijo a sus padres que quería ir a vivir a la Tierra, y entonces los padres le dieron permiso. El joven Quetzalcóatl bajó a vivir a la Tierra y fue a vivir con los toltecas.

Resulta que los toltecas eran muy, muy pobres y, entonces, todas las noches Quetzalcóatl iba a una montaña y les pedía ayuda a sus padres. Y sus padres le enseñaron a obtener el oro, la plata, la esmeralda y el coral. Y con todo esto Quetzalcóatl construyó cuatro casas de coral con oro, plata y esmeraldas. Y entonces los toltecas se hicieron ricos, pero para Quetzalcóatl esto no era suficiente porque él quería algo más útil para los toltecas; él quería darles algo para su futuro.

Y una noche hermosa de luna llena, Quetzalcóatl fue a la montaña a pedirles inspiración a los dioses, a sus padres. Pero se quedó dormido y comenzó a soñar. Y en el sueño vio una montaña hermosa cubierta de muchas flores y de repente vio un hormiguero. Y de este hormiguero entraban y salían muchas, muchas hormigas que llevaban algo, pero Quetzalcóatl no podía ver qué era.

Y ahí Quetzalcóatl se despertó y misteriosamente comenzó a caminar hasta que llegó a una montaña preciosa cubierta de flores y allí **¿a que no saben** lo que vio? Sí, amigos. Vio el mismo hormiguero que había visto en su sueño. No lo podía creer.

Y entonces les pidió a los dioses que lo convirtieran en hormiga para poder entrar en el hormiguero. Y los dioses lo escucharon y lo convirtieron en hormiga y así Quetzalcóatl pudo entrar en el hormiguero y encontró el tesoro de las hormigas. Pero, ¿qué era? Eran cuatro granitos blancos. Entonces él tomó los cuatro granitos blancos y volvió a su pueblo y los escondió. Y los escondió muy bien. ¿Dónde los puso? Los puso en la tierra.

No saben la sorpresa que se llevó una mañana **cuando** salió de su casa y vio unas plantas doradas divinas con hojas grandes y en el centro un fruto delicioso. Los dioses le habían dado algo más importante que el oro, la plata, el coral y la esmeralda. Le habían dado una planta. Sí, una planta: el maíz. Un cereal divino. Y colorín, colorado esta leyenda ha terminado.

Capítulo 5:   ¿De dónde es esa fruta?

Mesero	Aquí está su comida. A ver, ¿quién pidió moros y cristianos?
Hombre	¿Los moros y cristianos? . . . Ah, son para mi esposa, por favor.
Mesero	Bien. Y la ropa vieja, ¿para quién es?
Hombre	La ropa vieja es para mí.
Niño	Y el pollo con plátano frito es para mí.
Mesero	Pollo y plátano frito para el señorito.
Mujer	Chévere.
Mesero	Buen provecho.
Hombre/Mujer	Gracias.
Niño	Mami, mira a ese señor bailando el cha cha chá.
Mujer	Pero ese señor no baila, ese señor mata cucarachas.
Hombre	Oye, Miguelito, quiero que te comas todo el plátano que tienes en el plato. ¿Entendiste?
Niño	**¿Comérmelo todo?** Pero, papi, no tengo mucha hambre.
Hombre	Mira, niño, cómetelo todo.
Niño	Bueno, está bien.
Hombre	Y por favor, pon las dos manos en la mesa.
Mujer	Miguelito, ese plátano está delicioso.
Hombre	¿Y saben dónde se encontraron los primeros plátanos?
Mujer	En Cuba, por supuesto.
Hombre	No, en Cuba no.
Mujer	¡Vamos!
Hombre	El plátano se originó en Asia. **¿Acaso no sabías?**
Mujer	¡En Asia! ¡Por favor! Miguelito, las dos manos en la mesa, ¿eh?
Hombre	Pero es verdad. **Te lo digo en serio.** Los primeros plátanos se encontraron en Asia y luego se plantaron en las Islas Canarias, que era una colonia española.
Mujer	¿En las Islas Canarias? ¿Y qué? ¿Entonces los españoles los trajeron de las Canarias al Caribe?
Hombre	Así es. Ellos los trajeron al Caribe en 1516.
Mujer	Pero qué interesante. No tenía ni idea.
Niño	Papi, no quiero comer más plátano.
Hombre	Te digo que te comas todo el plátano.
Niño	Bueno, me como uno más si tú dejas de dar clase de historia. Mi plátano no viene ni de Asia ni de las Islas Canarias. Este viene de la cocina **y punto.**

Capítulo 6:   La democracia y su futuro

Hoy hicimos una encuesta en la calle para ver qué piensa la gente sobre la democracia y su futuro en nuestros países hispanos. Siempre tenemos algo que opinar y esto es lo que opinaron tres personas.

Opinión 1: Mujer ¿La democracia y su futuro? Bueno, yo creo que la democracia en . . . en los países hispanos es todavía, muy, muy inestable. ¿Por qué? Porque creo que hay desigualdad económica, es decir, hay más gente pobre, hay más gente de clase media que no tiene trabajo. Y yo, ¿qué quiere que le diga? lamento que esto sea así, pero no tengo idea si algún día va a cambiar la situación, ¿comprende? Y al haber más gente que no tiene trabajo, que no tiene dinero, que no tiene comida para sus hijos . . . La verdad es que algunas personas comienzan a pensar "¡Bueh! Con los militares en el gobierno estábamos mejor". No es que yo piense eso, pero . . . pero lamentablemente es lo que empiezan a decir algunas personas.

Opinión 2: Hombre ¿La democracia y su futuro? Pues . . . mire Ud., la verdad . . . creo que debemos hacer memoria, ¿no le parece? En los años 70 muchos de los países hispanoamericanos tenían dictaduras militares y . . . y . . . hoy día me alegra que todos los gobiernos sean democráticos. ¿Ud. se da cuenta de eso? Es un milagro, realmente es un milagro . . . y vamos a poder disfrutarla **siempre y cuando** no nos olvidemos de lo terrible que es vivir bajo una dictadura militar. Mire, de verdad no cabe duda que la democracia va a tener un gran futuro en nuestros países. Pero claro, debemos luchar por mantener y respetar la democracia que todos juntos logramos.

Opinión 3: Mujer ¡Qué pregunta! Y es muy difícil decir qué va a pasar. En este momento hay cierta estabilidad, pero **la democracia** en muchos países de Hispanoamérica todavía **está en pañales.** Se necesita mucho tiempo para ver si la situación mejora o no . . . Yo no creo que haya muchos gobiernos que **tengan en claro** lo que es la democracia y la libertad de prensa. Dicen que son democráticos, que respetan la libertad de prensa, pero cuando algún periodista dice algo que al gobierno no le gusta, ¡plaf! algo le pasa al periodista: lo matan . . . lo amenazan . . . o simplemente no lo dejan publicar lo que escribe. Y eso en una democracia . . . no puede ser así. Sencillamente no puede ser así. Ojalá que en el futuro tengamos todos los derechos de una verdadera democracia.

Capítulo 7:   Unas vacaciones diferentes

Pablo ¿Y adónde vas a ir de vacaciones este verano?

María José Mm . . . ¿Sabes que no sé? La verdad es que no tengo ni idea qué quiero hacer este verano.

Pablo Pues, mujer, es lógico que no tengas idea. Has estado en tantos lugares que ya no te queda nada por conocer.

María José Bueno, no exageres. Es verdad que conozco un montón de sitios pero todavía me queda mucho, mucho por conocer. Pero mm . . . quiero que . . . estas vacaciones sean, no sé, diferentes.

Pablo ¿Diferentes? ¿Diferentes en qué sentido?

María José Mm . . . no sé. Diferentes. Necesito ir a un lugar que sea tranquilo, donde no tenga que visitar catedrales, ni museos, ni ruinas.

Pablo O sea, quieres unas vacaciones tranquilas, tranquilas. Y bueno. Entonces vete a un lugar que tenga playa.

María José ¿A la playa? No, no quiero ir a la playa. El verano pasado estuve en Huatulco en México, que es un lugar con playa. Pero este verano busco un lugar donde haya más actividad, ¿me entiendes?

Pablo Más actividad, ¿eh? Pero no quieres visitar catedrales o museos.

María José No, esta vez no. ¡No quiero visitar ninguna catedral!

Pablo ¡Ah! ¿Sabes qué? **¡Ya sé!** Un amigo mío acaba de regresar de unas vacaciones en Ecuador.

María José ¿Ecuador? Mm . . . cuéntame, me interesa.

Pablo Bueno, resulta que hay una comunidad de . . . una comunidad de indígenas quichuas en un pueblito llamado Capirona.

María José Y, ¿qué voy a hacer yo en una comunidad de indígenas quichuas?

Pablo Bueno. Pues, mira. Espera que te cuente. Parece que los quichuas organizan un programa de ecoturismo en su pueblo.

María José ¿En serio? ¿Ecoturismo? ¿Y sabes en qué consiste el programa?

Pablo Bueno, creo que . . . creo que ellos organizan caminatas por la selva; y me parece que hacen demostraciones de cómo hacen sus canastos . . . y también se puede participar en una eh . . . en una minga.

María José   ¿Minga? ¿Qué es una minga?

Pablo   No estoy seguro, pero creo que en una minga los visitantes y la gente del lugar trabajan en algún proyecto comunitario o **algo así**.

María José   ¿Como por ejemplo?

Pablo   No sé. En realidad no me acuerdo. Pero, ¡ojo! El viaje no es fácil, ¿eh? . . . Solamente se puede llegar al pueblo en canoa o con una caminata de dos horas.

María José   ¡Uf! ¡Qué ejercicio! Me tengo que poner en forma. Pero me parece interesantísimo. Ay, quisiera hablar con tu amigo.

Pablo   Bueno, ¿sabes qué? Si quieres lo llamo y podemos salir a cenar juntos. ¿Te parece bien?

María José   Ay, claro. **Desde luego.** Tengo miles de preguntas para hacerle.

Capítulo 8:   Un trabajo en el extranjero

Ent.   Hoy voy a entrevistar a dos jóvenes norteamericanos que han trabajado en el exterior para que nos cuenten cómo consiguieron el trabajo. Primero tenemos a Jenny Jacobsen, que estuvo enseñando inglés en España. ¿No es así, Jenny?

Jenny   Así es.

Ent.   Cuéntanos cómo hiciste para conseguir ese trabajo.

Jenny   Bueno, yo tenía una maestría en enseñanza de español . . .

Ent.   Ajá . . .

Jenny   Y . . . mmmm . . . mandé mi curriculum a una escuela privada de inglés en Madrid. Tenía unos amigos americanos en España que trabajaban allí y me habían dado la dirección del lugar.

Ent.   Ajá . . .

Jenny   Entonces, en enero me mandaron una solicitud; la llené y la devolví.

Ent.   ¿Y tardaron mucho en contestarte?

Jenny   No mucho. Creo que alrededor de mediados de marzo, ellos me entrevistaron en el congreso de TESOL que ese año fue en Chicago.

Ent.   ¿Qué es el congreso de TESOL?

Jenny   TESOL significa "Teachers of English to Speakers of Other Languages", o "profesores de inglés a hablantes de otros idiomas". Y es un congreso internacional que se hace o en los Estados Unidos o en Canadá y viene gente de todo el mundo para asistir al congreso y entrevistar a candidatos para profesores de inglés.

Ent.   Pero, ¡qué interesante! Sigue, por favor.

Jenny   Bueno, me fue muy bien en la entrevista. Entonces a las dos semanas me ofrecieron el puesto e inmediatamente me mandaron los papeles para sacar mi visa.

Ent.   Y, ¿es difícil sacar visa para trabajar en España?

Jenny   No es fácil y se necesita tiempo. Luego me fui a Madrid en septiembre y en esa escuela me dieron un entrenamiento de dos semanas para aprender a enseñar inglés.

Ent.   Claro. Porque tú sabías enseñar español, pero nunca habías enseñado inglés, ¿verdad?

Jenny   Correcto. Que uno hable inglés no quiere decir que uno sepa enseñarlo.

Ent.   Es verdad.

Jenny   Bueno. La experiencia fue realmente interesante. Al estar dando clases de inglés, conocí a mucha gente, me divertí **un montón** y, como puede ver, aprendí bastante español.

Ent.   Ya lo creo. Pero dime, ¿y el sueldo? ¿Te alcanzaba para vivir?

Jenny   Sí. Compartía un apartamento con una muchacha de Salamanca y el dinero me alcanzaba lo más bien. Nunca tuve problemas. Pero mucha gente también da clases particulares.

Ent.   Y dime. ¿Hay muchos americanos enseñando inglés en España?

Jenny ¡Uf! Sí, hay cantidades.

Ent.   Bueno, Jenny. Muchas gracias por haber compartido esta información con nosotros.

Jenny No. Por nada.

Ent.   Y ahora estamos con nuestro segundo invitado de hoy, Jeff Stahley. Buenas tardes, Jeff.

Jeff   Buenas tardes.

Ent.   Tú también enseñaste inglés, ¿verdad?

Jeff   Así es, pero no en Madrid como Jenny, sino en Medellín.

Ent.   ¡Medellín, Colombia! ¿No era peligroso?

Jeff   **No, en absoluto.** En realidad no tuve ningún problema.

Ent.   ¿Y cómo hiciste para conseguir el trabajo en Colombia?

Jeff   Bueno, pues yo me fui con una visa de turista y una vez que estaba allí, la universidad me dio trabajo para enseñar inglés.

Ent.   ¿Y cómo te dieron trabajo?

Jeff   Bueno, la universidad quería contratarme y para poder enseñar, yo tenía que ser estudiante. Entonces tomé unos cursitos y así pude enseñar inglés. En vez de pagarme sueldo me dieron una beca. A mí **me daba igual** con tal de recibir dinero. También di clases particulares de inglés.

Ent.   ¿Y cómo conseguiste los estudiantes para las clases particulares?

Jeff   Bueno, hay tanta gente que quiere aprender inglés con americanos y tan pocos americanos allí que enseguida comencé a tener un montón de clientes.

Ent.   ¿Y te pagaban bien?

Jeff   ¡Uf! No sólo me pagaban bien, sino que como Jenny, conocí a mucha gente y me invitaba a su casa y salíamos juntos, hacíamos muchos programas juntos. En fin, realmente no era turista. Me sentía como en mi casa.

Ent.   Y para finalizar. Dime, ¿qué consejos puedes darle a un norteamericano que quiera ir a enseñar inglés?

Jeff   Pues . . . que tome algún curso corto para aprender a enseñar inglés antes de ir a otro país. Así puede tener muchas más posibilidades de trabajo.

Ent.   Bien. Muchas gracias, Jeff, por charlar conmigo.

Jeff   Fue un placer. Gracias.

Capítulo 9:   Entrevista a una experta en artesanías

Locutor Bueno y hoy tenemos una invitada muy especial, María Gómez, oriunda de Ecuador. La Sra. Gómez nos va a hablar de un arte cuya perfección es admirada en todo el mundo: el famoso sombrero Panamá. Sra. Gómez, buenos días y bienvenida a nuestro programa.

Sra. Gómez Muchas gracias a Ud. por invitarme.

Locutor Pues, cuéntenos un poco sobre los sombreros Panamá.

Sra. Gómez Bueno. Pues . . . primero, yo quería explicar que estos sombreros tan famosos se hacen en Ecuador y no en Panamá como cree mucha gente.

Locutor Y entonces, ¿por qué se conocen como sombreros Panamá si se hacen en Ecuador?

Sra. Gómez ¡Ja! Ocurre que desde hace tiempo los fabricaban en Ecuador, pero . . . pero los mandaban al resto del mundo desde Panamá y por eso comenzaron a llamarlos sombreros Panamá. Los usaban personas como . . . como Teddy Roosevelt y el Rey Eduardo VII de Inglaterra y por eso, con el tiempo, se pusieron muy de moda. Pero . . . recuerde Ud. que los mejores son los llamados Montecristi Finos, que están hechos en Montecristi, Ecuador, donde yo vivo, y no en Panamá.

Locutor ¡Pero qué curioso! Yo pensaba que eran de Panamá.

Sra. Gómez No, no, no. Los mejores son de mi pueblo, de Montecristi, Ecuador.

Locutor Bueno y, ¿por qué son tan particulares estos sombreros?

Sra. Gómez Pues porque los artesanos los hacen a mano con muchísimo cuidado. Usan paja para su fabricación, por supuesto, y . . . claro, sólo trabajan de noche.

Locutor ¡¿Trabajan de noche?! ¿A qué se debe eso?

Sra. Gómez Pues por la noche hace más fresco y de día, cuando hace calor, la transpiración del artesano puede echar a perder la paja porque . . . deja manchas.

Locutor Y, ¿cuánto tardan en hacer uno de estos sombreros?

Sra. Gómez Los buenos **les llevan** más o menos . . . más o menos dos meses, pero un sombrero verdaderamente fino lleva ocho meses.

Locutor ¿Ocho meses? Pero, **¡qué barbaridad!**

Sra. Gómez Sí, pues el trabajo hay que hacerlo con muchísimo cuidado y sólo quedan muy pocas personas que saben hacer buenos sombreros y todas son muy mayores. Debe haber . . . más o menos unas veinte personas. Así que dentro de muy pocos años, cuando estas personas ya no estén, no sé quién va a hacer los sombreros.

Locutor Entonces, probablemente este arte tan maravilloso desaparezca, ¿no?

Sra. Gómez Así es. Había una artesana que . . . que quería que su hija y su nieta aprendieran y pues . . . pues trató de enseñarles una vez, pero mmm . . . a ellas no les interesó y a ella **se le fueron las ganas de** enseñarles. Ud. ya sabe cómo son los jóvenes.

Locutor Sí, entiendo. Y . . . dígame una cosa, ¿cuánto cuesta un sombrero Panamá?

Sra. Gómez Pues, depende. Yo sé que los distribuyen en algunas tiendas de Nueva York y Hawai y allí un sombrero bueno cuesta entre $350 y $750 dólares.

Locutor ¡Dios mío! No son baratos, ¿eh? ¿Y los mejores cuánto cuestan?

Sra. Gómez Los mejores se venden en unos diez mil dólares.

Locutor ¡Diez mil dólares! Pero, ¡qué **dineral**!

Sra. Gómez Sí, pero hay gente que aprecia la calidad del sombrero . . . que tiene el dinero y que paga . . . que paga ese precio. Por supuesto que los artesanos no ganan ni la mitad de eso. Pues Ud. sabe, hay muchos intermediarios; eh . . . el sombrero pasa por muchas manos hasta que llega al cliente y . . . y todos quieren sacar provecho del negocio.

Locutor Pero, de todas maneras, ¡es increíble!

Sra. Gómez Así es. ¡Es increíble!

Locutor Bueno, Sra. Gómez, se nos acabó el tiempo. Muchas gracias por venir a nuestro programa y compartir con nosotros esta información tan interesante.

Sra. Gómez De nada.

Capítulo 10: ¡Que vivan los novios!

Locutora Queridos radioescuchas. Uds. han sintonizado KPGK, Radio Los Ángeles. Aquí les habla Dolores Alonso y bienvenidos a mi programa *Charlando con Dolores*. ¿Cómo están hoy? Quería comentarles que . . . que la semana pasada no estuve con Uds. porque fui a la boda de unos amigos. Y mientras estaba en la ceremonia, comencé a pensar en . . . en lo diferentes que son las bodas y las fiestas en otros países. ¿No creen? Pues . . ése será el tema de hoy y . . . quisiera pedirles que nos llamen para contarnos cuáles son las tradiciones típicas de una boda en su país, señor, en su país, señora. ¿Qué les parece? Entonces, estamos a la espera de su llamada. Llámenos al 443-33-32. Sí, al 443-33-32. Aquí vamos con la primera llamada. Adelante por favor, díganos su nombre.

Susana   Sí, me llamo Susana y soy de Argentina. Voy a casarme dentro de seis meses.

Locutora   Felicitaciones, Susana.

Susana   Gracias, y en mi boda habrá un pastel, por supuesto, y este pastel tendrá muchas cintas.

Locutora   ¿Cintas en el pastel?

Susana   Sí, tendrá como . . . como veinte cintas, más o menos. Las cintas tienen un dije cada una, o sea un adorno eh . . . una figurita de plástico que puede ser un elefante . . . una casa . . . una moneda.

Locutora   ¿Es decir que el dije está dentro del pastel y sólo se ve la cinta?

Susana   Así es. Entonces, todas las mujeres solteras . . . sólo las solteras, tomarán una cinta y estarán todas alrededor del pastel y cuando, y cuando yo diga ¡Ya! todas tirarán de la cinta y una de las cintas tendrá un anillo de boda . . . falso, de juguete, por supuesto. Y la que se saque el anillo es la que se casará el año que viene.

Locutora   O sea, la persona que tiene la cinta con el anillo es la que se va a casar el año próximo.

Susana   Sí.

Locutora   Curioso. Es como coger el ramo de flores en este país. Pero, ¡qué bonita tradición! **No les parece?** ¿Y te vas a casar en los Estados Unidos?

Susana   No, no, me voy a Argentina. Y primero está el casamiento por lo civil y dos días más tarde la . . . la ceremonia en la iglesia. Allá la ceremonia religiosa empieza a eso de las ocho, nueve, nueve y media de la noche. Y luego a la fiesta. ¡Es tan divertida! Comemos, bailamos hasta las seis de la mañana y generalmente después se les . . . se les sirve el desayuno a los invitados.

Locutora   ¡El desayuno!

Susana   Sí, café con medialunas o algo por el estilo.

Locutora   ¡Desayuno después de la boda! ¡Qué increíble! Bueno . . . bien, Susana. Mucha suerte en tu boda. Y ahora, a otra llamada. Adelante, por favor.

Agustín   Sí, me llamo Agustín y soy de México. Quería decirle que . . . que soy de un pueblo muy pequeño donde . . . donde hay gente que no tiene mucho dinero para gastar en una boda como la gente que vive en las ciudades que . . . que tiene dinero para todo. Las bodas son acontecimientos, son acontecimientos . . . ¿cómo le podría decir? . . . Son . . . son muy importantes en mi pueblo y para nosotros **mientras más vengan** a la boda, **mejor.** Invitamos a mucha, mucha gente, no sólo a nuestros **amigos íntimos,** ¿ve? Invitamos a amigos . . . primos . . . vecinos . . . Y algunas . . . algunas personas llevan la comida, otros llevan la bebida, otros llevan las mesas, otros las sillas . . .

Locutora   Es decir que para muchos ese día es muy especial.

Agustín   Sí, sí, muchos colaboran y hay mucha abundancia de comida y de bebida. Ayudándonos unos a otros no nos falta nada en absoluto.

Locutora   Este espíritu de comunidad es admirable. Gracias por su llamada. Y ahora, estimados radioescuchas, nos vamos a una pausa. Regresamos enseguida.

Capítulo 11:   ¿Coca o cocaína?

Ent.   Como boliviano, ¿nos podría explicar la diferencia entre la coca y la cocaína?

Boliviano   Bueno la coca es una . . . es una hierba, una planta, como es una planta el café, como es una planta el té. La cocaína es la droga que a través de un proceso, a través de un proceso químico se extrae, se saca de la coca. La cocaína es como la cafeína es al café o cualquier droga que se saca de un elemento natural, de una cosa natural. Ehhhh . . . La diferencia es grande, es decir, la coca es una hoja verde que la mastican muchos habitantes de los países andinos, es decir Perú, Ecuador, Bolivia . . . mastican la coca como ehhh . . . en Estados Unidos hay gente que mastica tabaco, y es como tomar un café fuerte. Más o menos. Por otro lado, está la cocaína, que es un derivado químico de la coca. Que . . . bueno . . . Ésta es la parte ilegal. Es decir, por un lado hay que distinguir el uso tradicional, legal y correcto de la coca y por el otro el uso ilegal de la cocaína, que es un derivado de la coca. Eh . . . la coca como, como hierba, como planta o como el café o el té, como cualquier otro tipo de planta parecida, es consumida en los países andinos sin ningún tipo de restricción legal. Uno puede ir a un mercado y comprarse medio kilo de coca, por ejemplo, y consumirla. El consumo, en general está concentrado en las clases trabajadoras, que necesitan ese tipo de acompañante para aguantar jornadas de trabajo muy largas, jornadas continuas de trabajo sin dormir, etc. También es usada la coca, digo, entre, por ejemplo, estudiantes de la clase media . . . yo incluso como estudiante cuando tenía que escribir un trabajo muy largo, y tenía que trasnochar . . . quedarme despierto hasta muy tarde . . . , masticaba coca en vez de tomar tres cafés fuertes . . . masticaba coca o tomaba tres cafés fuertes . . . es una elección como cualquier otra hierba.

Ent.   También es común que los turistas tomen coca, ¿verdad?

Boliviano   Algunas ciudades andinas eh . . . al sur del Perú, pero sobre todo la capital de Bolivia, este . . . son muy altas. Es decir, La Paz queda a 3.800 metros sobre el nivel del mar y el aeropuerto de La Paz, una ciudad tan alta, queda más alto inclusive, 4.100 metros del nivel del mar. Entonces cualquier turista o persona que no está acostumbrada a esa altura cuando llega sufre una especie de mal que se llama soroche, que quiere decir, literalmente . . . es una palabra que quiere decir mal de la altura. Que es una especie de indisposición con dolor de cabeza, etc. . . . depende eh . . . para . . . y esto dura . . . algunas personas no lo sufren, pero las personas que sí lo sufren cuando llegan a La Paz, eh . . . eso les dura como dos o tres días. Pero una de las formas de, de aliviar rápidamente este soroche, o mal de la altura, es tomar mate de coca y todo el mundo lo hace . . . es decir, todo el mundo lo recomienda. Es un mate, como puede ser un té, que consiste en agua hirviendo con unas hojas de coca. Uno toma eso y eso ayuda un poco para que se pase el mal de la altura.

Ent.   Claro, y la gente que no entiende muy bien el tema se confunde entre la coca y la cocaína.

Boliviano   Sí. El gobierno ha hecho campañas muy grandes para erradicar las plantaciones ilegales de coca, las plantaciones que se utilizan para la elaboración de la cocaína. Pero recuerde, la coca no es cocaína. Una vez, cuando la reina Sofía de España estuvo de visita por La Paz, como cualquier otro turista extranjero, tomó mate de coca. Y lo hizo **a propósito** diciendo que sabemos que esto no es una droga tal como se **pretende** convencer a la gente y entonces tomó un mate de coca porque estaba sufriendo soroche, mal de la altura, como todo extranjero que llega. Creo que **para dentro de diez años** el mundo ya habrá entendido la diferencia entre uno y otro.

Capítulo 12:   Un poema

Locutora   Estimados radioescuchas, Uds. saben que siempre tengo algo que me mandan Uds. para leerles. Ya sea una cartita, un e-mail . . . Bueno, hoy quiero leerles un poema, sí, un poema muy interesante que me mandó el hijo de una poeta. La autora es Raquel Valle Sentíes y el poema se llama "Soy Como Soy Y Qué". Comienzo.

(See Chapter 12, pages 277–278, for poem.)

Y, ¿amigos? ¿les gustó? Llamen al programa para dar su opinión. Quiero que me digan lo que piensan. El teléfono de aquí es (956) 555-12-12.

FUENTES

Conversación y gramática

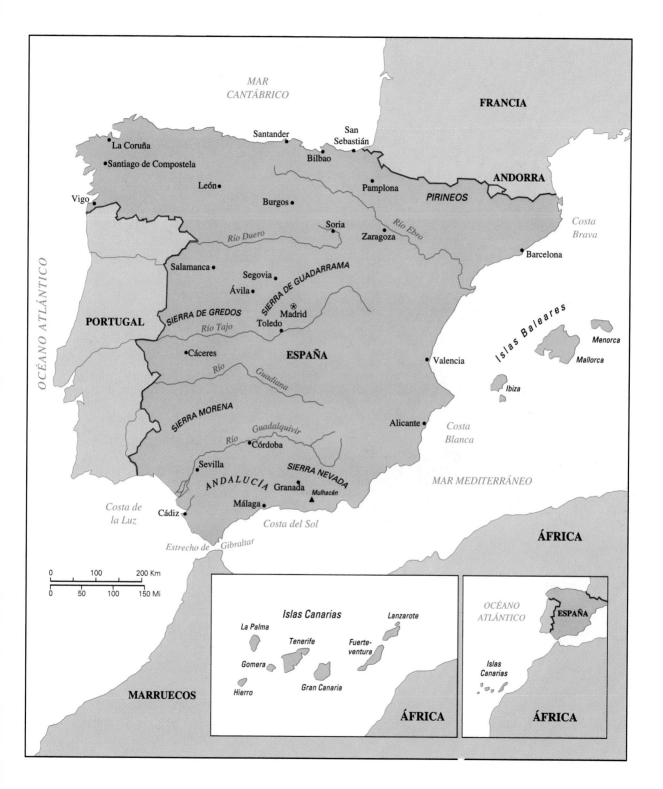

MAR CANTÁBRICO

FRANCIA

La Coruña
Santiago de Compostela
Vigo
León
Santander
San Sebastián
Bilbao
Pamplona
Burgos
Soria
Zaragoza
ANDORRA
PIRINEOS
Río Ebro
Río Duero
Costa Brava
Barcelona
Salamanca
Segovia
SIERRA DE GUADARRAMA
Ávila
SIERRA DE GREDOS
Madrid
Toledo
Río Tajo
PORTUGAL
ESPAÑA
Islas Baleares
Menorca
Mallorca
Cáceres
Valencia
Ibiza
OCÉANO ATLÁNTICO
Río Guadiana
SIERRA MORENA
Alicante
Costa Blanca
Río Guadalquivir
Córdoba
Sevilla
SIERRA NEVADA
ANDALUCÍA
Granada
Mulhacén
MAR MEDITERRÁNEO
Costa de la Luz
Cádiz
Málaga
Costa del Sol
ÁFRICA
Estrecho de Gibraltar

0   100   200 Km
0   50   100   150 Mi

MARRUECOS

Islas Canarias
Lanzarote
La Palma
Tenerife
Fuerte-ventura
Gomera
Gran Canaria
Hierro
ÁFRICA

OCÉANO ATLÁNTICO
ESPAÑA
Islas Canarias
ÁFRICA

ESPAÑA

FUENTES

Conversación y gramática

FUENTES

SECOND EDITION

Conversación y gramática

Debbie Rusch
Boston College

Marcela Domínguez
University of California, Los Angeles
Pepperdine University

Lucía Caycedo Garner
University of Wisconsin–Madison, Emerita

with the collaboration of
Donald N. Tuten *Emory University*
Carmelo Esterrich *Columbia College Chicago*

Houghton Mifflin Company   *Boston*   *New York*

Director, Modern Language Programs: E. Kristina Baer
Development Manager: Beth Kramer
Development Editor: Sandra Guadano
Editorial Associate: Lydia Mehegan
Project Editor: Harriet C. Dishman
Senior Production/Design Coordinator: Jennifer Waddell
Senior Manufacturing Coordinator: Marie Barnes
Associate Marketing Manager: Tina Crowley Desprez

Cover design: Rebecca Fagan
Cover illustration: Tracy Walker

Text Permissions

The authors and editors thank the following persons and publishers for permission
to use copyrighted material.

Chapter 2: page 63, Reprinted with permission from *Crónica* (Guatemala).
Originally appeared in *El País* (Spain). **Chapter 7:** pages 185–186, Reprinted with
permission from the Instituto Costarricense de Turismo, San José, Costa Rica.
Chapter 10: pages 249–250, Reprinted with permission from *La Nación*, Buenos
Aires, Argentina. **Chapter 12:** pages 277–278, Reprinted by permission
of the author; 291, Courtesy the Coca-Cola Company.

Credits for the remaining texts and for photos, illustrations, realia, and simulated
realia are continued at the end of the book.

Printed in the U.S.A.

Library of Congress Catalog Card Number: 99-71925

ISBN: 0-395-96277-3

2 3 4 5 6 7 8 9-QH-03   02   01   00

Contents

4   *La América precolombina*   85

5   *El buen paladar*   111

6   *Nuevas democracias*   136

7   *Nuestro medio ambiente*   162

La comunidad latina en los Estados Unidos   275

Reference Section

To the Student

Fuentes: Conversación y gramática and *Fuentes: Lectura y redacción,* Second Edition, present an integrated skills approach to intermediate Spanish that develops both receptive (listening and reading) and productive (speaking and writing) skills simultaneously. The primary objective of the program is to offer you an opportunity to acquire communicative skills while developing an awareness and appreciation of Hispanic cultures.

 ## Fuentes: Conversación y gramática

The following description of the chapter parts includes study suggestions designed to help you get the most out of your study of Spanish.

1. Chapter opener: Each chapter begins with a photograph that introduces the chapter theme and a list of chapter communicative goals (for example, narrating in the past, hypothesizing). These goals reflect what you will actually be able to do upon completing each chapter.

2. Listening activities: A recorded conversation, monologue, radio commercial, or interview with listening comprehension activities follows the opener.

Tips for listening:
- Visualize the speakers in the listening passage.
- Listen for a global understanding the first time you hear the passage and listen for more specific information the second time, as indicated in the activities.
- Remember that you do not need to understand every word of each listening passage.

3. Grammar: Functional grammar explanations in English provide a review of concepts that you studied in the first-year course as well as additional points to expand your understanding. Examples and charts illustrate the main functions, the grammar points, and key information. A series of activities follows each topic so that you apply what you are learning.

   The chapter explanations relating to verb tenses usually contain only the conjugations of regular verbs as a reminder of the forms. Appendix A gives further information about tense formation and charts of forms for you to review as needed.

Tips for grammar study and activities:
- Prepare well before each class, studying a little every day rather than cramming the day before the exam.
- Focus on what you can do with the language or on what each concept allows you to express.
- Work cooperatively in paired and small-group activities.

4. Vocabulary: New vocabulary words and phrases are presented in thematic groups—such as adverbs of time, descriptive adjectives, food, the environment —to make learning easier. An end-of-chapter section provides a wrap-up list of vocabulary with translations or page references to help you study more productively. Appendix E at the back of the book provides basic first-year vocabulary.

Tips for vocabulary study:
- Pronounce words aloud.
- Study new words over a period of days.
- Try to use the new words in sentences that are meaningful to you.

The appendixes at the back of the book provide an important reference tool for consultation and review throughout the course. Appendix A contains verb charts and information on tense formation. This appendix allows you to review irregular present indicative forms when learning the subjunctive, for example, so that you don't need to search through earlier chapters to see where they were presented.

Other appendixes include gender of nouns, object pronouns and their placement, accentuation and syllabication rules, and basic first-year vocabulary. A Spanish-English dictionary follows the appendixes.

Fuentes: Lectura y redacción

Fuentes: Lectura y redacción is designed to help you perfect your ability to read and write in Spanish. It contains lively, up-to-date topics and readings that are coordinated with the topics and grammar presented in ***Fuentes: Conversación y gramática.***

 ## Ancillary Components

Fuentes: Activities Manual

The Workbook portion of the *Activities Manual* allows you to practice the functional grammar and vocabulary presented in ***Fuentes: Conversación y gramática*** in order to reinforce what you learn in class as you progress through each text chapter.

The Lab Manual section provides pronunciation and listening comprehension practice. The lab activities, coordinated with a set of recordings, can be done toward the end of each chapter and prior to any quizzes or exams.

Student Audio CD or Cassette

An audio CD or cassette with recordings of the listening sections at the beginning of the chapters in ***Fuentes: Conversación y gramática*** is provided with the student text in case you want to listen to them outside of class.

Audio CD or Cassettes

A set of recordings to accompany the Lab Manual contains pronunciation practice, listening comprehension activities based on structures and vocabulary presented in *Fuentes: Conversación y grámatica,* and a final conversation dealing with the chapter theme. The CDs or cassettes are available for purchase or can be used in your language lab.

Computer Study Modules
A series of computerized exercises covering the structures and vocabulary presented in each chapter of *Fuentes: Conversación y gramática* is available in Macintosh and IBM formats. These exercises can be used to help you perfect language structures and verb forms while receiving immediate feedback.

Fuentes: **Web Site**
The Web site written to accompany the *Fuentes* program contains activities designed to give you further practice with topics while exploring Spanish-language sites. Although the sites you will access are not written for students of Spanish, the tasks that you will be asked to do are. The site also includes a list of chapter-by-chapter links that can be used to explore additional cultural information on topics you have read about in *Fuentes: Conversación y gramática* and *Fuentes: Lectura y redacción.* The address is http://www.hmco/college/languages.

As you work with the *Fuentes* program, remember that learning a language is a process. This process can be accelerated and concepts studied can be learned more effectively if you study on a day-by-day basis. What is learned quickly is forgotten just as quickly, and what is learned over time is better remembered and internalized.

More important, envision yourself as a person who comprehends and speaks Spanish. Don't be afraid to take risks and make errors; it is part of the learning process. Enjoy your study of the Spanish language and cultures as you progress through the course.

Acknowledgments

The publisher and authors wish to thank the following users and reviewers of the first edition for their feedback and suggestions:

María Acosta Cruz, Clark University
José Luis Boigues-López, Emory University
Joaquim Camps, University of Florida, Gainesville
Glen Close, Wesleyan University
Joseph Collentine, Northern Arizona University
Reyes Fidalgo, University of Massachusetts, Boston
Kathleen Regan, University of Portland
Patricia Scarfone, Orange Coast College
Raymond Watkins, Central Carolina Technical College
Estelita Young, Collin County Community College

We dedicate this book to George and André Garner, Norma and Les Rusch, Pedro and Susana Domínguez, Andrew Miller, Connie Call, and to Rufina Rubio-Madison, whom we remember fondly.

A special heartfelt thanks to our friends, students, and colleagues who played an integral role in the evolution of this project: Ray Harris-Northall (University of Wisconsin–Madison), Robert L. Davis (University of Oregon), Linda C. Fox (Indiana University–Purdue University, Fort Wayne), and Janice Wright (College of Charleston) for their participation in the initial development of the program; Victoria Junco de Meyer, Olga Tedias Montero, Viviana Domínguez, Claudia Steiner, Jorge Caycedo Dávila, Alberto Dávila, and Myriam Diazgranados for their endless help as native consultants; Adán Griego for helping us obtain data and cultural information; our students for letting us *test* material on them; teaching assistants at Boston College and the University of Wisconsin–Madison, for their suggestions and comments; Jenny Jacobsen, Mauricio Souza, and Jeff Stahley for allowing us to interview them for this text; Tim Pyne and Kurt Dorschel, two former students, who sent us material while studying and working in Spanish-speaking countries; and Simona Barello and Nathalie Drouglazet for Italian and French translations.

We are especially grateful to the following people for their valuable assistance during the development and production of this project: Kristina Baer and Beth Kramer for their encouragement and support; Sandy Guadano, our developmental editor, for her astute observations and sound suggestions on all aspects of the text and ancillary material; Harriet C. Dishman and Gloria Oswald for juggling all aspects of production with ease; our proofreader, Grisel Lozano-Garcini; numerous design, art, and production people that participated in the project; Tina Crowley Desprez for her support in marketing the program.

La vida universitaria

Besides assigning grammar and vocabulary, some or all of the following activities in this chapter may be prepared as homework (HW): 4A and B, 6A, 7A, 9A, 11. The adjectives presented in Act. 7 and 9 should be reviewed as HW.

▲ *Jóvenes universitarias estudian en la biblioteca de una universidad de Santiago de Chile.*

COMMUNICATIVE GOALS

- introducing yourself and others
- obtaining and giving information about class schedules
- expressing likes and dislikes
- describing people, places, and things
- expressing future actions

I. Introducing Yourself and Others

This chapter provides a quick review of some basics to allow you to hear students express themselves in class and evaluate their written work after collecting workbook (WB) assignments. This will help you determine early in the semester if any students are misplaced.

Depending on the level of your class, spend more or less time on this and Ch. 1. Pick and choose or skip areas and activities where students perform well.

▶ *Estudiantes de la Universidad de Costa Rica se saludan.*

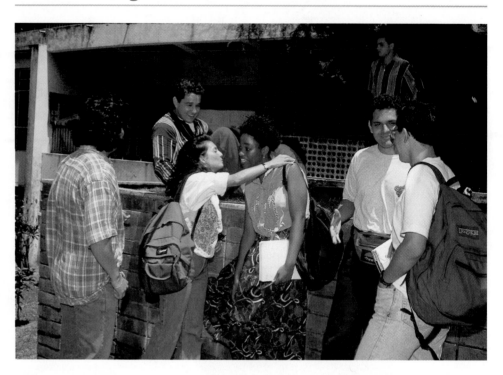

Actividad 1: ¡A conocerse! **Parte A:** Completa cada pregunta con la expresión interrogativa apropiada. Usa **cuál, cómo, de dónde, qué, cuántos.**

¿ _____Cómo_____ te llamas?   Me llamo . . .

¿ _____Cuál_____ es tu nombre?   Mi nombre es . . .

¿ _____Cuál_____ es tu apellido?   (Korner.)

¿ _____Cómo_____ se escribe (Korner)?   (Ka, o, ere, ene, e, ere.)

¿ _____Cuántos_____ años tienes?   Tengo . . . años.

¿ _____De dónde_____ eres?   Soy de (Chicago).

¿En _____qué_____ año (de la   En primero/segundo/
universidad) estás?   tercero/cuarto.

¿ _____Cuál_____ es tu pasatiempo favorito?   Me gusta (jugar al tenis).

Parte B: Ahora habla con un mínimo de tres personas para averiguar y escribir su nombre, su edad, su origen, en qué año de la universidad están y su pasatiempo favorito.

Actividad 2: Las presentaciones Ahora, presenta a una de las personas de la actividad anterior.

↪   Les presento a Jessy Korner, es de Chicago y tiene 20 años. Está en su tercer año de la universidad. Le gusta jugar al tenis.

Begin class by introducing yourself and asking individuals questions like those in Act. 1. Have individual students ask others some questions: **John, pregúntale a Carol de dónde es.**

Act. 1A: Have students fill in the question words and then check answers.

Primero and **tercero** drop the final **o** when they precede a masculine singular noun: **estoy en primer año.**

Act. 1B: Have students make six columns on a piece of paper, labeling them (**nombre, apellido, edad, origen, año, pasatiempo**). Next, have students mingle and interview at least three people.

II. Obtaining and Giving Information About Class Schedules

A. Las materias académicas

Actividad 3: Las materias de este semestre **Parte A:** Marca con una X las materias que cursas este semestre. Si cursas una materia que no aparece en la lista, pregúntale a tu profesor/a **¿Cómo se dice . . . ?**

_____ alemán	_____ latín
_____ álgebra	_____ lingüística
_____ anatomía	_____ literatura
_____ antropología	_____ matemáticas
_____ arqueología	_____ mercadeo/marketing
_____ biología	_____ música
_____ cálculo	_____ pedagogía
_____ ciencias políticas	_____ psicología
_____ computación	_____ química
_____ contabilidad (_accounting_)	_____ relaciones públicas
_____ ecología	_____ religión
_____ economía	_____ sociología
_____ filosofía	_____ teatro
_____ historia	_____ trigonometría
_____ ingeniería	_____ zoología

Parte B: Ahora, en parejas, averigüen qué materias cursa la otra persona y alguna información sobre esas clases. Usen las siguientes preguntas:

¿Cursas . . . ?
¿Tienes clase de . . . ?
¿Cuántos estudiantes hay en la clase de . . . ?
¿Hay trabajos escritos?
¿Hay exámenes parciales?
¿Hay examen final?

materias = asignaturas

Obvious cognates will be presented in thematic vocabulary lists throughout this text, but they will not be translated.

Universidades
Internet

Act. 3A: Practice words by working on pronunciation; stress pure vowel sounds. Set a time limit for students to mark their selections. This will encourage them to get on task quickly.

computación = informática (en España)

FLR (_Fuentes: Lectura y redacción_) link: **Lectura:** Universidad de las Américas course catalog.

Act. 3B: Set up this portion by asking individuals **¿Cursas economía? ¿Tienes clase de cálculo?** (etc.) Form pairs, set a time limit, check by asking a few people what their partner studies.

▶ _Dos estudiantes españoles hablan con su profesor de química orgánica._

¿LO SABÍAN?

En los Estados Unidos es común empezar los estudios universitarios sin saber qué carrera se va a seguir. En el mundo hispano, por lo general, los estudiantes estudian materias generales en la escuela secundaria y luego, es común que entren directamente en una facultad como Derecho, Medicina, Geología o Filosofía y Letras. Por lo tanto, tienen que estar seguros de lo que quieren estudiar y, desde el comienzo, estudian materias relacionadas con su carrera. Para cambiar de carrera, muchas veces es necesario volver a empezar desde el principio. Generalmente se necesitan cinco años para completar el título universitario. Di qué carrera estudias o si no tienes idea todavía.

Practice telling time by asking questions: **¿A qué hora es la clase de español? ¿A qué hora es la primera clase de la universidad? ¿A qué hora es tu clase de . . . ? ¿A qué hora es el partido de fútbol americano contra . . . el sábado?** You may also want to ask about times for TV shows. Contrast with **¿Qué hora es?**

B. Telling Time

1. To tell at what time an activity or event takes place, use the following formulas:

> **Es a la + una**
> **Es a las + dos, tres,** etc.

A: **¿A qué hora** es tu clase de matemáticas?
B: **Es a la una** y cuarto.
A: ¿Y **a qué hora** es tu clase de química?
B: **Es a las diez** menos cinco.

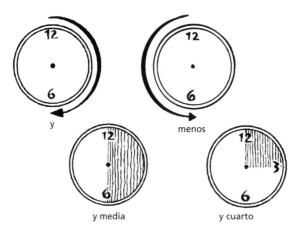

y   menos

y media   y cuarto   menos cuarto

2. To say what time it is, use the following formulas:

> Es la + una
> Son las + dos, tres, etc.

¿Qué hora es? { **Es la una** menos veinte.
Son las cuatro y cuarto.

Explain the 24-hour clock.

Add the expressions **mediodía** and **medianoche** if you want.

Actividad 4: Mi horario **Parte A:** Completa el siguiente horario con las materias que cursas, las horas de tus clases y el nombre del profesor/de la profesora de cada clase.

Act. 4A: Assign as HW or set a time limit of 2 minutes to do it in class.

	lunes	martes	miércoles	jueves	viernes
clase hora profesor/a					
clase hora profesor/a					
clase hora profesor/a					

Parte B: Completa cada pregunta con la palabra interrogativa necesaria.

¿ _____Qué_____ materias cursas?

¿A _____qué_____ hora es tu clase de . . . ?

¿ _____Qué_____ días tienes la clase de . . . ?

¿ _____Cómo_____ se llama el/la profesor/a? o, ¿ _____quién_____ es el/la profesor/a?

Parte C: Ahora, en parejas, usen las preguntas de la Parte B para averiguar el horario de su compañero/a.

Act. 4B: Could be assigned as HW. If done in class, set up activity by asking individual students questions about their schedules. **¿A qué hora es tu clase de computación? ¿Qué días tienes la clase?** (etc.) Give students 30 seconds to fill in the question words and then check.

Act. 4C: Set up pairs, set a time limit, begin the activity. When finished, have a few students report back to the class. Even though you may say that they have one minute to do a pair activity, they may take as many as three. Remember, the purpose of a time limit is to get them to get to work quickly.

III. Expressing Likes and Dislikes

Gustar and Other Verbs

1. To express likes and dislikes you can use the verb **gustar,** applying the following formula.

The pronoun **mí** takes an accent but the possessive adjective **mi** does not: **A mí me gusta esta clase. Mi hermano estudia aquí.**

Discuss your likes and dislikes about the university, your interests, and what bothers you. Do this in a conversational manner, interrupting occasionally to ask students if they have the same likes. **No me gusta comer en la cafetería . . . , pero me encanta comer en . . . ¿Dónde te gusta comer a ti?** Begin with **gustar,** but include other verbs while providing input.

(A mí)	me
(A ti)	te
(A Ud.)	le
(A él)	le
(A ella)	le
(A nosotros)	nos
(A vosotros)	os
(A Uds.)	les
(A ellos)	les
(A ellas)	les

+

gusta + el/la + *singular noun* / *infinitive(s)*

gustan + los/las + *plural noun*

Me **gusta** la clase de historia.	*I like the history class.*
¿Te **gusta** hacer experimentos?	*Do you like to do experiments?*
(A ellos) Les **gusta** ir al cine y comer palomitas.*	*They like to go to the movies and eat popcorn.*
Nos **gustan** las matemáticas.	*We like math.*

*Note: **Gusta,** the singular form of the verb, is used with one or more infinitives even if the infinitive is followed by a plural object.

Remember to use either an article, or a possessive or demonstrative adjective before the noun.

2. Notice in the following examples that you may use a possessive adjective (**mi, mis, tu, tus,** etc.) or a demonstrative adjective (**este, ese, aquel,** etc.) instead of an article before nouns.

Emphasize that **gustar** (and verbs like it) need an article or a possessive or demonstrative adjective when followed by a noun. **No me gusta la literatura.**

Me gusta **la** biología.	*I like biology.*
Me gustan **mis** clases este semestre, pero no me gusta estudiar mucho los fines de semana.	*I like my classes this semester, but I don't like to study much on weekends.*
A mis amigos y a mí nos gusta **esta** residencia estudiantil.	*My friends and I like this dorm.*

3. Other verbs used to express likes and dislikes that follow the same pattern as **gustar** are:

caer bien/mal	to like/dislike someone
encantar	to really like

fascinar	to really like
importar	to matter
interesar	to interest
molestar	to bother, to be bothered by

A los estudiantes no **les cae bien** la profesora de historia.

The students dislike the history professor. (The history professor is disliked by the students.)

Me fascinan los títulos de los libros de mi clase de literatura comparada.

I really like the titles of the books in my comparative literature class. (The titles of the books in my comparative literature class really delight me.)

Nos importa sacar buenas notas.

We care about getting good grades. (Getting good grades matters to us.)

Al profesor Hinojosa **le molestan** los estudiantes que no vienen preparados a clase.*

Professor Hinojosa is bothered by students who don't come to class prepared. (Students who don't come to class prepared bother Professor Hinojosa.)

*Note: Remember that **a + el = al: al profesor Hinojosa**, but **a la profesora Ramírez; al Sr. Vargas**, but **a los Sres. Vargas**.

Actividad 5: Práctica Parte A: Completa la primera columna con las palabras apropiadas.

A _____ nos
A _____ me
_____ _____ Sra. Junco _____
A _____ le
_____ Uds. _____
_____ profesor _____
_____ mis amigos _____
_____ _____ les
_____ Dr. Rodríguez _____
_____ Julia y _____ Pablo _____
_____ Laura y _____ _____ nos

fascina/n
cae/n bien
molesta/n

los colores de la universidad
trabajar los sábados
las clases con muchos estudiantes
la mascota de la universidad
las personas de la residencia
mi compañero/a de cuarto
tomar un examen los viernes
las personas falsas
la gente que duerme en clase
oír música de los años 70
la variedad de gente en esta universidad

a + el = **al**: al Sr. Ramírez but **a la** Sra. Ramírez

Act. 5A: After students fill in the first column, check responses. Before doing Part B, go over the list in the third column and explain any new words.

Parte B: Ahora, forma oraciones usando un elemento de cada columna. Puedes añadir la palabra **no** si quieres. Luego comparte tus oraciones con el resto de la clase.

→   A nosotros (no) nos molesta trabajar los sábados.

Act. 5B: Call on individuals to create sentences. If errors occur, try to get the class to self correct.

Actividad 6: Tus gustos   Parte A: Lee las ideas incompletas que se dan a continuación y usa por lo menos cuatro de los siguientes verbos para indicar tus gustos: **fascinar, encantar, gustar, caer bien/mal, importar, interesar** y **molestar.**

Act. 6A: Assign as HW or allow 2 minutes to do it in class. Circulate and correct individual errors.

1._____ las clases fáciles.

2._____ mi profesor/a de . . .

3._____ mi horario de clases este semestre.

4._____ las clases con trabajos escritos *(papers)* y exámenes.

5._____ los exámenes finales para hacer en casa.

6._____ mis compañeros/as de cuarto o apartamento.

7._____ la gente que bebe mucho alcohol en las fiestas.

8._____ los profesores exigentes *(demanding)*.

9._____ el costo de la matrícula *(tuition)*.

10._____ participar en el gobierno estudiantil.

11._____ las fraternidades como ΩΣΔ.

12._____ (no) tener acceso al correo electrónico.

Parte B: Ahora, en parejas, háganse preguntas como las siguientes:

Act. 6B: Practice question formation and possible answers, set up pairs, set a time limit, and begin the activity. Check by asking some individuals about their partners' preferences. Ask questions like: **¿A Alan le fascinan los exámenes para hacer en casa? ¿A quién más le fascinan? Entonces, a Alan y a Jill . . .**

IV. Describing People, Places, and Things

Use and Formation of Descriptive Adjectives

1. To describe the essence or inherent characteristics of a person, place, or thing, use a form of the verb **ser** + *adjective*.

El estudiante graduado que enseña contabilidad **es brillante.**

The graduate student who teaches accounting is brilliant.

Esta universidad **es fantástica** porque tiene de todo.

This university is fantastic because it has everything.

Las cintas del laboratorio **son** muy **entretenidas.**

The lab tapes are very amusing.

Suggested practice with description:

1. Describe people in the class, celebrities, or well-known TV characters, focusing on adjectives in the lists in Act. 7 and 9. Include adjectives students may know from prior courses. Have students help in the descriptions: ¿Es divertido o serio Dan? ¿Es liberal o conservadora Oprah?

Remember that most descriptive adjectives follow the noun they modify.

To review gender of nouns, see Appendix B.

2. Have students divide the lists into positive and negative characteristics and be ready to defend their choices.

3. Have students find antonyms/synonyms for words you provide: cómico, brillante, etc.

4. State names and have students create appropriate sentences. T: Pat Robertson Ss: Es conservador. T: Whoopi Goldberg Ss: Es divertida.

5. Drill adjective agreement. Las películas son divertidas, pero los programas de noticias son . . .

The adjective of nationality español has four forms: español, española, españoles, españolas.

2. With few exceptions, adjectives agree in number (singular, plural) with the nouns they modify. The plural is formed by adding **-s** to adjectives that end in an unaccented vowel (usually **-e, -o,** or **-a**) and **-es** to those that end in an accented vowel (usually **-í** or **-ú**) or a consonant. Adjectives ending in **-o** and **-or** agree not only in number but also in gender (masculine, feminine) with the noun they modify. Adjectives ending in **-ista** agree in number only. See the following chart.

-e		consonante	
interesante	interesantes	liberal	liberales

-o, -a		-or	
serio	serios	conservador	conservadores
seria	serias	conservadora	conservadoras

-í, -ú		-ista	
israelí	israelíes	realista	realistas
hindú	hindúes		

una clase interesante — unas clases interesantes
una profesora seria — unas profesoras serias
un artículo liberal — unos artículos liberales
el estudiante conservador — los estudiantes conservadores
un profesor realista — unos profesores realistas

3. Adjectives of nationality that end in **-és** or **-án** drop the accent from the masculine singular and add the appropriate endings to agree in gender and number with the nouns they modify.

inglés — ingleses
inglesa — inglesas

alemán — alemanes
alemana — alemanas

4. Adjectives that end in **-z** change **z** to **c** in the plural.

feli**z**	feli**ces**
capa**z**	capa**ces**

Actividad 7: ¿Cómo es tu profe? Parte A: Piensa en un/a profesor/a que te cae bien este semestre y marca los mejores adjetivos para describir a esa persona.

Act. 7A: Assign as HW or allow a moment for students to think of their professor. Set a time limit of 1 minute.

_____ admirable	_____ estricto/a
_____ astuto/a	_____ honrado/a *(honest)*
_____ atento/a *(polite, courteous)*	_____ ingenioso/a *(resourceful)*
_____ brillante	_____ intelectual
_____ capaz *(capable)*	_____ justo/a *(fair)*
_____ cómico/a	_____ sabio/a *(wise)*
_____ creativo/a	_____ sensato/a *(sensible)*
_____ divertido/a *(fun)*	_____ sensible *(sensitive)*
_____ encantador/a *(charming)*	_____ tranquilo/a

Parte B: Ahora, habla con otra persona y descríbele a tu profesor/a.

→   Me cae muy bien mi profesora de teatro porque es muy creativa y . . .

Act. 7B: Form pairs, model, set a time limit, and begin the activity. To check, have a few students share their findings.

Actividad 8: Lo ideal En parejas, miren la lista de adjetivos de la Actividad 7 y decidan cuáles son las tres cualidades más importantes para un profesor, una amiga, un político y una doctora. Sigan el modelo.

→   Un político debe ser . . .

Act. 8: Option A: 1. Set up the activity by having the class decide as a group the characteristics of a good father. 2. Then form groups, set a time limit, and begin. 3. To check, have a group sharing.

Option B: 1. Same as above. 2. Form groups, assign one topic to each group. 3. Have groups report their choices.

Actividad 9: Me molesta mucho Parte A: Marca los mejores adjetivos para describir la clase que menos te gusta este semestre y al profesor o a la profesora de esa clase. Piensa en la clase y las personas de esa clase.

Act. 9A: Assign as HW or allow a moment for students to do.

_____ aburrido/a *(boring)*	_____ fácil
_____ cerrado/a *(narrow-minded)*	_____ grande
_____ conservador/a	_____ insoportable *(unbearable)*
_____ creído/a *(vain)*	_____ largo/a
_____ difícil	_____ lento/a *(slow)*
_____ enorme	_____ liberal
_____ exigente *(demanding)*	_____ rígido/a

Parte B: Ahora, en parejas, quéjense de *(complain about)* la clase que menos les gusta.

→   No me gusta nada mi clase de . . . porque es . . .

→   Me molesta la clase porque los estudiantes son . . .

Act. 9B: Follow procedure for Act. 7B. You may want to tell students to use a false name if they mention a professor in a negative context.

V. Expressing Future Actions

Ir a + Infinitive and the Present Tense

1. To talk about the future, use a present-tense form of the verb **ir + a +** *infinitive*.

voy	vamos	
vas	vais	} + **a** + *infinitive*
va	van	

Mañana **vamos a comprar** los libros para la clase de literatura.

Tomorrow we're going to buy the books for the literature class.

Voy a ser ingeniero.

I'm going to be an engineer.

2. As you may remember, the present indicative tense is also used to refer to future actions. A time reference is frequently included with the present indicative in these cases.

Voy **dentro de poco.**

I'll go in a little while.

Maribel sale de clase **dentro de diez minutos.**

Maribel is getting out of class in ten minutes.

La ceremonia termina **a las 9:00,** ¿no?

The ceremony finishes at 9:00, right?

Actividad 10: Las clases En parejas, hablen sobre su horario de clases, sus clases y sus profesores. Algunas preguntas útiles son:

¿Qué materias cursas?
¿Cómo es la clase de . . . ?
¿Quién es tu profesor/a de . . . ?
¿Vas a cambiar de clase?
¿Vas a cambiar de sección?
¿Vas a dejar la clase?

¿Vas a trabajar este semestre?
¿Te gusta . . . ?
¿Te caen bien tus profesores?
¿Vas a practicar algún deporte?
¿Vas a estudiar mucho o poco este semestre?

Actividad 11: Sus planes En parejas, hablen de sus planes para el mes que viene. Aquí hay algunas ideas para su conversación: compras, trabajo, estudios, diversiones, deportes, viajes.

→ El mes que viene voy a . . . , ¿y tú?

Actividad 12: En el año 2025 En grupos de tres, escriban tres oraciones sobre cómo va a ser la universidad o su pueblo o ciudad en el año 2025. Usen la imaginación.

→ La ciudad va a tener un problema de tráfico muy serio . . .

La facultad

▶ *Dos jóvenes universitarios en Puebla.*

1. Be sure students understand phrases before listening to the conversation. Practice **¡No me digas!** and **¿En serio?** by asking **¿Quién estudia química?** Respond by saying **¡No me digas! Eres muy inteligente. / ¿En serio? Para mí la química es muy difícil.** Continue asking individuals similar questions. Have students repeat expressions.

2. Practice **volver a empezar de cero** by telling what you do if you're preparing a sandwich and it falls on the floor. Then ask students about similar situations.

¿En serio?	Really?
¡No me digas!	Don't tell me! / You don't say! / Wow!
volver a empezar de cero	to start over again from scratch

Actividad 13: La carrera de Mónica Mónica está estudiando en la Universidad de las Américas en Puebla, México, y le cuenta a Ramón cómo le va en sus estudios. Antes de escuchar la conversación, lee las siguientes ideas. Después escucha la conversación y marca las opciones correctas.

1. Mónica estudia . . .

_____ derecho   _____ biología   ✓ medicina

2. Quiere estudiar . . .

✓ derecho   _____ biología   _____ medicina

3. Para terminar la carrera que ella quiere, se necesitan . . .

_____ 4 años   ✓ 5 años   _____ 6 años

4. Ahora ella tiene . . .

✓ 19 años   _____ 23 años   _____ 24 años

Actividad 14: Comparaciones Parte A: Antes de escuchar la conversación otra vez, discute las siguientes preguntas sobre la educación universitaria en los Estados Unidos.

1. ¿Cuántos años necesitas para obtener un título universitario?
2. ¿Cuáles de los siguientes títulos puede recibir un estudiante subgraduado?

sociólogo   médico   profesor universitario de literatura
ingeniero   abogado

Act. 13: Set the scene for the conversation by reading the title, looking at the photo, and asking questions about its content. Read the first sentence in Act. 13. Then give directions for the ongoing listening activity. Reassure students who have had little experience with listening comprehension that they need not understand every word. Tell them to focus on listening for the correct choice to each sentence. Stress the similarity between reading and listening for specific information. Play the conversation and check answers.

More information on this topic can be found in ¿**Lo sabían?** on page 4.

3. Cuando un estudiante comienza la universidad, ¿sabe generalmente qué carrera va a estudiar?
4. ¿Qué ocurre si un estudiante decide cambiar de carrera?

Parte B: Ahora lee las primeras cuatro preguntas. Luego, escucha la conversación y contesta todas las preguntas.

Act. 14B: Play the conversation again and ask the questions.

Answers: 1. 8 2. Tiene que volver a empezar. 3. Que tiene mala suerte. 4. Abogada.

1. ¿Cuántas materias cursó Mónica?
2. ¿Qué problema tiene ella al cambiar de carrera?
3. Cuando Mónica le cuenta a Ramón su problema, él le dice: "¡Qué suerte tienes!" ¿Qué significa este comentario en el contexto de la conversación?
4. ¿Qué título va a recibir Mónica después de cinco años?
5. En muchos países hispanos, los estudiantes reciben el título de arquitecto, ingeniero, sociólogo o abogado después de cinco años de estudio. ¿En qué se diferencia esto de la educación universitaria en los EE.UU.? En tu opinión, ¿cuáles son los pros y los contras de cada sistema?

¿LO SABÍAN?

Cada cultura tiene su propio sentido de humor. Uno de los aspectos interesantes del humor de las personas de habla española es el uso de la ironía. Es común oír a una persona decir exactamente lo contrario de lo que quiere decir cuando el mensaje es obvio. En la conversación, Ramón dice que Mónica tiene suerte cuando es obvio que no tiene nada de suerte. De la misma manera, también se puede oír frases como las siguientes:

- Al pasar frente a un edificio antiguo: ¡Qué moderno es!
- Al ver pasar a una persona muy alta: ¿Adónde va esa persona sin piernas?

Ahora, inventa oraciones irónicas para describir estos dibujos:

Vocabulario activo

Las materias académicas

See page 3.

Verbos como *gustar*

See pages 6–7.

Adjetivos descriptivos

See pages 8–10.

Vocabulario personal

Expresiones útiles

¿A qué hora es . . . ?	*At what time is . . . ?*
cursar (una clase)	*to take, study (a class)*
¿En serio?	*Really?*
la matrícula	*tuition*
¡No me digas!	*Don't tell me! / You don't say! / Wow!*
volver a empezar de cero	*to start over again from scratch*

To help you focus on the active vocabulary presented in each chapter, this text provides end-of-chapter lists. These will direct you to the specific page where items were presented or will provide a list of words with their translations. Obvious cognates will not be translated in this text, but they will be included in the lists.

There is also a section entitled **Vocabulario personal.** In this section, you may write any new words you have learned in the chapter or in class that you want to remember but that were not formally presented.

Learning Spanish is like learning to figure skate. Each year a skater adds a few moves to his/her routines, but never stops practicing and improving on the basics. As the skater progresses from doing a double to a triple axle, he/she must still polish technique. There are marks for both technical merit and artistic merit. Both must be worked on, and as the skater becomes better in the sport, actual progress is more and more difficult to perceive.

The process of learning a language is depicted in the cone below. In order to learn a foreign language, students must progress vertically as well as horizontally. As one proceeds vertically, one must also cover more distance horizontally. Progress is noted while moving vertically. This includes learning new tenses, object pronouns, etc. (or in skating, landing a new jump for the first time). Horizontal progress is not perceived as easily as vertical. Horizontal progress includes fine tuning what one has already learned by becoming more accurate, enlarging one's vocabulary, covering in more depth topics already presented in a beginning course, and gaining fluency. This progress is like improving scores for artistic merit or consistently skating cleaner programs than ever before. As you pursue your studies of Spanish, remember that progress is constantly being made.

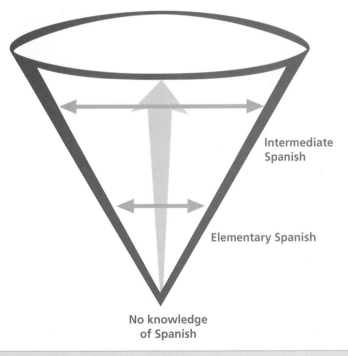

Intermediate
Spanish

Elementary Spanish

No knowledge
of Spanish

CAPÍTULO

Nuestras costumbres

Besides assigning grammar, vocabulary, and **¿Lo sabían?**, some or all of the following activities in this chapter may be prepared as HW:

Act. 3A, 7A, 13A, 16A (preparation of a family tree), 23A, 24.

▲ *Un día típico en las calles de Buenos Aires, Argentina.*

COMMUNICATIVE GOALS

- narrating in the present (part one)
- discussing plans
- describing people
- avoiding redundancies

Una cuestión de identidad

1. Practice **llamarle la atención**: Hold up pictures of people with purple hair or other outlandish dress or behavior and ask **¿Te llama la atención ver a una persona así?** You may want to teach another use of **llamarle la atención**: to call one's attention to: **El maestro le llama la atención a Pepito, un niño distraído, y le dice: ¡Pon atención!**

2. Practice **ser un/a pesado/a** by describing someone you know or invent: **Mi sobrino es un pesado. Tiene nueve años y hace miles de preguntas. No me deja en paz . . .** Then ask students who they know that is un/a pesado/a.

3. Compare city life and life in the suburbs: **En una ciudad hay muchas diversiones; en cambio, en las afueras no hay mucha vida nocturna.**

 FLR link: **Lectura 2** discusses terms such as **latino** and **hispano**.

▲ *Dos jóvenes almuerzan en un restaurante en Santiago de Chile.*

llamarle la atención	to attract someone's attention
ser un/a pesado/a	to be a bore
en cambio	instead

Actividad 1: Términos   **Parte A:** Los términos chicano, mexicoamericano y latinoamericano a veces provocan confusión. Decide qué características de la columna B pueden describir a cada uno de estos grupos. Es posible usar las características más de una vez.

Act. 1A: Give students time to match the two columns, then have them share their responses. Do not say right or wrong because the answers will be in the listening passage.

 El chicano
Internet

A

chicano: a, c, d, f

mexicoamericano: a, c, d

latinoamericano: b, c, e

B

a. es ciudadano norteamericano

b. es de Latinoamérica

c. es de ascendencia mexicana

d. habla español

e. habla portugués

f. tiene connotación política

Parte B: Pedro está en Chile y está completando una solicitud para ingresar a una universidad en los Estados Unidos. Le pregunta a su amiga Silvia, que estudió allí, qué significan ciertos términos. Escucha la conversación y compara tu información de la Parte A con lo que dice Silvia.

Act. 1B: Give instructions to focus student listening. Play conversation, check answers, compare with their answers in Part A.

Actividad 2: Más información   Antes de escuchar la conversación otra vez, lee las siguientes preguntas. Luego escucha la conversación para buscar la información necesaria.

1. Según Silvia, ¿quiénes son el mexicoamericano, el chicano y el latino?
2. ¿En qué se diferencia una universidad de los Estados Unidos de una universidad de Latinoamérica?

Act 2: Go over the questions and play the conversation. You might want to explain that the term **chicano** usually has a political connotation. It was the term preferred by César Chávez, creator of United Farm Workers' Union.

¿LO SABÍAN?

Por lo general, en un país hispano, las facultades de una universidad tienden a estar distribuidas por toda la ciudad. Los estudiantes asisten a clase en la facultad y luego se reúnen a estudiar o a charlar en el bar de la facultad o en los cafés cercanos. Las universidades generalmente no tienen clubes, pero sí hay representantes de los partidos políticos que organizan reuniones o manifestaciones políticas. ¿Cómo es la vida de un universitario en los Estados Unidos? ¿Y de un universitario en un país hispano?

I. Narrating in the Present (Part One)

A. Regular and Irregular Verbs

To talk about what you usually do, use the present tense. The regular forms of the present tense are formed as follows:

FLR link: Lectura 1: Anuncios personales

Presentation of the present indicative tense: Provide comprehensible input by telling students what you do in a typical week. Interrupt your narrative to ask questions about what students do. Review basic verbs as needed.

mirar		comer		recibir	
miro	miramos	como	comemos	recibo	recibimos
miras	miráis	comes	coméis	recibes	recibís
mira	miran	come	comen	recibe	reciben

For further information on how to form the present indicative, including irregular verbs, see page 300.

Paulina y yo **caminamos** a la oficina todos los días.	*Paulina and I walk to the office every day.*
Como afuera dos veces por semana.	*I eat out twice a week.*
Roberto y su amigo no **asisten** a clase los viernes.	*Roberto and his friend don't attend class on Fridays.*

Drill present tense:
1. Practice new verbs by giving definitions and having students respond. **Alquilar: Es usar algo por un tiempo específico a cambio de una cantidad de dinero.** Expand when possible by asking questions like: **¿Qué cosas alquila la gente?**
2. Have all students stand, ask them questions. Upon answering, they can sit down.

Cuido niños. (*Kids, anybody's kids.*) **Cuido a los niños de mi hermana.** (*Specific child/children*)

Flirtear can take both male and female subjects, while **coquetear** can only take a female subject.

Flirtear from the English *to flirt,* has been approved by the Real Academia de la Lengua Española.

3. In pairs, have students list things that business people do and professors do in a typical week.

Write **ja ge gi jo ju** on the board. Practice pronunciation and stress their importance with **escoger.**

Remind students that the present indicative can also be used to refer to the future as

1. The verbs **mirar** (*to look at*) and **escuchar** (*to listen to*) only take **a** when they are followed by a person.

Mientras estudio, **escucho** música clásica.	*While I study, I listen to classical music.*
Siempre **escucho a** mi padre.	*I always listen to my father.*

2. Here is a list of verbs that you can use to talk about what you usually do.

-ar *verbs*

ahorrar (dinero/tiempo)	to save (money/time)
alquilar (videos)	to rent (videos)
charlar	to chat
cuidar (a) niños	to baby-sit
dibujar	to draw
faltar (a clase/al trabajo)	to be absent (from class/work)
flirtear/coquetear	to flirt
gastar (dinero)	to spend (money)
odiar (a + persona)	to hate (+ person)
pasar la noche en vela	to pull an all-nighter
pasear al perro	to walk the dog
sacar buena/mala nota	to get a good/bad grade
trasnochar	to stay up all night

Other common **-ar** verbs are: **caminar, esquiar, hablar (por teléfono), llegar, llevar (a + persona), regresar, preparar, tocar (un instrumento musical), trabajar, visitar (a + persona).**

-er *verbs*

escoger*	to choose
hacer* investigación/una dieta	to do research; to be on a diet

Other common **-er** verbs are: **beber, comer, correr, leer, saber*, vender.**

-ir *verbs*

asistir (a clase/una reunión)	to attend (class/a meeting)
compartir	to share
contribuir**	to contribute
discutir	to argue; to discuss
salir* bien/mal (en un examen)	to do well/poorly (on an exam)

Other common **-ir** verbs are: **decidir, salir*, traducir*, vivir.**

*Note: For spelling changes or an irregular **yo** form, see page 300.
For irregular forms, see verbs that end in **-uir on page 301.

Actividad 3: Un conflicto familiar   Parte A: Una madre tiene problemas con su hijo adolescente y le escribe a Consuelo, una señora que da consejos (advice) en un periódico. Elige el verbo y la forma apropiada para cada espacio en blanco de la carta.

Act. 3A: Assign as HW and check in class. When finished checking, ask questions about content.

asistir
comer
hacer
mirar
preparar
regresar
sacar
ser

escuchar
faltar
flirtear
ir
regresar
sacar
ser

asistir
discutir
escuchar
estar
gustar
llegar
trabajar

saber
ser
ser

Estimada Consuelo:

Estoy divorciada y tengo tres hijos: Carlos, Maricruz y Enrique, de diez, once y dieciséis años respectivamente. Mis dos hijos menores **son** encantadores. **Asisten** a clase todos los días y **sacan** notas excelentes. Por la tarde, después de la escuela, ellos **regresan** a casa, **hacen** la tarea y **preparan** la comida en el microondas. Luego **comen** mientras **miran** televisión.

Mi hijo Enrique, en cambio, **es** muy rebelde. Está en la escuela secundaria, pero a veces **falta** a clase por la mañana. En vez de ir a clase, **va** a un parque con sus amigos y allí ellos **flirtean** con las chicas (a veces creo que estos chicos tienen demasiada testosterona). Luego, por la noche, él **regresa** a casa muy tarde y **escucha** música rap a todo volumen en su habitación. Por supuesto estudia poquísimo y **saca** notas terribles en la escuela.

Yo **trabajo** todo el día en una tienda de ropa y luego **asisto** a una clase de inglés en un instituto norteamericano. Por lo tanto, **llego** a casa tarde después de un día largo y **estoy** muy cansada. A esa hora generalmente, Enrique **escucha** esa música rap tan horrible y tan fuerte. Entonces él y yo **discutimos** porque a mí no me **gusta** la música tan fuerte.

Consuelo, ¿por qué mis hijos menores **son** tan buenos y mi hijo mayor **es** tan rebelde? No **sé** qué hacer.

Madre desesperada

Note: A response to this letter is found in Act. 7.

Parte B: En grupos de tres, comparen la familia de la madre desesperada con su propia familia. ¿Son iguales o diferentes?

→ A mi madre también le molesta cuando mi hermano escucha música rap.

→ Estos niños pequeños son perfectos, pero en mi familia no es así. Son muy mal educados. Asisten a clase, pero no escuchan a los maestros y no hacen la tarea.

Actividad 4: Una clase aburrida   En grupos de tres, digan qué hacen generalmente los estudiantes cuando están en una clase que es aburrida. Mencionen un mínimo de cinco acciones.

Actividad 5: ¿Qué hacen?   **Parte A:** En parejas, usen la imaginación para decir qué hacen estas personas un día normal.

Act. 3B: Form groups of three, set a time limit, and end with a group sharing. A time limit will help motivate students to work on task.

Act. 4: Introduce activity by acting. Speak in a monotone. Sit at your desk leading a boring drill. Ask students if they are bored. Then form pairs and set a time limit. Have a group sharing when finished.

Act. 5A: Form pairs, set up the activity, set a time limit, and begin. Have a group sharing when finished.

Parte B: La vida de estas personas se va a cruzar. Describan cómo va a cruzarse la vida de ellos. Comiencen diciendo: **La estudiante va a salir de su casa una noche y . . .**

Act. 5B: Use the same pairs as in Act. 5A, set up the activity, set a time limit, encourage students to use their imagination, and begin. When finished, call on a few individuals to describe how the peoples' paths will cross.

Presentation of **hace que:** Tell about your life, how long you have taught at the university, lived at your house/ apartment, had a pet, etc.

You may want to teach the construction *llevar + time expression + gerund:* **Llevo tres meses viviendo aquí.**

Drill **hace . . . que:**

1. Find out who is going out with someone and ask **¿Cuánto (tiempo) hace que sales con él/ella?**

B. Expressing the Duration of an Action

1. To express how long an action has been taking place, use the following formula:

> **¿Cuánto (tiempo) hace + que +** *verb in present*?
> **Hace +** time expression **+ que +** *verb in present.*

—**¿Cuánto (tiempo) hace que vienes** a este club?

How long have you been coming to this club?

—**Hace cinco años que hago** ejercicio aquí.

I've been working out here for five years.

2. Write names of people on the board: Jay Leno / trabajar en el Tonight Show (1992), David Letterman / trabajar para CBS (1993), etc. Update examples if no longer valid. In pairs, have students ask and answer questions about each one. Stress the use of **como** and **unos** to express *about*.

2. You can also express the duration of an activity by using **desde hace +** *time expression* at the end of a sentence.

Estudio español **desde hace un año.**

Hace un año que estudio español.

= *I've been studying Spanish for a year.*

3. When you are not exactly sure of the duration of an action, use **como** or **unos** before the time expression.

Hace **unos/como tres años** que yo no trabajo allí.

I haven't been working there for about three years.

Actividad 6: La entrevista   En parejas, túrnense para entrevistarse y averiguar si la otra persona hace las actividades que se presentan y cuánto tiempo hace que las hace. Sigan el modelo.

Act. 6: Set up pairs, practice forming questions and possible answers for the first three items, have students alternate asking questions, set a time limit, and begin. Check by asking a few questions.

A: ¿Estudias psicología?

B: Sí, estudio psicología.   B: No, no estudio psicología.

A: ¿Cuánto (tiempo) hace que estudias psicología?

B: Hace (como) tres semanas que estudio psicología.

ahorrar dinero	manejar	hacer esquí acuático
esquiar	tocar un instrumento musical	trabajar
estudiar español	compartir un apartamento	hacer ejercicio
hablar otro idioma	usar computadora	¿ ? ?

Drill stem-changing verbs:

1. Place students in pairs. Put all verbs on an overhead in no particular order and have students organize them by groups (e > i, o > ue, etc.). You may want to include some non-stem changing verbs.

2. Give students a list of activities: **jugar al (nombre de un deporte), almorzar a la/las (hora), soler comer en (nombre de un restaurante).** They make sentences according to their habits (e.g. **Juego al tenis.**). Have the class mingle to find others with similar answers. Check by having students say a few sentences: **Mark y yo jugamos al tenis.**

C. Stem-Changing Verbs in the Present

There are four types of stem-changing verbs (e > ie; e > i; o > ue; u > ue).

comenzar (e > ie)		volver (o > ue)	
comienzo	comenzamos	vuelvo	volvemos
comienzas	comenzáis	vuelves	volvéis
comienza	comienzan	vuelve	vuelven

pedir (e > i)		jugar (u > ue)	
pido	pedimos	juego	jugamos
pides	pedís	juegas	jugáis
pide	piden	juega	juegan

For formation of stem-changing verbs in the present indicative, see page 301.

A: ¿Qué **piensas** hacer mañana?	*What are you planning to do tomorrow?*
B: **Quiero** jugar al fútbol con mis amigos.	*I want to play soccer with my friends.*
A: Juan **dice** que **juegas** bien.	*Juan says you play well.*
B: **Suelo** jugar con él los sábados.	*I usually play with him on Saturdays.*

e > ie

cerrar	to close
comenzar (**a** + infinitive)	to begin (to)
empezar (**a** + infinitive)	to begin (to)
entender	to understand
mentir	to lie
pensar **en**	to think about
pensar + infinitive	to plan to
perder (**a** + persona)	to lose (someone)
preferir	to prefer
querer (+ infinitive); (**a** + persona)	to want (to); to love (someone)
tener*	to have
venir*	to come

o > ue

almorzar	to have lunch
costar	to cost
devolver	to return (something)
dormir	to sleep
encontrar (**a** + persona)	to find (someone)
morir(se)	to die
poder	to be able to, can
probar	to taste; to try
soler + infinitive	to do . . . habitually, usually do something
volver	to return, come back
volver a + infinitive	to do something again

e > i

decir*	to say, tell
elegir* (**a** + persona)	to choose, elect (someone)
pedir	to ask for
repetir	to repeat
seguir* (**a** + persona)	to follow (someone)
servir	to serve

u > ue

jugar (**al** + nombre de un deporte)	to play (a sport)

*Note: For spelling changes or an irregular **yo** form, see page 302.

Devolver is a transitive verb (it takes a direct object). Use it to say someone returns something somewhere: **Él va a devolver el suéter a la tienda. Volver** is an intransitive verb (it never takes a direct object). Use it to say someone returns somewhere: **Él va a volver a la tienda.**

When talking about someone they know, people are more apt to use **morirse**.

When teaching **sigo** and **elijo**, write **ga gue gui go gu** on the board. Contrast with **ja ge gi jo ju**.

Actividad 7: La respuesta de Consuelo **Parte A:** Completa la carta que Consuelo le escribe a la madre desesperada de la Actividad 3. Elige el verbo y la forma apropiada para cada espacio en blanco.

Act. 7A: Assign as HW and check in class. Ask questions on content.

comprender
creer
dormir
entender
querer
tener

comenzar
creer
estar
poder
ser
ser
soler
tener
tener

charlar
decir
escuchar
poder
ser

Querida madre desesperada:

Yo también ___tengo___ un hijo adolescente y por eso ___entiendo/comprendo___ muy bien su problema. Mi hijo ___cree___ que la vida es muy fácil. Por la noche, ___duerme___ diez o doce horas y durante el día solamente ___quiere___ jugar. No ___comprende/entiende___ que hay momentos para trabajar y momentos para jugar.

Éste es un problema que ___tienen/tenemos___ todos los padres. (En su caso, señora, ___es___ difícil porque usted ___está___ sola.) En general, los adolescentes ___tienen___ muchos conflictos y eso es muy común. Su cuerpo ___comienza___ a cambiar y hay muchas cosas que ___pueden___ controlar. Asimismo, ___suelen___ tener opiniones a veces muy particulares. Por ejemplo, ___creen___ que los adultos ___son/somos___ idiotas e ignorantes.

Nosotros, los padres, ___podemos___ hacer muchas cosas para ayudar a nuestros hijos. Yo, por ejemplo, ___charlo___ con mi hijo sobre su escuela y sobre sus amigos. Muchas veces, ___escucho___ con mucha paciencia las cosas que él me ___dice___. La comunicación entre padres e hijos ___es___ crucial en la adolescencia.
Tenga fe y saldrá adelante.

Consuelo

Parte B: Consuelo cree que la solución es una mejor comunicación entre la madre y su hijo. En grupos de tres, comenten qué pueden hacer los padres para tener una mejor comunicación con sus hijos.

→ En mi opinión, los padres pueden . . . Deben . . . Tienen que . . .

Act. 7B: Form groups of three, explain the premise, set a time limit, and check by having a group sharing.

Actividad 8: Personas activas   En parejas, hagan listas por lo menos de cinco actividades que las siguientes personas hacen un día normal: una buena deportista, un actor, un político.

Actividad 9: Los fines de semana   **Parte A:** En parejas, túrnense para entrevistarse y averiguar qué hacen los fines de semana. Sigan el modelo.

→ —¿Qué prefieres hacer los fines de semana,
comer en la universidad, pedir comida a
domicilio o almorzar . . . ?
—Prefiero . . .

Act. 8: Form pairs, instruct students to make three columns labeled **Deportista, Actor, Político,** on a sheet of paper. Set a time limit and begin. Check by creating a master list for all three. Possible follow-up: ask what good and poor Spanish students do to prepare for class. Use this opportunity to discuss how to best prepare for a Spanish class.

Act. 9A: Go over possible questions: **¿Cuántas horas duermes los fines de semana? ¿En qué gastas dinero?** (etc.) Set up pairs and begin.

Preferir:

_____ comer en la universidad   _____ pedir comida a domicilio   _____ almorzar y/o cenar afuera

Dormir:

_____ 7 horas o menos   _____ 8 horas   _____ más de 8 horas

Gastar dinero en:

_____ diversiones   _____ comida   _____ ropa   _____ otras cosas

Asistir a:

_____ conciertos   _____ eventos deportivos   _____ manifestaciones políticas

Gustarle:

_____ trasnochar   _____ hablar por teléfono   _____ alquilar videos

Soler:

_____ pasar la noche en vela   _____ ir a fiestas   _____ jugar al (nombre de un deporte)

Parte B: Ahora compartan la información que averiguaron con el resto de la clase para comparar lo que hace un universitario típico.

Actividad 10: Una ronda de improvisación   En parejas, lean la siguiente situación e improvisen una conversación.

> Un padre/Una madre se queja de las cosas que hace y no hace su hijo. Su hijo se queja de las cosas que hace y no hace su padre/madre.

Act. 10: Assign pairs and roles. You may want to brainstorm a list of actions a parent and a child would complain about. Set a time limit and begin. Have one or two pairs act out the improvisation for the rest of the class.

II. Discussing Plans

Quisiera, me gustaría, tener que, and deber

1. To talk about desires, you can use the following phrases:

> quisiera
> me/te/ ... gustaría } + *infinitive*

—¿Qué **quisieras ser** en el futuro?   *What would you like to be in the future?*

—**Me gustaría ser** ecologista.   *I would like to be an ecologist.*

2. To extend invitations, you can use **te/le/les gustaría** + *infinitive* or **quisiera/s/n** + *infinitive*. Use of **quisiera** is more polite and formal.

—¿**Te gustaría ir** a una fiesta esta noche?   *Would you like to go to a party tonight? (invitation)*

—Sí, **me gustaría** mucho.   *I would like to a lot. (desire)*

3. To express an obligation, use **tener que** + *infinitive*. To express something you ought to or should do, use **deber** + *infinitive*.

No puedo ir a tu fiesta porque **tengo que estudiar** para un examen.   *I can't go to your party because I have to study for an exam.*

Me gustaría ir, pero **debo limpiar** la casa porque vienen unos amigos esta tarde.   *I would like to go, but I ought to/should clean the house because some friends are coming over this afternoon.*

Actividad 11: ¿Qué te gustaría hacer?   Habla con dos o tres compañeros para averiguar cuatro o cinco cosas que les gustaría hacer en las próximas vacaciones y por qué. Sigue el modelo.

➜   A: ¿Qué te gustaría hacer en las próximas vacaciones?
     B: Me gustaría viajar por España.
     A: ¿Por qué por España?
     B: ...

Drill obligations, desires, and invitations:

1. Have students daydream about where they would rather be right now. Tell them to turn to a partner and tell about their daydream. Ask a few to share for the class.

2. Have students brainstorm places students go and what they do. Write these on the board. In pairs, have them invite each other out: ¿Te gustaría ... ? Repeat the process with business acquaintances and have them use **quisiera**.

3. Have students list items they **tienen que hacer** before a Spanish exam. Ask what they have to do for class tomorrow.

4. Have students list what they have to do this weekend and three things they would like to do. Encourage connected discourse using the pattern: Tengo que ... , me gustaría ... , pero voy a ... , porque ...

Actividad 12: Las excusas   En parejas, una persona lee el papel A y la otra persona lee el papel B. Sigan las instrucciones para su papel.

A

Invita a tu compañero/a a hacer algo especial contigo esta semana. Debes ser muy insistente. Usa oraciones como: **¿Te gustaría . . . ?, Yo quisiera . . . , ¿Quisieras venir?**

B

Tu compañero/a te cae mal. Si te invita a hacer algo, inventa excusas para no ir. Usa oraciones como: **Me gustaría, pero tengo que . . .**

Actividad 13: Las preferencias   **Parte A:** Este fin de semana te gustaría hacer algo interesante. Mira los siguientes anuncios y numéralos del 1 al 6 (1 = el menos interesante, 6 = el más interesante).

El Rock argentino de Fito Paez

Fito Paez es uno de los músicos más cotizados y relevantes de su país, Argentina. En España es básicamente conocido por compatriotas suyos que están afincados en nuestro país. Ariel y Andrés Calamaro, de Los Rodríguez, siempre han considerado a Fito como una de sus influencias. Acaba de editar el disco "El amor después del amor".

• **Fito Paez.** Lunes 31, 22 horas. Aqualung. Ermita del Santo 48. Entradas: 1.800 pesetas (Madrid Rock).

◆ PELICULAS EN CARTEL ◆

● **COMO AGUA PARA CHOCOLATE.** *1992. 2h. Lauren. Drama. Méx.* Dir.: Alfonso Arau. Con Marco Leonardi, Lumi Cavazos y Regina Torne. En el México de la revolución, una chica ve como su madre no sólo le impide tener relaciones con un chico, sino que propone a su hermana mayor para que se case con él. Ella es una espléndida cocinera y es la encargada de hacer diariamente la comida a madre y hermanas. *Madrid, Fuencarral.* Periferia: *Las Rozas*

PIRANDELLO 2
Ventura Rodríguez 7
(Plaza España) Tel: 547 63 12
541 59 37
Todas las noches 1.15 h

PRESENTA

el humor de **ADOLFO**

Jueves, viernes y sábados tarde Baile para mayores de 25 años

Un capricho salsero

La sala Puerto Plata se ha consolidado como uno de los locales madrileños que con más mimo cuida la música de salsa. Con bastante frecuencia Puerto Plata está acogiendo en su escenario a artistas representantes de este estilo que, si bien no tienen un nombre que se conozca masivamente, ofrecen un cúmulo de calidad que no es conveniente ignorar. Este es el caso de Monchy y la Orquesta Capricho.

• **Monchy y la Orquesta Capricho.** Sábado 5 y domingo 6, 23 horas. Puerto Plata. Calle Orense 14.

Domingo 6 de junio
Madrid, 19 h
Corrida de toros

**Curro Romero
Curro Vázquez
Julio Aparicio**
(FUERA DE ABONO)

**Toros de
Aldeanueva**

Escultura y dibujo

La escultura y el dibujo conjugan a la perfección en la muestra "Una exposición de escultura moderna con dibujo". Al reunir esta colección se ha tenido en cuenta el tamaño pequeño y medio de la escultura para explicar el proceso dentro de un diálogo con los dibujos. La muestra reúne una veintena de nombres entre los que destacan: Manolo Hugué, Angel Ferrant, Miró, Tapies, Oteiza, Susana Solano, Miquel Navarro, etc.

• **"Una exposición de escultura moderna con dibujo".** Real Academia de S. Fernando. Alcalá 13.

Internet

Actividades de tiempo libre

Parte B: En parejas, intenten ponerse de acuerdo *(agree)* adónde van a ir por la noche. Sigan el modelo.

→   A: ¿Te gustaría escuchar rock?
B: De verdad no me gusta mucho el rock. Quisiera . . .
A: A mí no me gusta . . . , pero ¿no te gustaría . . . ?

Act. 13B: Place students in pairs. Instruct them to negotiate with their partner about a place to go this weekend. Model by role-playing this exchange with one student. Set a time limit and begin.

III. Describing People

 La familia real española
Internet

A. El árbol genealógico de Valeria

Marisa García Sánchez
abuela paterna
viuda

Julián Gómez
abuelo paterno
muerto

Teresa López Agote
abuela materna
muerta

Teófilo Méndez Cañás
abuelo materno
muerto

Gabriel
tío político
viudo

María Cristina
tía
muerta

Hernán
padre
divorciado

Fernanda
madre
casada
(divorciada de
Hernán)

Juan
padrastro
casado

Estela
prima
casada

David
primo político
casado

Dolores
hermana
soltera

Valeria
divorciada
(hijastra
de Juan)

Gregorio
ex esposo
divorciado

Jorge
medio hermano
casado

Isabel
cuñada
casada

Practice family vocabulary:

1. Ask questions about the family tree: **¿Cómo se llama la suegra de Tomás?,** etc. In pairs, have students alternate asking each other questions about the family tree.

2. Form true/false statements about the family members. Then, in pairs, have students

form true/false statements to quiz each other.

3. Encourage students to bring in photos of family members. In pairs, have students identify people in the photos.

4. You may want to review the use of two last names in Spanish.

Lucía
hija
casada

Tomás
yerno
casado

Andrés
sobrino
soltero

Maricarmen
sobrina
soltera

padres = parents

parientes = relatives

Note both **ser** and **estar** can be used with **soltero/a**, **casado/a**, and **divorciado/a**. When **ser** is used, it means *a married/single/divorced man/woman*:

Él **es** casado. = *He is a married man;*

Él **está** casado con Ana. = *He is married to Ana.*

Más parientes

el/la **bisabuelo/a**	great grandfather/mother
el/la **hermanastro/a**	stepbrother/sister
el/la **hijo/a adoptivo/a**	adoptive son/daughter
el/la **hijo/a único/a**	only child
la **madrastra**	stepmother
el/la **nieto/a**	grandson/daughter
la **nuera**	daughter-in-law
el **pariente político**	relative in-law
el/la **suegro/a**	father/mother-in-law

You may want to tell students that in some countries **hermanastro/a** is used instead of **medio/a hermano/a** to refer to a half brother/sister.

Act. 14: Make it clear the sentences should be from Estela's perspective. Give students a minute or two to jot down some sentences, form pairs, set a time limit, and begin. Check by calling on individuals to say a few sentences.

Remember: All possessive adjectives agree in number with the noun they modify and **nuestro** and **vuestro** also agree in gender.

mi/s	nuestro/a/os/as
tu/s	vuestro/a/os/as
su/s	su/s

Act. 15: Close books. Assign A and B roles. Have all Bs with their backs to the board. Write the items from Act. 15 on the board or on an overhead transparency. Have As give definitions to Bs. When finished, reverse seating arrangement and place the second list on the board. Check by having students give some definitions at random while the class guesses.

Act. 16A: The day before, assign students to draw their own or a fictitious family tree. Model activity by describing a shortened version of your family tree while students draw it. Form pairs. Have one student explain his/her tree while the other draws. If time allows, switch roles. Check by having students compare the trees with their partner.

Act. 16B: Do Part B if time permits.

Actividad 14: La familia de Estela   En parejas, miren nuevamente el árbol genealógico y túrnense para hacerse preguntas sobre los parientes de Estela.

→ —¿Quiénes son los padres de Estela?
—Sus padres son . . .

Actividad 15: Las definiciones   **Parte A:** En parejas, una persona da definiciones para las siguientes palabras y la otra persona cubre la lista y adivina qué palabra es.

→ —Es el hijo de mi padre, pero no de mi madre.
—Es tu medio hermano.

1. bisabuelo
2. nuera
3. cuñada
4. hijo único
5. suegro
6. nieta

Parte B: Ahora cambien de papel.

1. hijastro
2. sobrina
3. yerno
4. madrastra
5. parientes
6. hijo adoptivo

Actividad 16: ¿Y tu familia?   **Parte A:** En parejas, una persona describe a su familia mientras la otra persona dibuja el árbol genealógico correspondiente.

→ Mi bisabuelo se llama Pedro y es viudo. Mi bisabuela está muerta. Mis abuelos son . . .

Parte B: Ahora, hablen con otra persona y descríbanle el árbol genealógico que acaban de hacer de su compañero/a.

→ El bisabuelo de Greg se llama . . .

FLR link: **Lectura 3** deals with famous Hispanics and their occupations. FCG Act. 22 also deals with famous Hispanics.

Drill occupations:
After providing comprehensible input,

1. Do a word association game with names/products, and occupations: **Ally McBeal / abogada; Drano / plomero;** etc.

2. In pairs, students mime occupations while their partners guess what they are.

3. Explain problems and ask students whom they would call: **Tengo un restaurante y necesito personas para lavar platos.**

contador = contable (España)

4. In pairs, have students explain in their own words various occupations while their partners guess which it is.

plomero = fontanero (España)

In Spain **chófer** (not **chofer**) is preferred.

B. Las ocupaciones

ama de casa   artesano/a   camarero/a   carpintero/a

cartero   científico/a   contador/a

enfermero/a   escritor/a   mujer/hombre de negocios

lavaplatos   plomero   químico/a

Otras ocupaciones

actor/actriz
arquitecto/a
artista
cajero/a
chofer
dentista

director/a de cine
doctor/a
ecologista
electricista
ingeniero/a
mecánico/a

médico/a político
militar psicólogo/a
operador/a taxista
piloto vendedor/a
piloto
policía

Note: Use the indefinite article **un/a** with occupations only when an adjective or a qualifying phrase is present: Es ingeniero; Es **un** ingeniero **excelente**; Es **un** ingeniero **de primera categoría.**

1. For some occupations, the context or the article indicates gender: **Mi cuñado es policía; el artista/la artista; el lavaplatos/la lavaplatos.**

2. Historically, not many women have been active participants in certain occupations, but the Spanish language is catching up with societal changes. The terms used to refer to a woman for occupations such as **cartero, chofer, piloto, plomero, policía, político,** etc., are still evolving. People tend to say, for instance, **la mujer piloto** or simply **la piloto.** The former seems to be more common. Words with an accepted feminine form are indicated in the vocabulary list.

Actividad 17: ¿Qué hace? En parejas, averigüen qué ocupación tienen los miembros de la familia de la otra persona.

→ —¿Qué hace tu padre?

—Mi padre es abogado. —Mi padre es abogado, pero no tiene trabajo. Está desempleado (*unemployed*). —Mi padre es abogado, pero tiene 70 años y está jubilado (*retired*).

Actividad 18: ¿Qué te gustaría ser? Habla con dos o tres compañeros para averiguar qué les gustaría ser en el futuro y por qué.

Actividad 19: Hablemos de trabajo En grupos de tres, clasifiquen las ocupaciones ya presentadas en las siguientes categorías y expliquen por qué las ponen en esas categorías.

a. cuatro ocupaciones que son creativas
b. cuatro ocupaciones en las cuales generalmente se gana poco dinero
c. cuatro ocupaciones que les interesan
d. cuatro ocupaciones que no les interesan para nada

▲ *Tiene cara redonda, ojos color café y bigotes. Tiene el pelo negro y lacio.*

C. Descripción física

Forma de la cara

cuadrada	square
ovalada	oval
redonda	round
triangular	triangular

Color de ojos

azules	blue
color café	brown
negros	black
pardos	hazel
verdes	green

Color y tipo de pelo

tener pelo castaño/canoso/negro	to have brown/gray/black hair
ser pelirrojo/a o rubio/a	to be a redhead or a blond
tener permanente	to have a permanent
tener pelo lacio (liso)/ondulado/rizado	to have straight/wavy/curly hair
ser calvo/a	to be bald
tener cola de caballo/flequillo/trenza(s)	to have a ponytail/bangs/braid(s)

Señas particulares

la barba	beard
los bigotes	mustache
la cicatriz	scar
los frenillos	braces
el lunar	beauty mark
las patillas	sideburns
las pecas	freckles
el tatuaje	tattoo

Practice facial features and distinguishing marks:

1. Use pictures from magazines to point out items.

2. Use students as models and discuss characteristics.

3. Use word association: **Salvador Dalí / bigotes, Lucille Ball / pelirroja,** etc.

4. Give pictures to students and have them describe individually, in pairs, or in groups.

5. Ask students if they have any scars or tattoos and where.

6. Have students jot down a brief description of themselves and of a partner, then compare.

¿LO SABÍAN?

En muchos países hispanos, con frecuencia la gente llama o se refiere a sus familiares, amigos o a su pareja usando palabras que en otras culturas pueden considerarse ofensivas. Por ejemplo, es común que los novios o una pareja casada se llamen **gordo** y **gorda** como términos de afecto, aunque las personas no pesen mucho. También es común que la gente les diga a sus amigos **flaco** o **flaca** como sobrenombre (*nickname*). También, en países como Colombia, Venezuela y Argentina se suele utilizar **negro** y **negra** como términos de afecto para una persona de tez oscura. A menudo estas palabras se usan en diminutivo: **gordito, flaquito, negrita** y no son consideradas insultos. Di si puedes usar estas palabras en inglés al hablarles a tus amigos o a tu novio/a.

Actividad 20: ¿Quién tiene esto?   Parte A: Mira a tus compañeros y escribe el nombre de las personas que tienen las siguientes características:

pelo lacio y largo
un lunar en la cara
cara ovalada
una cicatriz
pelo rizado
un tatuaje
ojos color café
pecas
barba o bigotes
cola de caballo o trenza(s)

Parte B: En grupos de tres, comparen sus observaciones.

Actividad 21: ¿Eres observador?   En parejas, miren la cara de la otra persona con mucha atención. Después sigan las instrucciones de su profesor/a.

Actividad 22: Hispanos famosos   En parejas, cada persona mira dos de las fotos y la información correspondiente y le cuenta a su compañero/a cómo son las personas, de dónde son y qué ocupación tienen. Usen la imaginación para decir qué hacen un día típico.

Act. 20A: Set a time limit and begin.

Act. 20B: Form groups of three and instruct them to discuss responses. Have a group sharing when finished.

Act. 21: Pair students who sit far away from each other. Ask them to turn back-to-back and describe their partner's facial features in detail.

Act. 22: Pair students, set a time limit, and begin. Then have students report back what their partner said.

▶ *Loretta Sánchez mexicoamericana diputada de California en el Congreso de los EE.UU.*

◀ *Elena Poniatowska nació en Francia, vive en México desde los 11 años periodista y escritora*

▶ *Carlos Valderrama colombiano jugador profesional de fútbol*

◀ *Cameron Díaz norteamericana de padre cubanoamericano actriz y modelo*

IV. Avoiding Redundancies

Subject and Direct-Object Pronouns

Read the following conversation and state what is unusual.

A: ¿Agustín cocina tacos?
B: No, Agustín no cocina tacos porque no sabe preparar tacos.
A: ¿Cuándo va a aprender a cocinar tacos Agustín?
B: No sé cuándo va a aprender a cocinar tacos Agustín.

Obviously there is a great deal of repetition in the conversation. Two ways of avoiding repetition are (1) substitute a subject pronoun (**yo, tú, Uds.,** etc.) for the subject or omit the subject altogether and (2) substitute direct-object pronouns for direct-object nouns.

A: ¿Agustín cocina tacos?
B: No, no los cocina porque no sabe prepararlos.
A: ¿Cuándo los va a aprender a cocinar?
B: No sé cuándo (él) los va a aprender a cocinar.

1. A direct object usually receives the action of the verb directly. It answers the question *whom* or *what*. Notice that when the direct object refers to a specific person or to a loved animal, the personal **a** precedes it.

No encuentro **las llaves.**	*I can't find the keys.*
No encuentro **a mi hijo.**	*I can't find my child.*
No encuentro **a mi perro.**	*I can't find my dog.*

Note: The personal **a** is not used when the direct object is an unspecified person, and it is not usually used after the verb **tener.**

Busco un hombre de 1 metro 80 para esta película.	*I'm looking for a man 5 feet 11 inches tall for this movie. (indefinite)*
Busco **a** un hombre de 1 metro 80 que vi ayer en este café.	*I'm looking for a man 5 feet 11 inches tall whom I saw yesterday in this coffee shop. (specific)*
Tengo una hermana.	*I have a sister.*

2. The direct-object pronouns are:

me	nos
te	os
lo, la	los, las

Sentences with direct objects	Sentences with direct-object pronouns
Anoto **el teléfono del consultorio médico.**	**Lo** anoto.
Carlos ve **a la doctora** una vez por año.	Carlos **la** ve una vez por año.
	La doctora **me/te/os/nos** ve una vez por año.

3. Use direct-object pronouns:

    a. before a conjugated verb
      La ve una vez por año.
      La quiere ver.
      La va a ver.

    b. after and attached to the infinitive
      Quiere **verla.**
      Va a **verla.**

Act. 23A: Assign as HW and check in class. Have students analyze the different uses by making them justify their choices.

Actividad 23: Miniconversaciones **Parte A:** Completa estas miniconversaciones con **a, al, a la, a las, a los,** o deja el espacio en blanco cuando sea necesario.

Remember:

a + el = al;

de + el = del.

This activity includes more uses of **a** besides the personal **a.**

1. —¿Vas __a__ cenar con Germán esta noche?
   —No, pero mañana sí.

2. —Buscamos __a__ Felipe Yepes. ¿Sabe Ud. dónde está?
   —No tengo idea.

3. —¿Tu hija continúa con sus clases de ballet?
   —Sí, pero tiene un problema, pues odia __a__ sus compañeritos.

4. —Todos los años visitamos __x__ las islas del Caribe durante las vacaciones.
   —Y ¿este año no van __a__ ir?

5. —¿Qué haces todos los días en el trabajo?
   —Escribo __x__ cartas, mando __x__ faxes, preparo __x__ documentos y atiendo __a los__ clientes.

6. —¿Puedes venir __a__ mi casa esta tarde?
   —Me gustaría, pero tengo que pasear __a__ Lulú, el perro de mi prima.

7. ¿Vas __a__ ver __al__ Sr. Loprete y __a__ la Sra. Guerra esta tarde?
   —__A__ ella sí, pero __a__ él no.

Parte B: En parejas, escojan una de las miniconversaciones y continúenla. Intenten crear una conversación de un mínimo de ocho líneas.

Act. 23B: Form pairs, allow students to select a mini-conversation (or assign one to each group), set a time limit, and check by having one or two groups present theirs to the class.

Actividad 24: La redundancia La siguiente historia contiene redundancias de sujeto y complemento directo que están en bastardilla *(italics)*. Léela y después intenta reescribirla para que sea más aceptable.

Act. 24: If assigned as HW, have students peer edit each other's work. If done in class, students could work together. Answers will vary so it may be good to have a few students read their versions.

Generalmente llego al trabajo a las nueve de la mañana, preparo café, bebo *el café* y leo las noticias (creo que no es saludable leer *las noticias* pues *las noticias* me causan dolor de estómago). Luego voy a mi computadora Mac, pero *mi computadora* no es muy buena porque *la computadora* es muy lenta y a veces tengo que despertar *la computadora*. Mis compañeros de trabajo que usan IBM no aprecian *mi computadora*, y aunque yo les explico, *mis compañeros de trabajo* no entienden. Un día voy a invitar *a mis compañeros* a usar *mi computadora* por un tiempo y así van a ver lo fácil que es usar mi máquina.

A eso de las cinco de la tarde, voy a clase en la Facultad de Ciencias Económicas. Casi no puedo escuchar la información y anotar *la información* porque estoy muy cansado después de mi día de trabajo (a veces pienso en dejar *mi trabajo* y dedicarme a estudiar). Por suerte, algunos de los profesores son muy activos y sus clases son muy interesantes pues *los profesores* enseñan *estas clases* con mucho entusiasmo y, como resultado, los estudiantes disfrutan *estas clases*.

A eso de las once de la noche llego a casa totalmente exhausto.

Actividad 25: ¿Lo comen? En parejas, pregúntenle a su compañero/a si los siguientes grupos hispanos hacen las acciones que se indican. Sigan el modelo.

Act. 25: Set up pairs, model activity, and have students alternate asking questions.

Answers: 1, 5, and 6 are affirmative. You might want to mention that **Los españoles no los comen, los dicen.** Colombia is the second largest exporter of flowers, after Holland.

→ los uruguayos / beber mate

—¿Los uruguayos beben mate?
—Sí, lo beben.

1. los argentinos / bailar tango
2. los cubanos / escuchar música de mariachis
3. los españoles / comer tacos
4. los venezolanos / bailar flamenco
5. los mexicanos / comer frijoles
6. los colombianos / exportar flores

Actividad 26: ¿Te llaman? En parejas, averigüen si les pasan las siguientes cosas.

Act. 26: Practice a few questions and possible answers. Form pairs, set a time limit, and begin.

→ —¿Te llaman por teléfono tus padres?

—Sí, me llaman mucho.   —No, no me llaman nunca.

1. sus padres: llamarlo/la por teléfono / visitarlo/la en la universidad
2. sus amigos: venir a visitarlo/la de otra universidad / invitarlo/la a cenar / criticarlo/la por algo
3. sus profesores: verlo/la fuera de las horas de oficina

Actividad 27: El jefe no nos escucha　En grupos de tres, piensen en los jefes que han tenido y en otros jefes que conocen. Después, formen oraciones explicando cómo son los jefes en general. Sigan los modelos.

→　Generalmente, no **nos ven** fuera de las horas laborales.

→　Muchos de los jefes no **nos ven** fuera de las horas laborales, pero hay algunos que sí **nos ven**. Algunos incluso salen a tomar algo con nosotros.

1. escucharlos atentamente cuando Uds. hablan
2. respetarlos
3. conocerlos bien
4. considerarlos parte importante de la compañía
5. dejarlos salir temprano del trabajo en ocasiones especiales
6. invitarlos a tomar algo después del trabajo

Act. 27:　Review phrases and words that are used to make generalizations: **algunos, pocos, normalmente, en general, generalmente, la mayoría**, etc. Write them on the board. Form groups of three, set a time limit, and begin. Compare groups' answers and try to reach a consensus.

Actividad 28: Presente y futuro　**Parte A:** En parejas, miren a los miembros de esta familia y discutan las siguientes ideas:

a. cómo son físicamente
b. qué hace cada uno un día normal
c. qué cosas en particular tienen que hacer hoy
d. dónde les gustaría pasar sus próximas vacaciones
e. qué odian y por qué lo odian

Act. 28A: Encourage students to be creative. Set a time limit. When finished, have a group sharing.

Parte B: Describan a la persona de su familia que más admiran o a la más extraña (*strange*). Deben darle una descripción muy completa a su compañero/a. Incluyan su aspecto físico, su ocupación, qué hace un día normal y por qué la admiran o creen que es extraña.

Act. 28B: This could be done orally in class and could also be a topic for a composition.

Vocabulario activo

Verbos

Ver página 19.

Verbos de cambio de raíz

Ver página 23.

La familia

For additional family members see page 29.

abuelo/a	*grandfather/mother*
cuñado/a	*brother/sister-in-law*
esposo/a	*husband/wife*
ex esposo/a	*ex husband/wife*
hermano/a	*brother/sister*
hijo/a	*son/daughter*
hijastro/a	*stepson/daughter*
madre	*mother*
materno/a	*on your mother's side*
medio/a hermano/a	*half brother/sister*
padrastro	*stepfather*
padre	*father*
padres	*parents*
parientes	*relatives*
paterno/a	*on your father's side*
primo/a	*cousin*
primo/a político/a	*cousin-in-law*
sobrino/a	*nephew/niece*
tío/a	*uncle/aunt*
tío/a político/a	*uncle/aunt-in-law*
yerno	*son-in-law*
casado/a	*married*
divorciado/a	*divorced*
estar muerto/a	*to be dead*
soltero/a	*single*
viudo/a	*widower/widow*

Vocabulario personal

Ocupaciones y otras expresiones

actor/actriz	doctor/a	operador/a
arquitecto/a	ecologista	piloto
artesano/a	electricista	policía
artista	mecánico/a	político
carpintero	médico	psicólogo/a
dentista	militar	taxista

ama de casa	*housewife*
cajero/a	*cashier*
camarero/a	*waiter/waitress*
cartero	*mail carrier*
chofer	*chauffeur, driver*
científico/a	*scientist*
contador/a	*accountant*
director/a de cine	*movie director*
enfermero/a	*nurse*
escritor/a	*writer*
hombre/mujer de negocios	*businessman/woman*
ingeniero/a	*engineer*
lavaplatos	*dishwasher*
plomero	*plumber*
químico/a	*chemist*
vendedor/a	*sales person*
estar desempleado/a	*to be unemployed*
estar jubilado/a	*to be retired*

Descripción física

Ver página 32.

Expresiones útiles

¿Cuánto (tiempo) hace + que . . . ?	*How long have you . . . ?*
debo . . .	*I ought to/should . . .*
en cambio	*instead*
llamarle la atención	*to attract someone's attention*
me gustaría . . .	*I would like to . . .*
quisiera . . .	*I would like to . . .*
ser un/a pesado/a	*to be a bore*
tengo que . . .	*I have to . . .*

CAPÍTULO

2

La vida cotidiana

▶ *Una mañana típica en una calle de Zunel, Guatemala.*

COMMUNICATIVE GOALS

- narrating in the present (part two)
- describing and comparing
- obtaining and giving information

The following activities may be prepared as HW: Act. 4, Act. 5, Act. 9A, Act. 13, Act. 16A, Act. 23A, Act. 28, Act. 30A, Act. 31A.

La invitación para esta noche

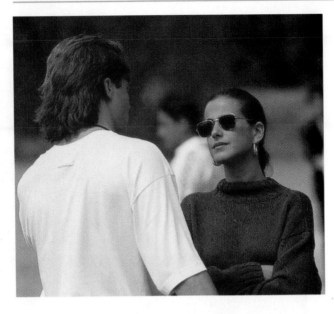

1. Practice **tener prisa** by complaining about lines in the supermarket: **Siempre, cuando tengo prisa, la persona que está delante de mí tiene un problema y tengo que esperar.**

2. Practice **divertirse un montón** by saying what is fun for you. Then ask, **¿Qué haces para divertirte un montón? ¿Dónde se divierte un montón un niño pequeño?**

3. Practice **¡Ya voy!** by placing one student in the hall, one in a back corner of the room and one in the other back corner. Call to them individually and have them respond **¡Ya voy!**

◀ *Dos jóvenes charlan en una calle de Bogotá, Colombia.*

Bogotá
Internet

tener prisa	to be in a hurry
divertirse un montón	to have a ball/a lot of fun
¡Ya voy!	I'm coming!

Actividad 1: Adivina **Parte A:** Antes de escuchar una conversación entre dos jóvenes, lee el título, mira la foto, lee las expresiones nuevas y trata de adivinar la siguiente información:

1. quién va a invitar a quién
2. qué tipo de invitación es
3. para qué hora es la invitación
4. si la otra persona va a aceptar o no la invitación

Parte B: Ahora escucha la primera conversación entre Laura, una colombiana, y Bill, un norteamericano, para corregir o confirmar tus predicciones.

Actividad 2: Más información Mientras escuchas otra conversación, pero ahora en la casa de Laura, busca esta información:

1. a qué hora llega Bill a la casa de Laura
2. quién abre la puerta
3. qué está haciendo Laura cuando llega Bill
4. qué le ofrece la otra persona a Bill
5. qué ocurre con la comida

Act. 1A: Explain what to do and give students a moment to jot down their predictions. When finished, have a group sharing.

Act. 1B: Tell students what to listen for and play the first conversation. Have a sharing of answers. Answers: 1. Laura a Bill 2. una cena 3. 9:00 P.M. 4. sí.

Act. 2: Read the items, then play the conversation. Have students compare answers with a partner, then have a brief group sharing.

Answers: 1. 9:10 2. Silvia, la hermana menor de Laura 3. se está vistiendo 4. algo para tomar 5. se está quemando.

¿LO SABÍAN?

A diferencia de los norteamericanos, muchos hispanos tienden a ver el tiempo de un modo menos estricto. Por ejemplo, no está mal visto llegar cinco minutos tarde a una reunión de negocios. Por otro lado, cuando se organiza una cena, la puntualidad no es importante; es más, el anfitrión o la anfitriona no espera que los invitados lleguen a la hora indicada sino, por lo menos, treinta minutos después. Por ese motivo, Laura comenta que Bill llegó temprano cuando en realidad él llegó diez minutos después de la hora de la invitación.

Actividad 3: La puntualidad   En parejas, túrnense para preguntarle a la otra persona sobre las siguientes ideas asociadas con la puntualidad.

1. Si tienes una cena a las 18:00, ¿a qué hora llegas a la cena?
2. Si estás cursando una clase que empieza a las 10:00, ¿a qué hora llegas a clase? ¿A qué hora llega tu profesor/a?
3. Si tienes una entrevista de trabajo a las 9:15, ¿a qué hora llegas?
4. ¿A qué hora llegas a tu trabajo si empieza a las 8:00?
5. Si tienes cita con el médico a las 11:30, ¿a qué hora llegas? ¿A qué hora te ve el médico?
6. Si tienes una fiesta a las 20:00, ¿a qué hora llegas a la fiesta?
7. Dentro de las normas de la sociedad norteamericana, ¿te consideras una persona puntual?

I. Narrating in the Present (Part Two)

A. Reflexive Pronouns

In the conversation at Laura's house, she said, **"Me pongo los zapatos . . . "** to indicate she was going to put her shoes on. She used a verb with a reflexive pronoun to convey this thought.

1. To indicate that someone does an action to him or herself you must use a reflexive pronoun. Compare the following sentences:

Me despierto a las 8:00 todos los días.

Todas las mañanas **despierto** a mi padre a las 8:00.

Mi padre **se baña** por la noche.

Mi padre **baña** a mi hermanito por la noche.

Los niños siempre **se cepillan** el pelo por la mañana.

El niño **cepilla** al perro una vez por semana.

In the first column, the use of reflexive pronouns indicates that the subject doing the action and the object receiving the action are the same. In the second column, subjects and objects are not the same, therefore reflexive pronouns are not used.

Drill reflexives:
1. Ask students to write down what time they usually get up every morning, and to ask each other questions in order to line themselves up from earliest to latest. Repeat for **acostarse.**

2. Have individuals or pairs of students act out sentences written on strips of paper. For example: **Me despierto. Me lavo el pelo. Despierto a mi hijo.** (etc.)

3. Pair students and have them state what items of clothing they put on 1st, 2nd, 3rd, etc. **Primero me pongo la ropa interior, después me pongo las medias, después de ponerme las medias,** etc.

4. Contrast **dormir** and **dormirse** by acting them out. Then ask students **¿En qué clases te duermes? ¿Tu padre se duerme cuando mira la televisión? ¿Cuántas horas duermes cada noche?** (etc.)

2. The reflexive pronouns are:

Remember that the following sentences are both correct:

Se va a acostar tarde. / Va a acostar**se** tarde.

me	acuesto	nos	acostamos
te	acuestas	os	acostáis
se	acuesta	se	acuestan

To review the placement of reflexive pronouns, see page 313.

3. Here is a list of reflexive verbs that you can use to talk about your daily routine.

acostarse (ue)
afeitarse (la barba/las piernas/etc.)
arreglarse (to make oneself presentable)
bañarse
cepillarse (el pelo/los dientes)
despertarse (ie)
desvestirse (i, i)
dormirse (ue, u)
ducharse
lavarse (el pelo/las manos/la cara/etc.)
maquillarse (to put on makeup)
peinarse
ponerse + item of clothing
prepararse (para)
quitarse + item of clothing
secarse (el pelo/la cara/etc.)
sentarse (ie)
vestirse (i, i)

Stem-changing verbs will be followed by **ue, ie, i, u** in parentheses to indicate what change takes place. Note that some verbs have a second change, which you will study in the next chapter.

arreglar = to fix (as in a car motor)

arreglarse la cara = to put on makeup

arreglarse el pelo = to fix one's hair

dormir = to sleep

dormirse = to fall asleep

Actividad 4: Tu rutina   En parejas, describan cuatro o cinco actividades de su rutina de la mañana y de su rutina de la noche. Usen verbos de la lista anterior y mencionen algunos de los productos que usan. Sigan el modelo.

→ Por la mañana yo me despierto a las 6:15 con mi reloj Sony, pero me levanto a las 6:45. Después . . .

Act. 4: Assign students to write their morning and evening routine or do in class. Encourage students to be as detailed as possible.

Actividad 5: Los fines de semana   En parejas, háblenle a la otra persona de cuatro cosas que generalmente hacen los fines de semana y de tres cosas que van a hacer este fin de semana.

→ En general, los fines de semana me levanto tarde, pero este fin de semana voy a levantarme temprano porque . . .

Act. 5: Assign as HW or do in class. Focus on the position of reflexive pronouns in the setup of this activity.

Actividad 6: La salud   **Parte A:** En parejas, entrevisten a la otra persona para ver si tiene una vida sana y marquen las respuestas en la siguiente lista. Sigan el modelo.

cuerdo/a = sane

sano/a = healthy

Act. 6A: Practice question formation prior to doing the activity.

→ —¿Fumas?
   —Sí, fumo mucho. / No, nunca fumo. / etc.

	Siempre/Mucho	Generalmente	A veces	Nunca
beber alcohol	_____	_____	_____	_____
soler comer frutas y verduras	_____	_____	_____	_____
despertarse tarde	_____	_____	_____	_____
dormirse con la luz encendida	_____	_____	_____	_____
escuchar música a todo volumen	_____	_____	_____	_____
practicar deportes	_____	_____	_____	_____
fumar	_____	_____	_____	_____
cepillarse los dientes después de comer	_____	_____	_____	_____
pasar noches en vela	_____	_____	_____	_____
salir cuatro noches por semana	_____	_____	_____	_____
tener dolores de cabeza	_____	_____	_____	_____
ducharse con agua muy caliente	_____	_____	_____	_____

Parte B: Ahora, mira las respuestas y dile al resto de la clase si la otra persona lleva una vida sana. Justifica tu respuesta.

Act. 6B: Give students a second to look over the responses given. Then, have a few students report back to the class.

→ Liz (no) lleva una vida sana porque . . .

FLR links: **Lecturas 1** and **3**.

B. More Verbs That Need Reflexive Pronouns

Presentation of more reflexives: Provide input by telling students about your workday. **Siempre tengo mucho trabajo. Me preocupo por mis clases, por eso las preparo bien antes de entrar en la clase. También me preocupo cuando un estudiante está ausente.** (etc.)

Drill more reflexives:
1. Ask **¿En qué lugares te diviertes y en cuáles te aburres? ¿Te preocupas de entregar los trabajos a tiempo? ¿Te preocupas de llegar a clase a tiempo? ¿Y al trabajo?** (etc.)

2. Give a few situations and ask students how they react: **Sacas una B y crees que debes sacar una A. ¿Te quejas o te callas?** (etc.)

Here are some verbs that do not indicate actions performed upon oneself, but need reflexive pronouns in order for them to have the meanings listed here.

aburrirse (de)	to become bored (with)
acordarse (ue) (de)	to remember
caerse	to fall down
callarse	to shut up
darse cuenta (de)	to realize
despedirse (i, i) (de)	to say good-by (to)
divertirse (ie, i)	to have fun, to have a good time
equivocarse	to err, to make a mistake
interesarse (por)	to take an interest (in)
irse (de)	to go away (from), to leave
ocuparse (de)	to take care (of)
olvidarse (de)	to forget (about)
preocuparse (de, por)	to worry (about); to take care (of)

quejarse (de)	to complain (about)
reírse (i, i) (de)	to laugh (at)
reunirse (con)	to meet (with)
sentirse (ie, i)	to feel

Actividad 7: ¿Te ríes cuando . . . ?   En parejas, túrnense para hacerle preguntas a la otra persona y averiguar si se ríe en las siguientes situaciones. Sigan el modelo.

Act. 7: Practice question formation for a few items, form pairs, set a time limit, and begin activity. Check by asking a few individuals about their partners' answers.

→   alguien / hacerte cosquillas (*tickles you*)

   —¿Te ríes cuando alguien te hace cosquillas?

   —Sí, me río.   —No, no me río.

1. un profesor / contar / un chiste (*joke*) malo
2. tú / estar / nervioso/a
3. una persona / estar / vestida con ropa rara
4. tú / oír / un chiste sobre otra religión
5. tú / oír / un chiste sobre otra nacionalidad
6. una persona / caerse / por la calle
7. otras personas / reírse
8. ???

Actividad 8: ¿Cómo son Uds.?   **Parte A:** En parejas, túrnense para entrevistar a la otra persona y así formar su perfil psicológico.

1. aburrirse con novelas románticas
2. divertirse solo/a o en compañía de otros
3. acordarse del cumpleaños de sus amigos
4. preocuparse por los demás (*others*)
5. sentirse mal si está solo/a
6. aceptar sus errores cuando se equivoca en la vida
7. olvidarse de ir a citas
8. interesarse por la salud de sus familiares

Parte B: Ahora díganle a la clase cómo es la persona que entrevistaron. Justifiquen su respuesta.

Act. 8: Practice question formation if needed. Check by having a few students give a psychological profile of their partner. Make them justify their responses.

→   Tom es una persona muy sociable porque . . .

Actividad 9: Las reacciones   **Parte A:** Primero, lee las siguientes situaciones. Segundo, elige uno de los adjetivos de la lista para describir cómo te sientes en cada situación y escríbelo en la primera columna. Después, pon una X en la segunda o la tercera columna para indicar si te callas o te quejas.

Act. 9A: Assign as HW or do in class. Set a time limit and have students fill out the chart.

Adjetivos: **enojado/a, fatal, frustrado/a, impaciente, irritado/a, nervioso/a, preocupado/a,** etc.

	Me siento . . .	Me callo	Me quejo
si no me gusta el servicio de un restaurante	_____	____	____
si una persona fuma en la sección de no fumar	_____	____	____
si estoy en un avión y el niño que está detrás de mí me está molestando	_____	____	____
si un profesor me da una nota que me parece baja	_____	____	____
si a todos les dan aumento de sueldo en mi trabajo menos a mí	_____	____	____

si alguien cuenta un chiste ofensivo

si mis vecinos ponen música a todo volumen

si no puedo matricularme en una clase

Parte B: En parejas, comparen y discutan sus respuestas. Justifiquen por qué se quejan o se callan.

Actividad 10: Un poco de imaginación   En grupos de tres, imagínense que estas dos personas son sus amigos y contesten las preguntas que siguen.

1. ¿Cómo se llaman y dónde trabajan?
2. ¿Qué hace el hombre para divertirse? ¿Y la mujer?
3. ¿Quién se divierte más?
4. ¿Dónde se aburren ellos?
5. ¿Se preocupan por su apariencia física?
6. ¿Se dan cuenta de los comentarios de los demás o no se preocupan por esas cosas?
7. ¿Cuál de los dos se interesa por la política? ¿Por qué?
8. ¿Cuál de los dos se olvida de pagar las cuentas a tiempo?

Act. 9B: Form pairs and model a discussion with a student. Have him/her give justifications.

Act. 10: Follow with a group sharing.

Follow-up: Have students bring in outlandish photos to discuss.

C. Describing Actions in Progress: *Estar* + Present Participle

1. To refer to an action in progress, you can use the present indicative or a form of **estar** + *present participle*.

¿Qué **está** hac**iendo** Pepe?	**Prepara** la tarea. **Está** prepar**ando** la tarea.
¿Qué hac**es**?	**Me seco** el pelo. **Me estoy** sec**ando** el pelo **Estoy** sec**ándome** el pelo.

To review placement of reflexive and direct-object pronouns, see page 313.

2. Regular present participles are formed as follows:

bail**ar** → bail**ando**   llov**er** → llov**iendo**   conduc**ir** → conduc**iendo**

To review formation of the present participle, see page 302.

3. In Spanish **estar** + *present participle* can only refer to actions in progress. To describe a state or the result of an action use **estar** + *past participle*. Compare the following examples.

Él **está** sent**ándose**.
(He is sitting down; i.e., he's in the process of sitting down, an action is in progress.)

Él **está** sent**ado** al lado de María Elena.
(He is seated/is sitting next to María Elena.)

Actividad 11: En otra parte   Di qué hora es y qué está haciendo la gente en este momento en las siguientes partes del mundo.

1. en el este de los Estados Unidos
2. en el oeste de los Estados Unidos
3. en Europa
4. en Hawai

Actividad 12: En la oficina pública   Di lo que están haciendo los empleados de esta oficina. ¿Crees que ésta es una escena típica de una oficina pública?

¿Lo sabían?: Ask students if they think there are too many government employees. Ask if they would like to work for the government and why or why not.

Ask students about typical problems with bureaucracy: mailing something, getting a license, etc. Then discuss the meaning of the terms **trámites** and **rechazar**.

¿LO SABÍAN?

En muchos países hispanos, existe el estereotipo del burócrata ineficiente que trabaja en las oficinas del estado. Con frecuencia, los programas cómicos de radio y televisión y las tiras cómicas de los periódicos critican la ineficiencia, una característica que se considera típica del empleado público. Di si existe un estereotipo de los empleados del gobierno en los Estados Unidos.

Presentation of repetitive actions: Provide input by talking about fictitious students: **Tengo un estudiante que siempre me interrumpe y me hace preguntas. Vive preguntando cosas. No hace nada más que preguntar, pero no estudia nunca. Se pasa la vida divirtiéndose en fiestas.** (etc.)

Drill repetitive actions: Use characters that students know from TV or politics and make statements about them:
T: **Phoebe, del programa "Friends", siempre canta canciones patéticas.** Ss: **Vive cantando canciones patéticas.** T: **Bart Simpson hace travesuras todo el tiempo.** Ss: **Se pasa el día haciendo travesuras.** (etc.)

D. Repetitive or Continuous Actions

The following verbs are frequently followed by a present participle to express the repetitiveness or continuity of an action.

> continuar/seguir
> pasarse la vida/el día/etc. } + present participle
> vivir

Mi madre **se pasa el día mirando** la televisión con mi padre, pero dice que son felices.

My mother spends the day watching TV with my father, but she says they're happy.

Si ese profesor **sigue/continúa humillando** a mi hijo, voy a hablar con el director de la escuela.

If that teacher keeps on humiliating my son, I'm going to talk with the principal of the school.

El perro del vecino **vive ladrando.**

The neighbor's dog barks incessantly.

Note: These verbs cannot be followed by an infinitive in Spanish:
continúa hablando . . . = *he/she continues to speak . . .*

Actividad 13: Los vecinos Te pasas el día espiando a tus vecinos por la ventana. Habla de las cosas que constantemente hacen ellos. Usa el verbo que aparece entre paréntesis.

→ El hermano menor de Paco juega al fútbol todos los días. (pasarse la vida)

El hermano menor de Paco **se pasa la vida jugando** al fútbol.

1. Doña María canta constantemente. (pasarse el día)
2. Robertito, su hijito, llora mucho. (vivir)
3. El Sr. Gómez lee muchísimos libros. (pasarse la vida)
4. La Sra. Gómez habla y habla por teléfono. (vivir)
5. Marisa todavía fuma. (continuar)
6. Rafaela, su hermana, se prueba ropa frente al espejo todo el tiempo. (vivir)
7. Ana todavía lee una novela de Stephen King. (seguir)

Actividad 14: ¿Y tú? Nadie tiene una familia perfecta. Di cinco o seis cosas que hacen constantemente tú y tu familia.

→ Mi hermana se pasa la vida durmiendo en el sofá.

Actividad 15: Trabaja y trabaja Muchas personas de otras culturas creen que el norteamericano se pasa la vida trabajando. Habla sobre las siguientes ideas:

1. tu opinión sobre este estereotipo
2. el número de horas por semana que trabajan tus padres, parientes o amigos
3. si trabajan para vivir o viven para trabajar
4. el estereotipo del hispano en lo que al trabajo se refiere

Stress use of **continuar** + *present participle* since there may be English interference to use an infinitive.

You may want to use the picture in Act. 12 to practice repetitive actions.

Act. 13: Could be assigned as HW and checked in class.

Act. 14: You may want to have all students stand; to sit they must say something positive or negative about a family member.

Act. 15: Option 1: Do as a full class activity, sharing opinions. Option 2: Form groups of three, set a time limit, and have a group sharing when finished. You may want to assign the different items to different groups.

 FLR link: **Lectura 2** discusses stereotypes.

Actividad 16: Carta de Buenos Aires **Parte A:** Carlos recibe una carta de Hugo, un amigo que estudia en Buenos Aires. Elige el verbo y la forma apropiados para cada espacio en blanco de la carta. ¡Ojo! Pueden ser infinitivos, verbos conjugados o gerundios.

Act. 16A: Assign as HW and check in class.

cursar
estudiar
participar
sentarse
ser
tener

dar
enseñar
estar
estudiar
levantarse
llamarse
llevarse
salir
salir
ser
trabajar

abrir
acostarse
cerrar
encontrar
estar
estar
ir
preferir
salir
tomar
vestirse

Buenos Aires, 5 de septiembre de 2000

Querido Carlos:

Finalmente _me siento_ a escribirte unas líneas para contarte un poco sobre mi vida en Baires (como la llaman algunos). _Estudio/Estoy estudiando_ en la Universidad de Belgrano, solamente por un trimestre, en un programa que la universidad _tiene_ conjuntamente con la UCLA. Las materias que _curso/estoy cursando_ son psicología del aprendizaje y metodología de la enseñanza. Los profesores _son_ un poco más formales y serios que en Los Ángeles y los estudiantes aquí _participan_ más que allá.

Salgo/Estoy saliendo con una chica que _se llama_ Daniela. _Es_ muy simpática y yo _me llevo_ muy bien con ella. Ella _trabaja_ de maestra en una escuela primaria y _enseña_ ciencias sociales. Nosotros no _salimos_ durante la semana porque los dos tenemos que _levantarnos_ temprano y durante el día _estamos_ muy ocupados. Luego yo me paso la tarde _estudiando_ para mis cursos mientras ella les _da_ clases particulares de guitarra a unos vecinos.

En cambio, los fines de semana Daniela y yo _vamos/salimos_ a comer con amigos y a veces a bailar. Por lo general, las discotecas no _abren_ hasta las doce de la noche y _cierran_ a las siete de la mañana. Los jóvenes _se visten_ con ropa muy moderna y bailan mucho. A veces, después de la discoteca, la gente _toma_ el desayuno en algún café, y por supuesto, todos _están_ abiertos a esa hora. A la gente joven le gusta _salir_ mucho por la noche y _encontrar_ lugares abiertos para tomar algo a cualquier hora de la noche (o mejor dicho de la mañana). Yo, por lo general, _prefiero_ _acostarse_ tarde. Tú puedes volver a casa más temprano porque de otro modo al día siguiente _estoy_ totalmente exhausto.

→

cambiar
conocer
hablar
reunirse
saber
sentarse
ser

escribir
estudiar

Aunque llevo poco tiempo en Buenos Aires, en la universidad
__conozco__ a mucha gente y a veces nosotros
__nos sentamos__ en un café a estudiar para algún examen.
Otras veces __nos reunimos__ a charlar horas y horas de
cualquier cosa, aunque el tema más popular __es__
la política. La gente se pasa el día __hablando__ de
política. Tú __sabes__ que la situación aquí está estable, pero puede __cambiar__ en cualquier momento y por
lo tanto siempre hay algo de qué hablar.
    Bueno, Carlitos, tengo que seguir __estudiando__ para
el examen. Espero que estés bien y . . . me puedes
__escribir__ si tienes ganas . . .

            Saludos a tu familia.
            Un abrazo de

Parte B: En parejas, hablen sobre un mínimo de seis de las actividades que un estudiante típico de los Estados Unidos hace fuera de clase.

→ El estudiante típico va a fiestas con sus amigos los fines de semana . . .

Act. 16B: Form pairs, set a
time limit, and have a group
sharing to describe the life of
a typical student in the U.S.
Ask students to compare this
to Hugo's impressions of student life in Buenos Aires.

II. Describing and Comparing

A. Las prendas de vestir

La ropa de moda
Internet

la solapa

el botón

el cuello

el sostén

la cremallera/
el cierre

el frac/smoking

la suela   el cordón

los calzoncillos

el vestido de fiesta

Presentation of clothing vocabulary: Provide input by describing in detail what you are wearing and/or bring in photos and describe them. Quickly review first-year clothing vocabulary and then introduce and stress new items. Basic clothing vocabulary is presented in Appendix E.

Drill clothing items:

1. Ask students to associate clothes with body parts: **pies—medias (calcetines), zapatos—la suela de un zapato, los cordones, los zapatos de tenis, las botas,** etc.

2. Do a chain drill asking students what they would pack on a trip to Puerto Rico or to Los Andes.

3. Ask students about preferences: **¿Prefieren los jeans con botones o con cremallera? ¿ . . . llevar suéteres holgados o ajustados?** (etc.)

4. In pairs, one student describes what a person in class is wearing and the other has to guess who it is. Or, have a fashion show with student narrators and models.

Más ropa

el anorak	parka
el cinturón	belt
el chaleco	vest
la gorra	cap
el impermeable	raincoat
la sudadera	sweatsuit; sweatshirt

Para hablar de la talla

grande ↔ **pequeño/a**
holgado/a *(loose)* ↔ **ajustado/a** *(tight)*
largo/a ↔ **corto/a**

Para hablar de cómo te queda la ropa

—¿Cómo **me queda** esta blusa?   *How does this blouse fit me?*
—No **te queda** bien.   *It doesn't fit you well.*

—¿Y los pantalones **me combinan**   *¿And do the pants match these shoes?*
con estos zapatos?
—Sí, **te combinan** muy bien.   *Yes, they match very well.*

En la tienda

estar de moda	to be in style
estar pasado/a de moda	to be out of style
una ganga	a good buy
una liquidación	a sale
la marca	brand name
el mostrador	counter
mostrar (ue)	to show
el probador	dressing room
probarse (ue)	to try on
una rebaja	a sale
estar rebajado/a	to be on sale
la vitrina	store window

Explain that me combina/n, me queda/n mal, etc., can also be applied to other people by changing the pronoun to te/le/etc.

la vitrina (Hispanoamérica) = el escaparate (España)

Actividad 17: ¿Cómo te queda?   En parejas, digan cómo les quedan las siguientes prendas. Sigan el modelo.

→ Si me pruebo un suéter talla mediana, me queda
grande/pequeño/bien/ajustado/holgado.

Para mujeres
1. unos zapatos número 35
2. un abrigo talla 44
3. un vestido talla 36
4. una blusa talla 38

Para hombres
1. unos zapatos número 41
2. una camisa talla 40
3. un frac talla 54
4. una sudadera talla mediana

Act. 17: Review equivalency chart on the next page. Practice a few items: **Si me pruebo un vestido talla 42 me queda grande porque yo llevo talla 10.** Then form pairs, set a time limit, and begin the activity. Check by asking a few questions of individuals.

TALLAS DE MUJER					
Zapatos		Vestidos y abrigos		Blusas	
EE.UU.	Métrico	EE.UU.	Métrico	EE.UU.	Métrico
5, $5\frac{1}{2}$	35	4	32	4	36
6	36	6	34	6	38
$6\frac{1}{2}$, 7	37	8	36	8	40
$7\frac{1}{2}$	38	10	38	10	42
8	$38\frac{1}{2}$	12	40	12	44
$8\frac{1}{2}$	39	14	42	14	46
9	40	16	44	16	48

TALLAS DE HOMBRE					
Zapatos		Trajes		Camisas	
EE.UU.	Métrico	EE.UU.	Métrico	EE.UU.	Métrico
$7\frac{1}{2}$	38	36	46	14	36
8	39	38	48	$14\frac{1}{2}$	37
$8\frac{1}{2}$, 9	40	40	50	15	38
$9\frac{1}{2}$, 10	41	42	52	$15\frac{1}{2}$	39
$10\frac{1}{2}$, 11	42	44	54	16	40
$11\frac{1}{2}$, 12	43	46	56	$16\frac{1}{2}$	41
$12\frac{1}{2}$	44	48	58	17	42

Actividad 18: ¿Iguales o diferentes?   En parejas, una persona mira solamente la columna A y la otra mira la columna B. La persona A debe definir las palabras impares y la persona B debe definir las palabras pares sin usar la palabra que define. Al escuchar a su compañero/a, digan si la palabra que tienen bajo ese número es igual o diferente. Recuerden que no pueden utilizar la palabra en la definición.

A
1. la cremallera
2. la ganga
3. el cordón
4. el sostén
5. el probador
6. el anorak

B
1. la sudadera
2. la ganga
3. la suela
4. la gorra
5. el probador
6. el chaleco

Act. 18: This activity practices circumlocution. Form pairs and have student A cover column B while student B covers column A. Explain **pares** and **impares**. Model activity by describing the first word in column A and having B students tell you whether their word under number 1 is the word you are describing. If they are not sure, they can ask you questions until they are sure enough to tell you **igual** or **diferente**. Set a time limit and begin. Check by giving definitions and have the class shout out responses.

Actividad 19: Ropa perfecta para cada ocasión   En grupos de tres, describan detalladamente la ropa que generalmente llevan las siguientes personas.

1. un profesor en una clase universitaria
2. una abogada en la corte
3. una cantante de rock en un concierto
4. un jugador de golf
5. una persona que corre por el parque

Act. 19: Form groups of three, set a time limit, and begin. Have a group sharing.

Actividad 20: La compra   En parejas, A trabaja en una tienda y B es un/una cliente. Cada uno debe leer sólo las instrucciones para su papel.

Estudiante A

Tú trabajas en una tienda y ganas comisión por la venta de las siguientes prendas de vestir: pantalones a cuadros rojos y morados, gorras de cuero con lunares rosados, chalecos azules de seda y cinturones negros de plástico. Convence al/a la cliente de que compre algo. Algunas frases útiles son: **¿Quiere probarse . . . ? ¿Qué talla quiere? Le queda . . . Es una ganga.**

Estudiante B

Necesitas ponerte algo especial para ir a un concierto de rock y después conocer a los padres de un amigo. No te gusta comprar ropa pues nunca tienes idea de cómo se combina. Pruébate dos o tres cosas y pídele ayuda al/a la vendedor/a. Algunas frases útiles son: **¿Cómo me queda? ¿Cuánto cuesta . . . ? ¿Me combina el . . . con . . . ? Me queda un poco grande/ajustado/. . .**

Act. 20: Before beginning, discuss and act out typical store conversational exchanges. List some phrases on the board under two columns: **Vendedor/a / Cliente.** Form pairs, have students read their roles, have them stand, set a time limit, and begin. Check by seeing what they purchased. You may want to bring in actual items for them to try to sell (polyester shorts, ugly ties, etc.).

Actividad 21: Me interesa la moda   En parejas, entrevisten a la otra persona para averiguar cuánto le interesa la moda. Luego cuéntenle al resto de la clase.

→   gustarle / comprarse / ropa que está de moda

—¿Te gusta comprarte ropa que está de moda?
—No, no me interesa.

1. saber / qué ropa está de moda
2. mirar / revistas de ropa como *Vogue* o *GQ*
3. gustarle mirar / vitrinas
4. dónde / comprarse / ropa
5. comprar / por catálogo
6. cuántas veces por mes / ir / de compras
7. buscar / ofertas en el periódico
8. saber combinar / la ropa
9. importarle / la marca de ropa que lleva
10. llevar / ropa que está pasada de moda

Comprarse can be used instead of **comprar** to indicate that you buy something for yourself: **Nunca me compro ropa.**

Act. 21: Before starting, practice question formation for each item. Then form pairs, set a time limit, and begin. Check by asking partners if the person they interviewed is fashion conscious or not.

Follow-up: Poll students to find out what store or brands are the most popular.

¿LO SABÍAN?

Aunque los países de habla española crean su propia moda, por lo general, también se sigue la moda de Europa y de los Estados Unidos. Dos diseñadores hispanos conocidos internacionalmente son Carolina Herrera, de Venezuela, y Óscar de la Renta, de la República Dominicana. Como en los Estados Unidos, la moda, generalmente, se difunde a través de las revistas, los periódicos, la televisión y los desfiles de moda. En países como México, las telenovelas también influyen en la moda. Hay gente que tiende a comprar ropa como la que llevan los personajes de la telenovela más popular del momento. Di qué factores influyen en la moda de los Estados Unidos. ¿Quiénes son algunas personas que influyen en la moda de los jóvenes?

Actividad 22: A discutir   A continuación hay dos refranes populares en español. En grupos de tres, discutan el significado de cada refrán y digan cuál de los dos creen Uds. que refleja mejor la verdad.

Act. 22: Follow up with group discussion; have students share their answers and reasons. If you want, ask some provocative questions like: **Tienes que ir al médico y puedes elegir entre un médico con traje y corbata o uno con pantalones cortos y camiseta. ¿A quién eliges? ¿Te importa la ropa que lleva?**

Aunque la mona se vista de seda, mona se queda.

El hábito no hace al monje.

Presentation of **estar** + *past participle:* Provide input by describing what you see in the room. **Los alumnos están sentados y yo estoy parado delante de la clase. Los libros están abiertos. Las ventanas están cerradas y la puerta está abierta. La tarea está escrita en la pizarra . . .** (etc.)

 FLR link: **Lectura 3.**

Drill past participles:
1. Give sentences and have students state the result: **Me siento, ahora . . . Abro la puerta, ahora la puerta . . .** (etc.)

2. Create a crime scene by turning over a desk, putting a jacket over it, etc. Have students describe it using past participles.

B. The Past Participle as an Adjective

1. Use **estar** + *past participle* to indicate the result caused by an action.

Action	Result
Los padres **se preocupan** porque sus hijos no sacan buenas notas en la escuela.	**Están preocupados.** *They are worried.*
Pablo **pone** la mesa para comer.	La mesa **está puesta.** *The table is set.*

2. Regular past participles are formed as follows:

comprar → compr**ado/a**	vender → vend**ido/a**	vestir → vest**ido/a**

Note: The past participle functions as an adjective and agrees in gender and number with the noun it modifies:

Él está preocupad**o**.   **Ellas** están preocupad**as**.

3. In pairs, one student gives the infinitive and the other gives the participle. Or, provide two numbered lists so students quiz each other. Provide answers with the lists to ensure accuracy.

3. Some irregular past participles that are frequently used as adjectives include:

abrir → abierto/a	poner → puesto/a
escribir → escrito/a	resolver → resuelto/a
hacer → hecho/a	romper → roto/a
morir → muerto/a	ver → visto/a

Remember that the past participles of verbs such as **des*hacer*** and **pre*ver*** are generally formed like the verbs they contain:

descomponerse (some countries in Hispanic America) = **averiar** (Spain)

descom*ponerse*	to break down	**descompuesto/a**	broken
des*hacer*	to undo	**deshecho/a**	undone
dis*ponerse* a	to get ready to	**dispuesto/a**	willing
en*volver*	to wrap	**envuelto/a**	wrapped
pre*ver*	to foresee	**previsto/a**	foreseen
re*volver*	to mix	**revuelto/a**	mixed

For a more complete list, see page 309.

Actividad 23: En el centro comercial   Parte A: Completa estas conversaciones que escuchas en un centro comercial, usando **estar** + *el participio pasivo (past participle)* de los siguientes verbos: **abrir, descomponerse, envolver, hacer, prever, romper, vender.**

Act. 23A: Assign as HW and check in class.

1. —Señor, ¿me podría dar ese anorak?
   —No, perdón, señor. Ese anorak ya ___está vendido___.

2. —¿Y ese ruido? ¿Qué ocurrió?
   —Por suerte no hay personas heridas, pero el cristal de la vitrina ___está roto___.

3. —Quisiera saber cuándo va a ser la próxima liquidación.
   —Bueno, no estoy seguro, pero creo que ___está prevista___ para el mes que viene.

4. —Perdón, señora. Pero, ehhhhh, su cremallera ___está abierta___.
   —¡Ay! Muchas gracias, señorita. ¡Qué vergüenza!

5. —¿Qué necesita?
   —Quiero devolver esta cámara porque ___está descompuesta___, pero afortunadamente está bajo garantía.

6. —Necesito que prepare el informe sobre las ventas de este mes.
   —El informe ya ___está hecho___.
   —Muy bien. La felicito.

7. —¿Están listos los paquetes?
   —Sí, ya ___están envueltos___ en papel de regalo.

Act. 23B: Form pairs, have students pick the conversation themselves, or assign different conversations to different groups. Check by having some groups perform for the class.

Parte B: En parejas, escojan una de las conversaciones y continúenla.

Actividad 24: La escena Mira la siguiente escena y usa **estar** + *participio pasivo* para describir lo que ves.

Presentation of comparative: Provide input by comparing two cars, two buildings, your university and one nearby, etc.

Drill comparative:

1. Have students compare: a. their hometown with the city they are in. b. two people in the class or two famous people. c. two fictitious workers. Provide example: **Carmen escribe a máquina 90 palabras por minuto y Ramón escribe 90 palabras también. Carmen se reúne con sus jefes 3 veces por semana y Ramón se reúne con ellos 2 veces.** Students respond.

C. The Comparative

1. To compare people, things, or actions that are different, use the following formulas:

más/menos	+	noun/adjective/adverb	+	que
verb	+	más/menos	+	que

Juan Luis Guerra da **más conciertos que** Rubén Blades.

Juan Luis Guerra gives more concerts than Rubén Blades.

Gloria Estefan es **menos famosa que** Mariah Carey.

Gloria Estefan is less famous than Mariah Carey.

Óscar trabaja **más rápidamente que** Carolina.

Oscar works faster than Carolina.

En clase, Gabriela **habla más que** Ana.

Gabriela speaks more than Ana in class.

2. Some adjectives have regular and irregular comparative forms. The irregular forms sometimes convey a different shade of meaning.

bueno	más bueno	*nicer, kinder*	mejor	*better*
malo	más malo	*naughtier*	peor	*worse*
grande	más grande	*larger (in size)*	mayor	*older (person)*
pequeño	más pequeño	*smaller (in size)*	menor	*younger*

Felicia debe tener el dormitorio **más grande** porque ella es **mayor que** Alfredo.

Felicia should have the bigger bedroom because she's older than Alfredo.

Mayor/menor can be translated as *greater/lesser* when referring to things: **mayor/menor importancia.**

When discussing the age of children in a family, people tend to say **Mi hermano más pequeño** (*younger*) **es el más alto.**

3. When making a comparison with an expression of quantity use **más/menos de** before the quantity.

No puede costar **más de mil** pesos.

It can't cost more than one thousand pesos.

Use **no . . . más que** to mean *only* when preceding a quantity. **No tengo más que cincuenta pesos.** *I have only fifty pesos.*

2. Have students write four comparisons about Jay Leno and David Letterman. Tell them to include **más + adjetivo + que, tan + adverbio/ adjetivo + como,** and **tanto(s) + sustantivo + como** in their comparisons.

4. When you want to compare people, things, or actions that are equal, use the following formulas.

tan + *adjective/adverb* + **como**

Ella es **tan sensible como** su esposo.

She is as sensitive as her husband.

Ella trabaja **tan rápidamente como** él.

She works as quickly as he does.

tanto/a/os/as + *noun* + **como**

Ella trabaja **tantas horas como** su esposo.

She works as many hours as her husband.

Él tiene **tanta paciencia como** ella.

He has as much patience as she does.

verb + **tanto como**

Las mujeres **trabajan tanto como** los hombres.

Women work as much as men.

5. When the persons or things that you are comparing are not equal, but pretty similar, use **casi** before **tan** and **tanto/a/os/as.**

Ella es **casi tan eficiente como** él.

She is almost as efficient as he is.

Actividad 25: ¿Ciudad o pueblo?   Parte A: Compara la ciudad o pueblo donde vives con Los Ángeles, Chicago o Nueva York. Habla de los aspectos indicados en la siguiente lista.

→   En Nueva York hace menos frío que en . . .

→   La ciudad de Nueva York es más interesante que . . .

1. calor
2. divertido/a
3. oportunidades de trabajo
4. peligroso/a
5. contaminación
6. tranquilo/a
7. tráfico
8. más espacio
9. desastres naturales
10. transporte público

Parte B: Elige una ciudad y convence a un/a compañero/a de que viva en ella. Usa expresiones como: **Es mejor vivir en . . . porque . . . , Es preferible vivir en . . . porque . . .**

Actividad 26: ¿Más o menos de tres veces?   Parte A: En parejas, averigüen si su compañero/a hace las siguientes cosas más o menos de tres veces por semana y pídanle que explique su respuesta. Sigan el modelo.

→   —¿Comes pizza más o menos de tres veces por semana?
—Como pizza más de tres veces por semana. Voy a Pizzería Uno cinco veces por semana porque me encanta la pizza.

1. comer pizza
2. trabajar con la computadora
3. hablar por teléfono a larga distancia
4. tomar bebidas con cafeína
5. usar tarjeta de crédito
6. usar transporte público
7. hacer ejercicio
8. mirar telenovelas
9. sacar dinero del banco

Parte B: Díganle a su compañero/a si están preocupados porque hacen estas cosas más o menos de tres veces por semana. Justifiquen su respuesta.

D. The Superlative

When you use the comparative, you compare two elements: **El dóberman es más grande que el cócker.** When using the superlative, you compare people or things with others in a group: **Ese dóberman es el perro más grande de este concurso.**

Act. 25A: Review items that might prove problematic: **hace** + weather expression, **ser, estar** or **haber** with certain adjectives.

Option 1: Do as a full class activity. Have students justify their remarks if there is disagreement.

Option 2: Do in pairs and follow with a group sharing.

Act. 26: Introduce activity by telling what you do more or less often than 3 times a week. Form pairs, set a time limit, and begin. Check by asking about certain student habits.

Presentation of superlative: Provide input by discussing who you think is the best singer, dancer, which is the best country to visit, etc., and support your opinion. Ask students if they agree with you.

Drill superlative: 1. Give students categories and have them create sentences: **político / famoso; cantante / rico; comediante / cómico; curso universitario / fácil; problema social / olvidado; país del mundo / peligroso,** etc.

2. Have students describe the following people, places or things: For example: **Bill Gates es uno de los hombres más ricos / el hombre más rico de los Estados Unidos.** Possible cues include: Michael Jackson, Gloria Estefan, El Museo del Prado, Ricky Martin, un Rolls-Royce, la Torre Sears de Chicago, la Antártida, Robin Williams.

3. Have students determine the best city in the U.S. and the worst, or the best and worst job. Make sure they can defend their choices.

4. a) Students write a name of a famous woman on a piece of paper, and the name of a man on another to hand in. b) Students select names at random and form sentences: 2 names = comparative, 3 names = superlative.

5. Have students say who the best actor/singer/politician/etc. is and support their opinion.

1. To form the superlative, use the following formula:

> el/la/los/las (*noun*) **más**
> el/la/los/las (*noun*) **menos** } + *adjective* (+ *de* . . .)

Montserrat Caballé **es la cantante de ópera más famosa del** mundo hispano.

Montserrat Caballé is the most famous opera singer in the Hispanic world.

Portillo es **el mejor lugar de** Chile para esquiar.*

Portillo is the best place in Chile to ski.

*Note: **Mejor** (*best*) and **peor** (*worst*) usually precede the noun they modify.

2. When you describe someone or something that is one of the most or least, but not the most or the least, use the following formula:

> uno/a de los/las (*plural noun*) **más**
> uno/a de los/las (*plural noun*) **menos** } + *plural adjective* (+ *de* . . .)

Jimmy Smits es **uno de los actores más famosos de** los Estados Unidos.

Jimmy Smits is one of the most famous actors in the United States.

Actividad 27: ¿Cómo son? **Parte A:** En parejas, túrnense para contarle a la otra persona sobre cuatro o cinco miembros de su familia y cómo se comparan entre sí. Usen las palabras que se presentan. Sigan el modelo.

→ Mi hermano Ron es {
el más tímido de mi familia.
el menos tímido de mi familia.
uno de los más tímidos de mi familia.
casi tan tímido como yo.
más tímido que yo.
}

atento/a
cerrado/a
divertido/a
tranquilo/a
intelectual
conservador/a

tímido/a
inteligente
inflexible
práctico/a
tolerante
chistoso/a

Parte B: Di cuál es tu pariente favorito y por qué.

Act. 27: Form pairs, set a time limit, and begin. Check by asking questions of the entire class like **¿Quién es el más divertido de su familia?**

Remember: The most intelligent *in* my family = **El más inteligente *de* mi familia.**

Actividad 28: El mundo hispano Mira los datos que se encuentran en estos recortes de periódico. Después di ocho oraciones usando el comparativo o el superlativo.

→ Barcelona es una de las ciudades de España con más habitantes.

→ El Aconcagua es la montaña más alta del hemisferio occidental.

Act. 28: This could be assigned as HW or done in class. Remind students that some may require use of **uno de los . . .** For example: **Valencia es una de las ciudades más grandes de España.**

 Madrid

Remember to use **uno de los/una de las más . . .** to express *one of the most . . .*

mestizo = gente que tiene mezcla de sangre europea e indígena.

se estima que el número de habitantes seguirá creciendo, lo cual significa que las autoridades van a tener que aumentar los impuestos y que los propietarios

Madrid	3.103.000
Barcelona	1.705.000
Valencia	744.000
Sevilla	800.000

Hemisferio occidental

Montaña	Altura (metros)	País
Aconcagua	7021	Argentina, Chile
Ojos de Salado	6885	Argentina, Chile
Bonete	6872	Argentina, Chile
Tup	6800	Argentina
Falso Azufre	6790	Argentina, Chile
Veladero	6780	Argentina

GRUPOS RACIALES DOMINANTES

Honduras: 90% mestizos, 7% amerindios, 2% negros, 1% blancos
El Salvador: 94% mestizos, 5% amerindios, 1% blancos
Nicaragua: 69% mestizos, 17% blancos, 9% negros, 5% amerindios
Panamá: 70% mestizos, 14% negros, 10% blancos, 6% amerindios

Islas caribeñas	Kilómetros²
Cuba	114.525
Hispaniola	76.029
Jamaica	11.424
Puerto Rico	8.800

Hispaniola = la República Dominicana y Haití

▲ Una playa muy atractiva en Punta Cana, República Dominicana.

Actividad 29: ¿Qué opinan? En grupos de tres, reaccionen a estas ideas. Usen oraciones como: **(No) Estoy de acuerdo porque . . .**

1. Las playas de México son las mejores del mundo.
2. Las bebidas alcohólicas causan más muertes que el tabaco.
3. Las mujeres son más sentimentales que los hombres.
4. Las escuelas públicas son tan buenas como las privadas.
5. Los hombres tienen más aptitud para aprender matemáticas que las mujeres.
6. Entre los idiomas extranjeros, el español es el idioma más importante para aprender en los Estados Unidos.
7. Ted Koppel es el comentarista que entiende mejor que nadie los problemas de este país.

Act. 29: Form groups, debate the first sentence with the entire class, then set a time limit and have groups discuss. Or, assign individual sentences to different groups and have them report back with their conclusions. Another option is to have group debates.

III. Obtaining and Giving Information

¿Qué? and *¿cuál?*

Drill ¿qué?/¿cuál?:

1. Provide answers and have students provide the questions: **Es el estudio de los animales y las plantas. / Mi número de teléfono es el 555 45 98.** (etc.)

2. Create a series of questions about Hispanic countries: **¿Cuál es la ciudad más grande de México? ¿Qué país de Centroamérica no tiene costa en el Caribe? ¿En qué país centroamericano el español no es el idioma oficial?** (etc.) Then put students in pairs and have them form questions. After they have formed questions, have each group pose one to the class as a whole.

3. Borrow caps (or another object) from students and have them answer questions. **¿Qué es una gorra? ¿Cuál es la gorra de John?**

1. In general, the uses of **qué** and **cuál** parallel English uses of *what* and *which*, except in cases where these words are followed by **ser**.

> **¿Qué** te ocurre?
> **¿Qué** haces mañana?
> **¿Cuál** le gusta más?
> **¿Cuáles** de estos impermeables prefieren?

2. Use **qué + ser** to ask for a definition or for group classifications.

> —¿**Qué** es un impermeable?
> —Es un abrigo ligero para la lluvia. (*definition*)

> —¿**Qué** eres, demócrata o republicano?
> —No, soy del Partido Verde. (*group classification*)

Note: The question **¿Qué es eso/esto?** is used to ask for the identification of an unknown object or action.

> —¿**Qué** es eso?
> —Es un Frisbee, abuela. Lo usan los niños para jugar. (*identification*)

3. In all other instances not covered in points 1 and 2, use **cuál(es)** with **ser**.

¿Cuál es tu número de teléfono?	*What's your telephone number? (Which, of all the numbers in the world, is your phone number?)*
¿Cuál es tu dirección?	*What's your address? (Which, of all the addresses in the world, is your address?)*
¿Cuáles son tus zapatos?	*Which (of all the shoes) are your shoes?*

Compare the following questions:

—¿**Qué** es tarea?

—La tarea es un trabajo escrito que da el profesor para hacer en casa.

—¿**Cuál** es la tarea?

—La tarea para mañana es hacer las actividades 4 y 5 del libro de ejercicios.

Notice that the question on the left is asking for a definition of what homework is while the one on the right is asking about a specific homework assignment.

Note: A noun can follow both **qué** and **cuál/es**, although **qué** + *noun* is more common: **¿Qué vestido te vas a poner esta noche?**

Actividad 30: ¿Cuánto sabes? **Parte A:** Completa las siguientes preguntas con **qué** o **cuál/es.**

1. ¿ _____Cuál_____ es el país más grande de Suramérica y _____qué/cuál_____ idioma hablan allí?

2. ¿ _____Cuál_____ es el idioma que hablan en Belice y dónde está ese país?

3. ¿ _____Qué_____ es una guayabera y en _____qué/cuáles_____ países se lleva?

4. ¿ _____Cuál_____ es el país más pacífico de Centroamérica y cómo se llama su ex presidente que ganó el premio Nóbel de la Paz?

5. ¿ _____Cuál_____ es el nombre de la mujer argentina que sirvió de inspiración para una obra de Broadway y una película?

6. ¿ _____Cuáles_____ son los dos países suramericanos que llevan el nombre de dos personajes históricos?

7. ¿ _____Cuál_____ es la montaña más alta de América?

8. ¿ _____Qué_____ es un "taco" en España? ¿Y en México?

9. ¿ _____Cuál_____ es el lago navegable más alto del mundo?

10. ¿ _____Cuáles_____ son las dos capitales de Bolivia?

11. ¿ _____Qué/Cuál_____ moneda usan en México?

12. ¿ _____Cuál_____ de las islas del Caribe es la más grande?

Parte B: En parejas, túrnense para hacer y contestar las preguntas anteriores. Si no saben la respuesta, digan **No sé. / No tengo idea. ¿Lo sabes tú?**

Act. 30A: Have students complete the questions at home and check in class for accuracy.

Act. 30B: Form pairs and have students alternate asking and answering questions. Check by asking each question. Answers are: 1. Brasil, portugués 2. inglés, Centroamérica 3. una camisa, los países del Caribe y Centroamérica 4. Costa Rica, Óscar Arias 5. Eva Perón; 6. Bolivia (Bolívar), Colombia (Colón) 7. el Aconcagua en Argentina 8. una mala palabra; algo que se come 9. Titicaca (entre Bolivia y Perú) 10. Sucre y La Paz 11. el peso 12. Cuba.

¿Lo sabían? El monte McKinley es la montaña más alta de los Estados Unidos.

¿LO SABÍAN?

En el mundo hispano y en la mayoría de los países del mundo, los estudiantes aprenden que hay cinco continentes y no siete como enseñan los libros de los Estados Unidos. Los cinco continentes son América, Europa, Asia, África y Oceanía. Por eso, en español normalmente no se habla de "las Américas" sino de "América" como un solo continente. Observa el uso de la palabra "América" en el número 7 de la Actividad 30. Di cómo se traduce la siguiente oración que se podría escuchar en los Estados Unidos: "Mount McKinley is the tallest mountain in America".

Actividad 31: ¿Víctima del estrés? **Parte A:** Mucha gente es víctima del estrés en la vida cotidiana. Haz el siguiente test para averiguar si eres víctima del estrés.

TEST

por María Dueñas

¿Víctima del estrés?

1. ¿Empieza usted cosas que deja a medias (leave unfinished)?

a) Sí, últimamente actúa de una forma dispersa y sin organización.

b) Alguna vez le pasa algo así, pero se esfuerza por organizarse.

c) No, usted es metódico y concienzudo (conscientious), aunque tenga muchas cosas que hacer.

2. ¿Ha sentido última-mente dolores de cabeza, molestias en el estómago, cansancio o malestar ge-neral inmotivados?

a) Sí, ha sufrido alguno de estos síntomas en la última temporada.

b) Quizá algo, pero sabe que se evita durmiendo lo necesario y ajustando su ritmo de vida diaria.

c) No, ni últimamente ni antes.

3. ¿Le falta memoria?

a) Muchísima; desde hace cierto tiempo se le olvida todo.

b) Tiene algún olvido, pero no es algo llamativo ni excede lo normal.

c) No, o por lo menos no más de lo habitual.

4. ¿Tiene la sensación de que no le alcanza tiempo?

a) Sí, es agobiante (exhausting); parece que el tiempo se le escapa.

b) Alguna vez, generalmente porque tenía mucho trabajo.

c) No.

5. ¿Duerme mal?

a) Sí, últimamente le cuesta coger el sueño (fall asleep) y/o se despierta por la noche.

b) A veces, muy esporádicamente.

c) No, duerme perfectamente; cualquiera diría que como un tronco.

6. ¿Está ahora más torpe (clumsy), se le caen objetos, se olvida de las cosas, se mancha (spill things on yourself)?

a) Sí, parece como si no se fi-jase o no viese las cosas.

b) Más o menos, lo mismo de siempre.

c) No, en absoluto.

7. ¿Se arregla menos que antes?

a) Sí, ahora sale de su casa vestido/a de cualquier manera, sin echarle ningún vistazo a su apariencia personal.

b) Depende de la prisa que tenga.

c) No, cuida su aspecto exte-rior como siempre.

EVALUACIÓN

Predominio A
En estos momentos su ansiedad es evidente, le ha desbordado y superado. La situación se le ha escapado de las manos y síquica y físicamente empiezan a aparecer quejas. Ahora es víctima del estrés.

Predominio B
Aunque el estrés le ataca y ha podido sufrirlo en el pasado, ahora le está haciendo frente adecuadamente. Además, ha puesto en marcha los recursos necesarios para que la tensión no pueda con usted.

Predominio C
La palabra estrés no figura en su diccionario particular. Como a cualquiera, se le presentan situaciones, pero usted simple-mente las evita o las reduce a acontecimientos normales.

Parte B: En grupos de tres, discutan las siguientes preguntas.

1. ¿Qué es el estrés?
2. ¿Cuáles son tres causas del estrés?
3. ¿Cuáles de los síntomas del estrés, que menciona el test, son más frecuentes?
4. ¿Qué otros síntomas que no aparecen en el test existen?
5. ¿Cuándo sienten Uds. estrés?
6. ¿Qué síntomas sienten Uds. cuando tienen estrés?

Act. 31A: Could be assigned as HW or done in class. When finished, poll students to see how stressed they are.

Act. 31B: Form groups of three, set a time limit, and be-gin. When finished, have a group sharing.

Vocabulario activo

Verbos que usan pronombres reflexivos

Ver páginas 42–44.

Participios pasivos irregulares

Ver página 55.

Expresiones útiles

el chiste	*joke*
divertirse un montón	*to have a ball/a lot of fun*
tener prisa	*to be in a hurry*
¡Ya voy!	*I'm coming!*

Las prendas de vestir

Ver páginas 50–51.

el botón	*button*
los calzoncillos	*boxer shorts; briefs*
el cordón	*shoelace*
la cremallera/el cierre	*zipper*
el cuello	*collar*
el frac/smoking	*tuxedo*
la solapa	*lapel*
el sostén	*bra*
la suela	*sole*
el vestido de fiesta	*evening dress*

Vocabulario personal

Los conquistadores españoles

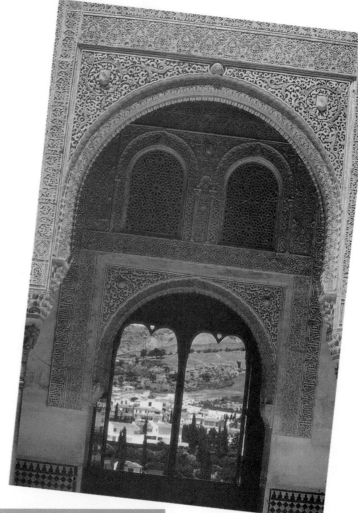

▶ Vista de la ciudad de Granada desde la Alhambra en España.

COMMUNICATIVE GOALS

- narrating in the past (part one)
- stating time and age in the past

Besides assigning grammar, vocabulary, and ¿Lo sabían?, the following activities may be prepared as HW: Act. 3, Act. 4, Act. 6A, Act. 8, Act. 16, Act. 17, Act. 18, Act. 19A.

Un anuncio histórico

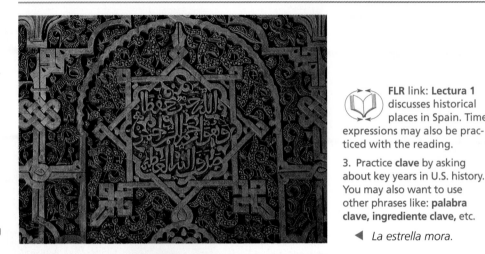

Throughout this chapter, students will deal with historical facts presented through activities. Try to keep reviewing these facts in class warm-ups to give students a panoramic view of the history of Spain.

1. Practice **el** + day by telling students what they'll have to do for next Monday's/Tuesday's class. Ask what day an upcoming sports event or TV special will be.

2. Practice **los** + day by asking students what night certain TV shows are on or by asking them what days they have certain classes.

FLR link: **Lectura 1** discusses historical places in Spain. Time expressions may also be practiced with the reading.

3. Practice **clave** by asking about key years in U.S. history. You may also want to use other phrases like: **palabra clave, ingrediente clave,** etc.

◄ *La estrella mora.*

el lunes	on Monday
los lunes	on Mondays
(año) clave	key (year)

llave = key (as in a car key)

 Historia de España
Internet

Actividad 1: Algo de historia **Parte A:** Da la siguiente información antes de escuchar un anuncio comercial.

1. ciudades, países o zonas geográficas que relacionas con las siguientes religiones: el islam, el judaísmo y el catolicismo
2. religión que asocias con:

- el *Torah*, la *Biblia*, el *Corán*
- Mahoma, los reyes Fernando e Isabel de España, Maimónides
- una iglesia, una sinagoga, una mezquita

Act. 1A: Inform students that Maimónides (1135–1204) was a Jewish physician and philosopher born in Spain.

Parte B: Mientras escuchas el anuncio comercial, escribe los años en que ocurrieron los siguientes acontecimientos:

1. Los moros invadieron la Península Ibérica. __711__
2. Pelayo ganó la primera batalla contra los moros. __718__
3. Los judíos, los moros y los cristianos pudieron estudiar y trabajar juntos entre los años __1252__ y __1284__.
4. Comenzó la Inquisición Española. __1478__
5. Los Reyes Católicos expulsaron a los moros de la Península Ibérica. __1492__

Act. 1B: Before you listen to the commercial, review year dates by giving true/false statements: **Colón llegó a América en 1492. Kennedy murió en 1974.** Or, write dates on board for students to call out. Then go over sentences 1 through 5 and play the commercial.

Actividad 2: Más información   Escucha el anuncio comercial una vez más y contesta estas preguntas.

1. ¿Qué otro nombre se usa en España para musulmán?
2. ¿Quién fue el rey español entre 1252 y 1284?
3. ¿Con qué otro nombre se conoce a Fernando y a Isabel?
4. El anuncio comercial habla de la Península Ibérica. ¿Sabes qué países forman esa península?
5. ¿Cuántos años estuvieron los moros en la Península Ibérica?

Act. 2 Answers: 1. moro 2. Alfonso X (el Sabio) 3. Los Reyes Católicos 4. Portugal y España 5. 781 años

---

¿LO SABÍAN?

En el año 1492 ocurrieron tres acontecimientos de gran importancia, no sólo en la historia de España sino también en la historia mundial. Primero, se publicó la primera gramática de la lengua española para establecer las reglas del español; segundo, los Reyes Católicos vencieron a los moros en Granada, y les dieron la opción de "bautismo o destierro" a los judíos de la península, expulsando de esta manera a mucha gente con el fin de obtener la unidad religiosa; y tercero, Cristóbal Colón salió en su primer viaje hacia el occidente. La llegada de Colón a una pequeña isla caribeña marcó el principio del dominio y la colonización española de América. Con la exploración y la colonización, los españoles trajeron a América dos elementos claves de su cultura: la lengua y la religión, los cuales modificaron para siempre la faz y el alma de la región que actualmente se conoce como Hispanoamérica.

I. Narrating in the Past (Part One)

A. The Preterit

This chapter will focus on narrating events in the past, primarily using the preterit. Try to avoid questions or situations that necessitate use of past description and therefore the imperfect.

1. As you studied in previous Spanish courses, in order to speak about the past you need both the preterit and the imperfect. This chapter will focus on the use of the preterit. In general terms, the preterit is dynamic and active and is used to move the narrative along while talking about the past. The preterit forms of regular verbs are as follows:

entrar		vender		vivir	
entré	entramos	vendí	vendimos	viví	vivimos
entraste	entrasteis	vendiste	vendisteis	viviste	vivisteis
entró	entraron	vendió	vendieron	vivió	vivieron

To review formation of the preterit tense and irregular forms, see pages 302–304.

▶ *Mucha gente no pone acentos en las mayúsculas porque la regla dice que es opcional ponerlos. Por eso dice aquí EL LEYO, y no ÉL LEYÓ. ¿Cuál fue el último libro que leíste tú?*

Presentation of the preterit: Provide input by telling students what you did last weekend or something that you did that bored you and something that you enjoyed. **El sábado pasado fui a . . . y me aburrí mucho, pero ayer vi . . . y me divertí un montón.** Elicit similar experiences from students.

Drill preterit forms:

1. Do a transformation drill. **Generalmente no miento, pero ayer . . .**

2. Ask students questions such as what movie they saw last week, what classes they had today/yesterday, and then ask: **¿A qué hora empezó? ¿A qué hora terminó? ¿Cuánto duró?**

3. Do a chain drill: **El fin de semana pasado el presidente . . .**

4. Have students tell you important events in movies they have seen. *Titanic:* **El barco chocó contra un témpano de hielo. La gente se murió.**

5. Practice reflexive forms by asking students about yesterday's morning or evening routine.

Note: The beginning activities in this section focus more heavily on regular conjugations; the later ones have a stronger focus on irregular forms to help students better remember and master them.

O. N. U. = Organización de las Naciones Unidas

2. Timelines can help you understand the uses of and relationships between different tenses. Examine the timelines as you read the examples. Use the preterit in the following circumstances:

a. To denote an action that was performed and completed in the past.

El Sr. Vegas **llegó** a la convención el martes.

Mr. Vegas arrived at the convention on Tuesday.

b. To express the beginning of a past action.

La clase **comenzó** a las 9:00.

The lecture began at 9:00.

Iniciaron las negociaciones diplomáticas en la O. N. U.

Diplomatic negotiations began at the United Nations.

c. To express the end of a past action.

La convención **terminó** el viernes.   *The convention ended on Friday.*

L~~a~~s negociaciones **duraron hasta**   *The negotiations lasted until yesterday*
ayer por la madrugada.   *at daybreak.*

d. To express an action that occurred over a specific period of time. This time
period is, many times, overtly expressed in the sentence.

La convención **duró cuatro días.**   *The convention lasted four days.*

Estuvieron en Asunción **toda la**   *They were in Asuncion all week.*
semana.

Actividad 3: Analiza   Examina las siguientes oraciones sobre la historia de
España y la colonización del continente americano. Primero, subraya *(underline)*
los verbos en el pretérito y segundo, indica cuál de los gráficos explica mejor el
uso del pretérito en cada oración. (La actividad continúa en la página siguiente.)

Act. 3: Can be assigned as HW. Prior to checking this activity, have students practice saying numbers. Then call on individuals to read sentences.

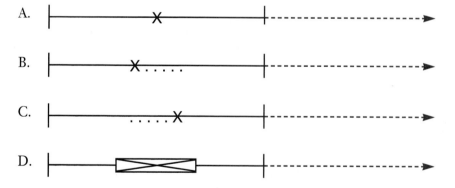

1. _D_ Isabel, junto con Fernando, gobernó una España unida desde 1492
        hasta su muerte.
2. _B_ En 1502, empezó la colonización de las Antillas.
3. _A_ Isabel la Católica murió en Medina del Campo en 1504.
4. _D_ Desde 1510 hasta 1512, Juan Ponce de León fue gobernador de
        Puerto Rico.
5. _B_ En 1513, Juan Ponce de León inició la búsqueda de la Fuente de la
        Juventud en lo que hoy en día es la Florida.

To review large numbers, see page 317.

6. __A__ En 1521, Hernán Cortés derrotó a los aztecas en la región que actualmente es México.

7. __A__ Francisco Pizarro capturó a Atahualpa, el último emperador inca, en 1532.

8. __C__ Pizarro completó la conquista del Imperio Inca en 1535.

9. __A__ Los españoles llegaron a Texas en 1720.

10. __B__ En 1769, los clérigos españoles comenzaron a fundar misiones en California para llevar la palabra de Dios a los indígenas.

11. __C__ En 1898 terminó la dominación española del continente americano.

12. __D__ Los españoles dominaron partes de Hispanoamérica y de los Estados Unidos durante más de cuatrocientos años.

Actividad 4: Los siglos XV a XIX   Completa los siguientes cuadros históricos con acciones en el pasado para aprender más sobre los siglos XV a XIX y sobre la participación española en la historia mundial.

En las colonias

1496   Los españoles _____fundaron_____ la primera ciudad española en América, Nueva Isabela, que hoy en día es Santo Domingo. (fundar)

1500   Juan de la Cosa _____hizo_____ el primer mapa de América. (hacer)

1521   Fernando de Magallanes _____llegó_____ a las Islas Filipinas y así _____empezó_____ una época de colonización española. (llegar, empezar)

1525   Esteban Gómez _____navegó_____ por la costa norteamericana. (navegar)

1528   Saavedra _____exploró_____ Carolina del Norte y Carolina del Sur. (explorar)

1548   Martínez de Irala _____cruzó_____ Argentina y _____llegó_____ a los Andes. (cruzar, llegar)

1560   _____Murió_____ Colocolo, jefe de los indígenas araucanos de Chile. (morir)

1607   Los jesuitas _____empezaron_____ a construir misiones en Paraguay. (empezar)

1783   _____Nació_____ Simón Bolívar, el gran Libertador del norte de Suramérica. (nacer)

Remember the following letter combinations when spelling preterit forms: hard **c** sound = ca **que** qui co cu (to**qué**);

hard **g** sound = ga **gue** gui go gu (pa**gué**);

s/z sound = za **ce** ci **zo** zu (empe**cé**, hi**zo**).

Act. 4: Assign as HW and check in class or do as a paired activity in class.

En el continente europeo

1478   Los Reyes Católicos _____iniciaron_____ la Inquisición española para obtener unidad religiosa dentro del país. (iniciar)

1503   Los españoles _____establecieron_____ la Casa de Contratación para recibir el oro del continente americano. (establecer)

1516   Carlos I (Carlos V del Imperio Romano) _____subió_____ al trono de España. (subir)

1580   El rey Felipe II _____unió_____ Portugal y España. (unir)

1588   Los ingleses _____vencieron_____ a la Armada Invencible de España en el Canal de la Mancha. (vencer)

1589   Los ingleses _____atacaron_____ Lisboa y La Coruña. (atacar)

1616   _____Murió_____ Miguel de Cervantes, autor de *El ingenioso hidalgo Don Quijote de la Mancha*. (morir)

1648   Los Países Bajos _____lograron_____ su independencia de España. (lograr)

1898   España _____perdió_____ sus últimas colonias: Cuba, Puerto Rico y las Islas Filipinas. (perder)

Actividad 5: Guerras   En grupos de tres, busquen en la columna de la derecha el año o los años que corresponden a cada una de las siguientes guerras y digan cuándo comenzaron y terminaron estas guerras.

la Primera Guerra Mundial	1845–1848
la Guerra Civil Española	1861–1865
la Guerra de Corea	febrero a mayo de 1898
la Guerra Civil Norteamericana	1914–1918
la Segunda Guerra Mundial	1936–1939
la Guerra Hispanoamericana	1939–1945
la Guerra entre México y los EE.UU.	1950–1953
la Guerra de las Malvinas	abril a junio de 1982

Actividad 6: Tu historia   **Parte A:** Haz una lista de cuatro a cinco acontecimientos históricos que tuvieron lugar durante tu vida hasta el año pasado. Incluye por ejemplo: guerras, elecciones, muerte de personas famosas, accidentes graves (nucleares o desastres naturales como terremotos, erupciones volcánicas), actos de terrorismo, asesinatos, inventos, etc.

Parte B: Ahora, en parejas, háganse preguntas para ver si la otra persona sabe en qué año ocurrieron los acontecimientos que escribieron.

→   A: ¿En qué año fue la guerra con Iraq?
      B: Fue en . . .

      A: ¿En qué año no jugaron la Serie Mundial de béisbol?
      B: No jugaron la Serie Mundial en . . .

Act. 5: Stress the use of the preterit to express an action that occurred over a period of time with a specific start and finish overtly stated.

Act. 5 Answers: Méx./EE.UU. 1845–48, Guerra Civil Norteamericana 1861–65, Guerra Hispanoamericana 1898, Primera Guerra Mundial 1914–18, Guerra Civil Española 1936–39, Segunda Guerra Mundial 1939–45, Corea 1950–53, Malvinas 1982.

The Spanish-American War has different names in different countries: **Guerra con los EE.UU.** (Spain), **Guerra de Independencia** (Cuba), **Guerra Hispanoamericana** (Puerto Rico).

las Islas Malvinas = The Falkland Islands

Act. 6A: Assign as HW or tell students to jot down historical events or other important events that occurred in their lifetime. Set a time limit of 2 minutes.

Act. 6B: Form pairs and have students question each other about the dates on their lists.

Actividad 7: ¿Qué hiciste?   **Parte A:** En parejas, túrnense para preguntarle a su compañero/a si hizo las siguientes actividades el fin de semana pasado.

Act. 7A: Form pairs, set a time limit, and begin.

→   —¿Miraste televisión el fin de semana pasado?

—Sí, miré televisión.   —No, no miré televisión.

	Sí
1. alquilar un video	_____
2. comer afuera y pedir un plato caro	_____
3. conocer a alguien	_____
4. dormir hasta muy tarde	_____
5. hacer una llamada de larga distancia	_____
6. jugar un deporte con pelota	_____
7. leer una noticia interesante	_____
8. limpiar su cuarto	_____
9. tocar un instrumento musical	_____
10. pagar una cuenta	_____
11. pensar en los próximos exámenes	_____
12. decidir estudiar en vez de salir	_____
13. ir a una fiesta	_____
14. ver una película en el cine	_____
15. vestirse con ropa elegante	_____

Parte B: Ahora, cuéntenle a otra persona algunas de las cosas que hizo su compañero/a y algunas cosas que hicieron los dos.

Act. 7B: Change pairs, set a time limit. Check by asking who did what. You may want to highlight verbs with spelling changes that reflect pronunciation: **toqué, jugué, pagué.**

B. Meanings Conveyed by Certain Verbs

Note: Verbs with changes in meaning will be recycled in the next chapter when narrating and describing in the past are contrasted.

In Spanish, certain verbs may convey a different meaning in the preterit than they do in the present, when translated into English. The meaning conveyed by the preterit in Spanish reflects the nature of the preterit itself, in that it moves the narration along by indicating a completed action or the beginning or end of an action.

	Present	Preterit
conocer (a + *person***)**	to know (someone or someplace); to be acquainted with	met for the first time/began to know (someone or someplace)
saber (+ *information***)**	to know (something)	found out (something)

Conocí a su padre el viernes pasado, pero todavía no lo **conozco** muy bien.

I met his father last Friday, but I still don't know him very well.

Ayer **supe** la verdad sobre Joaquín. Ahora **sé** que es una persona deshonesta.

Yesterday I found out the truth about Joaquín. Now I know he's a dishonest person.

	Present	Preterit
no querer (+ *infinitive***)**	not to want (to do something)	refused and <u>didn't</u> (do something)
no poder (+ *infinitive***)**	not to be able (to do something)	was/were not able <u>and didn't</u> (do something)

Drill changes in meaning:

1. Find out if students know anybody in the Foreign Language Department/the president of the university. Then ask **¿Cuándo lo/la conociste?**

Él **no quiso** pagar el alquiler y ahora **no quiere** mudarse.

He refused to pay the rent, and now he doesn't want to move out.

No pude localizar a Joaquín; voy a intentar otra vez mañana.

I wasn't able to locate Joaquín; I'm going to try again tomorrow.

	Present	Preterit
tener que (+ *infinitive***)**	to have to (do something)	had to <u>and did</u> (do something)

2. Find out when students met their roommate/best friend.

3. In pairs, have students tell three things they had to do yesterday or last week. **¿Qué tuviste que hacer ayer/la semana pasada?**

La prisionera **tuvo que** decirle a su abogado toda la verdad.

The prisoner had to and did tell her lawyer the whole truth.

Tengo que estudiar para un examen, pero estoy cansada.

I have to study for an exam, but I'm tired.

4. Do a chain drill: **Anoche se cortó la luz y por eso no pude . . .**

Actividad 8: Este semestre Da la siguiente información sobre el principio de este semestre.

1. Nombra a tres personas a quienes conociste el primer día de clases.
2. ¿Cuándo supiste los nombres de tus profesores, el semestre pasado o al principio del semestre?
3. ¿Intentaste entrar en una clase y no pudiste? Si contestas que sí, ¿cuál fue?
4. ¿Cuáles son dos cosas que tuviste que hacer cuando llegaste a la universidad?

5. Tell students they have a spoiled brother and their parents left them in charge of him last weekend. Have them say what the child refused to do. **No quiso estudiar. No quiso desayunar. No quiso bañarse.**

pareja = pair; partner

Act. 8: Assign as HW and check in class or do as a paired activity in class.

Actividad 9: ¿Qué tal la fiesta? En parejas, cuéntenle a su pareja sobre la última fiesta a la cual asistieron. Hablen sobre los siguientes puntos.

1. cómo supiste de la fiesta
2. adónde fuiste
3. quién hizo la fiesta
4. cómo fuiste (caminaste, fuiste en metro/coche)
5. una persona a quien conociste
6. quiénes más asistieron
7. qué sirvieron para beber/comer
8. tres cosas que hiciste
9. si lo pasaste bien o mal
10. si sueles ir a muchas fiestas

Act. 9: You may want to instruct students to take notes so that they'll be prepared in the check phase when you have students report back about their partner's party.

The preterit of **poder** *and* **querer** *is not presented due to low frequency in everyday speech. Generally, the following types of sentences are more likely:* **Lo hice** *(vs.* **Pude hacerlo**)*,* **Trató de/Intentó/Quería ir, pero no pudo** *(vs.* **Quiso ir**).

Practice time expressions:

1. Ask **¿Cuándo fuiste al gimnasio/a la piscina/al laboratorio? ¿A qué hora te despertaste/desayunaste/almorzaste? ¿Cuánto tiempo hace que llamaste a tus padres?**

2. Ask about events in the news or history. **¿Cuándo se murió** (+ *name of famous person*)? **¿Cuándo se inventó el teléfono? ¿Cuándo ganaron los Packers el Superbowl la última vez? ¿Y la primera vez?**

C. Indicating When Actions Took Place: Time Expressions

1. To move the narration along in the past, use adverbs of time and other expressions of time that tell when an action took place. Some common expressions and adverbs include:

de repente	suddenly
a las tres, cuatro, etc.	at three, four o'clock, etc.
anoche	last night
anteanoche	the night before last
ayer	yesterday
anteayer	the day before yesterday
el lunes/fin de semana/mes/ año/siglo pasado	last Monday/weekend/month/year/century
la semana/década pasada	last week/decade
en (el año) 1588	in (the year) 1588
en el 98	in '98

Anteanoche pasé cinco horas en la biblioteca.
The night before last I spent five hours in the library.

En 1588, la Armada Invencible perdió una batalla contra los ingleses.
In 1588, the Invincible Spanish Armada lost a battle against the English.

2. To express how long ago an action took place, use the following formula:

Que is frequently omitted in speech.

> **Hace** + *period of time* + **(que)** + *verb in the preterit*
> *Verb in the preterit* + **hace** + *period of time*

Hace casi cinco siglos (que) los europeos **probaron** el chocolate por primera vez.

Los europeos **probaron** el chocolate por primera vez **hace casi cinco siglos.**

Europeans tried chocolate for the first time almost five centuries ago.

3. Use the following expressions with the preterit tense to denote how long an action occurred:

desde . . . hasta . . .	from . . . until . . .
por*. . . años/semanas/horas	for . . . years/weeks/hours
durante*. . . años/semanas/horas	during . . . years/weeks/hours

El dominio español de Hispanoamérica duró **desde finales del siglo XV hasta finales del siglo XIX.**
The Spanish dominance of Hispanic America lasted from the end of the 15th century until the end of the 19th century.

*Note: It is common to specify a time period with or without **por** or **durante**: Estudié en Ecuador **por/durante dos meses.** Estudié en Ecuador **dos meses.**

Actividad 10: ¿Qué hizo?   En parejas, túrnense para contar lo que Uds. creen que hizo su profesor/a ayer. Usen cada una de estas expresiones de tiempo en cualquier orden: **ayer, primero, después, más tarde, luego, por la tarde, durante dos horas, a las cinco, por la noche.** Tachen (*cross out*) las expresiones al usarlas.

Actividad 11: Averiguaciones   Usa la siguiente información para hacerles preguntas a tus compañeros. Escribe sólo el nombre de los que contesten que sí. Al hacer las preguntas, usa el pretérito o el presente según la información que busques.

→   —¿Asististe a un concierto de música rap el fin de semana pasado?

—Sí, asistí a un concierto. (escribe   —No, no asistí a ningún concierto.
el nombre de la persona)

Nombre

ir a la oficina de un profesor el semestre pasado   _____

cursar 4 materias este semestre   _____

hacerse un examen médico/dental el mes pasado   _____

ir al laboratorio de idiomas la semana pasada   _____

hacer ejercicio ayer durante 30 minutos   _____

tener que ir a la oficina de un decano el semestre
pasado   _____

dejar de salir con alguien el mes pasado   _____

hacer experimentos en un laboratorio cada
semana   _____

comprar libros usados al principio del semestre   _____

generalmente discutir (*argue*) con su compañero/a
de habitación   _____

tener un/a estudiante de posgrado como profesor/a
el semestre pasado   _____

pasar una noche en vela el semestre pasado   _____

Actividad 12: ¿Cuánto hace?   En parejas, túrnense para preguntarse cuánto hace que hicieron las siguientes cosas.

→   A: ¿Cuánto tiempo hace que fuiste al cine con un amigo?
B: Hace tres días que fui al cine. / Fui al cine anteanoche.
A: ¿Qué viste?
B: . . .

1. alquilar un video
2. invitar a alguien a cenar
3. conducir
4. enojarse con alguien
5. ir a otra ciudad
6. venir a esta universidad
7. olvidarse de algo importante
8. faltar a una clase
9. gastar más de cien dólares en algo
10. ? ? ?

Practice adverbs of time:

Do a chain drill: **El sábado antes de levantarse, Cameron Díaz leyó una revista en la cama. Tan pronto como se levantó . . .** (etc.)

D. Indicating Sequence: Adverbs of Time

1. In order to narrate a series of actions, it is necessary to use words that indicate when the actions occurred in relation to other actions. The following words are used to express sequence:

antes	before
antes de + *infinitive*	before *verb* + ing
primero, segundo, tercero, etc.	first, second, third, etc.
más tarde/luego	later, then
después	later, then, afterwards
después de + *infinitive*	after *verb* + ing
tan pronto como/en cuanto	as soon as
inmediatamente	immediately
enseguida	at once
finalmente	finally
al terminar	after finishing

Preposition + infinitive: **después de** volver

Enseguida may be written as one word or two: **en seguida**.

Do not use **entonces** when sequencing events.

2. It is common to use **más tarde, luego,** and **después** when sequencing events.

Primero fuimos al cine y { **más tarde** / **luego** / **después** } salimos a cenar.

*First we went to the movies and **then** we went out to eat.*

Actividad 13: Un día terrible   En parejas, creen una historia sobre el día terrible que tuvo un amigo de Uds. usando las expresiones de la columna A en el orden en que aparecen y las acciones de la columna B en un orden lógico.

Act. 13: Form pairs, set up activity, set a time limit, and begin. Check by having two students perform for the class.

A	B
1. Esta mañana . . .	ponerse dos zapatos de diferente color
2. En cuanto . . .	salir de la casa tarde
3. Luego . . .	llegar a clase
4. Después . . .	entrar en la ducha / quemarse con agua caliente
5. Más tarde . . .	levantarse tarde
6. Tan pronto como . . .	correr a clase cansadísimo/a
7. Enseguida . . .	tomar el autobús equivocado
8. Finalmente . . .	bajar del autobús / caerse

Actividad 14: Tu día ayer   En grupos de tres, cuéntenle a sus compañeros con muchos detalles qué hicieron ayer. Usen palabras como: **primero, luego, después.**

Act. 14: Model activity by telling students in detail what you did yesterday morning. Form groups, set a time limit, and begin.

Actividad 15: Unas vacaciones   En parejas, una persona usa la caja A y la otra usa la caja B para hablar del viaje que hizo cada uno. Al hablar incluyan palabras como: **primero, luego, después.**

◀ *Una pirámide maya en Tikal, Guatemala.*

A

- ir a Cancún, México
- hacer excursiones en autobús a Tulum cerca de Cancún y a Tikal en Guatemala:
  - visitar las ruinas mayas
  - comprar artesanías
- salir a bailar una noche
- pescar un día en el Caribe

 La arquitectura española

B

- ir a Puerto Banús en la Costa del Sol, España
- hacer una excursión a Granada:
  - caminar por la Alhambra y el Generalife
  - visitar la catedral y las tumbas de Isabel y Fernando
  - ver bailar flamenco a los gitanos
- esquiar un día en el Mediterráneo
- comer en un restaurante árabe

◀ *El patio de los leones en la Alhambra, un palacio moro en Granada, España.*

Actividad 16: Sus vacaciones   En parejas, usen las siguientes ideas para contarle a su compañero/a sobre sus últimas vacaciones. Recuerden usar palabras como: **primero, luego, después.**

- adónde fuiste
- cuánto tiempo estuviste
- con quién fuiste
- cuánto costó
- cómo viajaste
- qué lugares visitaste
- qué cosas hiciste
- a quién conociste

Act. 16: Can be assigned as HW. Have a few students tell about their own vacations.

E. Past Actions That Preceded Other Past Actions: The Pluperfect

When narrating in the past, one frequently refers to an action that preceded another action in the past. Spanish uses the pluperfect tense (*had + past participle*) to express an action that occurred before another. To form the pluperfect tense (**pluscuamperfecto**), use a form of the verb **haber** in the imperfect + *a past participle:*

haber		
había	habíamos	
habías	habíais	} + past participle
había	habían	

To review the formation of past participles, see page 308.

había visitado   llegó

Leif Ericsson ya **había visitado** América cuando **llegó** Colón.   *Leif Ericsson had already visited America when Columbus arrived.*

Note: **Ya** is frequently used before the pluperfect to emphasize that an action had *already* occurred before another took place.

Actividad 17: La vida de Cervantes   Miguel de Cervantes Saavedra tuvo una gran influencia no sólo en la literatura española sino en la literatura universal. Lee primero con cuidado su información biográfica y después forma oraciones sobre su vida usando las ideas de la página siguiente. ¡Ojo! Algunos verbos deben estar en el pretérito y otros en el pluscuamperfecto.

Miguel de Cervantes Saavedra	
1547	Nace en Alcalá de Henares, España
1569	Va a Italia
1571	Lucha contra los turcos en la Batalla de Lepanto; pierde el uso de la mano izquierda
1575	Los turcos capturan a Cervantes, lo ponen en una cárcel
1575–1580	Trabaja como esclavo en Argel en una cárcel turca
1580	Sale de la cárcel turca de Argel
1605	Publica la primera parte de *El ingenioso hidalgo Don Quijote de la Mancha*
1615	Publica la segunda parte de *Don Quijote*
1616	Muere en Madrid

→   1547 nacer en Alcalá de Henares
En 1547 nació en Alcalá de Henares.

→   los turcos capturar a Cervantes / estar en Italia
Cuando los turcos capturaron a Cervantes, él ya había estado en Italia.

1. 1547 nacer en Alcalá de Henares
2. estar en una cárcel turca / ir a Italia
3. los turcos capturar a Cervantes / perder el uso de la mano izquierda
4. publicar la primera parte de *El ingenioso hidalgo Don Quijote de la Mancha* / trabajar como esclavo
5. 1575–1580 estar en una cárcel turca
6. 1580 salir de la cárcel
7. morir en 1616 / publicar la segunda parte de *Don Quijote*

Actividad 18: ¿Y tu vida?   Contesta estas preguntas sobre tu vida.

1. ¿Ya habías sacado el permiso de manejar cuando empezaste el tercer año de la escuela secundaria?
2. ¿Habías aprendido a leer antes de empezar el primer grado de la primaria?
3. ¿Habías visitado la universidad cuando viniste aquí para estudiar?
4. ¿Habías conocido a tu profesor/a de español antes de tomar esta clase?

Actividad 19: La línea de tu vida   Parte A: En la siguiente línea marca un mínimo de cinco años importantes de tu vida. Algunas posibilidades son: el año en que naciste, el año en que recibiste un premio o tu equipo ganó una competencia, el año en que trabajaste por primera vez. Marca los años, pero no escribas qué hiciste esos años.

Parte B: En parejas, muéstrense su línea y pregúntense sobre las fechas importantes de su vida. Usen expresiones como:

¿Qué pasó en . . . ?, ¿En que año (terminaste la escuela secundaria)?, ¿Ya habías . . . cuando . . . ?

Parte C: Ahora hablen de la vida de su compañero/a diciendo oraciones como la siguiente:

→   Ella ya **había estudiado** un poco de español cuando **fue** a México por primera vez.

Act. 18: Can be assigned as HW and checked in class. Can be done in pairs or by calling on individuals. If done in pairs, have some students report back.

Act. 19A: Show your **línea de la vida** on an overhead. Only include important dates; do not write what happened on those dates. Encourage students to ask you what happened on those dates. Set a time limit and have them write down their own life lines. If this portion is assigned as HW, show yours the day you give the assignment to prepare students to do their own.

Act. 19B: Form pairs and set a time limit.

Act. 19C: Give students a minute to write one sentence about their partner. Call on a few people to check.

Notice some of the endings that are frequently used in each category.

F. La conquista

Acciones	Hechos	Personas
civilizar	la civilización	
colonizar	la colonización	el/la colonizador/a
conquistar	la conquista	el/la conquistador/a
crear	la creación	el/la creador/a
descubrir	el descubrimiento	el/la descubridor/a
dominar	la dominación	el/la dominador/a
encontrar	el encuentro	
explorar	la exploración	el/la explorador/a
explotar	la explotación	el/la explotador/a
exportar	la exportación	el/la exportador/a
expulsar	la expulsión	
fundar	la fundación	el/la fundador/a
importar	la importación	el/la importador/a
invadir	la invasión	el/la invasor/a
inventar	la invención	el/la inventor/a
libertar	la libertad	el/la libertador/a
navegar	la navegación	el/la navegante
vencer *(to defeat)*		el/la vencedor/a

Actividad 20: Asociaciones   Di qué palabras de la lista anterior asocias con las siguientes personas, entidades o cosas y por qué.

1. Cristóbal Colón
2. Alejandro Graham Bell
3. Alberto Einstein
4. Hernán Cortés
5. la compañía Honda
6. los moros
7. Juan Ponce de León
8. el petróleo
9. la electricidad
10. Madame Curie

Act. 20: This could be done in pairs or as a full class. Note that more than one possibility may exist: **Colón = conquistador, explotador, invasor, fundador, explorador,** etc.

Actividad 21: Las definiciones   **Parte A:** En parejas, una persona define las siguientes palabras y la otra persona cubre la lista y adivina qué palabra es. En la definición no se pueden usar palabras derivadas de la palabra que tienen que definir. Algunas frases útiles son: **Es una persona que . . . , Es la acción de . . . , Es un verbo que . . . , Es el acto de . . .**

→ —Es el acto de traer productos de otros países para vender en este país.
—Importar.

1. el/la explorador/a
2. la invención
3. dominar
4. el/la explotador/a
5. el descubrimiento
6. expulsar

Parte B: Ahora cambien de papel.

1. el/la navegante
2. la fundación
3. la libertad
4. el/la colonizador/a
5. invadir
6. vencer

Act. 21: Form pairs; one partner sits with his/her back to the board. Write the words from the first list on the board or use an overhead projector. Have the person facing the board give a definition. When finished, partners switch seats and reverse roles while you write or project the second list of words.

Actividad 22: ¿Positiva o negativa?   En grupos de tres, miren la lista de vocabulario de la página anterior y digan si las palabras tienen una connotación positiva, negativa o ambas connotaciones y por qué.

→   Exportar

—La palabra exportar tiene una connotación positiva para mí porque exportar es bueno para la economía de un país.

Actividad 23: ¿Cuánto saben?   En parejas, túrnense para preguntarle a la otra persona sobre las siguientes ideas relacionadas con los Estados Unidos.

1. quiénes / colonizar / la Florida
2. quiénes / explorar / Quebec, Wisconsin y Michigan
3. quiénes / fundar / la ciudad de Salt Lake
4. qué metal precioso / descubrir / los norteamericanos / en San Francisco en 1848
5. cuál / ser / la invención / más importante de Tomás Edison
6. qué cosas / exportar / los Estados Unidos / hoy día
7. qué cosas / importar / los Estados Unidos / hoy día

Act. 22: Encourage students to look at both sides of the coin and to be creative in their arguments when analyzing these words. You may want to use **vencer** as an example. Check by asking about a few words that could be more controversial: **colonización, importar.**

Act. 23: Practice question formation first, then form pairs and set a time limit. Have students alternate asking questions. After finishing, have students share responses. Answers: 1. los españoles 2. los franceses 3. los mormones 4. el oro 5. la electricidad 6. and 7. answers will vary.

II. Stating Time and Age in the Past

The Imperfect

FLR link: **Lectura 3:** Expressing time in the past can be practiced with this reading.

Drill **time** and **age** in the past:

1. In pairs, have students quickly ask each other: **¿Qué hora era cuando te fuiste a dormir anoche?** and **¿Qué hora era cuando sonó el despertador esta mañana?** Have a few groups report back their findings. Find out who slept the least and the most.

The word **años** is necessary when expressing age: **Ramón tenía 18 años.** *Ramón was 18 (years old).*

2. Write on the board world events that happened during students' lifetimes, or brainstorm a list: **Clinton ganó la**

You saw how the preterit is used to move the narrative along. In this section you will see how the imperfect sets the background or scene for past events. Time and age, in a broad sense, help provide background information.

1. To tell time in the past, use **era/eran** + *the time.*

A: ¿Qué hora **era** cuando empezó la clase?

What time was it when the class started?

B: **Era** la una y cuarto.

It was a quarter after one.

A: ¿Qué hora **era** cuando terminó?

What time was it when it ended?

B: **Eran** las dos y pico.

It was a little after two.

2. To state someone's age in the past, use a form of the verb **tener** in the imperfect + *age.*

Ramón **tenía 18 años** cuando sacó el permiso de manejar.

Ramón was 18 when he got his driver's license.

presidencia (1992). Linda McCartney murió (1998). Los Broncos de Denver ganaron el Superbowl (1999). La princesa

Diana y la Madre Teresa murieron (1997). Then, ask how old students were when these events occurred.

Actividad 24: Un día típico   Parte A: Mira la lista de acciones. Tacha las cosas que no hiciste ayer. Si ayer fue domingo, tacha las cosas que no hiciste el viernes pasado.

levantarte	llegar tarde a clase	ir a la biblioteca
ducharte	almorzar	salir con amigos
desayunar	volver a casa	acostarte
ir a tu primera clase	estudiar	comer pizza

Parte B: En parejas, intercámbiense las listas. Pregúntenle a su compañero/a qué hora era cuando hizo las cosas de la lista que no están tachadas. Miren el modelo e intenten variar sus preguntas.

→ —¿Qué hora era cuando te levantaste?   —¿A qué hora te levantaste?
  —Eran las ocho y media cuando me   —Me levanté a las ocho y
  levanté.   media.

Actividad 25: Tenía . . .   Contesta estas preguntas sobre tu familia.

1. ¿Cuántos años tenían tus padres cuando se conocieron?
2. ¿Cuántos años tenía tu madre cuando tú naciste? ¿Y tu padre?
3. ¿Tienes un/a hermano/a menor? ¿Cuántos años tenías cuando nació?
4. ¿Tienes un/a hermano/a mayor? ¿Cuántos años tenía cuando tú naciste?
5. ¿Tienes un/a hijo/a o un/a sobrino/a? ¿Cuántos años tenías tú cuando nació?
6. ¿Cuántos años tenías cuando te graduaste de la escuela secundaria?
7. ¿Cuántos años tenías cuando sacaste el permiso de manejar?

Actividad 26: La historia de la conquista   En parejas, una persona cubre el cuadro A de la página siguiente y la otra persona cubre el cuadro B. Háganse preguntas para intercambiar la siguiente información y completar su cuadro sobre personajes famosos de la conquista:

a. cuándo nacieron
b. dónde nacieron
c. qué cosas importantes hicieron
d. cuándo murieron y qué edad tenían
   cuando murieron

→ A: ¿Cuándo nació Ponce de León?
  B: Nació en . . . ¿Cuándo murió
     Ponce de León?
  A: Murió en . . .

▲ *Grabado al aguafuerte
del inca Atahualpa a los pies
de Francisco Pizarro.*

Act. 24A: Explain premise and set a time limit for them to cross out items.

Act. 24B: Practice question asking and answering, form pairs, have students switch lists, set a time limit, and begin. Check by asking individuals a few questions.

Act. 25: Do as a whole-class activity or in pairs. If in pairs, have students switch roles when finished. Check by focusing on some questions: which student has the youngest father, how many were 17 when they graduated from high school, and how many were 18, etc.

Act. 26: Form pairs assigning A and B roles. Have all A's cover Bs' tables and vice versa, and make sure they don't peek! Practice asking a few questions. Check by asking how old people were when they died or when certain events took place.

A

	Fechas	Nacionalidad	Datos importantes
Juan Ponce de León	_____–1521	_____	_____, fundar San Juan, _____
Isabel la Católica	1451–_____	española	ser reina de Castilla y Aragón, _____
_____	1451–_____	italiano	_____, hacer expediciones a América del Sur y América Central desde 1497 hasta 1503
Cabeza de Vaca	1490–_____		ser explorador, explorar el sudoeste de los Estados Unidos y llegar al Golfo de California, _____
Juan S. Elcano	_____–1526	español	_____, _____
Francisco Pizarro	1471–_____	_____	ser líder de la conquista del Perú desde 1530 hasta 1535

B

	Fechas	Nacionalidad	Datos importantes
Juan Ponce de León	1460–_____	español	ser gobernador de Puerto Rico desde 1510 hasta 1512, _____, explorar la Florida en 1513
Isabel la Católica	_____–1504	_____	_____, expulsar a los moros de España en 1492
Américo Vespucio	1451–1512	_____	ser explorador, hacer expediciones a _____ y _____
_____	_____–1557	español	ser explorador, _____ y _____, ser gobernador de Paraguay desde 1541 hasta 1542
Juan S. Elcano	1460–_____	_____	comandar una nave de Magallanes, ser el primero en circunnavegar la tierra en 1522
Francisco Pizarro	_____–1541	español	_____

Vocabulario activo

Adverbios y expresiones de tiempo

Ver página 74.

Palabras para indicar secuencias

Ver página 76.

Expresiones útiles

(año) clave	*key (year)*
el lunes	*on Monday*
los lunes	*on Mondays*
ya	*already*

La conquista

Ver página 80.

la batalla	*battle*
la búsqueda	*search*
los cristianos	*Christians*
la guerra	*war*
los judíos	*Jews*
los moros	*Moors*

Vocabulario personal

CAPÍTULO

4

La América precolombina

▲ *Pequeña estatua de la diosa Chihuateteo en Veracruz, México.*

May be assigned: Grammar, vocabulary, **¿Lo sabían?,** Act. 4, Act. 5, Act. 6, Act. 7, Act. 10, Act. 13, Act. 14A, Act. 15, Act. 16B, Act. 18, Act. 19, Act. 23A, Act. 28, Act. 31A.

COMMUNICATIVE GOALS

- narrating in the past (part two)
- expressing changes in physical, mental, or social states
- describing people and things
- indicating the beneficiary of an action

La leyenda del maíz

Había una vez . . .	Once upon a time there was/were . . .
¿A que no saben . . . ?	Bet you don't know . . . ?
No saben la sorpresa que se llevó cuando . . .	You wouldn't believe how surprised he/she was when . . .

Actividad 1: ¿Qué sucedió? **Parte A:** La locutora de un programa de radio para niños va a contar una leyenda tolteca sobre cómo llegó el maíz a la tierra. El protagonista de la leyenda se llama Quetzalcóatl. Antes de escucharla, en grupos de tres, miren los dibujos que también cuentan la leyenda e intenten adivinar qué sucedió.

1.
2.
3.
4.
5.
6.

Practice expressions: Write them on the board and tell students an abridged version of a well-known fairy tale such as **Ricitos de oro y los tres ositos,** using the expressions. Then have them repeat all expressions with key points of the fairy tale. Use the concept of a fairy tale as an introduction to legends. Ask students to describe the characteristics of each before doing Act. 1.

Act. 1A: Form groups of three, give instructions, set a time limit, and begin. Check by having a few groups relate their stories. Correctness of story line is not an issue and all possibilities should be accepted. The purpose is to make predictions prior to listening.

hormigas = ants
hormiguero = anthill

Parte B: Ahora escuchen la leyenda para confirmar o corregir su interpretación y para resumir lo que pasó.

 Parte C: Escuchen la leyenda otra vez y agreguen *(add)* detalles, especialmente sobre cómo consiguió Quetzalcóatl los granos de maíz y qué hizo con ellos.

Actividad 2: Los regalos   Discutan cuál de los cinco regalos de los dioses fue el mejor para los toltecas y expliquen por qué. Después, decidan cuál de los cinco regalos les interesó más a los españoles durante su dominación de Hispanoamérica y por qué.

Act. 1B: Play legend, have students compare their predictions with the legend.

Act. 1C: Play legend and pause at various points asking questions to recreate the entire story with details.

 Leyendas mexicanas
Internet

Act. 2: Have students state what the five presents were: coral, oro, plata, esmeraldas y maíz.

¿LO SABÍAN?

Quetzalcóatl ocupa un lugar de mucha importancia en la mitología mexicana. En una leyenda se le atribuye la creación de la raza humana. Se dice que descendió de la tierra de los muertos y encontró unos huesos, vertió *(shed)* su propia sangre sobre ellos y así creó a los seres humanos. También se dice que les enseñó a los habitantes de la tierra a tejer telas, a hacer mosaicos y a cortar y pulir el jade. Además inventó el calendario y les enseñó a los seres humanos la astronomía. Algunas leyendas cuentan que Quetzalcóatl era de color blanco y que tenía barba. Por eso, cuando Cortés llegó a México, Moctezuma, que era el líder azteca, creyó que había vuelto Quetzalcóatl, el dios de las plumas. Esto le facilitó a Cortés la conquista de México. Describe un personaje mitológico de gran importancia en el folclore norteamericano.

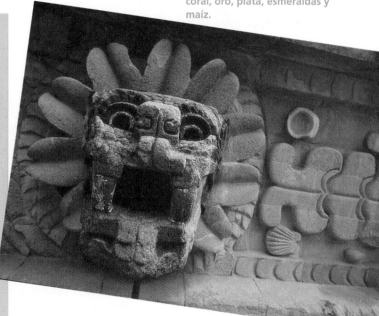
▲ *Cabeza de piedra del dios Quetzalcóatl en la antigua ciudad de Teotihuacán, que está en las afueras de la ciudad de México.*

I. Narrating in the Past (Part Two)

A. Preterit and Imperfect: Part One

In Chapter 3 you reviewed narration in the past using the preterit. You learned to use the preterit to refer to a completed past action or to focus on the beginning or end of past actions. You have also reviewed the use of the imperfect to tell time and age in the past. In Spanish, the imperfect is also used to refer to ongoing past actions or states. In the legend the narrator states: **". . . los toltecas eran muy, muy pobres y, entonces, todas las noches Quetzalcóatl iba a una montaña y les pedía ayuda a sus padres."** Here **eran** denotes an ongoing past state while **iba** and **pedía** indicate ongoing past actions.

1. The imperfect is formed as follows:

estar		hacer		dormir	
estaba	estábamos	hacía	hacíamos	dormía	dormíamos
estabas	estabais	hacías	hacíais	dormías	dormíais
estaba	estaban	hacía	hacían	dormía	dormían

For irregular forms, see page 303.

2. Use the imperfect:

Drill actions in progress:

Do a short chain drill: Have one student say what he/she was doing yesterday at 8:15 P.M. Have the next student repeat what the first student was doing, what he/she was doing, and so on. Every four or five students start over with a new time.

a. to describe past actions or states in progress in which neither the beginning nor the end of the action or state matters. Compare the following examples:

Ayer a las cinco **me bañaba**. *Yesterday at five o'clock I was taking a bath (action in progress).*

Ayer a las seis **estaba** muy cansado. *Yesterday at six I was very tired (state in progress).*

Ayer a las siete **escribía** una carta. *Yesterday at seven I was writing a letter (action in progress).*

Ayer a las cinco **me bañé**. *Yesterday at five o'clock I took a bath (onset of action—began to take a bath).*

Ayer **terminé** de trabajar a las seis. *I finished working yesterday at six (end of an action).*

Tardé tres días en escribir una carta. *I spent three days writing a letter (set time limit).*

Drill actions in progress with **mientras:**

Do a completion drill: Tell your students they have a lazy roommate. **Ayer mientras yo limpiaba la casa, él/ella . . .**

b. to describe two or more actions in progress that occurred simultaneously. Use **mientras** or **y** to connect two clauses containing simultaneous ongoing actions.

El policía **grababa** la conversación **mientras** el testigo **hablaba**.

The policeman was recording the conversation while the witness was speaking.

Los niños **miraban** la televisión **mientras hacían** la tarea.	*The children were watching TV while they were doing homework.*
Yo **tocaba** la guitarra **y** tú **cantabas.**	*I was playing the guitar and you were singing.*

Note: Past actions in progress can also be expressed using the imperfect progressive. It gives greater emphasis to the ongoing nature of the action than the imperfect. Form it by using the imperfect of **estar** + *present participle.*

Los niños **estaban mirando** la televisión **mientras** su padre **estaba preparando** la comida.	*The children were watching TV while their father was preparing dinner.*

c. to describe an action in progress in the past that was interrupted by another action. Use the preterit for the interrupting action and **cuando** to connect the two clauses. Compare the following sentences:

Mi novio me **besaba cuando** mi padre **abrió** la puerta. *My boyfriend was kissing me (action in progress) when my father opened the door (interrupting action).*	**Cuando** mi padre **abrió** la puerta, mi novio me **besó.** *My boyfriend kissed me when my father opened the door. (First my father opened the door, then my boyfriend kissed me.)*
Cuando empezó el terremoto, yo **dormía.** *When the earthquake began (interrupting action), I was sleeping (action in progress).*	**Cuando empezó** el terremoto, **me levanté** y **corrí** a la calle. *When the earthquake began (onset of an action), I got up (completed action) and ran to the street (completed action).*

Note: The imperfect progressive can also be used to express a past action in progress that was interrupted.

Ellas **estaban caminando** por la calle **cuando** las vi.	*They were walking down the street when I saw them.*

Drill interrupted actions in progress:

Brainstorm four or five actions in progress and list them on the board. Then assign one to each pair of students and ask them to provide an interesting interruption. **Me bañaba cuando un pato entró por la ventana y empezó a nadar en la bañera.**

Actividad 3: ¿Qué hacías?   En parejas, túrnense para preguntarle a la otra persona sobre su pasado. Hagan preguntas como: **¿Qué hacías/estabas haciendo ayer a las 2:30 de la tarde?, ¿Dónde estabas . . . ?**

1. ayer a las diez de la mañana
2. en esta época el año pasado
3. en junio hace dos años
4. a las nueve de la noche el sábado pasado
5. en noviembre del año pasado
6. en agosto del año pasado

Act. 3: Practice question asking and some possible answers. Form pairs, set a time limit, and begin. Have students alternate asking questions. Check by asking a few students about their partners' activities.

Actividad 4: Acciones simultáneas   En parejas, digan qué hacía cada vecino en su apartamento e inventen lo que hacía su pariente mientras tanto.

→   la señora del 3º B / hablar por teléfono, / su hija / ? ? ?

Mientras la señora del 3º B hablaba/estaba hablando por teléfono, su hija jugaba/estaba jugando en el baño con el lápiz de labios.

1. el Sr. Pérez del 1º B / mirar televisión, / su esposa / ? ? ?
2. el niño del 5º A / hacer la tarea, / su hermana / ? ? ?
3. la mujer del 7º C / dar a luz (give birth) en su casa, / su esposo / ? ? ?
4. la niña del 3º B / tocar el piano, / su profesora de piano / ? ? ?
5. la abuelita del 4º A / dormir, / sus nietos traviesos (mischievous) / ? ? ?

Act. 4: Assign as HW. Check or do in class, having students create other possible endings for the sample sentence. Encourage originality. Form pairs, set a time limit, and begin. Check by calling on volunteers.

Actividad 5: La fiesta de último momento   A las ocho de la noche, Esteban decidió hacer una fiesta. Llamó a sus amigos y les dijo que fueran a su casa inmediatamente, así, tal y como estaban. Lee cómo fue cada persona y adivina lo que hacía cuando llamó Esteban.

→   Enrique fue con pantalones cortos, camiseta y pesas.

Enrique hacía ejercicio/estaba haciendo ejercicio cuando Esteban lo llamó.

1. Rosa fue con pijamas.
2. Carlos tenía solamente parte de los bigotes.
3. Antonio fue con una guía de televisión.
4. Clara fue con una toalla solamente.
5. Fernando y Marcos llevaban delantales de cocina y cucharas de madera.
6. Humberto fue con el pelo mojado y un secador de pelo.
7. Andrés llevaba sólo un zapato.
8. Laura e Isabel fueron con pintura en la cara y con brochas (paint brushes).

Act. 5: Option 1: Assign as HW and check in class.

Option 2: Do in pairs in class and follow with a check.

Actividad 6: Situaciones   En parejas, combinen las acciones de la columna A con las acciones de la columna B para contar qué les ocurrió a diferentes personas de su clase de español cuando estaban haciendo ciertas cosas. Sigan el modelo.

→   afeitarse   cortarse la luz

John se afeitaba cuando se cortó la luz.

Act. 6: Assign as HW or do in class. Make sure students understand that column A contains actions in progress interrupted by actions from column B. Model activity, form pairs, set a time limit, and begin. Have students share their sentences with the class.

A
1. ducharse
2. caminar por la calle
3. manejar por la autopista
4. cocinar un huevo en el microondas
5. bajar las escaleras
6. pasear al perro

B
morder a una persona
explotar
caerse
ver a su novio/a con otro/a
chocar con otro carro
acabarse el agua caliente

FLR link: Lectura 1

B. Preterit and Imperfect: Part Two

You have been practicing the use of the imperfect to refer to past actions or states that were in progress. In this section you will review other uses of the imperfect.

Read this narration of a children's story.

Jack y Jill *salieron* de casa a buscar agua y *subieron* una cuesta. El pobre Jack *se cayó* y *se rompió* la coronilla y Jill *se cayó* también. Nunca *recogieron* el agua.

Now read the following version of the same story.

Jack y Jill *salieron* de casa a buscar agua y *subieron* una cuesta. La cuesta **era** muy grande y **había** muchas piedras que **dificultaban** la subida. Jack y Jill no **llevaban** botas de montaña ni **tenían** cuerdas ni otros aparatos para poder subir. El pobre Jack no **era** muy atlético y *se cayó*. Jill tampoco **tenía** mucha coordinación y, por eso, *se cayó* también. Nunca *recogieron* el agua.

In the preceding paragraph, the verbs in bold print are in the imperfect and the ones in italics are in the preterit. Which tense is used to describe or set the scene? Which is used to move the action along? If you answered imperfect to the first question and preterit to the second, you were correct. It is by combining the two that you can convey your thoughts about past events.

Use the imperfect:

a. to set the scene or background of a story. In Chapter 3 you learned how to set the scene by stating the time an action occurred or by telling the age of a person. A past scene can also be set by describing people, places, and things or by describing ongoing emotions and mental states.

Eran las once de la noche y todo **estaba** oscuro.	*It was eleven at night and everything was dark. (time and place)*
La puerta de la casa **estaba** abierta y **había** cristales rotos por todos lados.	*The door to the house was open and there was broken glass everywhere. (things)*
Yo **tenía** tanto miedo que temblaba de los nervios.	*I was so scared I was shaking from nervousness. (ongoing emotion)*
Él **tenía** 75 años, pero trabajó ese día más de lo que su jefa **esperaba**.	*He was 75, but he worked more that day than his boss expected. (age and boss's ongoing mental state)*

b. to describe habitual or repetitive actions in the past.

Todos los días Paco me **miraba** en clase, pero nunca me **decía** nada.	*Every day Paco looked at me in class, but he never said anything.*

---

*Side notes:*

había = there was/were

A verb that is always used in the imperfect is **soler** since it is only used to describe past habitual actions. It can be translated as *used to* and is followed by an infinitive. **Solía llevar mi almuerzo a la escuela.**

A la hora de comer él **se sentaba** con sus amigos en una mesa cerca de mí. Siempre **pasaba** por mi lado cuando **entraba** en la cafetería.

At lunch he used to sit with his friends at a table near me. He always passed by my side when he entered the cafeteria.

Look at the following time expressions and decide which are generally followed by a verb in the imperfect. The answer is at the bottom of the page.

a. siempre
b. a menudo
c. con frecuencia
d. una vez
e. todos los días
f. dos veces
g. de repente
h. durante mi niñez
i. muchas veces

▲ *El águila, la serpiente y el cacto forman parte de la bandera mexicana.*

Answer: a, b, c, e, h, i

Actividad 7: Cómo vivían los aztecas Para enterarte sobre la vida de los aztecas, completa este párrafo con el pretérito o el imperfecto de los verbos indicados.

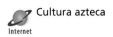 Cultura azteca
Internet

Act. 7: Assign as HW and check in class.

comenzar

ser
hablar
adorar
hacer
tener, asemejarse

construir
ver

pensar
fundar
estar
llegar
unirse

contar
perder
morirse
traer

La civilización azteca _____comenzó_____ en México doscientos años antes de la Conquista. El gobierno que tenían los aztecas _____era_____ una monarquía elegida y la lengua que _____hablaban_____ era el náhuatl. Esa civilización _____adoraba_____ a una multitud de dioses y sus líderes religiosos _____hacían_____ muchos sacrificios humanos. _____Tenían_____ numerosos templos que _____se asemejaban_____ a las pirámides de Egipto.

Los aztecas _____construyeron_____ Tenochtitlán en una isla porque un día uno de sus líderes religiosos _____vio_____, en ese preciso lugar, un águila en un cacto devorando una serpiente, y _____pensó/pensaron_____ que se cumplía la profecía hecha por un dios. Los aztecas _____fundaron_____ esa capital en 1428. El imperio azteca _____estaba_____ unido por la fuerza y no por la lealtad; por eso cuando Cortés _____llegó_____, algunas ciudades descontentas con los líderes _____se unieron_____ a él en contra del imperio azteca. En el siglo XVI, la sociedad azteca, que _____contaba_____ con ocho millones de habitantes, _____perdió_____ más de la mitad de la población ya que muchísimos _____se murieron_____ de viruela, una enfermedad que _____trajeron_____ del Viejo Mundo los españoles.

Actividad 8: Los mayas y los incas   En parejas, una persona debe leer la información sobre la vida de los mayas y la otra la información sobre los incas. Luego, cuéntenle los datos a su compañero/a usando el imperfecto.

Los mayas	Los incas
habitar la península de Yucatán en el sur de México y Centroamérica	vivir en Perú, Bolivia, Ecuador y el norte de Chile y Argentina
comer maíz, tamales, frijoles e insectos	tener una red de caminos excelente
tener calendario, poder predecir los eclipses del sol y de la luna	usar la piedra y el bronce
emplear una escritura jeroglífica con más de 700 signos	hacer telas a mano
	cultivar la papa y el maíz
	no tener escritura, todo trasmitirse por tradición oral

Actividad 9: El barrio de tu infancia   En parejas, describan cómo era el barrio donde vivían cuando eran niños, usando las ideas que se presentan a continuación.

→   Mi barrio era muy bonito porque tenía muchos árboles y era tranquilo.

barrio	rural, urbano, casas, edificios, tiendas, centros comerciales, parques
amigos	descripción física, lugares favoritos para jugar
vecinos	personas interesantes o raras
robos *(thefts)*	muchos, pocos
casa	moderna o vieja, color, número de habitaciones
habitación	número de camas, compartir con un/a hermano/a
pertenencias	cosas favoritas y por qué

Actividad 10: Antes de venir aquí   En parejas, hablen de las ideas que tenían de esta universidad antes de venir. Usen frases como: **yo creía . . . , sabía . . .**

→   Yo creía que las clases eran muy fáciles.

1. clases / ser / difíciles o fáciles
2. profesores / ser / muy o poco exigentes con los estudiantes
3. tener que estudiar / mucho o poco
4. gente / ser / amigable o esnob
5. gente / ser / muy conservadora o liberal
6. existir / una buena o mala facultad de _____
7. tener / un programa de deportes bueno o malo
8. ofrecer / un programa extracurricular bueno o malo
9. haber / muchos o pocos estudiantes en las clases

Historia de los incas y mayas

Act. 8: Form pairs assigning the Inca or Maya data. Allow a moment for students to read their data individually, then have them exchange information. Check by asking questions like ¿Quiénes tenían un calendario? Bring in pictures of Inca and Mayan ruins or art work.

Act. 9: Have one partner speak about his/her childhood until you tell him/her to stop. Next the other partner should speak. This is meant to encourage students to continue talking instead of finishing soon. Partners should ask questions of each other to get details about the description. Form pairs, set a time limit, and begin. Check by asking questions like ¿Quién vivía en un barrio urbano? ¿Quién compartía su dormitorio? ¿Te gustaba compartir el dormitorio con tu hermano? ¿Por qué?

Act. 10: Assign as HW and check in class or do as a class activity. Practice a few sentences, then form pairs, set a time limit, and begin. Check by having a group sharing to see if students held the same or different opinions before they began their university studies. Encourage connected discourse by having students account for their answers. Yo creía que las clases eran muy fáciles porque . . .

La gente takes a singular verb in Spanish.

Remember: facultad = academic department (English) or school (Law)

Actividad 11: La vida antes de la tecnología En grupos de tres, digan por lo menos una o dos cosas que hacía la gente cuando no existía ninguno de los siguientes inventos. Luego, digan cuáles son las ventajas y desventajas de cada uno.

→ Cuando no existía el disco compacto, la gente escuchaba música con grabadoras o estéreos. La calidad de la grabación no era . . .

1. el televisor
2. el avión
3. el plástico
4. la electricidad
5. la computadora

Act. 11: Have students continue the example. Then form groups of three, encourage them to be creative, set a time limit, and begin. Check by calling on volunteers.

Actividad 12: En el cielo Un grupo de animales está en el cielo contando cómo murió cada uno. Cada animal trata de impresionar a los otros con su cuento. En parejas, usen la imaginación para completar lo que dijo cada uno y después compartan sus respuestas con la clase.

Act. 12: Elicit names of animals in Spanish. Then form pairs, set a time limit, and begin. Encourage originality of responses. Option: Assign each pair a different animal and have them create a full story about what happened.

C. Preterit and Imperfect: Part Three

Drill **iba a** + *infinitive:*

Brainstorm obligations students dislike and list them on the board. Have students give excuses about why they didn't do these things last week. **Iba a hacer la cama, pero tuve que ir a clase.**

1. To express a past plan that did not materialize use the imperfect of **ir** + **a** + *infinitive*. This construction can be used to give excuses.

Los hombres de Cortés **iban a volver** a España con mucho oro, pero los aztecas mataron a muchos de ellos.

Cortes' men were going to return to Spain with a lot of gold, but the Aztecs killed many of them.

Iba a ir a la fiesta, pero nevaba mucho.

I was going to go to the party, but it was snowing a lot.

2. Because the imperfect and the preterit express different aspects of the past, they may convey different meanings with certain verbs when translated into English. In these cases the imperfect emphasizes the ongoing nature of the state while the preterit emphasizes the onset or end of an action. These verbs or verb phrases include:

Drill changes in meaning:

1. Ask questions like: **¿A quién conocías de esta clase antes de empezar el semestre? ¿Cuándo lo/la conociste? ¿A qué deporte sabías jugar cuando eras niño/a? ¿Cuándo fue tu último examen? ¿Cuándo supiste la nota?**

2. Have students tell things they did not want to do when they were children. **No quería estudiar. No quería levantarme. No quería hacer la tarea.** Then have them tell something they refused to do (and didn't do) as children: **No quise estudiar piano.**

3. Have students tell things they weren't able to do when they were 2, 15, etc. **No podía vestirme solo/a. No podía manejar porque todavía no tenía la licencia.**

4. Have students tell you 2 things they had to do and didn't, and then 2 things they had to do and did. Then, in pairs, have them discuss and amplify: S1: **Tuve que ir al banco.** S2: **¿Por qué?** S1: **Porque no tenía ni un centavo.**

It is normal for students to have only limited use of preterit-imperfect distinctions with these verbs at this level.

	Imperfect	Preterit
conocer (a + *person*)	knew (someone or some place); was acquainted with	met/began to know (someone or some place)
saber (+ *information*)	knew (something)	found out (something)
no querer (+ *infinitive*)	didn't want (to do something)	refused and <u>didn't</u> (do something)
no poder (+ *infinitive*)	was/were not able (to do something)	was/were not able <u>and didn't</u> (do something)
tener que (+ *infinitive*)	had to (do something), was supposed to (do something) but didn't necessarily do it	had to <u>and did</u> (do something)

Pablo **no quería** ir a la fiesta, porque estaba muy cansado y además no **conocía** a nadie.

Pablo didn't want to go to the party because he was very tired and besides he didn't know anyone.

Ella **tenía que** llamar a sus padres a larga distancia, pero **no pudo** comunicarse.

She had to call her parents long distance, but she wasn't able (didn't manage) to get through.

El jueves falté a clase y el viernes cuando llegué, **supe** que había examen.

I was absent from class on Thursday and when I got there on Friday, I found out there was an exam.

Conocí a mis compañeros de español el lunes y el martes ya **sabía** todos los nombres.

I met my classmates from Spanish class on Monday, and on Tuesday I already knew all their names.

Cuando tú tenías 10 meses, **no podías** comer solo.

When you were 10 months old, you were not able to eat by yourself.

Actividad 13: Tenía todas las buenas intenciones   Ayer tus amigos y tú iban a hacer muchas cosas, pero todos tuvieron diferentes problemas. Usa la información de la página siguiente para decir cuáles eran sus intenciones y por qué no las llevaron a cabo.

Act. 13: Assign as HW and check in class or do as an in-class activity. Encourage connected discourse by having students expand on the problems they had.

→   Íbamos a esquiar en el lago, pero no pudimos prender el motor del bote.

Intenciones

1. hacer un picnic
2. ir a una fiesta
3. comprar el libro de trigonometría
4. estudiar para el examen
5. jugar un partido de tenis
6. sacar un libro de la biblioteca
7. pagar la cuenta de la luz por correo

Problemas

no tener estampilla   llover

estar cansados

invitarlos a una fiesta

no haber más en la librería

no tener el carnet de estudiante

quedarse dormidos

Actividad 14: Miniconversaciones   Parte A: Completa las conversaciones con el pretérito o el imperfecto de los verbos indicados.

Act. 14A: Assign as HW and check in class.

1. —Me presentaron al novio de María, pero yo ya lo ___conocía___ muy bien. (conocer)
   —¿Dónde lo habías conocido?
   —Es mi ex novio.

2. —Pedro ___tenía que___ llamar al dentista para cancelar la cita. (tener que)
   —¿Y?
   —Se olvidó por completo.

3. —El sábado fui a una fiesta.
   —¿___Conociste___ a alguna persona interesante? (conocer)
   —Sí, ___conocí___ a una muchacha encantadora. (conocer)

4. —Cuando vivía con mis padres, ___no podía___ llegar a casa tarde. (no poder)
   —Yo tampoco. ___Tenía que___ estar en casa antes de las diez. (tener que)

5. —Cuando era niña, ___no quería___ ser doctora. (no querer)
   —Pero ahora que casi eres doctora, te gusta la medicina, ¿no?

6. —¿Por qué no fuiste a la fiesta el sábado?
   —___Tuve que___ estudiar, y ahora estoy muy preparado para el examen. (tener que)

7. —Mi abuelo ___sabía___ tocar la trompeta. (saber)
   —Sí, recuerdo. Era genial.

8. —¿Por qué no trabajó Rosa ayer?
   —Su esposo estaba enfermo, así que ella ___tuvo que___ cuidarlo. (tener que)

Parte B: En parejas, escojan una de las conversaciones y continúenla. Mantengan una conversación por lo menos de diez líneas usando el pretérito y el imperfecto dentro de lo posible.

Actividad 15: La semana pasada   En parejas, digan tres cosas que tenían que hacer y que no hicieron la semana pasada y por qué. Luego digan tres cosas que sí tuvieron que hacer. Piensen en cosas como las siguientes:

dejar una clase	devolver un video
hacer fotocopias	mandar un fax
comprar . . .	pagar una cuenta de luz/gas/etc.
llamar a sus padres/un amigo	limpiar su apartamento/habitación
estudiar para la clase de . . .	empezar a escribir un trabajo

Actividad 16: Recuerdos   **Parte A:** Todos tenemos un recuerdo triste, traumático, raro o gracioso. Lee la siguiente historia y decide si la situación fue triste, traumática, rara o graciosa. Luego intenta explicar el uso del pretérito y del imperfecto en esta historia.

El 15 de febrero era mi cumpleaños y para celebrar mis ocho añitos fui con mis padres y mis abuelos a una cafetería al aire libre. Allí yo estaba sentada en una silla al lado de las escaleras. Como estábamos de vacaciones, yo pensé que no me iban a dar tarta, cuando de repente mi madre me dijo: "¿Quieres acompañarme a la pastelería para comprarte la tarta?" Cuando escuché a mi madre, me levanté con mucho entusiasmo, justo cuando el camarero bajaba las escaleras y mi cabeza dio contra su bandeja. Oí un ruido horrible y todo le cayó encima al pobre camarero: la chaqueta del señor ya no era blanca, sino que estaba cubierta de Coca-Cola, café y helado y había vasos rotos por el suelo. Empecé a llorar, pero por suerte, el señor no se enojó y no tuvimos que pagar nada. Todavía recuerdo ese día cada vez que veo la chaqueta blanca de los camareros.

Parte B: En parejas, túrnense para contar situaciones tristes, traumáticas, raras o graciosas usando el pretérito y el imperfecto. Incluyan muchos detalles. Usen estas ideas como guía.

• cuántos años tenías	• qué hacías
• cómo eras	• qué ocurrió
• dónde estabas	• cómo te sentiste después
• adónde fuiste y con quién	

Actividad 17: Una leyenda   Al principio de este capítulo escuchaste una leyenda tolteca sobre el maíz. En grupos de tres, usen la imaginación para crear una leyenda sobre cómo apareció el búfalo en los Estados Unidos. Utilicen los siguientes puntos como guía.

• quién era el personaje principal de la leyenda	• qué ocurrió un día
• qué hacía en su vida diaria	• después de crear al búfalo, cómo lo empezaron a utilizar los seres
• qué quería para su gente	humanos para mejorar su vida

Act. 14B: Form pairs, have students pick the conversation themselves or assign different conversations to different groups. Check by having some groups perform for the class.

Act. 15: Assign as HW or do in class. In set-up phase, stress that **tuve que + inf.** implies *had to and did* while **tenía que + inf.** simply implies *had to/was supposed to*. Encourage students to use the cues provided or to invent other items.

Act. 16A: Have students read the story silently. Then ask if it was **triste, traumática, rara o graciosa.** Reread the story aloud and have students identify each use of the preterit or imperfect.

Act. 16B: Options: 1. Assign as HW and use as a warm-up the next day by having students read their story to a partner. 2. Use as a composition topic. 3. Do in pairs as an in-class activity and follow with a group sharing of some of the more interesting stories.

Act. 17: Through question and answer, have students retell the legend they heard about the origin of corn. Form groups of three and instruct them to construct a legend about the buffalo. Ask them to take notes, but not to write the entire story out. When finished, have some groups share their legends with the class.

cake = **tarta** (Spain), **torta/pastel** (Hispanic America)

II. Expressing Changes in Physical, Mental, or Social States

FLR link: Lectura 2

1. Some reflexive verbs in Spanish indicate a change in physical, mental, or social state. Study the following chart and notice that the state resulting from this change is expressed with **estar** + *adjective*.

	Action	Resultant State
acostumbrarse (a) *to become accustomed (to)*	Él **se acostumbró** rápidamente **a** su nuevo trabajo. *He quickly became accustomed to his new job.*	Él **está acostumbrado a** su nuevo trabajo. *He's accustomed to his new job.*
enojarse *to get angry*	Ella **se enojó**. *She got angry.*	Ella **estaba enojada**. *She was angry.*

2. Here is a list of verbs that indicate a change in physical, mental, or social state.

Physical		
drogarse	*to get high*	estar drogado/a
emborracharse	*to get drunk*	estar borracho/a
enfermarse	*to get sick*	estar enfermo/a

Mental		
aburrirse	*to become bored*	estar aburrido/a
acostumbrarse	*to become accustomed*	estar acostumbrado/a
enamorarse (de)	*to fall in love (with)*	estar enamorado/a (de)
enojarse	*to get angry*	estar enojado/a
irritarse	*to become irritated*	estar irritado/a
preocuparse (de/por)	*to become worried (about)*	estar preocupado/a (de/por)

Social		
casarse (con)	*to get married (to)*	estar casado/a (con)
comprometerse (con)	*to get engaged (to)*	estar comprometido/a (con)
divorciarse (de)	*to get divorced (from)*	estar divorciado/a (de)

3. The following verbs also indicate changes in state and are the equivalent of *to become*.

   a. Hacerse and **llegar a ser** are used to indicate changes in social status or occupation. **Llegar a ser** expresses a change that occurs over time. Common phrases include: **hacerse/llegar a ser rico, famoso, político, presidente.**

Ella **se hizo rica** vendiendo productos de Mary Kay. Ahora maneja un Cadillac rosado.	*She became rich selling Mary Kay products. Now she drives a pink Cadillac.*
Después de muchos años en la política, mi tía **llegó a ser senadora.**	*After many years in politics, my aunt got to be a senator.*

b. Ponerse is used to express a mental, physical, or emotional state. This change is usually sudden and temporary. Common phrases include: **ponerse furioso, histérico, colorado, triste, contento.**

Él **se puso furioso** después de la entrevista.	*He got mad after the interview.*

c. Volverse is used to express a gradual change in mental or emotional states. Common phrases include: **volverse loco, pesimista.**

Su esposa lo dejó y con el tiempo **se volvió loco.**	*His wife left him and in time he went crazy.*

Actividad 18: ¿Qué hicieron? Elige verbos de la siguiente lista para decir qué hicieron las personas en las situaciones que se dan a continuación.

aburrirse	drogarse	enfermarse
acostumbrarse	emborracharse	enojarse
divorciarse	enamorarse	preocuparse

→ La muchacha bebió demasiado en la fiesta y **se emborrachó.**

1. El niño rompió el jarrón *(vase)* preferido de sus padres y ellos . . .
2. Eran las seis de la mañana y el compañero de habitación de Pedro no había llegado. Pedro . . .
3. Nosotros fuimos a ver una película malísima y salimos del cine antes del final porque . . .
4. Paco y Lucía estaban casados, pero no se llevaban nada bien y tenían muchos problemas. Por eso ellos . . .
5. En el instante en que Romeo conoció a Julieta, él . . .
6. Fuiste a las montañas en invierno, hacía un frío terrible y no llevaste abrigo. Por lo tanto . . .

Actividad 19: ¿Qué ocurrió? En parejas, túrnense para hablar de lo que les ocurrió a las personas en cada situación. Usen los siguientes verbos: **hacerse, llegar a ser, ponerse** y **volverse.**

→ Cuando no le dieron el puesto, Carlos **se puso muy triste.** Por eso ayer cuando lo vi, estaba triste.

1. Cuando su novio vio a María con otro muchacho, ella . . . ; tenía la cara como un tomate.
2. Nadie sabe por qué la señora mató a su esposo con un cuchillo a medianoche. Se cree que la señora . . .

3. La mujer trabajó muchísimo toda la vida y por fin consiguió lo que quería, ella . . .
4. Éramos muy optimistas, pero a mi novio y a mí nos ocurrieron tantas cosas malas en la vida que finalmente . . .
5. Cuando el avión comenzó a moverse bruscamente, los pasajeros . . .
6. Beatriz estudió ciencias políticas para . . . Ahora es una de las especialistas en relaciones exteriores más importantes de su país.

Actividad 20: ¿Qué hizo?   En parejas, Uds. van a inventar una historia sobre lo que hizo una persona de la clase el fin de semana pasado. Usen la imaginación e incorporen en la historia estas frases, en cualquier orden.

la policía	estaba acostumbrado/a	normalmente
mientras tanto	eran las diez cuando	de repente
se puso furioso/a		

Act. 20: Give instructions for the activity. As a model, create a story about one student in the class; elicit help from students. Then form pairs, set a time limit, and begin. Check by having a few groups tell their story. Another option is to have them create a story about their instructor.

III. Describing People and Things

A. Descriptive Adjectives

FLR link: **Lectura 3.** The reading can also be used for practice with indirect-object pronouns.

Review other adjectives for describing people in the Preliminary Chapter.

The following adjectives are frequently used with the verb **ser** to describe personality traits.

Cognados obvios

idealista	paciente	prudente
impulsivo/a	pesimista	realista
optimista		

Otros adjetivos

acogedor/a	welcoming, warm
atrevido/a	daring (*negative connotation*)
audaz	daring (*positive connotation*)
caprichoso/a	capricious; naughty
cariñoso/a	loving, affectionate
celoso/a	jealous
espontáneo/a	spontaneous
holgazán/holgazana	lazy
juguetón/juguetona	playful
malhumorado/a	moody, ill-humored
tacaño/a	stingy, cheap

tacaño/a = cheap (unwilling to spend money)

barato/a = cheap (inexpensive)

Actividad 21: ¿Cómo eras de adolescente?   En parejas, escoge tres adjetivos que describan tu personalidad cuando eras adolescente y díselos a la otra persona. Dile también si en la actualidad tienes o no esas características.

→   Cuando yo era adolescente era muy celoso, pero ahora . . .

Act. 21: Allow 30 seconds for students to select the adjectives. Form pairs and begin. Check by finding out what certain students were like.

Actividad 22: Lo positivo y lo negativo   En grupos de tres, escojan tres adjetivos de la lista anterior y digan qué es lo positivo y lo negativo de poseer esas características.

→   Si una persona es muy tacaña no tiene muchos amigos, pero probablemente sí tiene mucho dinero.

Act. 22: As a group, use the example and find other positive and negative points about being **tacaño**. Form groups and begin. Check by asking the class about certain adjectives.

B. *Ser* and *estar* + Adjective

To describe, you can use **ser** and **estar** followed by adjectives. The following rules will help you remember when to use which:

1. Use **ser** + *adjective* when you are describing the *being*, that is, when you are describing physical, mental, or emotional characteristics you normally associate with a person, or physical characteristics you associate with a thing.

Pablo **es** tan **alto** como su padre.	*Paul is as tall as his father.*
La presidente **es** una persona **inteligente.**	*The president is an intelligent person.*
La esposa de Raúl **es (una persona)** muy **celosa.** Él no puede ni mirar a otra mujer.	*Raul's wife is (a) really jealous (person). He can't even look at another woman.*
Mi apartamento **es (un lugar) muy moderno.**	*My apartment is (a) very modern (place).*

2. Use **estar** + *adjective* when describing the *condition* or *state of being* of a person, place, or thing.

Nosotros **estamos muy cansados.**	*We are very tired.*
El agua **está muy fría.**	*The water is very cold.*
Mi primo siempre **está enojado** con alguien de la familia.	*My cousin is always mad at someone in the family.*

Drill **ser** and **estar**:

1. Bring in pictures and ask: ¿Cómo es? ¿Cómo está hoy?

2. Contrast meaning by having students finish sentences like: **Cindy Crawford es una mujer bonita porque . . . Hoy ella está bonita porque . . .; Los tamales mexicanos son buenos porque . . . Estos tamales están buenos porque . . .**

3. Use prominent people and places in the news. Adjust these examples to today's news: ¿Cómo es Mónica Lewinsky? ¿Cómo está Mónica después de todos los problemas?/¿Cómo era Christopher Reeves (Superman) antes de su accidente? ¿Cómo es físicamente después de su accidente? ¿Cómo está de ánimo?

Siempre is frequently used with **estar. Siempre está preocupado/borracho/ enfermo/etc.**

Students may associate **siempre** with the use of **ser.** This is erroneous.

3. Adjectives that are normally used with **ser** to describe the characteristics of a person or thing may be used with **estar** to indicate a change of condition.

ser + *adjective* **Being**	estar + *adjective* **Change of Condition**
Mi marido es (un hombre) muy cariñoso. *My husband is (a) very affectionate (man).*	**Estás muy cariñoso** hoy, ¿qué quieres? *You're really affectionate today; what do you want?*
Eres (una persona) muy elegante. *You are (a) very elegant (person).*	Me encanta tu corbata, **estás muy elegante.** *I love your tie; you look especially elegant.*
El gazpacho es una sopa española fría. *Gazpacho is a cold Spanish soup.*	Camarero, esta sopa **está fría.** *Waiter, this soup is cold.*

4. Some adjectives convey different meanings, depending on whether they are used with **ser** or **estar**. Remember that **ser** is used to describe the *being* and **estar** the *condition* or *state of being*.

Drill **ser** and **estar**:

Contrast meaning by having students finish these sentences: **No me gusta ese video porque** (es aburrido)/**Los niños no saben qué hacer hoy y** (están aburridos), **Haces mucho ruido y el niño ahora** (está despierto)/**La niña aprende todo enseguida;** (es despierta), **Me gusta este sándwich** (está bueno)/**Me gustan los sándwiches de esa cafetería porque** (son buenos). (etc.)

está muerta = she's dead

ser + *adjective* **Being**	estar + *adjective* **Condition or State of Being**
La película **es aburrida.** *The movie is boring.*	Nosotros **estamos aburridos.** *We are bored.*
Mi hijo **es listo.** *My son is smart.*	Mi hijo **está listo.** *My son is ready.*
El niño **es muy despierto.** *The child is very alert.*	El niño **está despierto.** *The child is awake.*
El gazpacho **es bueno** porque tiene muchas vitaminas. *Gazpacho is good because it has a lot of vitamins.*	El gazpacho **está muy bueno,** quiero más. *The gazpacho tastes really good (today), I want some more.*
Es viva. *She's smart/sharp.*	**Está viva.** *She's alive.*

Actividad 23: Ser o estar   **Parte A:** Completa las nueve conversaciones que siguen usando **ser** o **estar.**

Act. 23A: Assign as HW and check in class.

1. —Quiero presentarte a mi amiga Teresa.
   —Bien. Háblame de ella.
   —____Es____ muy interesante y ____es____ espontánea.

2. —¡Ay! Este café ____está____ frío.
   —Por supuesto, hace una hora que lo preparé.

3. —De niños, mi hermano y yo ____éramos____ muy caprichosos.
   —Me imagino que volvían locos a tus padres.

4. —Quiero irme de este cine de una vez. Me estoy durmiendo.
   —Tienes razón. Esta película ____es____ aburridísima.

5. —Marta. ¿Qué te ocurre hoy?
   —¿Por qué me preguntas?
   —Porque me parece que ____estás____ un poco nerviosa.

6. —¿Qué pasa?
   — ____Estoy____ muy contenta pues creo que me aceptaron en la universidad.

7. —¿Qué te parece si comemos el plato cubano que se llama ropa vieja?
   —Pero ____es____ una comida caliente y hoy hace mucho calor para comer eso.

8. —¡Niños!
   —¿Qué, papá?
   —¡Vengan a comer! ¡La comida ____está____ lista!

9. —¿Qué opinas de contratar a Marisel para este trabajo?
   —Sí, es la persona ideal porque ____es____ muy despierta.

Parte B: En parejas, escojan una de las conversaciones y continúenla.

Actividad 24: Impresiones equivocadas   En parejas, Uds. trabajan para una empresa y por primera vez asisten a una fiesta con sus compañeros de trabajo. Se sorprenden porque algunas personas están mostrando un aspecto de su personalidad que nunca se ve en la oficina. Reaccionen a las descripciones de la página siguiente. Sigan el modelo.

Act. 24: Set up the premise of the activity by saying that people can act differently in different settings. Read the model. Form pairs and encourage them to gossip. Check by saying you weren't at the party last night and ask about it. Students should respond by saying: **Marta es seria, pero anoche . . .**

   ⇒   Marta Ramos: secretaria; callada, respetuosa; esta noche está cantando con un micrófono.

   Marta es tan . . . , pero, ¡qué increíble! Esta noche está muy . . .

1. Jorge Mancebo: jefe de personal; serio, siempre lleva corbata; esta noche lleva una cadena de oro; está bailando cumbia con la cocinera.
2. Cristina Salcedo: trabaja en relaciones públicas; viva, divertida; esta noche está sentada sola en un rincón mirando el suelo y tomando Coca-Cola.
3. Paulina Huidobro: jefa de producción; muy profesional; esta noche lleva minifalda y está coqueteando con Juan Gris, el jefe de ventas.

Actividad 25: Sus compañeros   En parejas, hablen de la personalidad de tres compañeros de la clase por lo menos y digan cómo creen que se sienten ellos hoy.

> → Craig es muy cómico e hiperactivo. Hoy está preocupado porque se peleó con su novia.

Act. 25: Form pairs and encourage students to be creative with their responses.

Actividad 26: Una improvisación   En parejas, lean e improvisen las siguientes situaciones.

1. Crees que un íntimo amigo tuyo está muy cambiado últimamente y esto te preocupa. Habla con otro/a amigo/a y dile cómo es esta persona y cómo está ahora.
2. Eres maestro/a y hay un estudiante de ocho años que tiene muchos problemas de comportamiento (*behavior*). Habla con el padre o la madre y dile cómo es su hijo y cómo se comporta últimamente.

Act. 26: Discuss situations, then set up pairs and assign the leading role of the first situation to one person in each pair. Have students act out the situation until you ask them to stop. Then have the other person take the leading role in the second situation. Finish by having some pairs act out the situations.

IV. Indicating the Beneficiary of an Action

The Indirect Object

1. In Chapter 1 you saw that a direct object answers the questions *what* or *whom*. An indirect object normally answers the questions *to whom* or *for whom*. In the sentence "I gave a gift to my friend," "a gift" is *what* I gave (direct object), and "my friend" is the person *to whom* I gave the gift (indirect object). As you saw with the verb **gustar,** the indirect-object pronouns are:

me	nos
te	os
le	les

2. The indirect-object pronoun is almost always present in Spanish to tell to whom or for whom something is done. A prepositional phrase introduced by **a** can be used to provide clarity, or simply for emphasis.

Mi amiga Dolores hace investigaciones en el Amazonas y no tiene teléfono, por eso **le** escribí una carta.

My friend Dolores is doing research in the Amazon and doesn't have a telephone, that's why I wrote a letter to her.

Le escribí una carta **a Dolores.**

I wrote a letter to Dolores. (Clarity)

Drill indirect-object pronouns:

1. Do a substitution drill: T: Te escribió una carta. (A ellos) S: Les escribió una carta a ellos. T: A mí. S: Me escribió una carta a mí.

2. Ask students: ¿Quién te escribe mensajes electrónicos? Y tú, ¿a quién le escribes mensajes electrónicos? ¿Quién te manda mensajes interesantes? ¿Te mandan chistes? Al principio del año académico, ¿qué cosas les ofrecen a los estudiantes las tiendas y restaurantes de su ciudad? ¿Y las grandes compañías nacionales, también les hacen ofertas interesantes? ¿Cuál es la mejor cosa que te ofrecieron este año?

Use either the indirect-object pronoun or a prepositional phrase introduced by **para** but not both in the same sentence. **Compré una camisa para mi padre. Le compré una camisa (a mi padre).**

Les di un regalo **a Marcos y a Ana**.

I gave a present to Marcos and Ana. (Clarity)

Les compré un regalo **a mis hermanos**.

I bought a present for my brothers. (Clarity)

3. Use the following pronouns after a preposition.

a **mí**	a **nosotros/as**
a **ti**	a **vosotros/as**
a **Ud.**	a **Uds.**
a **ella**	a **ellas**
a **él**	a **ellos**

Mí has an accent when it is a prepositional pronoun: **detrás de mí, a mí, para mí**, etc. **Mi** without an accent is a possessive adjective: **Mi madre es peruana.**

No lo podía creer, Viviana **me** dio un regalo **a mí**.

I couldn't believe it. Viviana gave <u>me</u> a present. (Emphasis)

4. Use indirect-object pronouns:
   a. before a conjugated verb

Le escribo una postal a mi hermano.
Le había escrito una postal antes de irme de Ecuador.
Le escribí una postal ayer.
Le quiero escribir una postal.
Le estoy escribiendo una postal.

   b. after and attached to the infinitive or the present participle

Quiero **escribirle** una postal.
Estoy **escribiéndole*** una postal.

*Note the need for an accent. To review accent rules, see page 314.

Actividad 27: ¿Quién besó a quién? En parejas, miren el dibujo y decidan cuáles de las siguientes oraciones describen la escena.

1. Le dio ella un beso a él.
2. Él le dio un beso a ella.
3. Le dio un beso a ella.
4. Le dio un beso ella.
5. Le dio un beso.
6. Le dio un beso él.
7. Ella le dio un beso a él.
8. Le dio él un beso a ella.
9. Le dio un beso a él.

Act 27: Answers: 2, 3, 5, 6, 8.

Actividad 28: El regalo   Usa pronombres de complemento indirecto para completar la historia sobre un episodio que le sucedió a un joven chileno durante un viaje.

Act. 28: Assign as HW and check in class.

Hace un mes mi hermano y yo fuimos de vacaciones a México donde ___les___ compramos un jarrón de cerámica a mis padres para su aniversario de boda. Pusimos el regalo cuidadosamente en una caja y lo enviamos desde el aeropuerto. Por desgracia, cuando llegamos a Santiago, nos dimos cuenta de que el jarrón estaba roto. Entonces fuimos directamente a la oficina de reclamos donde ___nos___ pidieron la queja (*complaint*) por escrito. Yo ___le___ escribí una carta al gerente de la aerolínea de ese aeropuerto. Poco después, el gerente ___me/nos___ envió una carta por correo expreso disculpándose por lo que había pasado. En la carta él ___me/nos___ hizo muchas preguntas sobre el contenido de la caja y su valor en dólares norteamericanos. ¡Qué fastidio! Como yo no ___le___ pude contestar todas las preguntas, ___le___ pregunté a mi hermano que siempre lo sabe todo o, por lo menos, cree que lo sabe todo. El gerente ___me/nos___ ofrecía el dinero que habíamos gastado, pero nosotros ___le___ explicamos enfáticamente que no queríamos el dinero, sólo queríamos el recuerdo que habíamos comprado. A la semana siguiente recibimos otra carta del gerente que nos dejó boquiabiertos y en la que ___nos___ proponía otra idea: ___nos___ daba gratis (a nosotros) dos pasajes al Caribe para nuestros padres. Nos fascinó la idea e inmediatamente ___le___ informamos que aceptábamos su oferta. ¡Valió la pena escribir tantas cartas y ser tan perseverantes!

Actividad 29: Parientes típicos o atípicos   **Parte A:** En parejas, entrevístense para obtener respuestas a las siguientes preguntas y así averiguar si la otra persona tiene parientes típicos o atípicos.

parientes = relatives

padres = parents

Act. 29A: Form pairs and begin. When some groups have finished, have all groups change roles.

1. ¿Te regalan ropa pasada de moda o ropa de moda?
2. ¿Te dan mucha comida?
3. ¿Te pellizcaban (*pinch*) la mejilla cuando eras niño/a?
4. ¿Les dan muchos consejos a tus padres?
5. ¿Les ofrecen a otros parientes y a ti trabajos horribles en su compañía o su tienda durante los veranos?
6. ¿Les muestran a Uds. fotos o videos aburridísimos de la familia?
7. ¿Le dicen a la gente cuánto dinero ganan? Si contestas que sí, ¿le mienten sobre la cantidad?
8. Cada vez que te ven, ¿te dan dinero?
9. ¿Les piden dinero a tus padres?
10. ¿Te cuentan historias aburridas sobre su juventud?

Parte B: Ahora, díganle a su compañero/a si tiene una familia típica o atípica y defiendan su opinión.

→   En mi opinión, tu familia es atípica porque te regala . . .

Actividad 30: ¿Cuándo fue la última vez que . . . ?   **Parte A:** En parejas, túrnense para preguntarle a la otra persona cuándo fue la última vez que hizo las actividades de la lista.

→   A: ¿Cuándo fue la última vez que le compraste flores a una persona?

B: Hace un mes les compré flores   B: Nunca le compro flores a nadie.
a mis padres.

A: ¿Por qué les compraste flores?   A: ¿Por qué nunca le compras flores
a nadie?

B: Porque era su aniversario.   B: Porque no me gusta regalar flores.

1. comprarle flores a una persona
2. hablarles a sus padres sobre su novio/a
3. escribirle una carta de amor a alguien
4. regalarle algo a un/a amigo/a
5. escribirle un poema a alguien
6. decirle a alguien "te quiero"
7. mandarle a alguien una tarjeta cómica

Parte B: Ahora digan cuándo fue la última vez que alguien les hizo a Uds. las acciones de la Parte A.

→   Hace cinco meses que alguien me regaló flores. / Mi hermana me regaló flores hace cinco meses. / Nadie me regala flores nunca.

Actividad 31: La historia de la Malinche   **Parte A:** Lee el párrafo sobre un personaje importante de la historia de México y contesta la pregunta que le sigue.

Malinalli es la hija de un noble indígena y sabe hablar maya y también náhuatl, el idioma azteca. Cuando se muere su padre, su madre **la** vende y la compra un grupo de indígenas. Este grupo a su vez se la vende a otro grupo de indígenas. Después de la batalla de Tabasco, estos indígenas **le**
5   dan un regalo a Cortés: Malinalli. Él **la** bautiza y **le** pone el nombre de Marina. Aguilar, un español que sabe maya, **le** enseña español. Durante un período de seis años ella se convierte en compañera, intérprete, enfermera y amante de Cortés, y a su vez, **le** enseña a Cortés a llevarse bien con los indígenas. **Lo** ayuda a formar una alianza con los tlaxcalas, archienemigos de
10   los aztecas, para derrotar el imperio de Moctezuma. Doña Marina, como **la** llaman los conquistadores, es indispensable tanto para los españoles como para los indígenas. El gran conquistador y Doña Marina tienen un hijo juntos y Cortés se queda con ella hasta que no **la** necesita más. Luego Doña

Act. 29B: Have students tell each other why their families are typical or atypical. Tell them to give examples from their partners' answers to support their opinions. When finished, ask a few people about their partners' families.

Act. 30A: Practice question formation if needed and some possible responses. Review time expressions if needed (**hace tres días . . .** , **el año pasado**, etc.). Form pairs and begin. Have students alternate asking questions.

Act. 30B: When they are finished, call on individuals to report back.

Act. 31A: Assign as HW and check in class. Ask some questions on content to ensure comprehension.

15 Marina pasa a ser propiedad de uno de sus capitanes. Después de su separación de Cortés, esta mujer tan importante en la conquista de México pasa a ser anónima. Hoy día se la conoce con el nombre de la Malinche.

¿A quiénes se refieren las palabras en negrita?

a. **la** en la línea 2 _____Malinalli_____

b. **le** en la línea 4 _____Cortés_____

c. **la** en la línea 5 _____Malinalli_____

d. **le** en la línea 5 _____Malinalli_____

e. **le** en la línea 6 _____Malinalli_____

f. **le** en la línea 8 _____Cortés_____

g. **lo** en la línea 9 _____Cortés_____

h. **la** en la línea 10 _____Malinalli_____

i. **la** en la línea 13 _____Malinalli_____

▶ *En el mural* La alianza de Cortés, *de Desiderio Hernández Xochitiotzin, aparecen Moctezuma, Hernán Cortés y la Malinche.*

Parte B: Es común usar el presente en un relato histórico. Este uso del presente se llama presente histórico. En parejas, lean la historia de la Malinche otra vez y cambien los verbos al pretérito o al imperfecto.

Act. 31B: Discuss the use of the historical present. Assign pairs and have students rewrite the paragraph. Encourage them to defend their choices in each case. Check when finished.

Answers: fue/era, sabía, se murió, vendió, compró, vendió, dieron, bautizó, puso, sabía, enseñó, se convirtió, enseñó, ayudó, llamaban, era/fue, tuvieron, se quedó, necesitaba/necesitó, pasó, pasó

Follow up: Ask them if they know of any other similar stories in history (e.g., Benedict Arnold).

¿LO SABÍAN?

El nombre de Doña Marina con el tiempo se degeneró en Malinche. Hoy en día muchos mexicanos piensan que la actitud de esa mujer al ayudar a los españoles fue un acto de traición. El término **malinche** se usa en México para referirse a una persona que prefiere lo extranjero a lo nacional o para una persona a quien se considera traidora. Sin embargo, muchas feministas han combatido este significado de la figura de la Malinche y la han revalorizado como una mujer de gran talento e inteligencia que supo sobrevivir las condiciones adversas de su vida.

Vocabulario activo

Adverbios de tiempo

muchas veces	*many times*
a menudo	*frequently*
con frecuencia	*frequently*
frecuentemente	*frequently*
generalmente	*generally*
normalmente	*normally*
siempre	*always*
durante los fines de semana/veranos/el año escolar/mi niñez	*during weekends/summers/ school year/my childhood*
todos los días/ domingos/meses/ veranos/años	*every day/Sunday/month/ summer/year*
mientras	*while*

Verbos que indican cambios físicos, mentales y de estado social

Ver páginas 99–100.

Adjetivos de personalidad

Ver página 101.

Expresiones útiles

Había una vez . . .	*Once upon a time there was/were . . .*
¿A que no saben . . . ?	*Bet you don't know . . . ?*
No saben la sorpresa que se llevó cuando . . .	*You wouldn't believe how surprised he/she was when . . .*

Vocabulario personal

El buen paladar

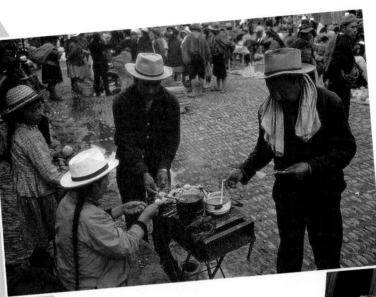

▲ *Lugareños comprando comida en un mercado dominical en Pisac, Perú.*

COMMUNICATIVE GOALS

- influencing, suggesting, persuading, and advising
- giving direct and indirect commands
- discussing food
- informing and giving instructions

May be assigned: Grammar, vocabulary, ¿**Lo sabían?,** Act. 5A and B, Act. 11A, Act. 13, Act. 14, Act. 16, Act. 18, Act. 27A.

▲ *Un mesero muestra las especialidades de un restaurante de España.*

Practice expressions: Write them on the board and tell a story about yourself. Discuss something you like to eat or a strange meal or dish you had. End by saying, **me lo comí todo.** Have students repeat. Then tell them about a restaurant that serves that dish and ask, **¿Acaso no sabías?** Ask individuals so that they hear the question a number of times. Assure an individual that what you are saying is true by saying, **Te lo digo en serio.** End presentation by telling them, **Pues, es verdad, y punto.**

You may want to teach the Caribbean expression **chévere** that appears in the conversation.

¿De dónde es esa fruta?

comérselo/s todo/s	to eat it/them all up
¿Acaso no sabías?	But, didn't you know?
Te lo digo en serio.	I'm not kidding.
. . . y punto.	. . . and that's that.

EL

COLMAO

RESTAURANT   Desde 1969

Especialidad en Comidas Cubanas y Españolas
¡VISITENOS Y DESPUES COMPARE!

(213) 386-6131
2328 W. PICO BLVD., L.A.

Caldo Gallego Miér. Vier. Sáb. y Dom.

* ARROZ FRITO ESPECIAL
* ARROZ CON POLLO
* PAELLA VALENCIANA
* VINOS Y CERVEZAS

* POLLO AL JEREZ
* PALOMILLA EMPANIZADA
* MASAS DE PUERCO
Abierto Todos los Días

UNA FLOR DE REGALO A CADA MADRE EN SU DIA

Actividad 1: La comida y su origen   Parte A: Una familia de turistas está comiendo en un restaurante cubano. Antes de escuchar su conversación, nombra platos típicos que conozcas de España, México y Cuba.

Parte B: Ahora escucha la conversación y marca los adjetivos que mejor describan la conversación.

✓ graciosa	✓ tranquila	___ inesperada
___ estimulante	___ romántica	___ tensa
✓ informativa	___ agresiva	

Actividad 2: En el restaurante   Lee las siguientes oraciones y después escucha la conversación otra vez para completarlas.

1. La familia pidió ___moros y cristianos___, ___ropa vieja___ y ___pollo con plátano frito___ para comer.

2. Estos platos son de ___Cuba___. (país)

Act. 1A: If students cannot name foods, you might list some and have them guess the country of origin: Spain — **paella, fabada** (a thick bean soup), **cocido** (stew with garbanzos), **gazpacho, flan**; Mexico — **tamales, mole poblano** (a thick chili sauce that is made with chocolate), **quesadillas, tacos**; Cuba — **ropa vieja** (shredded beef stew), **tostones** (green plantains), **plátano frito** (fried ripe plantain), **moros y cristianos** (black beans and rice).

Act. 1B: Tell students they'll hear a conversation that takes place in a Cuban restaurant. Read through the list of adjectives and play the conversation. Discuss answers and have students justify responses.

3. Hay un señor que está bailando el _____cha cha chá_____.
4. El plátano es original de _____Asia_____. (continente)
5. Los españoles trajeron el plátano a América desde _____las Islas Canarias_____ (lugar) en _____1516_____ . (año)
6. Los padres quieren que el niño ponga las _____manos_____ en la mesa.
7. Según el niño, el plátano viene de la _____cocina_____.

FLR link: **Lectura 1** deals with Celia Cruz and salsa music.

Música hispana

Internet

¿LO SABÍAN?

La música y los bailes típicos varían de un país hispano a otro. En España, por ejemplo, el flamenco es uno de los bailes tradicionales mientras que en Cuba son populares la rumba, el cha cha chá y el mambo. La salsa, a pesar de lo que se cree comúnmente, se originó en Nueva York entre los inmigrantes cubanos y puertorriqueños y no en Cuba o Puerto Rico. En países como Perú y Bolivia es popular la música del altiplano que se toca con tambores e instrumentos de viento, muchos de origen indígena. En Argentina se escucha y se baila el tango, que en los Estados Unidos se volvió a poner de moda en los años noventa con los espectáculos de Broadway *Tango Argentino* y *Forever Tango*. Menciona la música y el baile de diferentes regiones de tu país.

▲ *Gente bailando en el Palacio de la Salsa en La Habana, Cuba.*

Actividad 3: La influencia culinaria   **Parte A:** En grupos de tres, intenten decir cuáles de estos alimentos conocían los indígenas del continente americano antes de 1492 y cuáles conocían los europeos. Si no están seguros, traten de adivinar. Sigan el modelo.

→ Antes de 1492 los europeos ya conocían . . . , pero los indígenas no lo/la/los conocían.

1. la papa
2. los productos lácteos (*dairy*)
3. el tomate
4. el chocolate
5. el chile
6. el trigo (*wheat*)
7. el maíz
8. el azúcar

Parte B: Después de comparar sus respuestas con el resto de la clase, digan cómo influyeron estos productos en la dieta italiana, irlandesa y mexicana.

→ En México, usan el chocolate para preparar una salsa llamada mole.

Act. 3A: Form groups, encourage students to support their answers and to take guesses, set a time limit, begin, and check. Answers:
1. América 2. Europa
3. América 4. América
5. América 6. Europa
7. América 8. Europa (desde Asia)

Act. 3B: Do as a class activity. Follow by asking students about other cuisines.

¿LO SABÍAN?

Los alimentos que los conquistadores encontraron en América afectaron considerablemente la dieta de varios países europeos y asiáticos. El chile (para preparar comidas picantes) es considerado un ingrediente esencial en la comida tailandesa, mientras que la papa se ha convertido en un alimento de suma importancia en la dieta irlandesa y alemana. El tomate fue adoptado en muchos países, entre otros, España, donde se utiliza en comidas como el gazpacho, una sopa fría. A su vez, los conquistadores introdujeron al continente americano el concepto de freír los alimentos y trajeron cultivos como la caña de azúcar que llegó a ser un producto de exportación de gran importancia para países como Cuba y la República Dominicana.

Students may know that chocolate is native to the Americas, but point out that sugarcane came from Asia and dairy products came to the Americas from Europe. Sweet milk chocolate as we know it today didn't exist prior to 1492.

Actividad 4: Las implicaciones   En la conversación anterior, la mujer le dice al niño que el plátano está delicioso. Dado el contexto, lo que la mujer probablemente implica es "Debes comértelo". Hay muchas maneras de influir en las acciones de otra persona. Por ejemplo: si eres una persona muy perezosa, y hay una ventana abierta y tienes frío, puedes usar varios métodos directos e indirectos para lograr que otra persona se levante y cierre la ventana.

Act. 4: This activity is intended to help students realize the many ways language is used to influence the actions of others, and to get them ready for studying this function of the subjunctive. Form pairs and do the first item, then check and vote on the best one. Continue this process for the others.

Directos

Por favor, ¿podrías cerrar la ventana?
Debes cerrar las ventanas cuando hace frío.
Tienes que cerrar la ventana, hace frío.

Indirectos

¿No tienes frío? Te vas a enfermar.
¿De dónde viene esa corriente de aire? ¡Qué frío!

En parejas, formen oraciones que muestren maneras directas e indirectas para lograr que otra persona haga estas acciones:

1. preparar café
2. sacar a pasear al perro
3. lavar los platos
4. no cambiar de canal de televisión cada dos segundos

I. Influencing, Suggesting, Persuading, and Advising

A. The Present Subjunctive

In Spanish, the indicative and the subjunctive are two verbal moods. So far in this text, you have been using the indicative mood in asking questions, stating facts, and describing. The subjunctive mood can be used in sentences that express influence,

You may want to emphasize that one of the main characteristics of the subjunctive is dependency: use of the subjunctive in the dependent clause depends on the idea expressed in the independent clause.

doubt, emotion, and possibility. This chapter will focus on the use of the subjunctive in sentences that express influence over actions the subject would or would not like somebody else to do.

1. The present subjunctive endings are as follows:

hablar		comer		salir	
que hable	hablemos	que coma	comamos	que salga	salgamos
hables	habléis	comas	comáis	salgas	salgáis
hable	hablen	coma	coman	salga	salgan

To review the formation of the present subjunctive, see page 305.

2. To express influence over other people's actions, you can use the following construction.

Independent clause	**que**	Dependent clause
Subject 1 + *verb of influence* (indicative)	**que**	Subject 2 + verb (subjunctive)

(Yo)	quiero	**que**	(Uds.)	vengan mañana.
I	*want*		*you*	*to come tomorrow.*
Ellos	prefieren	**que**	Celia Cruz	cante salsa.
They	*prefer*	*that*	*Celia Cruz*	*sing salsa.*

Notice that the independent clause has a subject and a verb expressing influence, and the dependent clause has a different subject that may or may not carry out an action.

3. Use these verbs to express influence:

esperar *(to hope)* insistir en preferir (ie, i) querer (ie)

me/te/le/etc.   + {
aconsejar
exigir *(to demand)*
pedir (i, i)
proponer *(to propose)*
recomendar (ie)
rogar (ue) *(to beg)*
sugerir (ie, i)
suplicar *(to implore)*
}

Drill the subjunctive:

If drilling of forms is needed, have students conjugate forms with the word **que** to reinforce the use of the subjunctive in dependent clauses: **que hable, que hables,** etc.

1. Give the indicative and have students say the subjunctive form: T: **tú comes** S: **que tú comas,** etc.

2. Do a transformation drill: Tell students they are nagging parents and have to tell members of the family what to do. Write on the board: **Quiero que / Es necesario que / Es preciso que** / etc. T: **Debes preparar la comida** (point to one of the expressions on the board). S: **Quiero que prepares la comida.** T: **Debes poner la mesa** (point to another expression). S: **Es preciso que pongas la mesa.**

3. Have student say things parents tell teenagers to do or not to do when they go to a party. **No quiero que bebas.**

Me aconsejan que pruebe el plátano frito.	*They advise me to try the fried plantain.*
Les rogamos que no hagan ruido.	*We beg them not to make noise.*

4. Compare the following sentences and notice that if there is no influence expressed toward another person, an infinitive follows the main verb and there is no dependent clause introduced by **que.**

Two Subjects: Subjunctive	One Subject: No Subjunctive
Él prefiere que tú vayas mañana.	**Él prefiere ir** mañana.
Quiero que vaya a la fiesta.	**Quiero ir** a la fiesta.

5. To express influence in an impersonal way, you may use an impersonal expression such as **es bueno** or **es necesario.**

Independent clause	**que**	Dependent clause
Impersonal expression (indicative)	**que**	Subject + verb (subjunctive)
Es importante *It's important*	**que** *that*	(Uds.) **presten** atención. *you pay attention.*
Es necesario *It's necessary*	**que** *that*	(tú) **pongas** la mesa. *you set the table.*

Drill subjunctive with impersonal expressions:

Have students give advice to a classmate on how to throw a successful party / get an "A" in Spanish / impress a date. **Es importante que invites a mucha gente. Es necesario que estudies mucho. Es buena idea que tengas buena música.** (etc.)

6. Use the following impersonal expressions in the affirmative or the negative.

	es aconsejable	it's advisable
	es buena/mala idea	
	es bueno/malo	
(no) +	**es importante**	
	es mejor	it's better
	es necesario	
	es preciso	it's necessary
	es preferible	it's preferable

7. Compare the following sentences and notice that an infinitive follows the impersonal expression when no specific person is mentioned.

Subject in Dependent Clause: Subjunctive	No Subject in Dependent Clause: No Subjunctive
Es mejor que (Ud.) vuelva mañana.	**Es mejor volver** mañana.
Es preferible que prepare las papas en agua hirviendo *(boiling).*	**Es preferible preparar** las papas en agua hirviendo.

Actividad 5: Los deseos de Año Nuevo   **Parte A:** Un periódico local publicó los deseos de algunas personas para el Año Nuevo. Completa los deseos usando el infinitivo o el presente del subjuntivo de los verbos que se presentan.

Act. 5A and B: Assign as HW. Check Part A in class asking why students selected subjunctive or infinitive forms.

traer
recibir
sacar
permitir
ir
montar
regalar
saber

Yo quiero que el año nuevo me _____traiga_____ muchos regalos. Prefiero _____recibir_____ muñecas como la Barbie y su novio Ken. Espero _____sacar_____ buenas notas en la escuela y que la maestra me _____permita_____ jugar cuando yo lo desee. Quiero que mi familia y yo _____vayamos_____ de vacaciones a la playa este verano. También deseo aprender a _____montar_____ a caballo y espero que mis papis me _____regalen_____ uno. Por último, quiero que mis papis _____sepan_____ que yo los quiero mucho.

Teresita Olmos

poder
graduarse, conseguir
mudarse
vivir
buscar

En este año que comienza, espero _____poder_____ hacer muchas cosas: quiero _____graduarme_____ de la universidad y _____conseguir_____ un buen trabajo. Quisiera _____mudarme_____ a un lugar tranquilo y _____vivir_____ en contacto con la naturaleza. Es preciso que yo _____busque_____ un lugar con estas características debido a mi salud.

Ramón Pérez

Parte B: Ahora, pide algunos deseos para ti y tu familia para el próximo año. Usa expresiones como: **Quiero . . . , Quiero que mi padre . . .**

Act 5B: Check by calling on individual students to share a wish. If not assigned, give students a moment to think of sentences or to jot one or two down. Then call on individual students.

Actividad 6: Te recomiendo que lo pruebes   **Parte A:** Prepara sugerencias sobre qué comidas deben pedir unos amigos en diferentes restaurantes hispanos.

→   Si van a un restaurante colombiano o cubano, les recomiendo que prueben el ajiaco.

Restaurantes	Platos
cubano	paella valenciana
español	ceviche (pescado cocinado en limón)
mexicano	ropa vieja
peruano	tamales

ajiaco = a hearty soup with chicken, beef, potatoes, and corn, among other ingredients

The spelling **cebiche** is also accepted.

Parte B: En parejas, hagan sugerencias sobre restaurantes de su ciudad. Incluyan el nombre del restaurante, dónde está, qué tipo de comida sirve, si es caro o barato y sugieran un plato delicioso.

→   Les sugiero que vayan a Dalí que está en la Avenida Sepúlveda y pidan el pescado salado. Sirven comida internacional y no es muy cara.

Act. 6B: After students discuss their suggestions, have them share them with the rest of the class.

Actividad 7: El compañero de cuarto   En parejas, díganle a la otra persona qué cualidades son importantes y qué cualidades no son importantes en un/a compañero/a de cuarto o apartamento.

→   Para mí, es importante que mi compañero/a no ponga música a todo volumen.

ser ordenado/a	no usar mis cosas sin permiso
saber cocinar	tener mucho dinero
no fumar	pagar las cuentas a tiempo
no hacer mucho ruido	no traer muchos amigos a casa
ser hombre/mujer	¿ ? ?

Act. 7: Before setting up pairs and doing the activity, practice a few possible responses: **Es importante que sea ordenado, que sepa cocinar,** etc.

Actividad 8: El primer año de español   En parejas, preparen una lista de cinco consejos para que un/a estudiante de primer año de español pueda aprobar la materia. A continuación hay muchas sugerencias. Uds. tienen que decidir cuáles son las cinco más importantes de la lista. Usen expresiones como: **te aconsejamos que . . . , es preciso que . . . , te recomendamos que . . . , es importante que . . .**

1. ir al laboratorio una vez por semana
2. tener una actitud positiva
3. alquilar películas en español
4. participar en clase
5. memorizar las formas de los verbos usando fichas (*index cards*)
6. ir a hablar con el/la profesor/a con frecuencia
7. estudiar todos los días
8. hablar español con tus amigos
9. no hacer las actividades del cuaderno de ejercicios a último momento
10. asistir a clase todos los días
11. usar con frecuencia el programa de computadora
12. ¿ ? ?

Act. 8: Practice possible sentences by using the list as a drill. T: **número uno, te aconsejo . . .** Ss: **Te aconsejo que vayas al laboratorio una vez por semana.** T: **número dos, es mejor . . .** etc. When finished, form pairs and instruct students to select the five most important statements. When checking, have people justify their choices. Use this as an opportunity to discuss study habits that will help your class.

Actividad 9: Una improvisación En parejas, uno/a de Uds. es un padre/una madre conservador/a que se preocupa mucho por su hijo/a que va a ir a la universidad y le da varios consejos. El/La hijo/a es muy rebelde y cuestiona todo lo que le dice el padre/la madre.

Actividad 10: Las exigencias de la sociedad **Parte A:** En grupos de tres, digan si eran los hombres o las mujeres los que hacían las siguientes labores en las familias típicas de la televisión de los años 60 ó 70, como la familia Cleaver del programa "Leave it to Beaver".

→ Generalmente, cocinaban las mujeres.

labores domésticas:	cocinar, limpiar el baño, lavar los platos, sacar la basura, cortar el césped, pasar la aspiradora
trabajo:	trabajar tiempo completo, trabajar horas extras
niños:	cuidarlos, bañarlos, darles de comer, llevarlos a la escuela, hablar con sus maestros, disciplinarlos, participar en actividades deportivas con ellos

Parte B: En grupos de tres, usen la lista de la Parte A para comentar qué espera la sociedad norteamericana actual que hagan los hombres y las mujeres después de casarse. Usen expresiones como: **La sociedad le exige a la mujer que . . . , espera que el hombre . . . , quiere que . . .**

→ La sociedad le exige al hombre que tenga trabajo y le exige a la mujer que . . .

Act. 9: Set up the activity, form pairs, and have "parents" brainstorm pieces of advice they can give their child. **Te aconsejo que . . . , Es importante que . . .** Then set a time limit and begin. Check by asking for the weirdest pieces of advice.

Act. 10A: Part A recycles the imperfect and prepares students for Part B. When finished, spot check a few items.

Act. 10B: After finishing, compare a few answers with those from Part A to see how roles have changed (or stayed the same). Follow up by separating the class into male/female groups and having students make statements: **En general, los hombres quieren que su esposa trabaje.**

B. Giving Indirect Commands and Information: *Decir que* + Subjunctive or Indicative

1. To give indirect commands, you can use a form of the verb **decir** in the independent clause followed by **que** and a verb in the subjunctive in the dependent clause.

Tu madre **dice que estudies.**	*Your mom is telling you to study.*
Les dice que vayan al laboratorio con más frecuencia.	*He's telling them to go to the laboratory more often.*

Notice how you can use this construction to express impatience or emphasize a point when someone does not heed your desires.

—Ayúdame . . . no puedo con esta caja.	*Help me . . . I can't (lift) this box.*
—Sí, sí . . . espera.	*OK, OK . . . wait.*
—¡**Te digo que me ayudes**!	*I'm telling you to help me!*

2. To give information instead of commands, use the verb **decir** in the independent clause followed by **que** and a verb in the indicative in the dependent clause.

Tu madre **dice que** siempre **estudias.** ¡Qué bueno eres!	*Your mom says that you always study. You're so good!*
Ella **dice que está lloviendo.**	*She says that it's raining.*

Drill **decir que** + *subjunctive* or *indicative*:

1. Have students imagine that they are giving indirect commands to a child who is not listening: T: **Te lo debes comer todo.** S: **Te digo que te lo comas todo.** T: **Te debes acostar.** S: **Te digo que te acuestes.**

2. Tell students that a husband and wife have argued and are not talking to each other. Their child is reporting what the other says. **Va a nevar. Dice que va a nevar.**

tell <u>to</u> → subjunctive

/ **Debes llevar chaqueta. Dice que lleves chaqueta.** / **Juan y Clara vienen a cenar a las 9:00.** (etc.)

say/tell <u>that</u> → indicative

Actividad 11: ¿Qué dijo?   Parte A: Completa las siguientes conversaciones con el indicativo o el subjuntivo del verbo que está entre paréntesis, según el contexto.

Act. 11A: If assigned as HW, check in class asking students to explain their choices.

1. —Carlos, ¿qué dice el señor?

   —Nos dice que no _____*entremos*_____ al despacho del director sin pedir permiso. (entrar)

2. —Isabel, ¿qué quiere el jefe que hagamos?

   —Dice que _____*entreguemos*_____ el informe mañana porque ya _____*es*_____ demasiado tarde. (entregar, ser)

3. —Jefa, estoy cansadísima.

   —Pero, Srta. Roca, siempre le digo que no _____*trabaje*_____ tantas horas. (trabajar)

4. —Perdón. ¿Puede hablar más despacio? Soy extranjero. (*foreigner*)

   —Digo que la oficina de visas _____*cierra*_____ a las 13:30. (cerrar)

5. —Mami, ¿te gusta mi nuevo amiguito?

   —¿Cuántas veces te tengo que decir que no _____*traigas*_____ más insectos a casa? (traer)

6. —Búscate un amigo francés.

   —¿Cómo? ¿Y eso? . . . no veo cómo me va a ayudar a mejorar mi francés.

   —Te digo que te _____*busques*_____ un amigo francés. Ya verás. (buscar)

Parte B: En parejas, escojan una de las conversaciones y continúenla.

Actividad 12: La reunión de voluntarios   Parte A: En parejas, B llegó tarde a una reunión sobre trabajo voluntario en la comunidad y A se tuvo que ir antes del final de la reunión. Intercambien información con los apuntes que tomaron. Usen expresiones como: **La coordinadora dice que nosotros hablemos . . . La coordinadora dice que hay trabajos . . .**

Act. 12: Form pairs, explain premise of activity, model with a student, set a time limit, and begin. Check by calling on individuals.

A

- nosotros: comenzar trabajando con otro voluntario
- haber muchos trabajos
- nosotros: dedicarle 3 horas al trabajo
- nosotros: notificar si no podemos venir

B

- nosotros: pensar si tenemos tiempo
- su oficina preparar a los voluntarios
- nosotros: no descuidar los estudios
- nosotros: elegir el trabajo que vamos a hacer

Parte B: Contesten estas preguntas: ¿Hacen Uds. algún tipo de trabajo voluntario? ¿Qué trabajo voluntario se puede hacer a través de su universidad? ¿Cuál prefieren y por qué? ¿Hay programas patrocinados por su universidad en otros países? ¿Cuáles son?

II. Giving Direct Commands

A. Affirmative and Negative Commands with *Ud.* and *Uds.*

You already know a number of ways to express influence over another person's actions. Some are more direct than others.

Quiero que Ud. venga mañana. Es mejor que Ud. venga mañana.
Le digo que venga mañana. Ud. debe venir mañana.
Ud. tiene que venir mañana. ¿Por qué no viene Ud. mañana?

Drill **Ud.** and **Uds.** commands:

1. Do a transformation drill, around the context of a doctor's office: **Deben venir mañana. Vengan mañana.**

2. Do a transformation drill with object pronouns also around the context of a doctor's office: T: **Coma dulces.** S: **No los coma.** T: **Beba alcohol.** S: **No lo beba.**

3. Have students give commands to prepare for their first year in college / for a trip / for an interview, etc.

1. The most direct way to get someone to do something is by giving a command. When giving an affirmative or negative command to someone you address in the **Ud.** or **Uds.** form, use the subjunctive form of the verb.

Venga (Ud.)* mañana.   *Come tomorrow.*

Vayan (Uds.)* ahora mismo.   *Go right now.*

No toquen eso; está caliente. *Don't touch that; it's hot.*

*Note: Subject pronouns are rarely used with commands, but if they are, they follow the verb.

2. Object pronouns (reflexive, direct, or indirect) follow and are attached to affirmative commands; they precede verbs in negative commands.

Affirmative Commands	Negative Commands
Pruébenlo, está muy rico.	No **lo prueben,** está horrible.
Dígamelo todo, quiero saber todos los detalles.	No **me lo diga,** prefiero no saber nada.
Levántese.	No **se levante.**

To review accent rules, see page 314.

Actividad 13: Emergencias   Subraya todas las órdenes que encuentres en la lista de sugerencias que está en la página siguiente. Luego agrégale una o dos órdenes más.

Act. 13: Assign as HW or do in class. Answers: **asegúrese, anote, coloque, dígale, establezca, determine.**

En un reciente artículo titulado "Si los niños se quedan solos . . . " le presentamos estas sugerencias:

- Asegúrese que su hijo sabe qué hacer en una emergencia. Anote el número de teléfono suyo y el de otros parientes, amigos y vecinos de confianza en el formulario **"Números de Emergencia"** que se encuentra aquí. Coloque este formulario en un lugar donde el niño lo pueda encontrar con facilidad, por ejemplo la puerta del refrigerador.

- Dígale a su hijo que no debe abrir la puerta a extraños ni decir a quien llama por teléfono que usted no está en casa. Si un desconocido llama, debe responder que el padre está ocupado o tomar el mensaje.

- Establezca reglas para recibir visitas y determine quién puede visitar a su hijo.

¡Números de Emergencia!

Policía, Bomberos, Hospital

911

Padre/Madre _____

Pariente/Amigo _____

Vecino _____

Doctor _____

Centro de Control
de Venenos _____

Coloque este formulario cerca del teléfono.
Más... *La revista para la familia hispana.*

Actividad 14: Para bajar el colesterol   Una doctora le dice a un/a paciente lo que necesita hacer para bajar el colesterol. Cambia las sugerencias a órdenes.

1. Ud. tiene que hacer una dieta estricta.
2. No puede comer huevos.
3. Su esposo/a y Ud. no deben comer afuera.
4. Necesita hacer ejercicio por lo menos tres veces por semana.
5. Ud. y su esposo/a pueden salir a caminar juntos.
6. Es mejor evitar (*avoid*) la carne.
7. Debe venir a verme dentro de tres meses.

Actividad 15: Problemas y soluciones   Dos personas acaban de llamar a un programa de radio para contar sus problemas que aparecen en la página siguiente. Dales órdenes a estas personas para que solucionen sus problemas.

Act. 14: If assigned as HW, check in class. You can have students role-play this activity. The patient can give excuses for not wanting to do what the doctor orders.

Act. 15: Have students close their books and listen while you read the first problem to the class or have one student read it out loud. Then give students a minute to think of solutions. Follow by having a group sharing. Follow the same procedure for the second problem.

Follow-up: Create or assign students to create more problems to role-play in class the next day. Use as a warm-up activity, having class suggest solutions.

Llamada no. 1

"Estoy cansada de mi trabajo. Soy ayudante de cocinera en un restaurante y hace diez años que trabajo allí. Trabajo diez horas al día, seis días por semana y apenas me alcanza el sueldo para vivir. No sé qué hacer, pero no tolero más este trabajo."

Llamada no. 2

"Mi vecino es insoportable. Se levanta temprano y pone música a todo volumen: salsa, rumba, cha cha chá. También toca la batería *(drums)* y hace un ruido insoportable. Hablé con él, pero dice que él está en su casa y que nadie puede decirle lo que debe hacer."

FLR link: **Lectura 3** can be used to practice **tú** commands.

The affirmative **tú** and **vosotros** commands are the only commands that do NOT use the subjunctive form.

Drill **tú** commands:

1. Have students give commands to their classmates.

2. Have students contradict what you say: T: **Di la verdad.** S: **No digas la verdad.**

B. Affirmative and Negative Commands with *tú* and *vosotros*

1. When giving commands to people you address using **tú,** follow these rules:

Affirmative **tú** Commands	Negative **tú** Commands
Third Person Singular of the Present Indicative	**No** + Subjunctive **tú** Form

Cierra la puerta.	**No cierres** la puerta.
Háblame.	**No me hables**.
Págalo, no tengo dinero.	**No lo pagues**, yo tengo dinero.
Levántate temprano.	**No te levantes** temprano.

Remember that object pronouns follow and are attached to affirmative commands, and precede verbs in negative commands.

2. Irregular affirmative **tú** command forms include:

	Affirmative Commands	Negative Commands
decir	**Di** la verdad.	No digas nada.
hacer	**Haz**lo.	No hagas eso.
ir(se)	**Ve**te de aquí.	No te vayas.
poner	**Pon** tu chaqueta en el armario.	No pongas el vaso allí.
salir	**Sal** inmediatamente.	No salgas.
ser	**Sé** bueno.	No seas malo.
tener	**Ten** cuidado, está caliente.	No tengas miedo, el perro no muerde.
venir	**Ven** aquí.	No vengas todavía.

3. When giving commands to people you address using **vosotros**, follow these rules. Remember that the **vosotros** form is only used in Spain.

Affirmative **vosotros** Commands	Negative **vosotros** Commands
Delete **r** from the Infinitive and Substitute **d**	**No** + Subjunctive **vosotros** Form

Habladme en voz alta.
Corred.
Abridlo.

No me **habléis.**
No corráis.
No lo **abráis.**

Reflexive Verbs Delete the **r** from the Infinitive and Add **os**	**No** + Subjunctive **vosotros** Form

Levantaos.

No os levantéis.

Note: In Spain, colloquially, infinitives are often used as affirmative **vosotros** commands: **¡Venir y sentaros!**

Conoce los secretos del agua

Procura comer muchos vegetales y frutas, la mayoría contienen hasta un 80% de agua.

● Utiliza siempre productos de belleza con alto contenido hídrico.

● Hazte una sauna en casa, deja correr el agua caliente de la ducha hasta que el baño se llene de vapor, desnúdate y deja que tu cuerpo absorba la humedad.

● Durante el invierno mantén el humidificador en la habitación, porque la calefacción es el peor enemigo de la belleza.

● Si quieres un secreto de las bellezas de Hollywood, aquí te lo damos: toma a diario y en ayunas un vaso de agua tibia con jugo de limón. Aseguran que es una de las fuentes de la eterna juventud.

▲ *¿Haces algunas de estas cosas?*

Act. 16: Assign as HW and check in class. Discuss significance of each line and act out if needed to ensure comprehension. Repeat in the **Uds.** form, or the **vosotros** form if desired.

Actividad 16: Un fax   El siguiente es un fax incompleto que alguien recibió en su trabajo. Complétalo con las órdenes apropiadas correspondientes a la forma de **tú**.

Remember: Place the object pronoun before the verb in a negative command and after and attached to an affirmative command.

P.01

31-3-2000   16:25

Instrucciones para las personas que no quieren trabajar

I.   No _lo confieses_ nunca. (confesarlo)

II. _Espera_ sin impaciencia a que te llegue la orden de trabajo; no _la busques_. (esperar, buscarla)

III. No _molestes_ a los que trabajan. (molestar)

IV. _Adopta_ una postura especial dando la impresión de que estás ocupado. (adoptar)

V.   Amas el trabajo bien hecho, por tanto, _déjalo_ para los compañeros más calificados. (dejarlo)

VI. Si te vienen ganas de trabajar, _siéntate_ y _espera_ a que se te pasen. (sentarse, esperar)

VII. No _te sientas_ culpable al recibir el primer sueldo. (sentirse)

VIII. Hay más accidentes en el trabajo que en las cafeterías: _ve_ a la cafetería a menudo. (ir)

IX. El trabajo consume; el descanso no: ¡_Ten_ cuidado! _Haz_ lo menos posible. (tener, hacer)

Conclusión:
El trabajo es una cosa buena. No _seas_ egoísta y _déjalo_ para otras personas. (ser, dejarlo)

Actividad 17: Los cuatro mandamientos para un amigo triste   En parejas, Uds. tienen un amigo que siempre está triste y deciden escribirle una lista de **cuatro mandamientos** (*commandments*) para ayudarlo a ser feliz. Intenten ser graciosos. Pueden usar las sugerencias de la Actividad 16 como guía.

Act. 17: Form pairs, set a time limit, and begin. Check by asking each group to read their best two.

→   No salgas con personas más tristes que tú. Debes salir con personas más alegres.

Actividad 18: La asistente social y su caso Una asistente social les da órdenes a miembros de una familia porque no escuchan sus consejos. Cambia las siguientes sugerencias a órdenes con la forma para **tú, Ud.** o **Uds.** según a quién le esté hablando ella.

Act. 18: If assigned as HW, check in class.

→ Felipe, debes limpiar tu habitación.

Felipe, limpia tu habitación.

1. Juan, es importante que te comuniques con tus padres.
2. Uds. deben escuchar a su hijo.
3. Uds. no deben pelearse delante de sus hijos.
4. Muchachos, Uds. tienen que ir a la escuela todos los días.
5. Señor, tiene que darles consejos a sus hijos.
6. Muchachos, no deben acostarse tarde.
7. Lucía, debes respetar las órdenes de tus padres.
8. Todos deben gritar menos y escuchar más.
9. Ignacio, tienes que venir a mi oficina la semana próxima.

Actividad 19: Órdenes implícitas **Parte A:** Mira el siguiente cuadro sobre la oración **Hace frío** y las órdenes que están implícitas en las dos situaciones.

Act. 19A: As in Act. 4 in this chapter, this activity is meant to make students think about the richness in meaning of a single phrase. Have students focus on the use of informal or formal commands, depending on the interlocutors. After examining the model, **Hace frío,** ask for other possible situations and meanings.

Oración	Quién a quién	Dónde	Orden implícita
Hace frío.	un jefe a su empleado	en una oficina	Apague el aire acondicionado.
	un instructor de esquí a otro	en la montaña	Dame mi anorak.

Parte B: Ahora en grupos de tres, completen los espacios en blanco del segundo cuadro. Recuerden poner una orden bajo la columna "Orden implícita".

Act. 19B: You may want to do each sentence individually, setting a brief time period and then having the groups share responses. Continue this process with each.

Oración	Quién a quién	Dónde	Orden implícita
Tengo hambre.	un niño a su padre	en un carro en la autopista	
	un hombre a su esposa		
Dentro de cinco minutos los atiendo.		en un restaurante	
Esta sopa está fría.	una suegra a su nuera		
		en un restaurante	

III. Discussing Food

La comida

Practice vocabulary:

Appendix E presents basic food vocabulary.

salado = not sweet (most main dishes are **salados**)

salado = salty (**Esta sopa está muy salada.**)

1. Review basic food vocabulary. Ask students what their favorite food is. Have them name typical American food. Ask them if a specific dish is **agrio, dulce, amargo, agridulce**, etc. Have them say the ingredients needed to prepare some of these dishes.

2. Have students correct your sentences. **Una barra de chocolate es baja en calorías. Compramos el queso por litro.**

Sabores

agridulce	sweet and sour	**dulce**	sweet
agrio/a	sour	**soso/a**	bland
amargo/a	bitter	**salado/a**	not sweet; salty

Envases y medidas

la barra (de chocolate)	(chocolate) bar	**el paquete**	package
		el pedazo	piece, slice
la botella	bottle	**la porción**	serving
el frasco	jar	**la rebanada (de pan)**	slice (of bread)
la lata	can		

por { **docena** / **gramo** / **kilo** / **litro** }

Otras palabras

alimentos { **altos/bajos en calorías** / **de alto/bajo contenido graso** }   **comida** { **liviana** / **pesada** }

bebidas { **con cafeína** / **descafeinadas** }   **productos** { **congelados** (frozen) / **enlatados** (canned) / **frescos** (fresh) }

¿LO SABÍAN?

Muchos productos comestibles constituyen a menudo exportaciones fundamentales para los países hispanos. El café, por ejemplo, es un producto de primordial importancia en la economía de Guatemala, El Salvador y Colombia. La banana representa el 12% de las exportaciones de Ecuador, la carne es una de las principales exportaciones de Argentina y la uva es el producto comestible que más se exporta de Chile. El aceite de oliva y la fruta, como la naranja de Valencia, son exportaciones importantes de España. Di qué productos comestibles asocias con diferentes regiones de este país.

Actividad 20: El paladar sabe   Describe el sabor de los siguientes alimentos. Usa palabras como: **dulce, salado, agrio, amargo, agridulce, soso.**

1. café sin azúcar
2. ensalada de lechuga y tomate
3. una quesadilla
4. chocolate con poco azúcar
5. papas fritas
6. ensalada de frutas
7. palomitas de maíz *(popcorn)* sin sal y sin mantequilla
8. gazpacho
9. un limón
10. un churro

Actividad 21: ¿En qué envase?   En parejas, digan qué medidas se usan y en qué envases se pueden comprar los siguientes productos.

⇥   Compramos las especias **por gramo** y normalmente vienen en **frascos** pequeños.

| leche | chocolate | azúcar | nueces *(nuts)* |
| mayonesa | Coca-Cola | huevos | harina *(flour)* |

Actividad 22: Congelados, enlatados o frescos   En parejas, decidan a qué categoría(s) pertenecen los siguientes productos. Luego añadan dos productos más en cada categoría.

	Productos	
Enlatados	Congelados	Frescos

1. pollo
2. pan
3. jamón
4. ajo
5. queso
6. huevos
7. habichuelas
8. atún

Actividad 23: Se necesita un poco de lógica   **Parte A:** Escucha a tu profesor/a mientras lee el siguiente párrafo.

Voy a visitar a mi sobrina que tiene 85 años y es la hija de mi primo. Suelo comer con ella los fines de semana, pero voy a ir este sábado. Cada vez que voy, paro en una oficina y le hago la compra; esta vez quiere que le robe medio kilo de huevos, cuatro litros de habichuelas, dos rebanadas de tomates, una barra de vinagre y una lata de manzanas frescas. También, ella siempre espera que le queme algo dulce, y por eso pienso comprarle un pollo asado en la lechería. Me molesta mucho la comida que prepara en su casa porque es la mejor de la zona.

Act. 23A: Read this paragraph out loud to the class. Allow them to follow along reading if they like. Ask them if it's logical or illogical.

→

Por esa razón, cada vez que la visito, insisto en que lave platos típicos
de España como tamales y mole poblano. De postre, siempre abre una lata de
helado caliente y le echamos un poco de salsa picante. Por eso, me encanta visitar
a esta mujer joven.

Parte B: En parejas, usen el párrafo de la Parte A y el vocabulario de comida que
aprendieron para construir un párrafo lógico. Hay más de un párrafo lógico que
pueden construir.

Act. 23B: When finished,
have some pairs read their
paragraph for the class.

Actividad 24: Gustos personales   Parte A: En parejas, entrevístense para
averiguar sus preferencias alimenticias.

1. ¿Prefieres los alimentos dulces o salados?
2. ¿Te gusta la comida de otros países? ¿Cuál es tu plato favorito? ¿Cuál es el país
   de origen de esa comida?
3. ¿Prefieres la comida casera o la de restaurante?
4. ¿Cuándo fue la última vez que comiste afuera y qué comiste?
5. ¿Qué platos comías con mucha frecuencia cuando eras niño/a?
6. ¿Cuántas veces por día comes?
7. ¿Comes mientras miras televisión o mientras lees algo?
8. ¿Comes muchas porquerías *(junk food)*?
9. ¿Te gusta cocinar? Si contestas que sí, ¿quién te enseñó? ¿Qué platos cocinas?
10. ¿Tienes buenos modales al comer?

Act. 24A and B: Form pairs, set
a time limit, and begin. Then
tell students to change roles,
set new time limit, and begin.
When finished, have students
do Part B. Check by taking a
poll dealing with junk food
and cooking ability of class
members.

Parte B: Ahora díganle a la otra persona si tiene buenos hábitos alimenticios,
basando su opinión en las respuestas de la Parte A. De no ser así, denle consejos.

→   No tienes buenos hábitos alimenticios porque . . . Te aconsejo que . .

▶ *Una familia come durante la Navidad en la República Dominicana.*

¿LO SABÍAN?

Los modales de la mesa varían en todo el mundo. Lo que es apropiado en un lugar, puede ser descortés en otro. En la mayoría de los países de habla española se considera buena educación siempre tener las dos manos en la mesa, no levantar mucho los brazos al cortar la comida y empujar con la ayuda de un pedazo de pan o del cuchillo para poner la comida en el tenedor. Di cuáles son algunos modales de la mesa en los Estados Unidos.

Actividad 25: Los modales de la mesa **Parte A:** Usa las siguientes ideas para decir órdenes que normalmente oyen los niños hispanos o estadounidenses a la hora de comer.

1. poner las dos manos en la mesa
2. poner la mano izquierda debajo de la mesa
3. empujar los frijoles con el cuchillo
4. no apoyar los codos en la mesa
5. dejar el cuchillo y tomar el tenedor con la otra mano al comer
6. tomar sólo un pedazo de pan y no todo el pan

Parte B: En parejas, decidan cuáles de las órdenes anteriores se oyen en los Estados Unidos y cuáles se oyen en un país hispano.

Act out how to eat properly in a Hispanic country. A common rhyme said to children in Colombia is: **En la mesa no se canta, ni tampoco se dan gritos, ni se juega con las cosas, ni se ponen los coditos.**

Act. 25B: Commands typically heard in a Hispanic household include: #1, #3, #4, #6 (bread should be broken into bite-size pieces as you eat). Commands heard in the USA: #2, #4, #5 (Americans cut food, then change hands and pierce it with a fork to eat—the changing of hands is not usually done by Hispanics).

FLR link: **Lectura 2.** The recipe at the beginning of the reading can be used to introduce the **se** construction.

For simplicity at this level, no distinction is made between impersonal and passive **se**. The passive voice will be presented in Chapter 9.

IV. Informing and Giving Instructions

Impersonal and Passive *se*

1. When giving information or instructions and the person doing the action is not important, you may use the following construction with **se**:

	third person singular of verb	
se +	*third person singular of verb* +	*singular noun*
	third person plural of verb +	*plural noun* / *series of nouns*

Se come bien en esta casa.

People/They/You eat well in this house. (No noun follows the verb; therefore the verb is singular.)

Se estudia mucho en esta universidad.

People/They/You study a lot at this university. (No noun follows the verb; therefore the verb is singular.)

En España, **se usa aceite** de oliva para cocinar.

Olive oil is used to cook in Spain. (In everyday English, People/They/You use olive oil to cook in Spain.)

Se comen quesadillas en México.

Quesadillas are eaten in Mexico. (In everyday English, People/They/You eat quesadillas in Mexico.)

Se añaden sal y pimienta.

Salt and pepper are added. (In everyday English, People/They/You add salt and pepper.)

Primero, **se calientan las verduras** y luego **se añade el arroz.**

First, the vegetables are heated and then the rice is added. (In everyday English, People/They/You heat the vegetables and then add the rice.)

2. The following verbs related to food preparation are frequently used with the **se** construction:

añadir	to add	**freír (i, i)**	to fry
bajar/subir	to lower/raise the	**hervir (ie, i)**	to boil
el fuego	heat	**machacar**	to crush
calentar (ie)	to heat	**mezclar**	to mix
colar (ue)	to drain	**picar**	to chop
dorar	to brown	**remojar**	to soak
echar	to pour; to put in	**sofreír (i, i)**	to fry lightly

Actividad 26: Información para novatos   En parejas, contesten estas preguntas sobre actividades estudiantiles de su universidad. Usen la construcción con **se** en las respuestas.

1. ¿Dónde se come bien?
2. ¿Dónde se estudia?
3. ¿Cuándo se estudia?
4. ¿Se estudia mucho o poco?
5. ¿Adónde se va los fines de semana para divertirse?
6. ¿Dónde se vive el primer año? ¿Y el último año?
7. Normalmente, ¿a qué hora se va a la primera clase?

Actividad 27: Una receta   **Parte A:** Completa las instrucciones para una receta típica de Puerto Rico, que aparece en la página siguiente, usando la construcción con **se**. Atención: gandules y frijoles son tipos de habichuelas.

Recetas hispanas
Internet

limpiar	<u>Se limpian</u> los frijoles.
lavar	_____<u>Se lavan</u>_____ dos veces en
colar	agua fría y _____<u>se cuelan</u>_____.
remojar	_____<u>Se remojan</u>_____ en agua durante una
	noche.
colar	_____<u>Se cuelan</u>_____ de nuevo.
hervir	_____<u>Se hierven</u>_____ 8 tazas de agua en
añadir	una olla. _____<u>Se añaden</u>_____ los
dejar	frijoles y la calabaza. _____<u>Se dejan</u>_____
	hervir a fuego moderado por una hora
	hasta que los frijoles estén casi blandos.
preparar	Mientras tanto, _____<u>se prepara</u>_____
	el sofrito. En una cacerola
calentar	_____<u>se calienta</u>_____ el aceite. A fuego
freír	lento _____<u>se fríe</u>_____ el puerco (*pork*)
	curado y el jamón hasta que estén
bajar	dorados. _____<u>Se baja</u>_____ el fuego a
sofreír	muy bajo, y _____<u>se sofríen</u>_____ la
	cebolla, los pimientos, el ajo, el cilantro
	y el orégano por 10 minutos.
	Cuando los frijoles están casi blan-
machacar	dos, _____<u>se machaca</u>_____ la calabaza y
añadir	_____<u>se añade</u>_____ la mezcla al sofrito.
añadir	_____<u>Se añaden</u>_____ la salsa de tomate y la
poner	sal. _____<u>Se pone</u>_____ todo a hervir
cocinar	y _____<u>se cocina</u>_____ sin tapar a
	fuego moderado por una hora hasta que
	espese al gusto.

Habichuelas puertorriqueñas

8 porciones

1 libra de gandules o habichuelas
8 tazas de agua
3/4 de libra de calabaza, pelada y
cortada en pedacitos
1 cucharada de aceite vegetal
1 pedazo (**2** onzas) de puerco
curado (tocino grueso)
2 onzas de jamón
1 cebolla, picada
1 pimiento verde, picado
2 pimientos rojos, picados
1/4 de cucharadita
de orégano, espolvoreado
1/4 de taza de salsa de tomate
2 cucharaditas de sal

sofrito = combination of lightly fried ingredients

calabaza = squash

Parte B: Ahora, dale a tu profesor/a instrucciones detalladas para preparar un sándwich de mantequilla de maní y mermelada (*a peanut butter and jelly sandwich*).

Act. 27B: Bring in ingredients and carry out students' commands to the letter, do not assume anything: if they say **ponga la mermelada en el pan,** put the jar of jelly on the bread. This will force them to be very specific in their commands.

Actividad 28: Música y comida   La música y la comida son parte importante de la cultura de un país. En parejas, completen el cuadro y luego formen oraciones usando la construcción con **se** para decir en qué país se consumen las siguientes comidas y se escucha la siguiente música.

⇢   tomar fabada, una sopa

En España se toma fabada, una sopa. / No estoy seguro/a, pero creo que se toma fabada en España.

	Comidas y bebidas	Música
Cuba		
España	tomar fabada,	
México		
Argentina		

Comidas y bebidas
servir moros y cristianos
  (frijoles negros con arroz)
usar salsa picante
preparar gazpacho (una sopa fría)
servir asado (*barbeque*)
comer mole
freír plátano
hacer tortillas de maíz
comer tortillas de huevos
beber sangría
comer ropa vieja

Música
escuchar la rumba
bailar el flamenco
componer tangos
bailar el mambo
tocar música de mariachis
bailar el cha cha chá
tocar la gaita (*bagpipe*)

Una pregunta: ¿Dónde se dicen "tacos" en vez de comerlos?

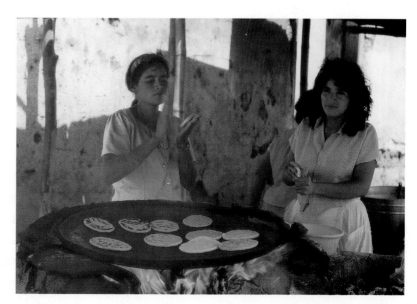

▶ *Así se preparan las tortillas de maíz.*

Act. 28: **Fabada** is a thick soup from Asturias, the base of which is fava beans.

Answers may include: Cuba: **moros y cristianos, plátano, ropa vieja; rumba, mambo, cha cha chá;** España: **gazpacho, tortilla de huevos, sangría; flamenco, gaita** (in Galicia, Spain); México: **salsa picante, mole** (a thick chili sauce that is made with chocolate), **tortillas de maíz; mariachis;** Argentina: **asado; tangos.** Question: **España, tacos** = swear words.

Actividad 29: ¿Qué me sugiere? En grupos de tres, un/a estudiante debe leer el papel A y los otros dos deben leer el papel B.

A

Eres camarero/a en un restaurante cubano. No te gusta tu trabajo para nada, por lo tanto eres muy antipático/a con los clientes. Ahora llegan dos clientes al restaurante. Prepárate para darles algunas sugerencias del menú de bajo contenido graso (♥). Usa expresiones como: **Le sugiero/recomiendo que pruebe . . . La ensalada se prepara con . . .**

B

Uds. están en un restaurante cubano y tienen mucha hambre. Uno/a de Uds. tiene el colesterol alto y la otra persona es vegetariana. Pídanle sugerencias al camarero o a la camarera. Usen expresiones como: **¿Qué me sugiere/recomienda? ¿El pollo se prepara con (mucho aceite)?**

Act. 29: Explain any menu item unknown to the students. Note: The Cuban **tortilla** is an omelette. Set up groups, and have one student read role A, and the other two students read role B. Remind waiters that they really dislike their job. Set a time limit and begin. As a checkup you may want to have some groups act out the conversation for the rest of the class, or you may ask the waiters what their clients ordered, and the clients how the waiter behaved.

Varadero
Restaurante cubano

Especialidades de la casa		
Arroz con camarones	$9,95	
♥ Arroz con pollo	$6,50	
Bistec con cebollas	$6,95	
Camarones al mojo de ajo	$9,95	
Carne con papas	$6,50	
Lechón asado con yuca frita	$7,00	
Lengua guisada	$7,95	
♥ Moros y cristianos	$5,75	
(con plátano frito)	$6,75	
♥ Pescado del día con papas	$9,25	
♥ Pollo al ajo con verduras	$6,95	
Ropa vieja	$7,95	
Tortillas		
Camarones	$5,75	
Jamón	$5,25	
Mixta	$5,75	
Papas y cebollas	$4,25	

Ensaladas	
♥ Ensalada mixta	$3,00
♥ Ensalada de tomate	$1,50
♥ Ensalada verde	$1,50
Sopas	
♥ Frijoles negros	$2,00
Pollo	$2,00
Postres	
Flan	$1,95
Coco rallado con queso	$2,50
Dulce de papaya con queso	$2,50
Bebidas	
Agua mineral	$1,00
Cerveza	$2,50
Jugos tropicales	$1,50
Batido de mango	$2,00
Café	$1,00

Vocabulario activo

Verbos para expresar influencia

aconsejar	*to advise*
esperar	*to hope*
exigir	*to demand*
insistir en	*to insist*
pedir (i, i)	*to ask (for)*
preferir (ie, i)	*to prefer*
proponer	*to propose*
querer (ie)	*to want*
recomendar (ie)	*to recommend*
rogar (ue)	*to beg*
sugerir (ie, i)	*to suggest*
suplicar	*to implore*

Expresiones impersonales para expresar influencia

Ver página 116.

La comida

Ver página 127.

Expresiones útiles

¿Acaso no sabías?	*But, didn't you know?*
comérselo/s todo/s	*to eat it/them all up*
Te lo digo en serio.	*I'm not kidding.*
. . . y punto	*. . . and that's that*

Verbos relacionados con la comida

Ver página 131.

Vocabulario personal

6 Nuevas democracias

▲ *Ciudadanos chilenos exigen saber hoy día dónde están sus familiares que desaparecieron durante la dictadura de Pinochet.*

COMMUNICATIVE GOALS

May be assigned: Grammar, vocabulary, ¿**Lo sabían?,** Act. 4A, Act. 8A, Act. 10, Act. 16A, Act. 17A, Act. 21B, Act. 27.

- expressing feelings, emotions, and opinions about present, future, and past events
- expressing belief, doubt, and denial about present, future, and past events
- discussing politics
- expressing abstract ideas

ADDITIONAL GOAL

- forming complex sentences

La democracia y su futuro

Practice expressions: Write the three expressions on the board. Explain what **pañales** are by talking about a baby. Then refer to the expression and give an equivalent: **es relativamente joven.** Give an example: **La democracia de** or **el gobierno de** + name of country **está en pañales.** Continue by saying **para decir "está en pañales" hay que tener en claro que es reciente, es decir, Uds. pueden decir que la democracia está en pañales siempre y cuando sea una democracia reciente.** Have students repeat the phrases.

FLR link: **Lectura 2** discusses democracy in Latin America

la democracia/noche/fiesta está en pañales	the democracy/night/party is young (literally, in diapers)
tener en claro	to have it clear in your mind
siempre y cuando + *subjunctive*	provided (that)

▶ *Manifestación de apoyo a un candidato presidencial en Panamá.*

Actividad 1: La política   Parte A: Antes de escuchar a tres personas que hablan sobre la democracia, identifica las siguientes cosas.

- dos países hispanos que tienen una democracia estable
- un país hispano que hoy día no tiene gobierno estable
- dos factores que puedan causar inestabilidad política en una democracia

Parte B: Ahora escucha las opiniones de tres hispanos sobre la democracia y su futuro en Hispanoamérica. Indica para cada caso si la persona tiene una visión optimista o pesimista.

1. _____pesimista_____
2. _____optimista_____
3. _____pesimista_____

Noticias del día
Internet

Act. 1A: Do this in small groups or as a full group activity.

Act. 1B: Stop recording after each speaker. Play twice if needed.

Actividad 2: La situación política   Escucha otra vez cada opinión una por una y contesta las siguientes preguntas.

Opinión N° 1
1. ¿Por qué cree la mujer que la situación es muy inestable?
2. ¿Qué piensan algunas personas sobre los militares en el gobierno?

Opinión N° 2
3. ¿Qué tipo de gobierno había en los años 70 en muchos países hispano-americanos?
4. ¿Qué opina esta persona sobre el futuro de la democracia?

Opinión N° 3
5. La mujer dice que es difícil hablar sobre el futuro, ¿por qué opina así?
6. ¿Qué opina sobre los gobiernos actuales y la libertad de prensa?

Actividad 3: La situación de EE.UU.   En grupos de tres, digan si están de acuerdo con estas ideas sobre los Estados Unidos y justifiquen sus respuestas.

1. La situación económica de los Estados Unidos está cada día mejor.
2. Cada vez hay más gente de clase media y menos gente de clase baja.
3. Hay muy pocos actos de terrorismo en este país.

Act. 2: Read questions 1 and 2, then play monologue, check responses. Repeat process for other monologues. If students have difficulty, elicit responses through questioning including yes/no and either/or questions.
Opinion 1 Answers: 1. Porque hay desigualdad económica. 2. Antes con el gobierno militar estaban mejor. Opinion 2 Answers: 3. Había dictaduras militares. 4. Va a tener un gran futuro. Opinion 3 Answers: 5. La democracia está en pañales. 6. No hay mucha libertad de prensa.

I. Expressing Feelings, Emotions, and Opinions About Present, Future, and Past Events

A. The Present Subjunctive

1. To express feelings, emotions, and opinions about another person's actions or about a situation in the present or future, you can use the following construction.

Drill subjunctive with feelings and opinions:

1. Write **Es fantástico que . . .**, **Lamento que . . .**, **Me alegra que . . .** on the board. Tell students they are instructors and have to express feelings about their students. Give cues like **estudiar mucho, no hacer la tarea, ir al laboratorio. S: Me alegra que Uds. estudien mucho.**

Independent Clause	que	Dependent Clause
Subject 1 + *verb of emotion* (indicative)	**que**	Subject 2 + verb (subjunctive)
(Yo) estoy contento de *I am happy*	**que** *that*	(Uds.) puedan votar. *you can vote.*
(Él) tiene miedo de *He is afraid*	**que** *that*	(ella) no lo defienda mañana en la corte. *she will not defend him in court tomorrow.*

2. Tell students that they suffer from **agorafobia** (fear of open or public spaces) and have them brainstorm things they fear about crowds: **gente robarme, alguien hablarme, gente tocarme, alguien mirarme.** Then have students express their fears: **Temo que la gente me robe. Tengo miedo (de) que alguien me hable por la calle.** Now have them say things they fear about going outside: **Temo caerme y romperme una pierna.** (etc.)

3. Have students express their feelings about other classmates' behavior or about upcoming local, campus, or national events. **Me alegra que intentes hablar español. Es malo que tengas tres novios.** (etc.)

2. Use these verbs to express emotion:

esperar	to hope
estar contento/a (de)	to be happy
estar triste (de)	to be sad
lamentar	to lament, be sorry
sentir (ie, i)	to be sorry
temer	to fear
tener miedo (de)	to be afraid
alegrarle (a alguien)*	to be glad, happy
darle pena (a alguien)*	to feel sorry
molestarle (a alguien)*	to be bothered
sorprenderle (a alguien)*	to be surprised

You may want to explain the difference between **Me sorprendo de tu habilidad** where me is a reflexive pronoun and yo is the implied subject, and **Me sorprende tu habilidad** where me is an indirect object and tu habilidad is the subject. The same applies for **alegrarse de** and **alegrarle** and other similar verbs.

Ella está contenta de que haya una democracia estable.	*She is happy that there is a stable democracy.*
Les da pena que el vicepresidente esté enfermo.*	*They feel sorry that the vice president is sick.*
Nos molesta que el gobierno no ayude a todos los ciudadanos.*	*It bothers us that the government doesn't help all citizens.*
¿Te alegra que el pueblo apoye a ese candidato?*	*Are you glad that the people support that candidate?*

*Note: These verbs function like **gustar** and they are always singular when followed by a clause introduced by **que**.

You may want to inform students that expressions such as **lamentar, estar triste/contento** can also be used with only one subject followed by the subjunctive although an infinitive is more common: **Lamentamos que no podamos ir.**

3. Compare the following sentences and notice that when the emotions are not expressed toward another person, an infinitive follows the main verb, and there is no dependent clause introduced by **que**.

Two Subjects: Subjunctive	One Subject: No Subjunctive
Ella teme que el gobierno no haga nada.	**Ella teme no hacer** nada.
Les molesta que yo nunca **conduzca.**	**Les molesta conducir.**
Sentimos que no puedas ir a la fiesta.	**Sentimos no poder ir** a la fiesta.
Espero que Uds. tengan unas buenas vacaciones.	**Espero tener** unas buenas vacaciones.

4. To express feelings or emotions in an impersonal way about somebody's present or future situation, you may use an impersonal expression such as **es fantástico** or **es lamentable**.

Independent Clause	que	Dependent Clause	
Impersonal expression (indicative)	que	Subject +	verb (subjunctive)
Es fantástico	**que**	Chile	tenga un gobierno democrático.
It's wonderful	*that*	*Chile*	*has a democratic government.*
¡Qué pena	**que**	(tú)	no vayas a la cena de Marta!
What a shame	*that*	*you*	*won't go to Marta's dinner!*

5. Use the following impersonal expressions.

es bueno/malo	es maravilloso
es fantástico	es una lástima/pena/vergüenza
es horrible/terrible	*(it's a shame)*
es lamentable	es raro *(it's strange)*
¡Qué bueno . . . !	*How good . . . !*
¡Qué lástima/pena/vergüenza . . . !	*What a shame . . . !*
¡Qué sorpresa . . . !	*What a surprise . . . !*

6. Compare the following sentences and notice that an infinitive follows the impersonal expression when no specific person is mentioned.

Subject in Dependent Clause: Subjunctive	No Subject: No Subjunctive
Es maravilloso que puedas conocer otros países.	**Es maravilloso poder conocer** otros países.
Es una vergüenza que ese gobernante sea corrupto.	**Es una vergüenza ser** corrupto.
¡Qué lástima que Eda no pueda ir al concierto!	**¡Qué lástima no poder ir** al concierto!

Remember that because of the Moorish influence in Spain, there are many Arabic words in Spanish such as **algodón** and **álgebra**.

7. The word **ojalá** (*I hope*) comes from the Arabic meaning *may Allah grant*. The verb that follows **ojalá** is always in the subjunctive form. **Que** is optional.

Ojalá (que) tengamos paz en el mundo.   *I hope that we have peace in the world.*

Actividad 4: La política laboral   Parte A: Dos oficinistas están hablando sobre el aumento de sueldo *(salary raise)* en su oficina. Elige el verbo y la forma apropiada del presente del subjuntivo o el infinitivo para completar cada espacio en blanco.

Act. 4A: Assign as HW and check in class.

dar
dar
cambiar
intentar
oír
poder
recibir
reconocer
ser
ser

Marta   Me sorprende que nuestros jefes no le _____den_____ un aumento de sueldo a Carlos el mes que viene.

Ernesto   ¿Qué dices? ¿Cómo sabes eso?

Marta   Me contó nuestra jefa. Es una lástima que él no _____reciba_____ el aumento como nosotros. Ojalá que nuestra jefa _____cambie_____ de idea.

Ernesto   Mira, mujer. Me alegra que la jefa _____reconozca_____ el trabajo que nosotros hacemos y lamento que la empresa no le _____dé_____ a Carlos el aumento; pero tú sabes que él no trabaja tanto como los demás. Es bueno que las cosas _____sean_____ justas.

Marta   ¡Qué increíble! Es lamentable _____oír_____ este tipo de comentario de tu parte.

Ernesto   ¿A qué te refieres?

Marta   ¡Qué pena que tú no ___intentes/puedas___ ser objetivo y que no ___intentes/puedas___ hacer un comentario imparcial sobre un colega! Dices eso sobre Carlos porque no toleras que él _____sea_____ tan trabajador o más que tú. Y punto.

Parte B: En parejas, usen la conversación entre Ernesto y Marta como ejemplo, pero cámbienla para hablar de un estudiante que va a recibir una mala nota en una clase.

Act. 4B: Form pairs, explain the premise, and model the first two sentences: —**Me sorprende que el profesor no le dé una nota mejor a Carlos.** —**Pues, ¿por qué te sorprende?** Set a time limit and begin. When finished, have two groups model their conversations.

Actividad 5: Me molesta   En grupos de tres, usen la lista para decir cuatro o cinco cosas que les molestan o no de otras personas. Digan si les molestan mucho, un poco o nada.

→   Me molesta mucho que una persona siempre esté contenta.

ser inmadura
fumar cerca de ti
quejarse constantemente
masticar *(chew)* chicle y hacer ruido
ser muy irrespetuosa con otros
mentir mucho

dar consejos
hablar con la boca llena
hablar mal de otros
no compartir sus cosas
pedir dinero prestado
? ? ?

Act. 5: Form groups of three, model possible answers, set a time limit, and begin. Check by finding out which items are the most and least bothersome. Expand by asking students what other behavior bothers them.

Actividad 6: ¿Lamentables o raras?   Parte A: Lee las siete situaciones siguientes y marca si son buenas, lamentables o si son raras o no.

Act. 6A: Model activity with the first sentence, showing possible responses; set a brief time limit and begin.

a. es bueno
b. es lamentable

c. es raro
d. no es raro

1. _____ un hombre / gastar / mucho dinero en ropa
2. _____ una persona desconocida / pedirte / dinero para el autobús

3. _____ un hombre / ser / víctima de acoso *(harassment)* sexual

4. _____ tu ex novio/a / salir / con tu mejor amigo/a

5. _____ tus amigos / criticar / a tu pareja

6. _____ un esposo / quedarse / en casa con los niños y / no trabajar

7. _____ una persona / no pagar / los impuestos

Parte B: Ahora en parejas, túrnense para dar su opinión sobre estas situaciones.

→ (No) Es raro que un hombre gaste mucho dinero en ropa porque generalmente a los hombres (no) les interesa la ropa.

Actividad 7: La universidad y sus prioridades La universidad necesita cambios.
En parejas, miren la lista y elijan dos puntos de cada categoría. Luego escriban
oraciones para expresar su opinión y decirles a las autoridades de la universidad
qué cambios son necesarios.

→ Es lamentable que no haya facultad de estudios afrocaribeños. Es necesario que Uds. abran esa facultad.

Facultades

abrir una nueva facultad de . . .
contratar a más profesores para la facultad de . . .
tener más ayudantes de cátedra *(teaching assistants)*
prestar más atención a las evaluaciones que hacen los estudiantes

Viviendas y transporte

construir más residencias para estudiantes
edificar apartamentos para estudiantes de cuarto año
construir apartamentos baratos para estudiantes casados o con hijos
aumentar/implementar un sistema de autobuses gratis
bajar el precio de las residencias y las comidas

Tecnología

comprar más computadoras
incluir más videos y computadoras en el laboratorio de idiomas
darles mejor acceso a los estudiantes al correo electrónico y a la Internet
modernizar los laboratorios de ciencias

B. The Present Perfect Subjunctive

1. As you learned before, when expressing present feelings or emotions about another person's actions or about a situation, in the present or future, you use the
present subjunctive in the dependent clause.

Act. 6B: Form pairs, model by asking for a student's opinion on the first situation and ask the student to qualify his/her answer. Set a time limit and begin. Check by finding out which they found **lamentable, raro**, etc.

Remember: **facultad** = acade-mic department (Math) or school (Law)

Act. 7: Discuss problems at your university by asking questions: **¿Hay suficientes residencias para todos los estudiantes? ¿Son bonitas? ¿Cuesta demasiado o es barato vivir en una residencia?** Write phrases on the board to prompt students to vary their sentences: **es importante, es preciso, insistir en, esperar, es necesario, es aconsejable, le/s aconsejar, le/s recomendar**, plus the word **QUE** in big letters. Form pairs, set up the activity, set a time limit, and begin. Encourage students to include real problems on campus. Check by playing the role of a dean and having them inform you of their desires.

Le sorprende que los Estados Unidos **vayan a mandar** medicamentos a ese país.

He's surprised that the United States is going to send medicine to that country.

Es una pena que nosotros **no tengamos** los medicamentos ahora mismo.

It's a shame (that) we don't have the medicine right now.

Drill present perfect subjunctive:

List expressions like **es lamentable, me molesta, qué terrible, me sorprende, qué vergüenza,** etc., on the board. Tell students they are parents who arrive home and find their house upside down. Ask them what they would tell their child or children (the instructor or a student could play the role of the child). **Es lamentable que no hayas lavado los platos.** (etc.)

2. When expressing present feelings or emotions about something that has already occurred, use the present perfect subjunctive in the dependent clause.

Me sorprende que los Estados Unidos **hayan mandado** medicamentos a ese país.

I'm surprised that the United States has sent medicine to that country.

Es lamentable que esta campaña electoral **haya sido** tan sucia.

It's a shame that this electoral campaign has been so dirty.

¡Qué bueno que haya ganado mi partido!

How good that my party has won!

Note: In a verb phrase, past participles (e.g., **mandado**) always end in **-o**.

3. The present perfect subjunctive is formed by using the present subjunctive form of the verb **haber** + *a past participle:*

haber		
haya	hayamos	
hayas	hayáis	+ *past participle*
haya	hayan	

To review irregular past participles, see page 309.

Actividad 8: Carta a una hija   Parte A: Un padre le escribe una carta breve a su hija que está en otro país. Completa esta parte de la carta con la forma apropiada del presente del subjuntivo, del presente perfecto del subjuntivo o con el infinitivo de los verbos que se presentan.

Act. 8A: Assign as HW and check in class. There are various terms to refer to the present perfect in Spanish. This book will use **presente perfecto**.

8 de noviembre de 2000

Querida Gabriela:

estar

poder

tener

elegir

tener
tomar
hacer
estar

acordarse

   Espero que _____ estés _____ bien. Toda la familia te echa de menos. Sí, finalmente se acabaron las elecciones. Es una pena que tú no _____ hayas podido _____ escuchar el discurso del nuevo presidente porque estuvo sensacional. Él dijo que es necesario _____ tener _____ paciencia, pero que las cosas van a cambiar. Es maravilloso que el domingo pasado los ciudadanos _____ hayan elegido _____ a alguien del P.R.U. después de años de un gobierno conservador. Por mi parte, estoy contento de que el país _____ tenga _____ este nuevo presidente. Ahora es importante que nosotros _____ tomar _____ conciencia de la situación del país y _____ hagamos _____ algo para que la situación mejore. Lamento que tú no _____ estés _____ aquí en este momento tan importante para la historia de nuestro país.

   Ojalá que _____ te hayas acordado _____ de ir al consulado a votar el domingo pasado. Me olvidé de decírtelo antes. Como sabes, creo que el voto es un derecho que todos tenemos que ejercer. Pa

Parte B: En las últimas elecciones presidenciales de los Estados Unidos, votó sólo el 29% de los jóvenes entre 18 y 24 años. En grupos de cuatro, digan su reacción a esta realidad. Usen frases como:

Es una lástima que . . .

(No) Me sorprende que . . . porque . . .

Act. 8B: Discuss why people vote or don't vote. Then form groups, tell students to react to this phenomenon, and try to rationalize it. Check by having a brief group sharing of ideas.

¿LO SABÍAN?

En algunos países hispanos como Panamá, Argentina, Costa Rica y Colombia las elecciones tienen lugar un día domingo. En casi todos los países hispanos, el voto es obligatorio para cualquier individuo mayor de dieciocho años. Además, en muchos países, si uno no apoya las ideas de ninguno de los candidatos, puede votar en blanco, es decir, votar, pero no votar por nadie. Esto se considera una señal de protesta y, al anunciarse los resultados, se anuncia también el número de votos en blanco. Di cuáles son las ventajas y las desventajas del voto obligatorio y del voto en blanco.

In Argentina, if somebody doesn't vote, he/she will have problems for at least six months after the elections when trying, for example, to get or renew a passport.

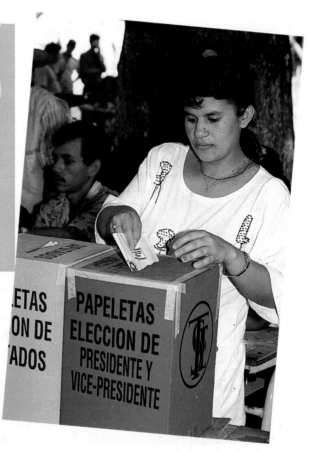

▶ *Una joven deposita su voto en una urna electoral en Guazapa, El Salvador.*

Actividad 9: Acontecimientos importantes   En parejas, combinen países o personas de la columna A con acontecimientos *(events)* de la columna B. Luego expresen su opinión con frases como **es lamentable que . . . , me alegra que . . . , es interesante que . . .**

⇨   guerra fría con Rusia   terminar

Me alegra que la guerra fría con Rusia haya terminado porque no hay motivo para pelear con ese país.

A

México
los Estados Unidos
España
Violeta Chamorro
Óscar Arias (ex presidente
   costarricense)
Perón (ex presidente argentino)

B

quemar iglesias
sufrir una guerra civil entre 1936 y 1939
ser la primera presidente mujer
   de Nicaragua
luchar en la Guerra de Vietnam
vender California a los
   Estados Unidos
ganar el Premio Nóbel de la Paz

Act. 9: Have students match items, then form pairs, model the activity, set a time limit, and begin. Check by calling on individuals and then having individual volunteers give other reasons justifying their responses. Use **Perón** as a lead-in to the **¿Lo sabían?** that follows.

¿LO SABÍAN?

Históricamente, la influencia de la Iglesia Católica en los países hispanos ha sido muy importante. Esto se debe a que, en gran parte, la población es católica, aunque muchos no vayan regularmente a la iglesia. Con frecuencia, la Iglesia ha hecho oír su opinión en las decisiones gubernamentales. Por ejemplo, en Argentina, en 1954, la Iglesia estaba en contra del Presidente Perón debido a la corrupción y represión que ejercía su gobierno. Perón decidió entonces quemar varias iglesias para acallar su protesta. En El Salvador, se dice que el gobierno fue el responsable de la muerte del Arzobispo Romero, así como de seis curas jesuitas que trabajaban en contra de la opresión que ejercía el gobierno sobre el pueblo. Di cuánta influencia tiene la religión en la política de este país.

You may want to discuss the rising number of evangelists in Hispanic countries. It may be interesting to note that even though the government was burning churches in Argentina, the law required that the president be Catholic.

Use the last sentence as a topic of discussion. Ask students to be specific and to give examples from history. For example: in the 1950s, the term "In God we trust" was added to the currency in response to attitudes against the Cold War. This will recycle narrating in the past.

Act. 10: If assigned as HW, check by asking some students to state one thing they regret and one thing that was fantastic about this past year for them.

Actividad 10: El año pasado Piensa en el año pasado y di qué aspectos de tu vida han sido una lástima o han sido fantásticos. Explica también las consecuencias que esos aspectos tienen hoy día en tu vida.

→ ir a fiestas

Es una lástima que no haya ido a más fiestas porque me encantan y ahora que estoy en la universidad no tengo mucho tiempo.

1. aprender español
2. tener un trabajo interesante
3. poder practicar deportes
4. preocuparte seriamente por tus estudios
5. conseguir un buen trabajo
6. mirar mucha televisión
7. conocer bien a tus profesores
8. hacer un viaje a otro país
9. ¿ ? ?

Actividad 11: Los jubilados **Parte A:** En parejas, uno de Uds. es don Rafael, un jubilado que está haciendo una revisión de su vida, y la otra persona es su amiga doña Carmen. Después de que Uds. lean la biografía, Rafael debe hablar de las cosas que lamenta de su pasado usando expresiones como **¡qué lástima que . . . !, es triste que . . .** Doña Carmen debe hacerle ver a don Rafael el lado positivo usando expresiones como **¡qué bueno que . . . !, es maravilloso que . . .** Pueden inventar detalles.

Act. 11A: Form pairs and assign roles. Stress that don Rafael will complain about his life while doña Carmen will find the positive points in it. Set a time limit and begin.

Rafael Legido, 75 años, jubilado
Cuando era joven, sus padres ofrecieron pagarle los estudios universitarios, pero no quiso estudiar. En vez de estudiar, fue a trabajar de cajero en un banco. Después de muchos años, llegó a ser subgerente del banco. En su trabajo, conoció a la mujer con la cual se casó. No tuvieron hijos. Sus compañeros de trabajo jugaron juntos a la lotería y ganaron 10 millones de dólares. Él no quiso jugar.

Parte B: Ahora, Carmen hace una revisión negativa de su vida y Rafael trata de hacerle ver el lado positivo.

Act. 11B: Have students read doña Carmen's biography and have don Rafael find the positive in her life. Check by having a pair role-play for the class.

Carmen Ramos, 77 años, jubilada
Llegó a ser Miss Chile. Nunca usó su fama para luchar contra el abuso de menores o la pobreza de su país. No se casó con el amor de su vida porque él no tenía dinero. En cambio, se casó con un millonario, pero no tuvo un matrimonio feliz. Tuvo seis hijos. Nunca les dedicó mucho tiempo a sus hijos, más bien pasó su tiempo viajando.

C. La política

Cognados obvios

To refer to the two major U.S. political parties use **demócrata** and **republicano**.

el abuso, abusar
la corrupción
la democracia, democrático/a
la dictadura, el/la dictador/a
la discriminación racial, discriminar (a alguien)
la eficiencia/ineficiencia
la estabilidad/inestabilidad
la influencia, influir en*

For irregular verbs, see pages 300–301.

 FLR link: Lectura 2

*Note: irregular verb

Otras palabras

el acuerdo, estar de acuerdo, ponerse de acuerdo	an agreement (pact), to be in agreement, to reach an agreement
la amenaza, amenazar	threat, to threaten
el apoyo, apoyar	support, to support
el asunto político/económico	political/economic issue
la campaña electoral	political campaign
la censura, censurar, censurado/a	censorship, to censure, censured
el golpe de estado	coup d'etat
la igualdad, la desigualdad	equality, inequality
la inversión, invertir (ie, i)	investment, to invest
la junta militar	military junta
la libertad de palabra/prensa	freedom of speech/the press
la política	politics
el político, la mujer política	politician
la protección, proteger	protection, to protect
el pueblo	the people
respetar/violar los derechos humanos	to respect/to violate human rights
el tratado	treaty

▶ *Este chiste es de un argentino llamado Quino. Él hace un comentario sobre la política de su país. ¿Crees que el comentario sea válido para tu país? ¿Por qué?*

Actividad 12: Las definiciones   En parejas, túrnense para definir las palabras conectadas con la política. La otra persona adivina qué palabra es. Recuerden no usar la palabra en la definición.

Actividad 13: La democracia y la dictadura   En parejas, digan cuáles de las siguientes palabras asocian Uds. con la dictadura y cuáles con la democracia y por qué. Es posible asociar la misma palabra con las dos.

amenazas	corrupción
alto número de robos	ineficiencia
campaña electoral	violaciones de derechos humanos
censura	libertad de prensa

Actividad 14: Situación política en Hispanoamérica   Da tu opinión sobre las siguientes situaciones políticas en Hispanoamérica. Usa expresiones como: **(no) me sorprende, es una lástima, es bueno/malo, me da pena**.

→   Los países de América firmaron el ALCA, un acuerdo comercial.

  Me alegra que los países de América hayan firmado el ALCA.

1. Rigoberta Menchú, indígena guatemalteca, ganó el Premio Nóbel de la Paz.
2. Existe discriminación racial en Hispanoamérica.
3. La CIA ayudó al General Pinochet a subir al poder en Chile con un golpe de estado.
4. Hay mucha desigualdad económica en Hispanoamérica.
5. Han muerto muchos políticos en Colombia por hacerles frente *(stand up to)* a los narcotraficantes.
6. Los militares tienen mucha influencia en algunos gobiernos hispanoamericanos.

Act. 12: Model activity by giving definitions and have the class shout out responses. Next form pairs, set a time limit, and begin.

Act. 13: Form pairs, set a time limit, and begin. Check by asking the class to categorize each one and to justify responses.

Act. 14: While setting up the activity, stress that some will need present subjunctive and others present perfect subjunctive. You may want to have students expand upon some answers.

The movie *Missing* deals with the overthrow of Allende in Chile and could be assigned as extra credit.

Encourage business students to express opinions about this type of treaty. Students from states that border Mexico may have strong opinions about **TLC (Tratado de Libre Comercio de Norteamérica)** and should be encouraged to discuss this. Anecdotal information about specific businesses pre and post **TLC** (a plant closing in Alabama, 5,000 jobs created in Massachusetts) will recycle narration in the past.

¿LO SABÍAN?

El proceso de colaboración e integración de los países de América se acrecienta día a día. En 1994 se firmó un acuerdo de libre comercio entre treinta y cuatro países del hemisferio occidental, incluyendo a los países de las Antillas Mayores y Menores, denominado Área de Libre Comercio de las Américas (ALCA). El acuerdo establece que para lograr la integración económica y el libre comercio de América es necesario mejorar las condiciones de trabajo, elevar el nivel de vida y garantizar la protección del medio ambiente. Se considera fundamental el respeto de los derechos humanos, así como la libertad de expresión, de información y de opinión. El acuerdo propone luchar contra toda forma de discriminación, de corrupción, de terrorismo, de tráfico de armas y de drogas. Las negociaciones de este acuerdo concluirán antes del año 2005 y harán posible la creación de un mercado de aproximadamente 850 millones de consumidores desde Alaska hasta Tierra del Fuego en Argentina. Di qué piensas de este tratado. ¿Es bueno o malo para la economía de un país?

Actividad 15: ¿Intervenir?   Di si es bueno o no que un país intervenga en otros países. Defiende tu opinión. Usa expresiones como:

(No) Es buena idea que un país . . . porque . . .

Me molesta que un país . . . porque . . .

→ ayudar a educar a los analfabetos

Es buena idea que un país ayude a educar a los analfabetos de otros países porque si hay más gente que sabe leer, creo que ese país va a necesitar menos ayuda en el futuro.

1. darles ayuda económica
2. venderles armas
3. ayudar a combatir el tráfico de drogas
4. tolerar la violación de los derechos humanos
5. mandarles medicamentos
6. ayudar a proteger el medio ambiente
7. abrir fábricas y crear fuentes de trabajo
8. contribuir a la campaña electoral de algunos candidatos
9. mandar espías (spies)
10. ayudar cuando hay desastres naturales

Act. 15: Do #1 and #2. Try to generate some discussion when supporting opinions. Questions #3, #4, and #6 may lead to good discussion (e.g. **Necesitamos reducir la demanda, no eliminar el suministro de drogas.** vs. **necesitamos eliminar el suministro y entonces no habrá drogas**).

II. Expressing Belief, Doubt, and Denial About Present, Future, and Past Events

When expressing an opinion, native speakers generally use **(no) creer**; therefore **(no) pensar** has intentionally been excluded. Likewise, **no negar** and **negar** have been excluded because they are not normally used in Spanish except in expressions like **No lo niego**.

If you want, inform students that in readings they may see the indicative used after statements with **no creer** and questions with **creer**. It is also heard colloquially.

In sentences such as "**Estamos seguros de que ellos actuaron incorrectamente,**" use of the present perfect, **han actuado**, is also possible. The present perfect is presented in Chapter 8, so you may want to have students use the preterit for now.

Drill subjunctive to express doubt or denial:

1. Tell students they are very skeptical individuals and they have to react to what you say about their university. T: **Todos los profesores son excelentes.** S: **Dudo que todos los profesores sean excelentes.** T: **La universidad va a bajar la matrícula.** S: **No creo que la universidad baje la matrícula.** (etc.)

2. Have some students brag about their future and have others react. S1: **En 2010 voy a tener 2 millones de dólares.** S2: **Dudo que en 2010 tengas mucho dinero.**

3. Have them express certainty or doubt about current news. T: **(name of a politician) recibió donaciones ilegales.** S1: **Es verdad que recibió donaciones ilegales porque . . .** S2: **No creo que haya recibido donaciones ilegales porque . . .**

1. To express doubt or denial about a situation or someone's actions (even your own) in the present, future, or past, use the following subjunctive construction.

Independent Clause	que	Dependent Clause
Subject 1 + *verb of doubt* (indicative)	**que**	Subject 1 or 2 + verb (subjunctive)
(Yo) no creo	**que**	(ellos) reformen la constitución.
I *don't think (believe)*	*that*	*they* *will reform the constitution.*
(Yo) no creo	**que**	(ellos) hayan reformado la constitución.
I *don't think (believe)*	*that*	*they* *have reformed the constitution.*

2. To express belief or certainty about an action or situation, use the indicative in the dependent clause. Compare and contrast the following expresssions and examples:

Expressions of Doubt: Subjunctive	Expressions of Belief or Certainty: Indicative
no estar seguro/a (de)	estar seguro/a (de)
no creer	creer
¿creer?	
dudar	

No estamos seguros de que hayan actuado incorrectamente.	**Estamos seguros de que ellos actuaron** incorrectamente.
¿Crees que el presidente tenga una buena política exterior?	**Creo que el presidente tiene** una buena política exterior.
No creo que (yo) vote en las próximas elecciones.*	**Creo que voy a votar** en las próximas elecciones.*

*Note: Remember that the subject of the independent and dependent clauses can be the same in sentences with expressions of certainty, doubt, and denial.

3. To express doubt or denial about a situation or someone's actions, you may also use an impersonal expression followed by a dependent clause with a verb in the subjunctive.

Es posible que ellos **ganen** las elecciones.

It's possible that they will win the election.

Es probable que nosotros **hayamos perdido** las elecciones.

It's probable that we have lost the election.

4. Use the following impersonal expressions.

es imposible	(no) puede ser
es improbable	no es evidente
(no) es posible	no es obvio *(it's not obvious)*
(no) es probable	no es verdad/no es cierto *(it isn't true)*

5. Compare the following sentences and notice that an infinitive follows the impersonal expression when no specific person is mentioned.

Subject in Dependent Clause: Subjunctive	No Subject: Infinitive
Es imposible que ganen con esa política exterior.	**Es imposible ganar** con esa política exterior.
No es probable que ella haya llegado tarde al trabajo porque es muy puntual.	**No es posible llegar** tarde a este trabajo.

If you want, review **quizás** and **tal vez**.

6. The following expressions show certainty and, therefore, take the indicative in the dependent clause.

es cierto *(it's true)*
es evidente
es obvio *(it's obvious)*
es seguro *(it's certain)*
es verdad
está claro
no cabe duda (de) *(there is no doubt)*

Doubt Implied: Subjunctive	Certainty Expressed: Indicative
No es verdad que los partidos políticos **tengan** mucho dinero.	**Es verdad que** los partidos políticos **tienen** mucho dinero.
No es evidente que haya corrupción en todos los gobiernos.	**Es evidente que hay** corrupción en todos los gobiernos.

Actividad 16: Un candidato a presidente   Parte A: Un candidato a presidente está preparando su discurso final antes de las elecciones. Aquí tienes el primer borrador (*first draft*) de lo que va a decir. Complétalo con la forma apropiada de los verbos correspondientes.

Act. 16A: Assign as HW and correct in class.

ir

complacer
preocuparse

pensar

interesarse
prestar

necesitar

deber
poder

> Querido pueblo:
>
>   Mañana son las elecciones y llega el momento de la decisión final. Si Uds. me eligen como líder del país, pueden estar seguros de que _____voy_____ a hacer todo lo que prometí durante la campaña electoral. Ya sé que es imposible _____complacer_____ a todos los ciudadanos, que hay gente que no cree que yo ___me haya preocupado___ por sus problemas en el pasado y que duda que yo ___haya pensado___ en el pueblo cuando era senador. Lo niego categóricamente. No es verdad que a mí no ___me interesen/me hayan interesado___ sus problemas y se lo voy a demostrar a todos. Les prometo _____prestar_____ atención a todas sus necesidades. Yo quiero trabajar por el país, pero creo que todos ___necesitamos___ poner nuestro granito de arena para que el país progrese. Mis colaboradores y yo creemos que _____debemos_____ empezar a actuar ya mismo. No cabe duda de que no ___podemos___ perder más tiempo. Pueblo querido: ¡Mañana triunfaremos!

Parte B: Ahora en grupos de tres, expresen su opinión sobre los políticos en general usando frases como: **(No) Creo que . . . , (No) Estoy seguro (de) que . . . , Dudo que . . .**

→ Dudo que muchos políticos se preocupen por los niños de este país porque ellos no votan.

ser honrado (*honest*)
hacer lo que quiere la gente
preocuparse por los pobres

interesarse por las grandes empresas
cumplir sus promesas
prestar atención al medio ambiente

Act. 16B: Form groups and have students give opinions. You may want to have students describe specific scandals to illustrate their point.

Actividad 17: ¿Mentira o verdad?   Parte A: ¡Vas a decir mentiras! Escribe una lista de cinco cosas que hiciste en el pasado, pero algunas no deben ser verdad.

Parte B: En parejas, escuchen lo que dice su compañero/a y decidan si es verdad o no.

→ —Me gradué de la escuela secundaria cuando tenía dieciséis años.

—Dudo que te hayas graduado de la escuela secundaria cuando tenías dieciséis años.

—Creo que es verdad porque eres muy inteligente.

Act. 17A: Assign as HW or do in class.

Act. 17B: Model by showing a list of items you claim you have done (some true, some false). Have students say which ones they think are false: **Dudo que Ud. haya . . . , No creo que Ud. haya . . .** , etc. Form pairs, set a time limit, and begin. Check by asking some students to say one or two things from their list and having the class respond.

Actividad 18: Opiniones sobre la historia   En grupos de tres, den su opinión sobre los siguientes sucesos usando expresiones como: **(No) Creo que . . . porque . . . , Dudo que . . . , No cabe duda que . . .**

1. Oswald actuó solo en el asesinato de Kennedy.
2. Michael Jordan fue el mejor jugador de la historia del básquetbol.
3. Bill Clinton aspiró el humo cuando fumó mariguana.
4. Charles Manson mató a Sharon Tate Polanski.
5. Mark McGwire fue el mejor bateador de la historia del béisbol.
6. Ronald Reagan fue mejor actor que presidente.

Act. 18: Form pairs, model the activity stressing the need to justify responses. Check by calling on individuals and encourage debate when there is a difference of opinion.

Actividad 19: Un político con éxito   En parejas, elijan las cinco características más importantes para que un político tenga éxito. Usen expresiones como: **(no) es importante, (no) es necesario, (no) es posible**.

→   Es importante que el político aparezca con niños en las fotos.

→   No es posible que tenga éxito si no habla bien.

ser honrado/a *(honest)*	tener título universitario
besar a los bebés	tener buen sentido del humor
tener buena apariencia física	estar casado/a
tener dinero para su campaña electoral	ser fiel a su esposo/a
creer en Dios	estar en buen estado físico
ser buen/a padre/madre	¿ ? ?

Act. 19: Introduce this activity by discussing the impact of television and other sources of the media on public opinion. Form pairs, model the activity, set a time limit, and begin. Check by having students determine the most and least important items.

Actividad 20: El futuro norteamericano   En parejas, discutan el futuro de los Estados Unidos bajo un presidente demócrata o republicano. Usen expresiones como: **(No) Creo que . . . , (No) Estoy seguro/a de que . . .**

→   subir los impuestos

—Creo que un presidente demócrata va a subirle los impuestos a la clase alta.

—No creo que sea verdad.   —Creo que tienes razón.

1. mejorar la situación económica del país
2. contribuir más a las causas de los pobres
3. ofrecer una mejor educación para los niños
4. luchar contra la violencia
5. invertir más dinero en investigaciones de enfermedades mortales
6. bajarles los impuestos a los ciudadanos de la clase media
7. subirles los impuestos a las empresas
8. proteger el medio ambiente
9. ofrecerles ayuda económica a los estudiantes universitarios

Act. 20: Form pairs (to spice this up, you may want to place liberals with conservatives), model the activity, set a time limit, and begin. Check by having individuals state and support opinions.

Actividad 21: Las abuelas de la Plaza de Mayo y sus nietos   **Parte A:** A fines de los años 70 hubo una dictadura militar en la Argentina durante la cual secuestraron *(kidnapped)*, torturaron y mataron a muchos jóvenes. Entre ellos había mujeres embarazadas cuyos hijos nacieron en cautiverio. Muchos de estos bebés fueron adoptados ilegalmente por familias de militares. Durante los años siguientes, muchas abuelas trataron de encontrar a esos nietos e integrarlos a su familia. Lee las siguientes cartas, sobre un caso imaginario, que aparecieron en un periódico. Luego, contesta las preguntas de tu profesor/a.

Personas desaparecidas

Act. 21A: Ask comprehension questions after students read the directions, and after the first and second letter.

FLR link: **Lectura 1** presents a movie review of *La historia oficial.*

Después de años y años de esperar el regreso de mi hija desaparecida, tuve que resignarme a aceptar que a ella la habían matado. Pero ella estaba embarazada cuando se la llevaron los militares y yo me pasé casi diecisiete años buscando a mi nieto perdido. Finalmente, gracias a otra abuelita como yo, encontré a mi nieto. El vive ahora con los Mendineta, la familia de un militar. Mi nieto tiene ahora diecisiete años y se crió con esta familia que nunca le dijo que él era adoptado (ilegalmente por supuesto) como tampoco quién era su verdadera madre. Ese adolescente pertenece a mi familia (los exámenes de sangre así lo comprobaron) y es hora de que viva con su verdadera familia.

Sra. Sara Vecchio, jubilada

Mi nombre es Javier Mendineta y soy hijo de Julián y María Mendineta. Yo quiero mucho a mis padres y no quiero ir a vivir con una señora que no conozco. Ella dice que es mi abuela y que yo soy parte de su familia, pero yo no sé quién es ella y mi verdadera familia es la familia con quien he vivido toda mi vida. Mis padres me dijeron hace poco que yo era adoptado, pero a mí no me importa porque mis padres me tratan igual que a mis hermanos. Yo tengo una vida muy feliz. Tengo una familia que me quiere y quiero quedarme con ellos.

Javier Mendineta

Act. 21 B: Form groups of four. Separate each into those that favor the grandmother's position and those that favor the child's position. Draw a parallel between current debates between birth parents and adoptive parents in the United States. Give students time to jot down some arguments for the debate. Or, assign for next class.

Parte B: Ahora en grupos de cuatro, dos personas van a prepararse para debatir a favor de que el adolescente regrese con su abuela y las otras dos personas en defensa de que el adolescente se quede con su familia actual *(present)*. Cada pareja debe buscar ideas en las cartas para preparar su defensa.

Parte C: Ahora debatan el caso usando expresiones como: **(No) Creemos que . . . , Dudo que (haya) . . . , Es posible que (haya) . . .**

Act. 21C: Put the groups together, set a time limit, and have a debate. When finished, ask groups if they arrived at an agreement.

The movie *La historia oficial* deals with this issue and could be assigned as extra credit.

▶ *Concierto de Sting en Buenos Aires. Aún hoy día, todos los jueves se reúne un grupo de mujeres en la Plaza de Mayo para protestar contra la muerte de sus hijos y el robo de sus nietos entre 1976 y 1982. El cantante Sting cantó la canción "Ellas danzan solas" para ellas y también bailó con algunas de las madres durante el concierto.*

You may want to have students watch the video of Sting's concert called "Ellas danzan solas."

Drill **lo** + adjective:

Have students discuss **lo bueno/malo/terrible/fantástico,** etc., about their first semester at the university/a job/being on their own.

III. Expressing Abstract Ideas

Lo + Adjective and *lo que*

1. Use the word **lo,** followed by a masculine singular adjective, to express abstract ideas:

Lo bueno es que el país ya no tiene dictadura.

The good (part/thing/point) is that the country doesn't have a dictatorship any more.

Lo triste es que los niños viven solos en las calles de la ciudad.

The sad (part/thing) is that the children live alone on the streets of the city.

2. When **lo** + *adjective* is followed by a verb and a plural noun, the verb form is also plural. Notice the similarity between the Spanish and the English examples:

Lo triste **es el niño huérfano.**   *The sad part is the orphan child.*

Lo triste **son los niños huérfanos.**   *The sad part are the orphan children.*

3. Lo que is used to express *what*, whenever *what* is not a question word.

¿Qué dices? **Lo que** propones es absurdo.

What are you saying? What you propose is absurd.

Lo que nos interesa combatir es el hambre.

What we are interested in fighting is hunger.

Él quiere que tú hagas **lo que** te dijo.   *He wants you to do what he told you.*

Actividad 22: Lo fascinante . . . **Parte A:** Haz comentarios sobre diferentes películas o libros famosos formando oraciones con un elemento de cada columna. Empieza cada oración con **lo + adjetivo**.

Act. 22A: Do as a full class activity, having individuals volunteer responses. Assign the viewing of the movie *Romero* as extra credit.

→ terrible   *Tiburón*   el tiburón / arrancarle *(tear)* / partes del cuerpo a la gente

Lo terrible de la película *Tiburón* fue que el tiburón le arrancó partes del cuerpo a la gente.

interesante	*Psicosis*	él / enamorarse / de Dulcinea
horrible	*Romero*	quemarse / la ciudad de Atlanta
increíble	*Bambi*	morirse / su madre
terrible	*ET*	esconderse / en el armario
cómico	*El Quijote*	los dos / suicidarse
triste	*Lo que el viento*	él / atacarla / en la
romántico	*se llevó*	ducha
trágico	*Romeo y Julieta*	asesinar / al arzobispo

Parte B: Ahora menciona otras películas y di qué fue lo interesante/horrible/increíble/cómico, etc.

Actividad 23: El año pasado En parejas, díganle a la otra persona qué fue lo mejor, lo peor, lo terrible, lo fascinante, lo molesto y lo interesante del año pasado.

Act. 23: Begin by brainstorming good events that occurred last year and then tragedies. List these on the board. Then form pairs, introduce the activity, set a time limit, and begin.

→ —Lo horrible del año pasado fue el accidente de avión en . . . donde murieron . . . personas.

—Para mí lo horrible fue . . .

Actividad 24: Lo que me gusta Di lo que te gusta y lo que te molesta de tu familia, del gobierno y de la televisión.

→ Lo que me gusta de mi familia es que somos muy unidos.

IV. Forming Complex Sentences

A. The Relative Pronouns *que* and *quien*

FLR link: **Lectura 3**

As you progress in your study of Spanish, using relative pronouns in your speech and writing will improve your fluency. Compare these two narrations in English:

Dick and Jane are friends. They have a dog. The dog's name is Spot. Spot runs fast.

Dick and Jane, **who** are friends, have a dog (**that's**) named Spot, **who** runs fast.

As you can see, relative pronouns are important to connect shorter sentences in order to avoid repetition. They help make speech interesting to listen to and give prose richness and variety.

Remember to use **que** for essential information even when referring to people.

1. When you want to give crucial or essential information that describes a noun, you may introduce it with **que** (*that/which/who*). Note that omitting essential information changes the meaning of the sentence.

En los países hispanos, las personas **que estudian inglés** tienen mejores oportunidades de trabajo.

In Hispanic countries, the people who/that study English have better job opportunities. (only the people who study English)

Drill **que** and **quien**:

1. Ask about the plot of famous movies. *Romeo y Julieta* es sobre una pareja que está enamorada y muere. (etc.)

Cursé una clase de geografía social **que me interesaba mucho.**

I took a social geography class which/that interested me a lot.

El cuadro ganador fue pintado por un niño **que sólo tenía cuatro años.**

The winning painting was painted by a child who/that was only four years old.

Quien(es) is generally preferred in writing to give nonessential information about people.

2. When you want to give nonessential information in a sentence, you may introduce it with **que** or **quien(es)** for people, and **que** for things. In writing, you must set off the nonessential information with commas, and in speaking you must make a brief pause right before and after it. Note that nonessential information may be omitted from a sentence without changing the meaning of the sentence itself. Compare the following sentences.

2. Have them say what people in different occupations do. **Un arquitecto o una arquitecta es una persona que diseña apartamentos. Un aeromozo o una aeromoza es alguien que . . . , etc.**

La maestra fue con algunos niños a la playa. Los niños, **que/quienes** sabían nadar, se metieron en el agua en cuanto llegaron.

The teacher went with some kids to the beach. The kids, who knew how to swim, got in the water as soon as they arrived. (all the kids knew how to swim, all the kids got in the water)

3. Give pairs of students incomplete sentences and have them add information. **El presidente, . . . , es muy carismático.** (Name of famous person), . . . , siempre miente.

La maestra fue con algunos niños a la playa. Los niños **que** sabían nadar se metieron en el agua en cuanto llegaron. Los otros hicieron castillos de arena.

The teacher went with some kids to the beach. The kids who knew how to swim got in the water as soon as they arrived. The others made sandcastles.

Actividad 25: Identifica a los hispanos famosos   En parejas, túrnense para identificar al mayor número de hispanos famosos usando pronombres relativos.

Act. 25: Have a contest between groups to see how many people students can identify.

→   Isabel Allende es la escritora chilena que escribió *Afrodita.*

Arantxa Sánchez Vicario	Hernán Cortés	Gloria Estefan
La Malinche	Ricky Martin	Rebeca Lobo
Sammy Sosa	Cameron Díaz	Gabriel García Márquez
Juan Domingo Perón	Antonio Banderas	Isabel la Católica

Actividad 26: ¿Qué es eso?   Parte A: Al llegar a los Estados Unidos los estudiantes extranjeros siempre tienen problemas con palabras y costumbres que no entienden. En parejas, una persona es un/a extranjero/a que no entiende algunas cosas y la otra persona le explica los significados. Usen pronombres relativos en las respuestas. Sigan el modelo.

→   —¿Qué es un *banjo*?

—Es un instrumento **que** generalmente tiene cinco cuerdas (*strings*) y **que** se usa en la música "country".

1. Fui a una fiesta con un amigo y me dijo que él iba a ser el *designated driver*. ¿Qué significa eso?
2. Entiendo qué es *Broadway*; pero ¿qué significa *Off-Broadway*?
3. ¿Qué es *voice mail*?

Parte B: Ahora, cambien de papel.

1. Voy a ir a un partido de fútbol americano de los Cowboys y todo el mundo dice que tengo que ver a las *cheerleaders*. ¿Qué son *cheerleaders*?
2. ¿Qué es *big hair*?
3. El otro día cuando miraba televisión, una persona dijo que había asistido a la *school of hard knocks*. ¿Qué significa eso?

Act. 26: This activity practices circumlocution. Set up activity by posing as a foreigner and asking what an *infomercial* is; then form pairs while assigning roles, set a time limit and begin. When a few groups finish the first part, stop the class and have all switch roles. Check by having some individuals explain what some items are.

B. The Relative Pronouns *el que* and *el cual*

Remember: Nonessential information is always set off by commas and omitting it does not alter the meaning of the sentence.

The expressions **por qué, para que,** and **sino que** are set phrases and have nothing to do with the use of relative pronouns.

Drill **el que, el cual, quien, que,** etc., with prepositions:

Write on the board incomplete sentences for students to finish: **Ésa es la muchacha de . . . , Ése es el restaurante en . . . , Él es el hombre con . . . ,** etc.

In Section A on pages 156–157, you learned how to use **que** and **quien(es)** to form complex sentences. Here is a list of pronouns that you can use to give essential and nonessential information.

	Information	
	Essential	Nonessential
que *(persons and things)*	X	X
quien(es) *(persons)*		X
el/la/los/las que *the one/s who/which*		X
el/la cual, los/las cuales* *who/which*		X
preposition + **que** *(things)*	X	X
quien(es) *(persons)*	X	X
el/la/los/las que *(persons and things)*	X	X
el/la cual, los/las cuales* *(persons and things)*	X	X

***El/la cual, los/las cuales** are usually found in formal writing and are not frequently used in everyday speech. They are presented here for recognition only.

Mis primas, **las que** viven en Asunción, no vinieron.

My cousins, the ones who live in Asunción, didn't come. (nonessential)

El teléfono rojo, **el cual** está en mi habitación, está roto.

The red phone, which is in my room, is broken. (nonessential)

Éstos son mis amigos **de quienes** te hablé.	*These are my friends whom I talked to you about. (essential)*
Allí hay una escuela **al lado de la que** quieren edificar un cementerio.	*There is a school there next to which they want to build a cemetery. (essential)*
Mi amiga, **con la que** hablaste ayer, no puede venir.	*My friend, with whom you talked yesterday, can't come. (nonessential)*
Ramón, **para quien** trabajé el año pasado, me llamó.	*Ramón, for whom I worked last year, called me. (nonessential)*

Actividad 27: Dos héroes   José de San Martín y Simón Bolívar son considerados dos héroes de la independencia de Suramérica. Gracias a ellos se formaron los primeros gobiernos autónomos de Latinoamérica en el siglo XIX. Lee el siguiente párrafo sobre ellos y subraya el pronombre relativo que se puede usar en cada caso.

Act. 27: Assign as HW and correct in class.

Bolívar y San Martín fueron dos hombres **(que / quienes)** lucharon por Suramérica y gracias a **(que / quienes)** esta región pudo liberarse del dominio español. San Martín cruzó la parte de los Andes **(que / la que)** se encuentra entre Argentina y Chile; este viaje, en **(quien / el que)** utilizó unos quinientos soldados, fue un éxito militar para San Martín. Entró de sorpresa en Chile, donde se encontraban las fuerzas enemigas, **(las que / los que)** eran fieles a la corona de España, y las atacó.

Bolívar, por su parte, fue el general **(que / el que)** llegó a ser el primer presidente de la Gran Colombia **(el que / que)** estaba formada por Colombia, Venezuela y Ecuador. En 1825 Bolívar entró en el Alto Perú, al **(que / quien)** quería unificar con el Perú, pero ya era demasiado tarde. Los líderes del Alto Perú ya habían decidido crear su propia república a **(la que / los que)** llamaron Bolivia. Invitaron a Bolívar a ser su presidente de por vida, pero él no aceptó el puesto.

Actividad 28: Tu pasado   En parejas, hablen sobre acontecimientos de su pasado y usen pronombres relativos para incluir muchos detalles. Sigan el modelo.

Act 28: This activity recycles preterit and imperfect. Form pairs, give instructions, set a time limit, and begin. Review possibilities with students before beginning: **Una persona atractiva con quien/la cual/la que . . .**

→   persona atractiva / salir con

Una persona atractiva **con la que** salí fue Tom, un compañero de la escuela secundaria. Él era alto, moreno, guapo . . .

1. persona / enamorarse de
2. lugar / trabajar en
3. película dramática / llorar en
4. tema interesante / leer sobre
5. vecino / vivir al lado de
6. hotel / quedarse en

Actividad 29: ¿Dónde los sentamos? Todas las noches, durante la Feria del Libro, los Duques de Manzanares ofrecen una cena para escritores. El duque, quien es mayor, no oye bien, por eso suele decir que sí a todo y se sonríe siempre. La duquesa es una persona con quien no se puede hablar mucho porque siempre cambia de tema. En parejas, decidan dónde van a sentar a los escritores para poder tener una cena agradable.

Los Duques van a estar en los dos extremos de la mesa. A continuación tienen ciertos datos de los invitados para que puedan decidir. Usen expresiones como: **Dudo que . . . , No creo que . . . , La persona con quien va a hablar tiene que . . . , Ella escribió un libro en el que . . . , Pon a . . . al lado de . . . porque . . .**

Act. 29: Read directions and ask questions to ensure comprehension. Have students use the drawing in the book or create their own on a separate sheet of paper. Form pairs; encourage them to use relative pronouns in their discussion; inform them that there is no one correct solution and that they must be able to justify their seating plan. Check by having one or two pairs give and justify their solution. This activity should take at least 10 minutes.

Teresa Guzmán
líder de una organización feminista
fuma mucho
muy cómica
le gusta participar en una buena discusión
libro: *Madres en la política*

Ernestina Villarreal
periodista
le fascina todo
es asmática y no tolera el humo del cigarrillo
libro: *Entrevistas escandalosas*

Alfredo Vargas
representante de Amnistía Internacional
tiene fama de ser mujeriego *(womanizer)*
libro: *Presos políticos*

José María Hidalgo
experto en el medio ambiente
serio, le gusta hablar de ciencia
libro: *Fluorocarbonos: Un peligro constante*

Josefina Santos
senadora ultraderechista
quiere ayuda económica para su país
se ríe con facilidad
suele beber mucho y contar chistes verdes *(dirty jokes)*
libro: *Capitalismo: El opio de la gente*

Paolo
modelo internacional
hace fotos con y sin ropa
es muy egoísta
no le gusta la política, sólo quiere paz en el mundo
libro: *Cambie el cuerpo con diez minutos por día*

Vocabulario activo

Verbos para expresar emoción

Ver página 139.

Verbos para expresar duda y certeza

Ver página 150.

Expresiones impersonales para expresar emoción

Ver página 140.

Expresiones impersonales para expresar duda, certeza y negación

Ver página 151.

Palabras relacionadas con la política

Ver página 147.

Expresiones útiles

el/la ayudante de cátedra	*teaching assistant*
la democracia/noche/ fiesta está en pañales	*the democracy/night/party is young (literally, in diapers)*
tener en claro	*to have it clear in your mind*
siempre y cuando + *subjunctive*	*provided (that)*

Vocabulario personal

CAPÍTULO

Nuestro medio ambiente

▲ *Empleados del gobierno mexicano cargan árboles en un camión para plantar en la ciudad de México.*

May be assigned: Grammar, vocabulary, **¿Lo sabían?**, Act. 4A, Act. 8A, Act. 9A, Act. 10A, Act. 14A and B, Act. 15, Act. 17A, Act. 23A, Act. 24.

Unas vacaciones diferentes

¡Ya sé!	I've got it!
algo así	something like that
desde luego	of course

Ecoturismo
Internet

▶ *Indígenas quichuas preparan terrazas para el cultivo en Latacunga, Ecuador.*

Actividad 1: Viajando se aprende   Parte A: Antes de escuchar la conversación, menciona los tres últimos lugares adonde fuiste de vacaciones, di qué hiciste en cada viaje y cómo lo pasaste.

Parte B: Ahora vas a escuchar una conversación en la cual María José habla con Pablo sobre sus próximas vacaciones. Primero lee las siguientes oraciones y luego, mientras escuchas, marca si son ciertas o falsas.

1. María José no conoce muchos lugares.   _____F_____
2. Ella quiere ir a un lugar donde pueda visitar catedrales.   _____F_____
3. El verano pasado estuvo en Venezuela.   _____F_____
4. Un amigo de Pablo estuvo en Ecuador.   _____C_____
5. A María José no le interesa ir a Ecuador.   _____F_____

Actividad 2: Los detalles Primero, lee las siguientes preguntas y después escucha la conversación otra vez para contestarlas.

1. ¿Qué grupo indígena vive en Capirona, Ecuador?
2. ¿En qué consiste el programa que organizan?
3. ¿Qué es una minga?
4. ¿Cómo se llega al pueblo?
5. ¿Por qué crees que le interesa este viaje a María José?

Actividad 3: Opiniones En grupos de tres, discutan qué es lo peligroso, lo divertido y lo beneficioso de hacer un viaje de este tipo.

¿LO SABÍAN?

Si te interesan los viajes educativos, hay muchas organizaciones que preparan grupos para viajar a regiones del mundo donde se necesita ayuda. En este país existen dos organizaciones muy importantes. Una de ellas es Amigos de las Américas, la cual recluta a gente joven para trabajar en proyectos de salud en pueblos rurales de América Latina. La otra asociación es la Fundación Médica Americana Mexicana, que también organiza proyectos de salud y de desarrollo de la comunidad en México. Algunas de las tareas consisten en recoger información en clínicas de salud, distribuir comida y ropa y construir y reparar viviendas. Di si te gustaría participar en proyectos como éstos.

¿Lo sabían?: Ask students if they are aware of any groups on their own campus that offer this type of opportunity.

Bring in brochures if available. Ask if they know of other organizations that do similar work.

Act. 2: Read all questions, listen to conversation, and correct. Or, read one question at a time, listen to conversation until question is answered, pause and correct.

Note: The Incas worked cooperatively in **mingas** when the Spaniards arrived. Upon entering Cuzco a sign read **Ama Sua, Ama Quella, Ama Lulla** (*don't lie, don't steal, don't be lazy*). The work ethic was so strong that the penalty for laziness was death. The Spaniards destroyed the **mingas** and used the natives as forced labor. But this institution did not die and is still practiced today in parts of the Andes.

Answers: 1. quichua 2. ecoturismo (caminatas, demostraciones) 3. un proyecto comunitario 4. en canoa y caminando 5. es algo nuevo.

Act. 3: Form groups, set a time limit, and have a group sharing. Follow up by seeing if anyone in the class has ever taken this type of trip. If so, have him/her explain what it was like.

I. Affirming and Negating

The following section reviews negative and affirmative expressions.

1. Here is a list of common affirmative and negative expressions.

Drill affirmative and negative expressions:

1. Have students contradict what you say. T: **Siempre trabajo.** S: **No, Ud. no trabaja nunca.** T: **Tengo muchos amigos.** / **Conozco a todo el mundo.**

Affirmative Expressions	Negative Expressions
todo everything **algo** something	**nada** nothing, anything
todos/as everyone **todo el mundo** everyone **muchas / pocas personas** many / few people **alguien** someone	**nadie** no one

2. Tell students they are very naive about politics and have them deny what you say. T: Algunas personas del gobierno son corruptas. S: No es verdad. Ninguna persona es corrupta. T: Todos dicen mentiras. / Jamás se preocupan por los ciudadanos. / Todo es un caos.

Remember: If you use **no** before the verb, use a negative word after the verb.

siempre always
muchas veces many times
con frecuencia / a menudo frequently
a veces sometimes
una vez once

nunca / jamás never

2. Two common ways to create sentences with negative expressions in Spanish are:

> **no** + *verb* + **negative word**
>
> **negative word** + *verb*

—¿Te ayudó la Sra. López? — *Did Mrs. López help you?*
—¿Ayudarme? Esa mujer **no** me ayuda **jamás.** / Esa mujer **jamás** me **ayuda.** — *Help me? That woman doesn't ever help me/never helps me.*

—¿Quiénes fueron a la reunión? — *Who went to the meeting?*
—**No fue nadie.** / **Nadie fue.** — *Nobody went.*

—¿Funciona? — *Does it work?*
—No, **no funciona nada** en esta oficina. / No, **nada funciona.*** — *No, nothing works in this office.*

*Note: **Nada** can only precede the verb when it is the subject.

3. When **nadie** and **alguien** are direct objects, they must be preceded by the personal **a.**

—¿Viste **a alguien?** — *Did you see anyone?*
—**No, no** vi **a nadie.** — *No, I didn't see anyone.*

Compare the previous sentences with the following ones in which **nadie** and **alguien** are the subject.

Ayer **no** vino **nadie.** / **Nadie** vino ayer. — *Nobody came yesterday.*
Alguien derramó una sustancia tóxica en el río. — *Somebody spilled a toxic substance in the river.*

The plural form **ningunos** is seldom used. The exception is plural nouns such as **pantalones** and **tijeras** (*scissors*): No tengo **ningunos pantalones** limpios.

4. To talk about indefinite quantity in affirmative and negative sentences and in questions, use the following indefinite adjectives and pronouns:

Affirmative Adjectives	Negative Adjectives
algún/alguna/os/as + *noun* *a, some, any* + *noun*	ningún/ninguna + *singular noun* *not any* + *noun*

Affirmative Pronouns	Negative pronouns
alguno/a/os/as *one, some*	ninguno/a *not any, none, no one*

No sé el nombre de **ningún** animal que esté en peligro de extinción.

I don't know the name of any animal that is in danger of extinction.

—¿Fueron **algunos** amigos de la escuela secundaria a la fiesta?
—No, **no** fue **ninguno.**

Did any high school friends go to the party?
No, no one did.

—¿Vas a ver **alguna** película?
—No, **ninguna** (película) me interesa.

Are you going to see a movie?
No, none interests me.

5. It is common to use the pronouns **ninguno** and **ninguna** with a prepositional phrase beginning with **de: Ninguno de mis amigos** se droga.

Actividad 4: Conversaciones ecológicas   Parte A: Completa las siguientes conversaciones usando palabras afirmativas o negativas.

Act. 4A: Assign as HW and correct in class.

1. —No, gracias. No necesito _____ninguna_____ bolsa. Traje tres de mi casa para toda la compra.
   —Bien.

2. —¿Hay _____algo_____ que podamos hacer para detener la deforestación? ¡Mira este lugar!
   —Sí, es terrible, pero no sé qué se puede hacer.

3. —¿ _____Alguien_____ desperdicia el agua en tu casa?
   —Sí, mi hermano tarda 25 minutos en ducharse.

4. —¡Qué horror! Hay 50 personas y _____nadie/ninguna_____ se preocupa por reciclar el papel que se usa en este lugar.
   —Estoy totalmente de acuerdo. Debemos hablar con _____todos/alguien_____ para resolver este problema.

5. —_____Nunca_____ compro árboles de Navidad de verdad porque tengo uno de plástico.
   —Yo también, y aunque parezca mentira, se ve bien bonito.

6. —¿Oyes _____algún_____ ruido?
   —No, no oigo _____nada/ninguno_____. ¡Qué placer! Me encanta el silencio de este lugar.

Parte B: Ahora, en parejas, digan dónde creen que tiene lugar cada conversación. Usen oraciones como: **Es posible que ellos estén en . . . y creo que están hablando sobre . . .**

Actividad 5: ¿Con qué frecuencia?   Parte A: En parejas, túrnense para averiguar con qué frecuencia hace su compañero/a las siguientes actividades. Sigan el modelo.

→   —¿Con qué frecuencia montas en bicicleta?

—Monto en bicicleta a veces.

	jamás	a veces	a menudo
1. montar en bicicleta	____	____	____
2. comprar verduras orgánicas	____	____	____
3. hacer deportes al aire libre	____	____	____
4. usar transporte público	____	____	____
5. vestirse con ropa de algodón	____	____	____
6. reciclar latas de bebidas	____	____	____
7. hacer ecoturismo	____	____	____
8. contribuir con dinero a organizaciones que protegen el medio ambiente	____	____	____

Parte B: Repitan la actividad, pero ahora con referencia a los años de la escuela secundaria.

Actividad 6: ¿Conoces a tu compañero?   Parte A: En parejas, primero, y sin consultar con su compañero/a, marquen las cosas de la siguiente lista que creen que tiene su compañero/a en la habitación o apartamento.

_____ discos compactos de Elvis

_____ fotos de su familia

_____ cuadros de arte moderno

_____ un póster de un animal en peligro de extinción

_____ libros de turismo

_____ un osito de peluche (*teddy bear*)

_____ videos de películas de acción

_____ una bicicleta de montaña

_____ un instrumento musical

Parte B: Ahora, hablen con su compañero/a para confirmar sus predicciones. Sigan el modelo.

→   —Creo que tienes algunos discos compactos de Elvis.

—Es verdad, tengo tres.

—Te equivocas, no tengo ninguno. / No tengo ningún disco compacto de Elvis.

Actividad 7: ¿Cómo es tu familia?   En parejas, usen la siguiente lista de ocupaciones para averiguar sobre la familia de su compañero/a. Sigan el modelo.

→   A: ¿Hay algún piloto en tu familia?

B: Sí, hay una mujer piloto.   B: No, no hay ningún piloto. / No, no hay ninguno.

A: ¿Quién es?

B: Mi hermana y trabaja para Mexicana.

1. político
2. plomero
3. vendedor
4. artista
5. enfermero
6. arquitecto
7. cartero
8. ecologista
9. carpintero

Act. 7: Before starting, you may want to have students say masculine and feminine forms of the occupations presented (**la mujer plomero/la plomero**, etc.) Then model activity, form pairs, set a time limit, and begin. Check by asking about a few professions. For example, find out who has an artist in the family and ask about the type of artwork done.

plomero = fontanero (España, Costa Rica)

II. Describing the Unknown

The Subjunctive in Adjective Clauses

Drill subjunctive in adjective clauses:

1. Do a chain drill: **Busco un profesor de matemáticas / abogado / amigo que sea . . .** Then, have students describe a professor they have. S: **Tengo un profesor de matemáticas que es . . .**

Notice that the personal **a** is not used in the first two sentences in the left-hand column.

2. Have students complete the phrase **Quiero unas vacaciones que . . .**

Many native speakers use the preterit instead of the present perfect in sentences like **Conozco a un abogado que estudió/ha estudiado las leyes ecológicas.** The present perfect will be presented in Chapter 8.

Notice that you can use **donde** and **en (el/la/los/las) que** instead of **que** to talk about places.

1. As you have already learned, you use the subjunctive in dependent clauses after expressions of influence, emotion, doubt, and denial. Additionally, it is used in dependent adjective clauses to describe something that may or may not exist. Study the following examples:

May or May Not Exist: Subjunctive	Exists: Indicative
Buscamos una persona **que organice** programas de reciclaje. *We are looking for someone who organizes recycling programs. (there may or may not be such a person).*	Buscamos a la persona **que organiza** programas de reciclaje. *We are looking for the person who organizes recycling programs.*
Tengo que encontrar un abogado **que haya estudiado** las leyes ecológicas. *I have to find a lawyer who has studied environmental law.*	Conozco a un abogado **que estudió** las leyes ecológicas. *I know a lawyer who studied environmental law.*
Buscamos un lugar **donde no haya** mucha contaminación. *We are looking for a place where there isn't much pollution.*	Sabemos de un lugar **donde no hay** mucha contaminación. *We know of a place where there isn't much pollution.*

Quiero visitar lugares **en (los) que no haya** mucha gente.
I want to visit places in which there aren't many people.

Conocemos varios lugares **en (los) que no hay** mucha gente.
We know many places in which there aren't many people.

2. The *personal **a*** is only used in sentences with dependent adjective clauses if they contain **alguien** or **nadie**.

—¿Conoces **a alguien** que sepa navegar?
Do you know anyone who knows how to sail?

—No, no conozco **a nadie** que sepa.
No, I don't know anyone who does.

3. The subjunctive is also used in dependent adjective clauses to emphatically describe something that, according to the speaker, does not exist. Note the following construction:

> **no** + *verb* + *negative word* + **que** + *subjunctive*

No encuentro nada que me **guste.**
I can't find anything that I like.

No hay ningún profesor que dé poca tarea.
There is no professor that gives a small amount of homework.

Actividad 8: El lugar ideal   Parte A: En el mundo hay una variedad de lugares para vivir. Mira la siguiente lista y marca con una X las tres características más importantes para ti. Luego subraya las tres menos importantes.

nevar mucho/poco	ser un centro urbano	ser un lugar tranquilo
ofrecer una variedad de restaurantes étnicos	haber alquileres bajos	estar poco contaminado
	tener temperaturas moderadas	haber muchas/pocas actividades culturales
tener escuelas buenas	estar cerca del agua	haber pocos robos
estar cerca de las montañas	convivir gente de diferentes razas	

Parte B: En parejas, díganle a su compañero/a las características que buscan Uds. en un lugar para vivir. Usen expresiones como: **Busco un lugar que/donde . . . , Quiero vivir en un lugar que/donde . . . .** Después, digan si conocen un lugar que tenga esas características. Usen **(No) Conozco un lugar que/donde . . .**

Actividad 9: El medio ambiente   Parte A: Mira la información que aparece en la página siguiente y di qué se necesita hacer para salvar el medio ambiente. Usa frases como: **Necesitamos . . . , Se necesita/n . . . , Queremos tener . . .** Sigue el modelo.

→ personas / recoger / basura de la calle

Se necesitan personas que recojan basura de la calle.

Drill subjunctive with negation:

*Tell students they are whiners. Have them complain about the university: **No hay ninguna clase que sea fácil.** (etc.)*

Act. 8A: May be assigned as HW. If done in class, give instructions, and allow one minute to complete.

*Act. 8B: Form pairs, model possible sentences, point out the use of the indicative in **Conozco un lugar que . . .** , set a time limit, and begin. Correct by trying to have the class agree on the most and least important.*

Act. 9A: May be assigned as HW.

1. fábricas / no tirar / desechos *(waste)* a los ríos
2. más científicos / hacer / estudios para encontrar nuevas fuentes de energía
3. más organizaciones / proteger / las especies de animales en peligro de extinción
4. alcaldes / crear / espacios verdes en las ciudades
5. carros / emitir / pocos gases tóxicos
6. compañías / construir / paneles de energía solar baratos para las casas
7. supermercados / no envolver / absolutamente todo en plástico

Parte B: En grupos de tres, organicen las ideas anteriores de la más importante a la menos importante. Estén listos para justificar el orden que han elegido. Usen expresiones como: **Lo más importante es que . . . , También es importante que . . .**

Act. 9B: Model with a student. Begin by asking him/her which is the most important. Then disagree and begin to argue your point. Form groups of three, set a time limit, yet allow time for students to argue and to come to an agreement. Check by calling on groups to find out which they listed as the most important and which was the least. Try to get the class to agree at least on these two.

¿LO SABÍAN?

- Suramérica pierde el 1% de los bosques cada año.
- En los últimos años, Ecuador perdió el 95% de los bosques de la costa y esta pérdida pone en peligro unas 2.500 especies de animales.
- Los Estados Unidos mandan basura a la Patagonia, un área poco poblada del sur de Argentina y Chile.
- En el sur de Chile hay conejos con cataratas y ovejas con córneas inflamadas, posiblemente por el agujero en la capa de ozono.

Di si conoces otros casos como los mencionados.

¿Lo sabían?: Ask students which of the facts surprises them the most and which is the most tragic.

Actividad 10: ¿Qué piensas?   Parte A: Completa estas ideas sobre tu universidad con la forma correcta del verbo indicado. Después, marca con una X las oraciones con las que estás de acuerdo y con una O aquéllas con las que no estás de acuerdo.

1. _____ No hay ningún estudiante que ___quiera___ estudiar muchas horas por día. (querer)
2. _____ No hay ninguna cafetería en esta universidad que ___sirva___ comida buena. (servir)
3. _____ No conozco a ningún profesor que ___llegue___ tarde a clase. (llegar)
4. _____ No hay ningún profesor que ___dé___ exámenes finales fáciles. (dar)
5. _____ No hay nadie en esta universidad que ___copie___ en los exámenes. (copiar)

Parte B: En grupos de tres, compartan y justifiquen sus opiniones.

Act. 10A: Assign as HW. Correct subjunctive forms in class.

Act. 10B: Form pairs and have students compare responses. Check student opinions for each question by a show of hands. If they are in disagreement, ask some to support their opinions.

Note: In countries like Chile, Peru, Colombia, and Argentina they say **Los profesores toman exámenes y los estudiantes los dan.** In many other countries these verbs are reversed.

Actividad 11: Una encuesta **Parte A:** Entrevista a tus compañeros para ver si hay alguien que haga algunas de las siguientes actividades. Si alguien responde afirmativamente, escribe su nombre en la columna de la derecha. Sigue el modelo.

→ —¿Apagas la luz al salir de tu habitación?

—Sí, la apago.   —No, no la apago.

1. reciclar papel   _____
2. tener un carro que gaste poca gasolina   _____
3. usar baterías recargables   _____
4. darse duchas de 5 minutos o menos   _____
5. comprar bombillas de luz de larga duración   _____
6. ser miembro de un grupo ecológico como   _____
   Greenpeace

Parte B: En parejas, túrnense para averiguar si su compañero/a tiene a alguien en su lista que haga las actividades anteriores.

→ —¿Tienes a alguien en tu lista que apague la luz?

—Sí, Cindy la apaga. ¿Y tú?   —No, no tengo a nadie que la
¿Tienes a alguien en tu lista   apague. ¿Y tú? ¿Tienes a
que . . . ?   alguien en tu lista que . . . ?

Actividad 12: ¿Conoces a alguien que . . . ? En parejas, túrnense para decir si conocen a alguien que haya hecho las siguientes cosas. Sigan el modelo.

→ A: ¿Conoces a alguien que haya nadado en el río Amazonas?

B: No, no conozco a nadie que   B: Sí, conozco a alguien.
haya nadado en el Amazonas.

                                    A: ¿Quién es y cuándo lo hizo?

                                    B: Mi hermano nadó en el
                                       Amazonas el año pasado.

1. viajar a un país de Suramérica   5. cruzar el Atlántico en barco
2. escalar los Andes   6. ir a Capirona, Ecuador
3. saltar con una cuerda "bungee"   7. viajar por España en bicicleta
4. ver una película de esquí de Warren   8. ? ? ?
   Miller

Actividad 13: Un lugar de vacaciones En parejas, una persona quiere ir de vacaciones y llama a una agencia de viajes para que le recomienden un lugar. El/La agente de viajes le da algunas sugerencias. Lea cada uno un papel y luego mantengan una conversación telefónica.

Greenpeace en
España
Internet

FLR link: **Lectura 1** deals with preventing pollution.

Act. 11A: Option 1: Inform students they are to ask one question of one person, answer a question themselves, and then move on to another person.

Option 2: Form two concentric circles and have students ask one question of one person, answer a question themselves, and then the inner circle moves clockwise to the next person. The outer circle stays in place.

Note: In both options, if students answer affirmatively, the person interviewing them writes their name.

Act. 11B: Have students return to their seats. Form pairs, model the activity, set a time limit, and begin. Check by seeing which pair had the most affirmative responses.

Act. 12: Have students practice some questions, form pairs, set a time limit, and begin. Check by asking a few questions. Note: Warren Miller is a producer of ski movies.

Act. 13: Form pairs, instruct them to read only their role, have them sit back-to-back to simulate a phone conversation, set a time limit, and begin. Check by having two people carry out the role play for the class.

Cliente

Estas son algunas de las características que buscas en un lugar de vacaciones: al lado del mar, tranquilo, económico, temperatura no mayor de 30 grados. Usa expresiones como: **Busco un lugar que . . . , Quiero un lugar donde . . .**

30 grados centígrados = 86 Fahrenheit

Agente de viajes

Averigua qué tipo de lugar busca el/la cliente y luego recomiéndale y descríbele uno de los siguientes lugares. Usa expresiones como: **Le recomiendo que . . . , Le aconsejo que . . . , Este lugar es . . .**

Isla Margarita, Venezuela:
Parque nacional, con muchos
*   pájaros, aguas tranquilas*
Clima agradable, vientos suaves
Hoteles: $

Isla Contoy, México:
Santuario de pájaros (especialmente pelícanos)
Snorkel
Clima agradable, vientos suaves
Hoteles: $

Acapulco, México:
Vida nocturna, deportes acuáticos de todo tipo,
*   pesca*
Clima agradable, bahía protegida, playas preciosas
Hoteles: $

III. Expressing Pending Actions (Part One)

The Subjunctive in Adverbial Clauses

More on expressing pending actions is presented in Chapter 8.

Point out that the subject of the dependent and independent clauses may be the same or different.

Drill subjunctive in adverbial clauses:

1. List conjunctions of time on the board. Pair students and tell them to give ridiculous endings to the following sentences: **Me voy a casar con ella . . . (cuando yo tenga 90 años). Voy a hacer la tarea de español . . . Me voy a dejar crecer el pelo . . .**

2. Contrast pending and habitual actions by having students complete the following: **Generalmente hago la tarea . . . , pero hoy voy a hacer la tarea . . .**

3. Have students complete these sentences with the correct form of the verb **llegar** and then finish the sentences in a creative manner: **De pequeño, todos los días cuando _____ a casa . . . / Aquí en la universidad, todos los días cuando _____ al colegio mayor/al apartamento/a casa . . . / Esta noche cuando _____ al colegio mayor/al apartamento/a casa . . .**

1. When you want to link two pending actions, use the subjunctive in the dependent adverbial clause. Study the following examples.

Independent Clause	Dependent Adverbial Clause	
Present indicative or **ir a** + infinitive	Conjunction of time + Subjunctive	
Me voy a casar con él *I'll marry him*	**cuando** *when*	un astronauta **llegue** a Plutón. *an astronaut lands on Pluto. (pending action)*
Quiere asociarse a un grupo ecológico *She wants to join an ecological group*	**en cuanto** *as soon as*	**tenga** dinero. *she has money. (pending)*

Note: A conjunction related to time links the two actions.

2. In contrast, when you want to link two or more events that are habitual or completed actions, you use the indicative in the dependent clause because you are merely reporting something that usually happens or that happened.

Independent Clause	Dependent Adverbial Clause	
Present indicative or Preterit/Imperfect	Conjunction of time Indicative	
Me besa todos los días *He kisses me every day*	**cuando** *when*	**llego** de la oficina. *I arrive from the office. (habitual)*
Me casé con ella *I married her*	**en cuanto** *as soon as*	**terminé** los estudios. *I finished my studies. (completed)*

3. The following is a list of common conjunctions of time.

cuando	when	**hasta que**	until
después (de) que	after	**mientras**	while, as long as
en cuanto	as soon as	**tan pronto como**	as soon as

Compare the following sentences:

Pending actions	Habitual or completed actions
Esta noche Pablo va a comer **mientras mire** televisión. *Tonight Pablo's going to eat while he watches television.*	Pablo siempre come **mientras mira** televisión. *Pablo always eats while he watches television. (habitual)*
Ella va a llamar a sus padres **tan pronto como llegue.** *She's going to call her parents as soon as she arrives.*	Ella llamó a sus padres **tan pronto como llegó.** *She called her parents as soon as she arrived. (completed)*
Después de que almorcemos, queremos caminar por el parque. *After we have lunch, we want to walk in the park.*	**Después de que almorzamos,** generalmente caminamos por el parque. *After we have lunch, we generally walk in the park. (habitual)*

4. Después de and **hasta** without the word **que** are prepositions, not conjunctions, and are followed directly by an infinitive.

Después de terminar mis estudios, voy a trabajar en el extranjero un año.   *After finishing my studies, I am going to work abroad for a year.*

Actividad 14: El futuro está en nuestras manos
Parte A: Lee el discurso de la página siguiente que dio un ecologista sobre el medio ambiente y complétalo con el infinitivo o con con la forma apropiada del indicativo o del subjuntivo de los verbos que aparecen en el margen.

Act. 14A: Assign as HW and check in class. Have students explain each choice.

▶ *Un mercado al aire libre en Montevideo, Uruguay.*

tener

Gran parte de los habitantes de esta ciudad están conscientes de que hay que proteger el medio ambiente y esperamos que cuando nuestros hijos _____tengan_____ su propia familia, todavía disfruten de agua limpia y aire puro. Cada uno de nosotros puede hacer algo por el futuro de nuestros hijos.

ir

usar

En nuestra ciudad, muchos ciudadanos llevan un carrito o sus propias bolsas para los comestibles cuando _____van_____ al supermercado. Otros reciben bolsas de plástico en el supermercado, pero después de _____usar_____ las bolsas, las reciclan utilizándolas como bolsas de basura.

usar   reciclar

Sin embargo, hasta que todos los ciudadanos no _____usen_____ carritos o _____reciclen_____ las bolsas, no vamos a solucionar el problema. Recuerden: no usen lo que no necesiten y reciclen todo lo posible.

sacar

Hace muchos años, cuando nosotros _____sacábamos_____ la basura de los edificios, ésta se quemaba en incineradores.

tirar

Hoy en día, en algunos edificios, cuando la gente _____tira_____ la basura, ésta se pasa por una compactadora de basura.

ahorrar

Las asociaciones de vecinos tienen que empezar a ahorrar dinero y tan pronto como _____ahorren_____ lo suficiente, deben comprar compactadoras. Es necesario hacerlo para salvar el futuro de nuestros hijos.

comprar

Generalmente, cuando alguien _____compra_____ bebidas en el supermercado, deja un depósito que luego se le entrega en

devolver

cuanto _____devuelve_____ sus envases. No obstante, todavía

estar

se ven botellas rotas en la calle; pero hasta que todos no _____estén/estemos_____ conscientes de estos problemas, no vamos a poder solucionarlos. Recuerden: devuelvan las botellas.

La contaminación ambiental causada por los carros es muy peligrosa y, como todos Uds. saben, para combatirla hay ciertos días de la semana cuando sólo los que tienen placa que termina en número par _____pueden_____ salir a la

poder

calle y hay otros días cuando sólo pueden salir los que tienen placa impar. Muchas familias, sin embargo, no quieren cooperar y si tienen dos carros se aseguran de que uno tenga número par y el otro impar. Así que mientras el ambiente

sufrir
obedecer

_____sufre_____, ellos no. Hasta que todos no _____obedezcan/obedezcamos_____ esta ley, no vamos a tener una ciudad con aire puro. Recuerden: tanto los pobres como los ricos respiran el mismo aire.

gozar

Prometo que hasta que no _____gocemos_____ de agua limpia y aire puro, no vamos a dejar de trabajar por esta causa. Es importante que trabajemos juntos. Es nuestra obligación. Se lo debemos a nuestros hijos.

Parte B: Compara la información del discurso que dio el ecologista con tus costumbres.

1. Cuando vas al supermercado, ¿llevas bolsas? ¿Tienes carrito propio para no tener que usar bolsas? ¿Pides bolsas de plástico o de papel? ¿Reciclas las bolsas?
2. ¿Devuelves las botellas a la tienda, las reciclas o las tiras a la basura? ¿Qué haces con las latas de gaseosa (*soda*) vacías?
3. ¿Qué malas costumbres de gente que tú conoces afectan el medio ambiente?

Actividad 15: En una reunión de Mundo Verde   Estás en una fiesta con miembros de Mundo Verde, organización que se dedica a proteger el medio ambiente. Sólo oyes partes de las conversaciones, pero puedes imaginar el resto. Completa estas frases de forma lógica.

1. Los bosques van a estar en mejores condiciones después de que . . .
2. Va a seguir agrandándose (*grow larger*) el agujero en la capa de ozono hasta que . . .
3. En un supermercado que hay a la vuelta de mi casa, las gaseosas son caras pero devuelven parte del dinero cuando . . .
4. La contaminación de las fábricas va a reducirse en cuanto . . .
5. Si piensas comprar un coche usado, tienes que hacerle un control de emisión tan pronto como . . .

Actividad 16: Tu vida actual y tus planes futuros   En parejas, túrnense para hacerse las siguientes preguntas. Al contestar usen las expresiones que están entre paréntesis.

→ —¿Cuándo vas a ir a visitar a tu familia? (en cuanto)

—En cuanto termine el semestre.

1. Generalmente, ¿cuándo haces la tarea para esta clase? (después de que)
2. ¿Cuándo sales con tus amigos? (después de)
3. ¿Cuándo vas a comprar un carro nuevo? (en cuanto)
4. ¿Cuándo miras televisión? (mientras)
5. ¿Hasta cuándo vas a vivir en el lugar donde vives ahora? (hasta que)
6. ¿Cuándo vas al cine? (cuando)
7. ¿Cuándo te levantas? (tan pronto como)
8. ¿Cuándo vas a ver a tus padres? (después de que)

Actividad 17: ¿Verdad o mentira?   **Parte A:** ¡Vas a mentir! Escribe cuatro cosas que piensas hacer usando las ideas que se dan en la página siguiente. Algunas cosas deben ser mentira.

→ terminar la clase de hoy

Después de que termine la clase de hoy, voy a alquilar una película en español.

Act. 14B: May be assigned as HW. Check by calling on individuals and comparing their answers to those of the rest of the class. Write on the board **Actividades constructivas / Actividades destructivas**. Each time you poll the class, place a mark in the appropriate column according to the practices of the majority.

Act. 15: Assign as HW and check in class. Ask for different possible responses to the same item.

Pending→Subjunctive

Completed, habitual→ Indicative

Act. 16: Form pairs, model the activity, and check by calling on a few individuals. For additional practice, in pairs, have students tell their partner three things they plan to do when / after / as soon as the semester ends. Follow up by having individuals report their partners' plans.

Act. 17A: Assign as HW.

tu jefe / pagarte
empezar las vacaciones
tener mucho dinero
graduarte de la universidad
conseguir tu primer trabajo permanente
¿ ? ?

Parte B: En parejas, compartan sus planes con su compañero/a y decidan si son verdad o mentira. Usen frases como: **Dudo que . . . , No creo que . . . , Sí, creo que . . . , Es posible que . . .**

IV. Discussing Adventure Travel and the Environment

la tienda de campaña

el saco de dormir

el mapa

la mochila

el protector solar

la navaja suiza

la linterna

Many sports that have become popular in recent years take their names from English. These words may change in the future and already vary in use from one country to another. The words presented here are the most common.

hacer rafting = hacer navegación de rápidos (Costa Rica)

Contaminante = contaminador/a are both adjectives and can also be used as nouns. **Contaminación = polución,** but the former is more common.

 El reciclaje
Internet

A more common meaning of **extinguir** is *to extinguish.*

Appendix E presents basic environment related vocabulary. Review basic vocabulary by giving definitions and having students say the corresponding terms.

 FLR links: **Lecturas 2** and **3** deal with the environment in Latin America

Deportes

acampar	to go camping
el buceo, bucear	scuba diving, to scuba dive
escalar (montañas)	to climb (mountains)
hacer	
alas delta	to hang-glide
ecoturismo	to do ecotourism
esquí nórdico/alpino/acuático	to cross country/downhill/water ski
rafting, snorkel, snowboard, surf	

El medio ambiente

la conservación, conservar	conservation, to conserve
la contaminación, contaminante, contaminar	pollution, contaminating, to contaminate/pollute
la desaparición, desaparecer	disappearance, to disappear
los desechos, desechable, desechar	rubbish, disposable, to throw away
el desequilibrio, desequilibrar	imbalance, to throw off balance
el desperdicio, desperdiciar	waste, to waste
la destrucción, destruir	destruction, to destroy
el efecto invernadero	greenhouse effect
la extinción, extinguirse	extinction, to become extinct
la preservación, preservar	
la protección, proteger	
recargable, recargar	rechargeable, to recharge
la reducción, reducir	
el reemplazo, reemplazar	replacement, to replace/substitute
el rescate, rescatar	rescue, to rescue
la restricción, restringir	

▼ *Grupo de personas haciendo rafting en el río Bío-Bío de Chile.*

¿LO SABÍAN?

En la actualidad, casi todo el mundo está consciente de la necesidad de proteger el medio ambiente, reciclar y cuidar nuestra tierra. En los últimos años también se ha despertado el interés por hacer viajes de ecoturismo, es decir, viajes donde uno está en contacto con la naturaleza y aprende sobre ella. Entre los numerosos lugares que son frecuentados por ecoturistas están: las Islas Galápagos de Ecuador para ver la flora y fauna, el Parque Tayrona en Colombia para explorar la selva, la laguna de Scammon en México para ver ballenas, los glaciares de la Patagonia en Argentina y el río Bío-Bío en Chile para hacer rafting. Di si te gustaría hacer ecoturismo. ¿Sabes de otros lugares para hacer ecoturismo?

Actividad 18: Los viajes   En grupos de tres, hagan una lista de cosas que se necesitan para hacer las siguientes actividades y compártanla con la clase.

1. acampar un fin de semana
2. una caminata de un día por la montaña
3. un viaje de una semana por la selva
4. un viaje en bicicleta, en verano, durante quince días

Act. 18 and 19: Form groups of three and keep same groups for both activities, set a time limit, and begin. Encourage students to incorporate other vocabulary they know. Have students justify their choices.

Actividad 19: Categorías   En grupos de tres, túrnense para nombrar por lo menos cuatro deportes que pertenecen a las siguientes categorías. Pueden incluir palabras de la lista de vocabulario y otras que Uds. sepan.

1. deportes acuáticos
2. deportes en los cuales los participantes usan zapatos especiales
3. deportes que se practican en el aire
4. deportes que se practican cuando hace frío
5. deportes que se practican cuando hace calor
6. deportes baratos
7. deportes caros

Actividad 20: Actividades peligrosas   **Parte A:** En grupos de tres, discutan las siguientes preguntas.

1. ¿Practican algún deporte peligroso?
2. ¿Qué deportes peligrosos se pueden practicar en la ciudad donde viven o cerca de allí?
3. ¿Por qué creen que algunas personas disfrutan de deportes peligrosos como escalar montañas o bucear en cuevas del Caribe?

Act. 20A & B: To practice vocabulary do Part A; to practice extended discourse do Part B. Use same groups of three as in previous activities. Check by finding out what dangerous sports people practice, why some do, why some don't, if they would like to, etc.

Parte B: Hay gente que dice que todos los deportes son peligrosos. Cuenten un accidente que tuvo cada uno de Uds. mientras practicaba un deporte. Si no tuvieron ninguno, hablen de un accidente que tuvo alguien que conozcan.

Actividad 21: Las definiciones   En parejas, túrnense para definir las palabras conectadas con los viajes de aventura y el medio ambiente. La otra persona adivina qué palabra es. Usen frases como: **Es la acción de . . . , Es una cosa que se usa para . . .**

Act. 21: This activity practices circumlocution. Form pairs, set a time limit, and begin. Check by giving definitions and have the class shout out responses.

Actividad 22: Cuidemos el mundo en que vivimos   En grupos de tres, discutan las seis preguntas siguientes.

1. ¿Qué cosas desperdician Uds.? ¿Escriben en un solo lado del papel? ¿Dejan las luces encendidas? ¿Pueden nombrar cinco cosas que Uds. pueden hacer para reducir el desperdicio de recursos naturales?
2. ¿Qué productos destruyen la capa de ozono? ¿Podemos reemplazar estos productos con otros que contaminen menos? ¿Cuáles son?

Act. 22: Option 1: Form groups, have all groups discuss answers, then have a group sharing.

Option 2: Form groups, have them answer one question at a time having a group sharing after each.

3. ¿Cuántos animales pueden nombrar que están en peligro de extinción? ¿Por qué están en peligro? ¿Los podemos rescatar?
4. Muchas veces los desechos de un estado se tiran en otro. ¿Creen que sea apropiado que el estado de Nueva York tire su basura en Tennessee? ¿Por qué?
5. ¿Qué se puede usar para reemplazar la gasolina para los carros? ¿Y para reemplazar el gas que se usa para calentar las casas?
6. Muchos lugares tienen restricciones sobre el nivel de emisiones tóxicas que producen los carros. ¿Creen Uds. que todos los países deban tener ese tipo de leyes? ¿Tiene el estado donde Uds. viven algunas restricciones?

Option 3: Assign two questions to each group to discuss (in a class of 20 to 25 students, each set should be answered by at least two groups), have groups report back to the class with their responses.

Actividad 23: Ecoturismo, ¿peligro o no?   **Parte A:** Lee las siguientes oraciones y marca tu opinión usando esta escala:

1= estoy seguro/a de   2= es posible   3= no lo creo

1. _____ La sola presencia del ser humano destruye el medio ambiente.
2. _____ Para llegar a lugares remotos hay que usar medios de transporte que contaminan el ambiente.
3. _____ Para tomar consciencia del valor de la naturaleza, hay que ver las zonas remotas y vírgenes con los propios ojos.
4. _____ El dinero que gastan los turistas se puede usar para la conservación de las áreas silvestres.
5. _____ Después de hacer un viaje de ecoturismo, los participantes tienen un papel más activo en el movimiento verde: reciclan más, compran productos que contaminan menos e intentan cambiar las leyes de su país para proteger el medio ambiente.
6. _____ Los controles del gobierno nunca van a ser suficientemente estrictos para controlar los problemas que puede traer el ecoturismo.
7. _____ El contacto con los turistas cambia para siempre la vida de las personas de una región.
8. _____ Los ecoturistas nunca tiran basura ni hacen nada para destruir el lugar que visitan.
9. _____ La presencia constante de grupos de turistas no es natural y por eso, crea un desequilibrio en el área.

Act. 23A: Assign as HW. Have students mark their reactions to these statements. Poll the class as to their responses and be attentive to what positions students take. Have some students say **Estoy seguro de que . . .**, **Es posible que . . .**, **No creo que . . .** when expressing their opinions. Use this knowledge to better form the groups for the debate in Part B.

Parte B: Algunos creen que el ecoturismo es beneficioso porque así la gente aprende a apreciar y preservar la naturaleza. Otros creen que el mismo ecoturismo ayuda a destruir el medio ambiente. Formen dos grupos y preparen un debate sobre este tema. Pueden usar las ideas mencionadas en la Parte A y expandirlas e inventar otras razones para apoyar su postura.

Act. 23B: Form two groups for a debate. Allow students a few minutes to prepare arguments. Conduct the debate.

V. Avoiding Redundancies

Double Object Pronouns

1. In Chapters 1 and 4 you reviewed the use of direct- and indirect-object pronouns. When you use both in the same sentence, the indirect-object pronoun precedes the direct-object pronoun. The following chart shows all possible combinations of indirect- and direct-object pronouns.

> me lo, me la, me los, me las
>
> te lo, te la, te los, te las
>
> se lo, se la, se los, se las
>
> nos lo, nos la, nos los, nos las
>
> os lo, os la, os los, os las
>
> se lo, se la, se los, se las

—¿Quién **te** mandó **flores?**   —¿**Me** puedes explicar **el problema?**

—José Carlos **me las** mandó.   —Ya **te lo** expliqué.
José Carlos sent them to me.   *I already explained it to you.*

2. Note that the indirect-object pronouns **le** and **les** become **se** when followed by the direct-object pronouns **lo, la, los,** or **las.**

—¿**Le** regalaste **la corbata** a tu padre?

—Sí, **se la** regalé ayer.

3. Review the rules you learned for placement of object pronouns:

Before a Conjugated Verb or a Negative Command	After and Attached to Infinitives, Present Participles, and Affirmative Commands
Siempre **se lo digo.** **Se lo dije.** ¿Quieres que yo **se lo diga?** **Se lo voy** a decir. **Se lo estoy** diciendo. ¡No **se lo digas!**	Voy a **decírselo.*** Estoy **diciéndoselo.*** ¡**Díselo!***

*Note: Remember the use of accents. To review accent rules, see pages 314 and 315.

Margin notes:

Never use **me lo, me la,** etc. with verbs like **gustar** since the noun following the verb is not a direct object, but rather the subject of the verb.

Indirect-object pronouns
me	nos
te	os
le	les

Direct-object pronouns
me	nos
te	os
lo, las	los, las

Have students recite the combinations of object pronouns as if they were a poem.

Remember: Indirect object before direct object.

Drill double object pronouns:

1. Tell students that they are very impatient people and have them answer rudely to your requests. T: ¿**Me puedes dar la tarea?** S1: **Ya se la di.** T: ¿**Me puedes explicar el ejercicio?** S2: . . . T: **Me puedes prestar tu libro?** (etc.)

2. Tell students that they are procrastinators and have them promise to do different tasks now. T: ¿**Le explicaste la tarea a Jean?** S: **Voy a explicársela ahora.**

3. Threaten students with things you are going to do and have them give you orders not to do them. T: **Voy a decirle a tu novio que te vi con otro hombre.** S: **No se lo diga.** T: **Voy a mostrarles tu foto de cuando eras niño/a a tus amigos. Voy a darle tu teléfono al decano.** (etc.)

Actividad 24: El regalo anónimo   Lee la siguiente conversación y contesta la pregunta que le sigue.

Act. 24: Assign as HW and check in class by having students compare responses with a partner.

Marcos:	¿Y estas flores?
Ignacio:	**Se** las mandaron a mi hermano Juan.
Marcos:	¿Quién?
Ignacio:	No tengo la menor idea. En este momento mi hermano **le** está pre-
5	guntando a su novia Marisol por teléfono.
Marcos:	Mira, aquí entre las flores hay una tarjeta.
Ignacio:	A ver. Dáme**la** que quiero leerla.
Marcos:	¿Qué dice?
Ignacio:	"Ojalá que te gusten. **Te las** mando para tu cumpleaños. Espero
10	verte esta noche." Pero, ¿quién escribió esto?
Juan:	¡Oigan! Marisol dijo que ella no **me las** envió.
Marcos:	Vamos, dinos quién es. Confiésa**noslo.** ¿Quién es tu admiradora
	secreta?

¿A qué o a quién se refieren los siguientes pronombres de complemento directo e indirecto?

1. línea 2, **se** ___Juan___
2. línea 4, **le** ___Marisol___
3. línea 7, **-la** ___tarjeta___
4. línea 9, **te** y **las** ___Juan, flores___
5. línea 11, **me** y **las** ___Juan, flores___
6. línea 12, **-noslo** ___Marcos e Ignacio, quién le mandó flores___

Actividad 25: Los afectos   En parejas, una persona le hace preguntas sobre su vida a la otra. La que contesta debe usar pronombres de complemento directo e indirecto cuando sea posible. Cuando terminen, cambien de papel.

Act. 25 and 26: Practice questions and possible responses, form pairs, set a time limit, and begin. Check by asking partners questions to practice **se lo/la,** etc.

→   quién le deja mensajes graciosos en el contestador

—¿Quién te deja mensajes graciosos en el contestador?

—Nadie me los deja.   —Mi amigo Paul me los deja.

1. quién le envía correo electrónico
2. quién le manda flores
3. a quién le manda correo electrónico
4. quién le da regalos que le gustan
5. quién le da regalos que no le gustan
6. a quién le da consejos amorosos

Actividad 26: La vida universitaria   En parejas, túrnense para hacerse preguntas sobre su vida universitaria. Al contestar deben usar pronombres de complemento directo e indirecto cuando sea posible.

1. si alguien le prestó el dinero para la universidad
2. si recibió una beca al graduarse de la escuela secundaria
3. si la universidad le ofreció una beca
4. quién le da consejos para seleccionar las materias

5. dónde estudió español por primera vez
6. cuándo va a terminar su carrera
7. quién le explica las materias difíciles
8. cuál de sus profesores lo/la ayuda más

Actividad 27: Vamos a acampar   Parte A: En parejas, Uds. están preparándose para ir a acampar juntos. El estudiante A mira sólo la columna A y B mira sólo la columna B. El estudiante A debe preguntarle a B si hizo las cosas que tenía que hacer. Si B no las hizo, A debe darle órdenes para que las haga. Sigan el modelo.

→   A: ¿Le diste las llaves del apartamento al vecino?

B: Se las di. Desde luego.   B: No, no se las di.

A: ¿Por qué no se las diste?

B: Porque . . .

A: Pues dáselas.

Act. 27A and B: Model activity with a student, form pairs, set time limit, and begin. Then have Bs ask questions. Check by having students say what their partners didn't do and what excuse they gave.

A check mark indicates that you completed the task.

A	B
Esto es lo que tenía que hacer tu compañero/a hoy: ☐poner la navaja en la mochila ☐mandarle el dinero al Sr. Gómez para la reserva del camping ☐darle a un amigo un número de teléfono en caso de emergencia ☐comprar las pilas (*batteries*) para la linterna	Esto es lo que tenías que hacer hoy: ☐poner la navaja en la mochila ☑mandarle el dinero al Sr. Gómez para la reserva del camping ☐darle a un amigo un número de teléfono en caso de emergencia ☑comprar las pilas (*batteries*) para la linterna

Parte B: Ahora el estudiante B mira la columna B y le pregunta a A si hizo las cosas que tenía que hacer. Dale órdenes si no las hizo.

A	B
Esto es lo que tenías que hacer: ☑darle el código de la alarma del apartamento a tu padre ☐pedirle el mapa topográfico a tu prima ☐poner el protector solar en tu mochila ☑limpiar los sacos de dormir	Esto es lo que tenía que hacer tu compañero/a hoy: ☐darle el código de la alarma del apartamento a su padre ☐pedirle el mapa topográfico a su prima ☐poner el protector solar en su mochila ☐limpiar los sacos de dormir

VI. More Uses of Relative Pronouns

The Relative Pronouns *quien, el que, lo que,* and *lo cual*

Drill **el que/quien**:

1. Have students create a chain story. T: **El que no llora,** . . . S1: **El que no llora, no come.** S2: **Quien no come, se enferma.** S3: etc. Options for initial sentences include: **El que come las galletas de otros,** . . . ; **El que no es sincero,** . . . ; **El que gasta mucho dinero,** . . . ; **El que maneja rápidamente,** . . . ; etc. 2. Have students create rules for the Spanish class: **El que llega tarde, recibe menos puntos. Quien copia en un examen,** . . .

Drill **lo cual**:

Have students complete sentences: **James no entregó su tarea, lo cual** . . . ; **El examen fue fácil,** . . .

FLR link: Lectura 3

In Chapter 6 you learned how to use relative pronouns. Some additional uses of the relative pronouns are:

1. Use **quien** or **el que** at the beginning of a sentence to express *he/she who* in a general way.

> **Quien/El que** estudia, aprende.   *He (She) who studies, learns.*

Note: When talking about a group comprised of all women, use **quien** or **la que**: **La que** estudia, aprende.

2. Both **lo que** and **lo cual** can be used to refer to abstract ideas, but **lo cual** always refers to an idea previously mentioned and can never begin a sentence. Compare these examples:

> Ellos llegaron tarde, **lo cual/lo que** me molestó mucho.   *They arrived late, which bothered me a lot. (Idea already mentioned, so both are possible.)*

> **Lo que** me molestó fue que llegaron tarde.   *What bothered me was that they arrived late. (Beginning of sentence, so **lo cual** cannot be used.)*

Actividad 28: Los refranes   El español tiene muchos refranes entre los cuales se encuentra el siguiente:

> **El que** mucho habla, mucho yerra.   (La persona que habla mucho, comete muchos errores.)

En parejas, imiten este refrán y escriban por lo menos tres más. Luego compartan sus refranes con la clase.

→   El que poco come, poco gasta.

Act. 28: Encourage students to be creative with responses. Check by having a contest for the most interesting saying. Another common saying of this type is **El que mucho abarca, poco aprieta.** *(Don't bite off more than you can chew.)*

Actividad 29: El curso anterior de español   En parejas, hablen de sus impresiones sobre su curso de español anterior a éste. Usen los siguientes verbos: **gustarle, molestarle, entender, no entender, aprender** y también la frase **lo que.** Sigan el modelo.

→   Lo que me gustó de esa clase fue el número de estudiantes que había.

Act. 29: Form pairs, set a time limit, and begin. Check by having a group sharing.

Actividad 30: Costa Rica   **Parte A:** Vas a leer parte de un folleto que escribió el gobierno costarricense sobre Costa Rica. Antes de leer y en parejas, completen el gráfico sobre Costa Rica que aparece en la página siguiente. Si no saben, traten de adivinar.

Act. 30A: Do not assign as HW since some students will read ahead to get the answers. It is important that they guess so that they learn to apply their own knowledge of the world when reading. Do NOT have a group sharing when finished.

Geografía	Clima	Flora y fauna	Deportes
Gobierno	Historia	Composición étnica	Nivel de vida actual

Parte B: Lean esta parte del folleto y después contesten las preguntas que le siguen.

Imagínense un pequeño país lleno de asombrosos bosques tropicales, un sinnúmero de playas, donde la persona con la que probablemente va a encontrarse es con su yo interior; un clima variado (más fresco en las montañas y cálido en las playas), una fascinante vida silvestre y un ambiente hogareño le permitirán tener una idea básica de Costa Rica. Detengámonos ahora en su gente: su cultura es una refrescante mezcla de tradiciones europeas, americanas y afrocaribeñas, pulida por más de cien años de educación gratuita y una democracia estable. Alguien dijo una vez que para el resto del mundo, Costa Rica es como un parque nacional: un lugar donde aquello que se valora es preservado. Es una pequeña maravilla.

Belleza y aventura

Un escritor de viajes americano dijo que Costa Rica "ofrece más belleza y aventura por acre que cualquier otro lugar en el mundo". Los viajeros salen de Costa Rica sintiendo que no sólo han visto mucho, sino que han hecho cosas nuevas. Las caminatas, la pesca, el "snorkeling", el buceo, la navegación de rápidos, el ir en kayak y el "surfing", se ubican entre las actividades favoritas. Las caminatas probablemente se ubican en primer lugar debido a que hay tanto que ver en Costa Rica, desde sus paisajes naturales, pasando por aves, mariposas, hasta tortugas que vienen a desovar.

Costa Rica es reconocida por pescadores experimentados en todo el mundo debido a los récords mundiales en pesca de sábalo, róbalo y pez vela. La nave-

▲ *Aguas termales de Tabacón en Costa Rica.*

gación de rápidos ha ido aumentando en popularidad como una manera excitante pero segura de experimentar la naturaleza. Los amantes de este deporte saben que en Costa Rica pueden encontrar corrientes confiables durante todo el año. Para cualquiera de estas actividades resulta fácil encontrar proveedores y guías profesionales. Muchos de ellos cuentan con la representación de mayoristas y agentes en los Estados Unidos y Canadá, entre otros.

Diversidad

Costa Rica es un puente biológico entre América del Norte y América del Sur. Esto explica la increíble diversidad de su flora y fauna, como también el flujo constante de especies emigrantes. Más pequeño que el Lago Michigan, el territorio costarricense cuenta con tres cadenas montañosas y más de doce zonas climáticas. Usted podrá manejar desde el Caribe hasta el Pacífico en un día, visitar un volcán y disfrutar de una gran variedad de paisajes. Hay más de 600 millas de playa que le permitirán descansar del bullicio de la gente.

Una naturaleza espléndida

Costa Rica goza de reconocimiento internacional por sus Parques Nacionales. Incluyen impresionantes volcanes, bosques, llanuras, escenarios de anidamiento de aves y desove de tortugas, arrecifes de coral y virtualmente cualquier forma de naturaleza que usted espera encontrar en el Trópico.
- Costa Rica posee más de 800 especies de aves, más de lo que se encuentra en toda Norte América.
- Tiene unas 1.200 especies de orquídeas.
- 8.000 especies de plantas de mayor evolución.
- El 10% de todas las mariposas del mundo y más mariposas de las que existen en todo el continente africano.
- Más quetzales que cualquier otro país en el mundo.
- Más de 150 especies de frutas comestibles.*

*Éstos y otros datos tomados de *Costa Rica, the traveler's choice* de Rex Govorchin.

▲ Un ocelote descansa en el árbol de un parque nacional en Costa Rica.

Nación pacífica y culta

Cristóbal Colón, suponiendo la existencia de muchísimo oro, bautizó estas tierras con el nombre de Costa Rica. Luego resultó que la mayoría del oro ya había sido convertido en joyería por los indígenas. Sin poseer el atractivo que generan las minas de oro y plata, Costa Rica permaneció relativamente aislada y despoblada durante 400 años. Todos, incluso el gobernador español, tenían que producir su propia comida. Esto condujo a que Costa Rica tuviera una sociedad relativamente igualitaria de pequeños agricultores. Las cosas comenzaron a cambiar durante el siglo XIX, cuando el café de Costa Rica comenzó a exportarse a Europa. La recién independiente sociedad costarricense adquirió los beneficios de la civilización, tales como educación, desarrollo político, ferrocarriles y energía eléctrica, sin muchos de los trastornos inherentes a la misma. Cien años más tarde, Costa Rica posee el nivel de alfabetización más elevado de Latinoamérica, un alto promedio de esperanza de vida y una Orquesta Sinfónica de clase mundial. Un 25% de su territorio lo constituyen las áreas de conservación y no posee un ejército, a diferencia del resto de los países americanos.

After this brochure was written, Panamá also stopped having an army.

1. ¿Cómo es el clima de Costa Rica?
2. ¿Qué puedes decir de la flora y fauna?
3. ¿Cómo crees que sea físicamente el costarricense típico?
4. ¿Cuál es el tamaño de Costa Rica?
5. ¿Hay muchos ríos en Costa Rica? ¿Cómo sabes?
6. ¿Qué deportes acuáticos se pueden practicar en Costa Rica? ¿Dónde se pueden practicar?
7. ¿Cuál es un deporte muy popular y por qué?
8. ¿Qué te gustaría hacer en Costa Rica?
9. ¿Cómo es el nivel de vida de Costa Rica? ¿Puedes compararlo con el de los otros países centroamericanos?
10. ¿Hace algo el gobierno para conservar el medio ambiente?
11. Obviamente el gobierno escribió este folleto para gente de habla española, pero ¿a quién crees que se dirija principalmente? ¿Cómo lo sabes? (Hay tres pistas en el texto.)

Parte C: En parejas, vuelvan a mirar su gráfico de la Parte A y comparen sus respuestas con lo que aprendieron al leer. ¿Tenían la información correcta? Ahora, hagan un gráfico semejante con los datos que aprendieron al leer. Después, decidan qué datos son los más sorprendentes. Al hablar, usen expresiones como: **Me sorprende mucho que Costa Rica . . . , Es interesante que . . .**

Parte D: Ahora, imagínense que Uds. van a pasar una semana en Costa Rica. Hagan una lista de lo que van a hacer cada día. Usen expresiones como: **Busco un lugar que / donde . . . , por eso quiero que nosotros . . . ; Después de que . . . podemos . . . ; Lo que prefiero . . .**

> Answer to question 11: Hispanics in the U.S. and Canada. The three clues are: **agentes en los Estados Unidos y Canadá, 600 millas** (instead of **kilómetros**) and comparison with **Lago Michigan.**
>
> Act. 30C: Form pairs and instruct students to only include in the graph what they learned in the reading. When finished have a group sharing to see how much they learned as a class.
>
> Act. 30D: Give instructions, set a time limit, and begin. Check by having two students carry out the conversation.

Vocabulario activo

Expresiones afirmativas y negativas
Ver páginas 164–166.

Conjunciones de tiempo
Ver página 173.

Los viajes de aventura y el medio ambiente
Ver páginas 177–178.

el protector solar	*sunblock*
la linterna	*flashlight*
el mapa	*map*
la mochila	*backpack*
la navaja suiza	*Swiss army knife*
el saco de dormir	*sleeping bag*
la tienda de campaña	*tent*

Expresiones útiles

algo así	*something like that*
desde luego	*of course*
¡Ya sé!	*I've got it!*

Vocabulario personal

CAPÍTULO

Hablemos de trabajo

▲ *Clase de inglés en Mérida, México.*

COMMUNICATIVE GOALS

- expressing pending actions (part two)
- discussing the past with present relevance
- discussing employment
- expressing choice and negation
- indicating cause, purpose, and destination
- describing reciprocal actions

May be assigned: Grammar, vocabulary, **¿Lo sabían?**, Act. 4A, Act. 6, Act. 20, Act. 22, Act. 25A.

Un trabajo en el extranjero

un montón	a lot
No, en absoluto.	No, not at all.
darle igual (a alguien)	to be all the same (to someone)

Practice expressions: Write them on the board. Practice them by creating a context. Use **me da igual** by asking **¿Te molesta o te da igual recibir cosas innecesarias por correo?** Use **un montón** by saying **Antes me daba igual porque recibía poco, pero ahora me mandan un montón de cosas. ¿Alguien recibe un montón de . . . ?** (etc.) Tell students **No me molesta en absoluto cuando recibo cosas gratis por correo, como champú o cereales.** Ask individuals: **¿A ti te molesta . . . ?** prompting them to answer **no, en absoluto** by pointing to the board.

Actividad 1: Trabajar fuera del país Vas a escuchar a dos americanos hablar en una entrevista de radio sobre cómo consiguieron trabajo en el extranjero. Antes de escucharlos, en grupos de tres, discutan las siguientes preguntas y luego compartan sus respuestas con el resto de la clase.

1. ¿Conocen a alguien que haya trabajado en el extranjero? Si contestan que sí, ¿qué hizo esa persona? ¿Cómo consiguió el trabajo?
2. ¿Les gustaría trabajar en el extranjero? Si contestan que sí, ¿qué tipo de trabajo les gustaría tener? ¿Adónde les gustaría ir?

Act. 1: After group work, find out who knows people who have worked abroad. Follow up by finding out how much they know about those jobs. If you worked abroad as a teacher of English as a Foreign Language, discuss your experience after doing the listening comprehension.

Actividad 2: Las entrevistas   **Parte A:** Lee la lista de ideas y después, mientras escuchas la primera entrevista, busca la información apropiada.

1. país en el cual trabajó la persona
2. tipo de trabajo que tuvo
3. estudios que había hecho antes
4. cómo consiguió el trabajo
5. si el dinero que ganaba le alcanzaba para vivir

Parte B: Ahora lee esta lista de ideas y después, mientras escuchas la segunda entrevista, busca la información apropiada.

1. país en el que trabajó la persona
2. tipo de trabajo que tuvo
3. cómo consiguió el trabajo
4. lo beneficioso del trabajo para esta persona
5. consejo que les da esta persona a los que quieran hacer lo mismo

 Actividad 3: Una comparación   Di en qué se asemejan y en qué se diferencian la situación de Jenny y la de Jeff. Escucha las entrevistas otra vez si es necesario.

Act. 2A: Have students read the items, play the interview first, and check responses. If students are unable to answer an item, just skip it and continue checking other responses. Then play the interview again and stop after the missed item is answered. Answers: 1. España 2. enseñanza de inglés 3. maestría en enseñanza de español 4. mandó una solicitud a una escuela privada y la entrevistaron en TESOL 5. Sí.

Act. 2B: Follow the same procedure as in 2A. Answers: 1. Colombia 2. enseñanza de inglés 3. una universidad le dio el trabajo 4. conoció a mucha gente 5. tomar un curso para aprender a enseñar inglés antes de ir.

Act. 3: Read the directions and play the interviews again if needed.

Option 1: Have students as a class compare Jeff's and Jenny's experiences.

Option 2: Form pairs to make comparisons, set a time limit, and begin. When finished, have a group sharing.

Follow-up: If you have worked abroad, have students interview you about your experience and have them compare Jenny's and Jeff's experiences with yours.

¿Lo sabían? Add any other tips and advice you may have.

 El curriculum
Internet

¿LO SABÍAN?

He aquí algunos consejos para conseguir trabajo como profesor de inglés en el extranjero:

- Tomar en la universidad una clase o más sobre la pedagogía de la enseñanza del inglés.
- Ir al congreso de TESOL (Teachers of English to Speakers of Other Languages) al que asisten alrededor de 10.000 personas y a donde muchas escuelas, institutos y universidades van en busca de profesores. Es aconsejable solicitar puesto en estas instituciones antes de marzo para asegurarse una entrevista en el congreso.
- Ponerse en comunicación con el consulado del país para averiguar si se necesita visa o no. Los consulados por lo general tienen listas de lugares donde se enseña inglés en su país.
- Al llegar a un país, se pueden conseguir estudiantes particulares poniendo anuncios en los periódicos o en algunas librerías, pero otro método eficaz es a través de amigos o de maestros de escuela primaria.

I. Expressing Pending Actions (Part Two)

The Subjunctive in Other Adverbial Clauses

In Chapter 7, you studied the use of the subjunctive in sentences that express pending actions. In this chapter you will learn more conjunctions that will allow you to express pending actions. For example, in the first interview at the begin-

Drill subjunctive in adverbial clauses:

1. Write the acronym ES-CAPAS and the following incomplete sentences on the board: **Voy a hacer la tarea para mañana . . . / Voy a trabajar en el extranjero . . .** Have students finish each sentence in as many ways as possible: **para que el profesor esté contento, sin que nadie me ayude.** (etc.)

To remember the conjunctions, memorize the acronym **ESCAPAS.**
E   en caso (de) que
S   sin que
C   con tal (de) que
A   antes (de) que
P   para que
A   a menos que
S   siempre y cuando

2. Have students finish ideas about American politics: **El gobierno cobra impuestos para que . . . , Los políticos hacen campañas electorales antes de que . . . , Ellos reciben donaciones sin que . . .**

3. Contrast with prepositions followed by infinitives: **El presidente habla sin . . . , Los pólíticos besan a los bebés para . . .**

 FLR link: **Lectura 3**

You may want to inform students that **en caso de que** and **con tal de que** can also be used with only one subject and are followed by the subjunctive.

ning of the chapter, the interviewer says, **"Hoy voy a entrevistar a dos jóvenes norteamericanos . . . para que nos cuenten cómo consiguieron el trabajo".** Notice the use of the subjunctive after **para que** to refer to an action that has not yet taken place (the interviewees have not talked about how they got their job yet).

1. When talking about actions that are pending, always use the subjunctive in the dependent clause after the following adverbial conjunctions.

Restriction:	**siempre y cuando**	provided that
	con tal (de) que	
	a menos que	unless
	sin que	without
Possibility:	**en caso (de) que**	in the event that, if
Purpose:	**para que**	in order that, so that
Time:	**antes (de) que**	before

Voy a cancelar la reunión **en caso de que** el jefe **no pueda** venir. — *I'm going to cancel the meeting if the boss can't come.*

Podemos comenzar el proyecto **siempre y cuando** la jefa lo **autorice**. — *We can start the project provided that the boss authorizes it.*

Avísame **antes de que** Raúl **venda** su carro porque me interesa comprarlo. — *Let me know before Raúl sells his car because I'm interested in buying it.*

No quiero que él lo venda **sin que** yo lo **sepa**. — *I don't want him to sell it without me knowing (about it).*

Esta tarde Raúl va a comprar un carro nuevo **a menos que** su esposa **no quiera**. — *Raúl is going to buy a new car this afternoon unless his wife doesn't want to.*

Te voy a dejar una nota **para que** no te **olvides** de avisarme. — *I'm going to leave you a note so that you don't forget to let me know.*

2. In all of the preceding sentences there are two different subjects in the main and the dependent clauses and the subjunctive is used in the latter. If there is no change of subject, an infinitive follows the preposition (**antes de, con tal de, en caso de, sin, para**).

Two Subjects: Conjunction + Subjunctive	One Subject: Preposition + Infinitive
Mi hermano trabaja día y noche **para que su familia pueda** vivir bien.	**Mi hermano** trabaja **para poder** vivir bien.
Yo pienso hacerlo **sin que nadie** me **oiga**.	**Yo** pienso hacerlo **sin molestar** a nadie.

Act. 4A: Assign as HW and check in class. Note: Some words (presented later in the vocabulary section) are here for recognition only and are all easily comprehended through contextual clues. Note: **Aguinaldo** is generally used in the Hispanic world to refer only to the end-of-the-year bonus.

En caso de que Juan se enferme, Diana va hablar con el médico.

En caso de enfermarse, Diana va a hablar con el médico.

Note: The conjunctions **a menos que** and **siempre y cuando** are always followed by the subjunctive whether or not there is a change of subject in the dependent clause.

Ellos van a buscar un regalo esta tarde **a menos que (ellos)** no **tengan** tiempo.

They are going to look for a present this afternoon unless they don't have time.

Actividad 4: Beneficios laborales **Parte A:** Completa la siguiente explicación sobre los beneficios laborales que existen en Argentina con la forma apropiada de los verbos que se presentan.

tener

computar
estar
estar

llamar
examinar
diagnosticar pasar

disfrutar

despedir (*fire*)

buscar

hacer

Argentina ofrece algunos beneficios para que el trabajador ___*tenga*___ cierta protección económica. Uno de estos beneficios es la licencia (*leave*) por casamiento, gracias a la cual si alguien se casa, puede faltar al trabajo por diez días sin que su jefe le ___*compute*___ estas faltas. En caso de que un empleado ___*esté*___ enfermo, puede pedir licencia por enfermedad; y en caso de ___*estar*___ embarazada, una mujer tiene derecho de pedir licencia por maternidad. El número de días que estos trabajadores pueden faltar depende de la gravedad del caso. Cuando un trabajador se siente mal, no puede faltar sin ___*llamar*___ a su trabajo ese mismo día. El jefe se encarga entonces de mandar a un médico a casa del empleado para que lo ___*examine*___, ___*diagnostique*___ y ___*pase*___ un informe a la empresa.

Los empleados reciben dos aguinaldos, cada uno equivalente a medio mes de sueldo. Las empresas les pagan a sus trabajadores ese dinero extra para que ellos ___*disfruten*___ mejor de la Navidad y de las vacaciones de invierno en julio o agosto.

Antes de ___*despedir*___ a un empleado, un jefe tiene que mandarle un telegrama a su casa diciéndole que va a quedar cesante después de un mes. A partir de ese momento y durante su último mes, el empleado va a trabajar seis horas por día en vez de ocho y generalmente usa esas dos horas diarias para ___*buscar*___ otro trabajo. Por lo general, el empleador no tiene problemas siempre y cuando ___*haga*___ lo que le indica la ley: pagarle al empleado el sueldo de su último mes, un sueldo mensual por cada año que trabajó en la empresa, más las vacaciones que no tomó y parte del aguinaldo.

Parte B: En parejas, discutan las siguientes preguntas: ¿Ofrecen las empresas de este país los mismos beneficios? ¿Les sorprenden algunos de estos datos? ¿Por qué? ¿Les parece que estos beneficios son buenos para las empresas? ¿Y para los empleados?

Act 4B: Have a group sharing when finished. Try to utilize students who are studying business related fields and may be more aware of American business practices.

The average American changes jobs seven times in his or her lifetime.

▼ *Manifestación en Montevideo, Uruguay, contra los sueldos bajos.*

¿LO SABÍAN?

Los beneficios laborales que recibe un empleado varían de país en país. En Uruguay, por ejemplo, un beneficio importante es el de las vacaciones. El empleado recibe, por ley, veinte días de vacaciones después del primer año de trabajo y un día más por cada cuatro años adicionales de trabajo. Antes de irse de vacaciones, el empleador debe darle un bono que consta del 45 por ciento del sueldo diario por cada día de vacaciones, es decir, que si un empleado gana cincuenta pesos por día y toma veinte días de vacaciones, recibirá 450 pesos. Di en qué ocasiones recibe el empleado bonos en este país.

Actividad 5: ¿Le digo la verdad?   A veces es problemático decidir cuándo se le debe decir la verdad a alguien. En parejas, lean las siguientes situaciones laborales y hagan oraciones completas con las opciones que se dan. Luego decidan cuál es la mejor solución en cada caso. Estén listos para defender su opinión.

Act. 5: If needed, go through items and practice possible responses. Form pairs, encourage students to discuss responses and to justify their choices.

Option 1: Do and then check items one by one.

Option 2: Do all items at once and check when one or two groups finish.

You may want to have pairs role-play the different situations.

1. Un empleado oyó rumores de que el jefe iba a despedir *(fire)* a un compañero de trabajo. ¿Qué debe hacer?
   (No) Debe decírselo a su compañero . . .
   a. para que / su compañero / comenzar a / buscar otro trabajo
   b. a menos que / él / poder / confirmar el rumor
   c. antes de que / el jefe / decírselo

2. Un empleado ve accidentalmente el recibo de sueldo de un compañero que tiene el mismo puesto que él. Se da cuenta de que el sueldo de su compañero es mejor. Debe hablar con su jefe . . .
   a. para / recibir / el mismo sueldo
   b. sin que / su compañero / saberlo
   c. en caso de que / el empleado / creer / que es injusto

3. Una empleada trabaja para una empresa que fabrica carros. Encontró un defecto en el diseño de un carro nuevo, el cual puede causar muchos accidentes. Sin embargo, rectificar este problema puede costar muchísimo dinero y el primer carro va a salir a la venta el mes que viene. (No) Debe . . .

    a. hablar con su jefe para que / él / estar / informado

    b. decir nada a menos que / alguien / preguntarle algo

    c. informar anónimamente a una organización protectora de los consumidores para que / la empresa / cambiar / el diseño

4. Una empleada trabaja con su cuñado, pero él no hace su trabajo; por eso ella tiene el doble de trabajo. Debe . . .

    a. decirle algo a su esposo para que / él / hablar / con su hermano

    b. explicarle la situación a su jefe siempre y cuando / él / prometer / no decirle nada al cuñado

    c. negarse a hacer el trabajo de su cuñado a menos que / esto / afectar / la producción de la empresa

5. Cada vez que un empleado le da una buena idea a su jefa, ella va al presidente de la empresa y se atribuye la idea. Por eso el presidente piensa que la creatividad de esta mujer es esencial para la empresa. El empleado debe . . .

    a. hacer una cita con el presidente para explicarle todo antes de que / ella / contarle / otras ideas

    b. documentar todas sus conversaciones con su jefa para / tener / pruebas contra ella y usarlas en el futuro si sus acciones continúan

    c. consultar con un abogado a menos que / ella / dejar de / robarle las ideas

Actividad 6: Derechos y obligaciones laborales Trabajas en la oficina de Recursos Humanos de una compañía y estás a cargo de redactar algunos de los derechos y obligaciones de los empleados. Completa estas reglas usando **para (que), sin (que), en caso de (que), a menos que, siempre y cuando.**

Act. 6: May be assigned as HW. Check answers by calling on individuals.

    Los empleados . . .

no deben hacer llamadas personales a larga distancia en el trabajo . . .

pueden llegar tarde de vez en cuando . . .

pueden trabajar en su casa una vez por semana . . .

deben llamar por teléfono desde su casa . . .

no deben usar papel con membrete *(letterhead)* de la compañía . . .

no deben trabajar horas extras . . .

pueden navegar por la Internet . . .

Actividad 7: Lo perfecto **Parte A:** Mira este dibujo del coche perfecto. Después termina las oraciones de la página 195 basándote en el dibujo.

Act. 7A: Call on individuals to give each answer.

1. Hay un paraguas en caso de que . . .
2. Hay una cafetera con una cantidad ilimitada de café para que . . .
3. Hay una pajita que va de la cafetera al conductor para que . . .
4. Con un periscopio el conductor puede ver el tráfico sin . . .
5. El asiento del conductor vibra para . . .
6. Las llantas traseras son enormes para que . . .
7. Hay una cámara de video en la parte trasera del carro y un televisor adelante para que . . .

straw = **popote** (México), **pitillo** (Colombia)

Parte B: En parejas, miren el siguiente dibujo del sofá perfecto y descríbanlo usando expresiones como **para (que), sin (que), en caso de (que), a menos que.** Sigan el modelo.

Act. 7B: Form pairs, set a time limit, and begin. Check by asking different groups what certain items are for. As a follow-up ask students to invent **la canoa/computadora/ bicicleta perfecta** and to explain the invention to the class using **a menos que, para (que), en caso de (que), sin (que).**

→   El sofá tiene un/a . . . para que . . .

cepillo

apoyalibros con brazo plegable

almohada

apoyapiés

revistero

cajón

Actividad 8: Reacción en cadena   En grupos de tres, inventen una historia con una de las ideas de la siguiente lista. Formen cinco oraciones en cadena *(chain sentences)* con conjunciones y el subjuntivo. Sigan el modelo.

Act. 8: Write conjunctions or the **ESCAPAS** acronym on the board. Then model a chain with the class. T: **Voy a ir de vacaciones siempre y cuando mis padres me den dinero.** S: **Mis padres van a darme dinero sin que yo se lo pida.** S: **Voy a gastar todo mi dinero sin que mis padres lo sepan.** (etc.) Form groups of three, set a time limit, and begin. When finished, do a chain using volunteers from the whole class.

→   ir a Guatemala

    a. Antes de que yo vaya a Guatemala, mis padres tienen que darme dinero.
    b. Tus padres van a darte dinero siempre y cuando saques buenas notas.
    c. No vas a sacar buenas notas a menos que estudies mucho.
      etc.

    1. conseguir un buen trabajo
    2. comprar un perro
    3. el/la profesor/a de español estar contento/a

II. Narrating in the Past

A. Discussing the Past with Present Relevance: The Present Perfect

So far in this text you have used the indicative mood in the preterit, the imperfect, and the pluperfect to discuss past occurrences. In this chapter, you will use the present perfect to expand your ability to discuss past experiences.

In parts of Spain, it is common to use the present perfect instead of the preterit to refer to events in the near past: **Esta mañana me he levantado a las siete** *instead of* **Esta mañana me levanté a las siete.**

1. You can use the present perfect to discuss events that have taken place in the past and are relevant to the present, or past events and actions that might be repeated or continued in the present.

—¿Quieres alquilar *Mujeres al borde de un ataque de nervios?*

Do you want to rent Women on the Verge of a Nervous Breakdown?

—No. **He visto** esa película cuatro veces.

No. I've seen that movie four times. (It is probably very fresh in the speaker's mind now. When the action occurred is not important.)

Almodóvar **ha dirigido** varias películas de mucho éxito.

Almodóvar has directed many successful movies. (And may do so again.)

Present = relevance in the present.

Perfect = perfective or completed action.

Drill present perfect:

1. Have students say what they have done today. **He desayunado. He hecho la tarea. Me he bañado. He almorzado. He estudiado.**

2. Have students mention important inventions and discoveries that have taken place in the last 50 years. **Han inventado los teléfonos celulares. Han encontrado una solución para . . .**

3. Ask students whether they have already done the following things: **¿Ya desayunaron/almorzaron/cenaron? ¿Ya hicieron la cama? ¿Ya hicieron ejercicio?**

2. The present perfect is formed by using a form of **haber** in the present indicative + a *past participle*:

haber		
he	hemos	
has	habéis	+ past participle
ha	han	

To review past participle formation, see page 308.

3. Now study the following sentences contrasting the use of the present perfect and the preterit.

Action completed, but relevant to the present	Action anchored specifically in the past (often with an adverbial expression of time)

He trabajado como mesero y maestro particular.
I have worked as a waiter and as a private tutor.

El año pasado trabajé como mesero y maestro particular.
Last year I worked as a waiter, and as a private tutor.

En los últimos veinte años **ha habido*** muchos avances tecnológicos.
In the last twenty years there have been many technological advances.

En el siglo XIX hubo algunos avances tecnológicos.
In the nineteenth century there were some technological advances.

*Note:
hay = there is/are
había = there was/were
hubo = there was/were

ha habido = there has/have been
había habido = there had been

aún = todavía
aun = hasta (*even*)

4. Note the use of **ya** *(already, yet)* and **todavía** *(still, yet)* in the following sentences. **Ya** is used with the preterit in affirmative questions and affirmative sentences and usually precedes the verb. **Todavía** is used with the present perfect in negative questions and negative sentences and is placed before the word **no** or at the end of the sentence.

—¿**Ya** terminaste?*
—Sí, ya terminé.*

Have you already finished? / Have you finished yet?
Yes, I have already finished.

—¿**Ya** comiste?*
—No, **todavía no** he comido nada. / No, no he comido nada **todavía.**

Have you already eaten? / Have you eaten yet?
No, I haven't eaten anything yet. /
No, I still haven't eaten anything.

—¿**Todavía no** has presentado el informe?
—No, **todavía no** lo he presentado.

You haven't presented the report yet?

No, I haven't presented it yet.

*Note: ¿**Ya has terminado? Ya he terminado,** and ¿**Ya has comido?** are frequently used in Spain instead of the preterit.

5. When it stands alone, the phrase **todavía no** means *not yet.* The phrase **ya no** means *no longer / not any more.*

—¿Has visto *Como agua para chocolate?*
—**Todavía no.**

Have you seen Like Water for
  Chocolate?
Not yet.

—¿Fumas?
—**Ya no** (fumo).

Do you smoke?
Not anymore. / I don't (smoke)
  anymore.

Actividad 9: La persona más audaz   Parte A: En parejas, averigüen cuáles de estas cosas ha hecho su compañero/a y cuáles no ha hecho nunca.

→   participar en una manifestación (*protest*)

—¿Alguna vez has participado en una manifestación?

—No, no he participado nunca en ninguna manifestación.

1. beber mate (un té que se toma en Argentina, Uruguay y Paraguay)
2. trabajar como salvavidas en una playa o una piscina
3. comer ostras crudas, pulpo (un animal marino con ocho tentáculos) o ancas de rana (Kermit es una rana)
4. bucear
5. cocinar con tofú
6. hacer alas delta
7. nadar desnudo/a
8. manejar a más de 150 kilómetros por hora (más de 90 millas por hora)
9. saltar con una cuerda "bungee"
10. salir con otra persona mientras tenías novio/a

Parte B: Ahora, decidan cuál de Uds. es más audaz.

→   Yo soy más audaz porque he . . . en cambio tú sólo has . . .

Actividad 10: Cambios   En grupos de cuatro, dos de Uds. son personas muy pesimistas y las otras dos son muy optimistas. Mencionen tres o cuatro de los cambios sociales y políticos más importantes que han ocurrido en los últimos doce meses. Pueden usar la lista de cambios que se presenta a continuación. Sigan los modelos.

→   (pesimista) Este año ha habido muchos robos en esta ciudad.

→   (optimista) Este año hemos creado más programas sociales.

personas sin trabajo	atentados terroristas
programas para reducir la violencia en el hogar	nivel de la enseñanza primaria y secundaria
accidentes de avión	control de la contaminación
animales en peligro de extinción	nivel de pobreza

Act. 9A: Practice questions if needed prior to pair work.

Act. 9B: When checking, pose a few questions to the entire class. Then, poll the class to see who is the most daring of each of the pairs. Ask a few groups why. For connected discourse have students report two or three things their partner has done.

Act. 10: Option 1: Form pairs by assigning pessimist/optimist roles. Check by asking for a few events in each category.

Option 2: If needed, brainstorm events that occurred in the last year and make two lists on the board (only use infinitives). Students can then use items in this student-generated list as cues.

¿LO SABÍAN?

Casi la mitad de los inmigrantes hispanos que llegan a California en busca de trabajo son pobres y se calcula que tardan unos 20 años en mejorar su situación económica. Este logro se debe a sus propios esfuerzos y no, como generalmente se cree, a que estos inmigrantes tiendan a aprovecharse de los programas sociales. A medida que estos inmigrantes salen de la pobreza, llegan a California nuevos inmigrantes hispanos pobres. Esta situación causa la impresión equivocada de que el inmigrante hispano siempre es pobre. Piensa en el pasado y di cómo fue la inmigración italiana e irlandesa a este país a principios del siglo XX.

Actividad 11: Y este semestre, ¿qué?   En parejas, pregúntenle a la otra persona si ha hecho las siguientes actividades este semestre. La persona que responde debe explicar su respuesta. Sigan el modelo.

Act. 11: Practice possible questions and answers before doing pair work.

—¿Todavía no has tomado ningún examen?

—Sí, ya tomé un examen.   —No, todavía no he tomado ningún
  Tuve uno . . .   examen. Tengo uno . . .

1. hablar con tu consejero
2. ir a la oficina de tu profesor/a de español
3. elegir las materias para el próximo semestre
4. decidir con quién(es) vas a vivir el año que viene
5. encontrar un lugar para vivir el año que viene
6. solicitar un trabajo para el verano

Cómo buscar trabajo

Internet

A one-page resumé is not frequently used in Spanish-speaking countries.

FLR link: **Lectura 2**

estar desempleado/a = estar en (el) paro (España)

el alquiler = the rent

aguinaldo = paga extraordinaria (España)

B. El trabajo

Buscar un trabajo

completar una solicitud	to fill out an application
solicitar un puesto/empleo	to apply for a job
el curriculum (vitae)	
entrevistarse (con alguien)	to be interviewed (by someone)
la experiencia laboral	work experience
las referencias	
los avisos clasificados	classified ads
la oferta y la demanda	supply and demand
contratar/despedir (i, i) a alguien	to hire/fire someone
estar desempleado/a	to be unemployed
tomar cursos de perfeccionamiento/ capacitación	to take continuing education/training courses

El empleo

la empresa	company
trabajar medio tiempo/tiempo completo	to work part/full time
el salario mínimo	minimum wage
el sueldo	salary
la renta/los ingresos	income
el pago mensual/semanal	monthly/weekly pay
bajar/aumentar el sueldo	to lower/raise the salary
la economía sumergida	underground economy

Los beneficios

la licencia por maternidad/ enfermedad/matrimonio	maternity/sick/wedding leave
el aguinaldo	end-of-the-year bonus

→

el seguro médico/dental/de vida	health/dental/life insurance
la guardería infantil	child care center
los días feriados	holidays

Actividad 12: Quiero un trabajo   Usa el vocabulario sobre el trabajo y di qué se necesita hacer para conseguir un trabajo.

Actividad 13: Los beneficios   En grupos de tres, discutan cuáles son los beneficios que puede ofrecer una empresa. Luego pónganse de acuerdo para ponerlos en orden de importancia y justifiquen su orden. Comiencen diciendo: **¿Cuáles son algunos de los beneficios que . . . ?**

Act. 13: Form groups, model activity and begin. Check by having groups say the most and least important benefits and justify their responses.

Actividad 14: Historia laboral   En grupos de tres discutan las siguientes preguntas.

1. ¿Han trabajado alguna vez?
2. ¿Han tenido o tienen trabajo de tiempo completo con beneficios? Si contestan que sí, ¿qué beneficios recibieron? ¿Seguro médico? ¿Seguro dental? ¿Aguinaldo? ¿Vacaciones pagadas? ¿Licencia por maternidad? ¿Por matrimonio?
3. ¿Han trabajado medio tiempo? ¿Han trabajado sólo durante los veranos? Si contestan que sí, ¿recibieron algunos beneficios?
4. Cuando nacieron, ¿estaba empleada su madre? Si contestan que sí, ¿dejó el puesto? ¿Le dieron licencia por maternidad? ¿Volvió a trabajar? ¿Trabajó tiempo completo o medio tiempo?
5. ¿Cuál es el mejor o el peor trabajo que han tenido? Descríbanlo y expliquen por qué fue bueno o malo.

Act. 14: Form groups of three. Students take turns posing questions. If there are students who have never worked, ask them to ask the questions and take notes to report back to the class. Check by having a group sharing.

Actividad 15: La entrevista de trabajo   En parejas, una persona va a entrevistar a la otra para el puesto de recepcionista de un hotel usando la información que aparece a continuación. El trabajo es de tiempo completo durante el verano y medio tiempo durante el año escolar. El/La candidato/a debe contestar diciendo la verdad sobre su experiencia y su preparación. El/La entrevistador/a debe decidir si va a darle el puesto a esta persona o no. Escuchen primero mientras su profesor/a entrevista a otro/a estudiante y después entrevisten a su pareja.

Act. 15: Model the activity by setting the scene and conducting an entire interview with a student. Ask questions like **¿Ha usado computadora antes? ¿Ha trabajado con el público? ¿Qué idiomas extranjeros sabe?** (etc.). Remind students they should use the **Ud** form. Form pairs assigning roles of interviewer and job applicant. When finished, ask a few students if they will employ their partner and why.

   FLR link: **Lectura 1**

Responsabilidades y requisitos

Tener buena presencia	Tener experiencia con el público
Saber llevarse bien con otros empleados	Ser organizado
Usar computadoras	Tener conocimiento de uno o dos idiomas extranjeros
Contestar al teléfono	Trabajar días feriados
Ser capaz de negociar conflictos	

Act. 16: Do as a whole class activity or in pairs or small groups. Check by asking student opinion. Encourage business students to get involved in expressing themselves.

Actividad 16: ¿Qué opinas?   Di si estás de acuerdo o no con las siguientes ideas y por qué.

1. Todas las empresas deben tener guardería infantil.
2. Debe haber más cursos de capacitación para los desempleados.
3. Es justo que las empresas bajen los sueldos para no tener que despedir a sus empleados.
4. Si una empresa tiene que despedir a unos empleados, éstos deben ser los últimos que se han contratado.
5. Las personas que forman parte de la economía sumergida suelen ser los extranjeros que están en el país ilegalmente.
6. Todo empleado de tiempo completo debe tener seguro médico y un mes de vacaciones pagadas cada año.

Actividad 17: La oferta y la demanda **Parte A:** En grupos de cuatro, analicen sus posibilidades de empleo en el futuro. Para hacerlo, apunten la siguiente información para cada miembro del grupo:

- el puesto que quiere tener
- dónde prefiere tener ese trabajo
- cuánto dinero quiere ganar
- la oferta y la demanda de ese trabajo en el mundo, en este país, en diferentes regiones del país o en ciudades específicas
- el efecto de la oferta y la demanda sobre el sueldo que va a poder ganar

Parte B: Basándose en las respuestas de la Parte A, decidan quién tiene las mejores posibilidades de conseguir el puesto que busca y quién creen que va a tener más problemas y por qué.

¿LO SABÍAN?

Muchos cambios económicos han ocurrido en los países latinoamericanos en los últimos diez años. Esto se debe en parte a una nueva generación de tecnócratas y políticos que han obtenido títulos de posgrado en universidades norteamericanas como Harvard y M.I.T. y han vuelto a sus países a poner en práctica los nuevos conocimientos obtenidos en el extranjero. Ellos opinan que para que la situación de sus países mejore, éstos deben formar parte de la economía mundial. La conexión entre los Estados Unidos y las otras naciones del hemisferio puede cambiar para siempre las relaciones comerciales en el continente.

Mira estos anuncios que han aparecido en periódicos de diferentes países y que muestran esta interdependencia y di si has pensado trabajar en otro país. ¿Cómo crees que puedas usar el español en tu futuro empleo?

Cherche photographe pour travailler au Méxique et aux Etats-Unis. 5 ans d'expérience, parlant espagnol et anglais. Envoyez CV et dix de vos meilleures photos à l'attention de Mme. Nathalie Drouglazet, Intercommunications S.p.A., 74 Rue de la République, 75014 Paris.

Cercasi venditore di computers con Laurea in Informatica. 3 anni di esperienza, milite esente, desideroso di viaggiare, necessaria conoscenza di francese e inglese. Contattare Dottoressa Simona Barello al numero: 011-65.68.378.

Relaciones públicas. Se busca Licenciado en Ciencias de la Comunicación, con buena redacción y óptimo dominio del inglés para empresa internacional. Mandar curriculum a **Martínez y Asociados**. Bulnes 3233. Capital Federal 1425. Oficina de personal.

III. Expressing Choice and Negation

O . . . o, ni . . . ni, ni siquiera

To review rules on Negating, see Chapter 7, pages 164–166.

1. When you want to say *either. . . or*, use **(o) . . . o.** When you want to express *neither. . . nor*, use **(ni) . . . ni.**

Esta noche quiero ir **(o)** al cine **o** a un restaurante.	*I want to go (either) to the movies or to a restaurant tonight.*
No quiero ir **(ni)** al cine **ni** a un restaurante esta noche porque estoy cansado.	*I neither want to go to the movies nor to a restaurant tonight because I'm tired.*
Ni Carlos ni Perla me han llamado.*	*Neither Carlos nor Perla has called me.*

Remember to use the double negative when **ni** follows the verb when sentences begin with **no**.

Drill (o) . . . o, (ni) . . . ni:

Have student discuss their plans for this week: **Este fin de semana voy (o) a . . . o . . . ,** **Esta noche quiero (o) . . . o . . . ,** **El sábado no quiero (ni) . . . ni . . .**

*Note: When subjects are preceded by **ni . . . ni . . .** , or **(o) . . . o . . .** the verb is plural.

2. To express *not even*, use **ni (siquiera).**

Ni (siquiera) mi novia me entiende.	*Not even my girlfriend understands me.*
No recibí **ni (siquiera)** un centavo por el trabajo.	*I didn't even receive a penny for the work.*

Actividad 18: Lectura entre líneas   Lee primero la siguiente conversación y después contesta las seis preguntas que le siguen para reconstruir lo que crees que ocurrió. Hay muchas posibilidades; por eso, usa la imaginación al contestar, pero basa tus respuestas en la conversación. Intenta usar **ni . . . ni** y **o . . . o** al hablar.

Act. 18: Encourage students to be creative with their responses. Accept all plausible answers that are not contradicted in the text.

Lola	Por fin has llegado. ¿Sabes algo?
Verónica	Nada. Y tú no te has movido, sigues al lado del teléfono.
Lola	No sé qué hacer. Ni ha llamado ni ha dejado una nota . . . ¡Nada!
Verónica	¡Qué raro que no haya dado ninguna señal de vida!
Lola	Han pasado tres días.
Verónica	¿Ha llamado él a Víctor?
Lola	Ni siquiera a él. No ha llamado ni a Víctor ni a nadie.
Verónica	¿Has llamado a la policía?
Lola	No. Todavía no he hecho nada. O lloro pensando en alguna tragedia o me enfado pensando que está divirtiéndose por ahí y que no se ha preocupado ni siquiera por avisar.
Verónica	¿Qué vas a hacer cuando vuelva?
Lola	O lo voy a abrazar . . . o lo voy a matar.

1. ¿Cuál de estas palabras describe mejor los sentimientos de Lola: desesperada, interesada o preocupada?
2. ¿De quién hablan las mujeres: un esposo, un amante, un hijo o un amigo? ¿Por qué creen eso?

3. ¿Qué creen que haya pasado recientemente en la vida de Verónica y Lola?
4. ¿Es Víctor una persona importante en la vida del hombre misterioso? ¿Cuál es la importancia de las palabras **ni siquiera** en la frase, **Ni siquiera a él**? ¿Quién puede ser Víctor?
5. ¿Dónde está el hombre misterioso y qué está haciendo?
6. ¿Va a llamar el hombre? ¿Va a volver? Si vuelve, ¿qué va a pasar?

Actividad 19: Tu futuro   En parejas, miren las siguientes listas y decidan qué lugares van a ser parte de su futuro y cuáles no. Sigan el modelo.

Act. 19: Encourage students to go beyond the items listed and to make up other sentences about their future jobs.

→   Me gustaría vivir o en . . . o en . . . , pero no quiero estar ni en el campo ni . . .

Lugar para vivir

pueblo pequeño	norte	Europa	Suramérica
sur	campo	medio oeste	afueras de una ciudad
Alaska	Hawai	ciudad	noreste

Lugar de trabajo

oficina	al aire libre	escuela	empresa pequeña
empresa grande	laboratorio	casa	negocio de mi familia

IV. Indicating Cause, Purpose, and Destination

Por and *para*

Use **por**:

Remember to use prepositional pronouns after **por** and **para** when needed: **mí, ti, Ud., él/ella, nosotros/as, vosotros/as, Uds., ellos/as.**

a. to express *on behalf of, for the sake of,* or *instead of*

Acepto este premio **por** mi padre que murió la semana pasada.	*I accept this award for (on behalf of) my father who died last week.*
Debes hacerlo **por** tu propio bien.	*You should do it for your own sake.*
Ayer trabajé **por** mi tío.*	*Yesterday I worked for (instead of) my uncle.*

*Note: Compare this sentence with **Ayer trabajé para mi tío.** *Yesterday I worked for my uncle.* (He was my boss.)

b. to indicate movement *through* or *by*

Caminé **por** el parque.	*I walked through the park.*
Pasé **por** tu casa.	*I went by your house.*

c. to express reason or motivation

El jefe va a darle licencia **por** estar embarazada.	*The boss is going to let her go on maternity leave. (The pregnancy is the reason she is getting the leave.)*
Invité a Andrea a la fiesta **por** mi madre, pero a mí no me cae bien.	*I invited Andrea to the party for (because of) my mother, but I don't like her.*

Use **para:**

a. to express physical or temporal destination

Compré esta chaqueta **para** mi madre.	*I bought this jacket for my mother. (physical destination)*
Salgo **para** Tegucigalpa el lunes.	*I'm leaving for Tegucigalpa on Monday. (physical destination)*
La redacción es **para** mañana, ¿no?	*The composition is for tomorrow, right? (temporal destination)*

b. to express purpose

Mi abuelo estudió medicina sólo **para poder hacer** estudios científicos y no **para trabajar** en un hospital con pacientes.	*My grandfather studied medicine only in order to do scientific studies and not to work in a hospital with patients.*
Este programa de computación es **para realizar** gráficos tridimensionales.	*This computer program is for making tridimensional graphs.*
Estudia **para (ser)** ecologista.	*She's studying to be an ecologist.*

Note: **Por** and **para** are prepositions, therefore, verbs immediately following them need to be in the infinitive form.

After having studied these uses of **por** and **para,** compare the following sentences and analyze the reasons for using **por** or **para** in each case.

Salimos mañana **para** Venezuela.	Pasamos tres semanas viajando **por** Venezuela.
We are leaving for Venezuela tomorrow.	*We spent three weeks traveling through Venezuela.*
Lo hizo **para** conseguir su amor.	Lo hizo **por** amor.
He did it in order to get her love.	*He did it for love.*

Actividad 20: Intenciones Mira la página siguiente y elige un itinerario de la primera columna y el lugar de paso lógico de la segunda para formar la ruta completa de cada viaje. Consulta un mapa si es necesario. Sigue el modelo.

→ Washington → Miami   Atlanta

Mañana salgo **de** Washington **para** Miami y pienso pasar **por** Atlanta.

FLR link: Lectura 2

If needed, review other uses of **por** and **para**: **por dos años** (duration), **te doy $100 por la impresora** (exchange), **para mí** (opinion).

Drill **por** and **para**:

1. Have students finish work-related sentences: **Mi padre tiene una gran empresa y yo trabajo ———— él. Hoy mi hermana está enferma y quiere que yo trabaje ———— ella. Muchas personas trabajan ———— vivir, y otras viven ———— trabajar.**

2. Have students tell you why they have chosen their course of studies and what they want to be able to do in the future.

Act. 20: Could be assigned as HW and corrected in class or done as a paired activity in class followed by a check calling on individuals.

Inicio del viaje → destino final	Lugar de paso
Lima → Machu Picchu	Taxco
Madrid → Barcelona	Córdoba
la ciudad de México → Acapulco	Zaragoza
La Paz → Sucre	Valparaíso
Buenos Aires → Salta	Antigua
Santiago → Viña del Mar	Cali
Medellín → Popayán	Cochabamba
Guatemala → Chichicastenango	Cuzco

Answers: Lima: Cuzco; Madrid: Zaragoza; ciudad de México: Taxco; La Paz: Cochabamba; Buenos Aires: Córdoba; Santiago: Valparaíso; Medellín: Cali; Guatemala: Antigua

Actividad 21: ¿Qué ocurre?   Lee los siguientes pares de miniconversaciones e intenta explicar en qué se diferencia cada situación.

1. A. —¡Querido! ¡Tengo una sorpresa!
   —¡Un carro! ¿Lo trajiste para mí? Muchas gracias.
1. B. —¡Querido! ¡Tengo una sorpresa!
   —¡El carro! ¿Lo trajiste por mí? Muchas gracias.

2. A. —¿Adónde vas con esos zapatos?
   —Los llevo para mi novio; tiene una fiesta y necesita ir elegante.
2. B. —¿Adónde vas con esos zapatos?
   —Los llevo por mi novio; él es muy alto.

Act. 21: Do as a whole class activity or as a paired activity and check by calling on volunteers to explain each conversation.

Actividad 22: Motivos y propósitos   Habla de los motivos y propósitos de cada una de las siguientes situaciones, formando oraciones con una frase de la primera columna y una de la segunda. Debes encontrar dos posibilidades para cada frase de la primera columna: una con **por** para indicar el motivo de la acción y otra con **para** para indicar el propósito.

→ La familia llegó a casa a las 9:00 **por** el tráfico que había.

   La familia llegó a casa a las 9:00 **para** ver su programa de televisión favorito.

Act. 22: May be assigned as HW and checked in class. Call on individuals for possible responses.

Personas y hechos	Motivos y propósitos
1. Romeo y Julieta se suicidaron	a. haber prometido cambios radicales
2. El presidente subió al poder	b. las oportunidades de trabajo que crea
3. Ralph Nader empezó a investigar productos	c. vender sus productos
4. Nike usa en sus anuncios muchos deportistas	d. estar unidos en la muerte
5. El gobierno norteamericano participa en el Tratado de Libre Comercio (*TLC*)	e. el fraude en los anuncios
	f. la fama que tienen entre los jóvenes
	g. mejorar la situación económica
	h. proteger al consumidor
	i. amor
	j. aumentar las exportaciones a México y Canadá

Actividad 23: Los multiusos   En parejas, miren las siguientes cosas y traten de dar por lo menos dos usos para cada una.

Act. 23: Encourage students to be creative in their responses.

(left) **cerrojo portátil para trabar la puerta;** (right) **pesas con agua**

FLR link: **Lectura 3**

V. Describing Reciprocal Actions

Se/Nos/Os + Plural Verb Forms

Drill reciprocal forms:

Call a pair of students up to the front of the class and give them a slip of paper with instructions on it to act out. The class then says what they are doing. Change pairs after a couple of actions. Examples include: **Uds. se miran. Se abrazan. / Una persona mira la puerta y la otra mira las ventanas. / Él le besa la mano. Se hablan. / Una persona habla con su profesor/a y la otra persona escucha la conversación.** (etc.) You may want to add more difficult items. For example: **Se hablan, pero no se escuchan.**

1. One of the uses of reflexive pronouns is to describe actions that people do *to themselves.* **(Ella se ducha.)** Another use of the pronouns **se, nos,** and **os** is to describe actions people do *to each other* or *to one another.* These are called *reciprocal actions.* Compare the following sentences and drawings:

Él **se baña.**
He's bathing (himself).

Los trillizos de la familia Peñalver **se bañan.**
The Peñalver triplets are bathing one another.

Se llaman por teléfono con frecuencia.   *They call each other frequently.*

Nos peleamos como perros y gatos.   *We fight like cats and dogs.*

Vosotros **os** lleváis muy bien.   *You get along very well.*

2. Note the ambiguity in meaning of the following sentence.

Ellos **se miraron.**   { *They looked at themselves.*
                           They looked at each other.

To avoid ambiguity or to add emphasis, it is common to include the phrase **el uno al otro** and its feminine and plural forms **la una a la otra/los unos a los otros/las unas a las otras.** The definite article is optional.

Los amantes **se miraron** tiernamente **(el) uno a(l) otro.**   *The lovers looked tenderly at each other.*

Las tres niñas se golpearon **(las) unas a (las) otras.**   *The three girls hit one another.*

3. Verbs that are often used with a specific preposition use the same prepositions to clarify a reciprocal action.

Se despidieron (la) una **de** (la) otra.   *They said good-bye to each other.*

Se pelearon (el) uno **con** (el) otro.   *They fought with each other.*

Se rieron (los) unos **de** (los) otros.   *They laughed at one another.*

Actividad 24: La interacción   En parejas, digan cómo se comportan Uds. con diferentes personas o cómo se comportan ciertas personas entre ellas. Formen oraciones con una frase de la primera caja y una frase de la segunda.

mi padre/madre y yo	no dirigirse la palabra
mis padres	llevarse bien/mal
mi hermano/a y yo	(no) entenderse
mis hermanos	amarse
mi perro/gato y yo	(no) pelearse
mi abuelo/a y mi madre	besarse besarse
mi compañero de cuarto y yo	escribirse

*Sidebar notes:*

Ambiguity also exists in English. In the sentence *They read the newspaper,* the word *read* could be a past or present tense form. Surrounding context or additional words usually clarifies meaning. *(They read the newspaper yesterday.)*

When there is a masculine and a feminine, use the masculine form: **Él y ella se miraron(el) uno a(l) otro.**

Tell students they can drop the articles in the expressions without affecting the meaning. If the article is used in the first part of the expression, it must be used in the second half.

Act. 24: Follow up: To practice **os** you can have students interview one another by asking questions: **¿Tu madre y tú os escribís con frecuencia?** Stress that in Spanish it is considered unacceptable to say **yo y mi madre** instead of **mi madre y yo.**

Actividad 25: Un guión de telenovela **Parte A:** Completa esta parte del guión de una telenovela, usando pronombres de complemento directo o indirecto y pronombres reflexivos y recíprocos.

Él __le__ entrega una flor a ella y ella __la__ huele *(smells)* y sonríe. Ella __le__ toma la mano (a él). __Se__ miran uno a otro con mucha intensidad y (ellos) __se__ besan. En ese momento entra otra mujer. Ella __los__ mira (a ellos) con asombro, pero ellos no __la__ ven hasta que ella __le__ comienza a gritar obscenidades a él. Él __le__ pone una mano sobre la boca y __la__ intenta calmar. (Ella) no __se__ calla. Las dos mujeres __se__ siguen mirando. La primera mujer __le__ explica a la otra quién es. Todos __se__ ríen aliviados. Al final, todos ellos __se__ abrazan.

Parte B: Ahora en grupos de cuatro, representen el guión que acaban de completar. Uno de Uds. debe leerlo mientras los otros tres actúan.

Actividad 26: No nos entendemos **Parte A:** En grupos de cuatro, formen dos parejas (Pareja A y Pareja B). Todos Uds. trabajan para la empresa MicroTec. Lean solamente el papel para su pareja y prepárense para la discusión.

Pareja A

Uds. son representantes del sindicato *(labor union)* de MicroTec y deben crear una lista de beneficios laborales para los empleados. En los últimos años la empresa ha reducido los beneficios y ahora Uds. los consideran miserables y un insulto a su trabajo.

Pareja B

Uds. son representantes de la dirección de MicroTec y deben crear una lista de beneficios laborales para los empleados. Obviamente quieren empleados felices, pero también quieren ahorrarle dinero a la empresa. En los últimos años, Uds. han reducido los beneficios para no tener que despedir a ningún empleado.

Parte B: Ahora los representantes del sindicato y la dirección deben discutir los beneficios laborales e intentar llegar a un acuerdo. Usen expresiones como: **No nos entendemos, Queremos . . . , Insistimos en . . . , a menos que . . . , para (que) . . . .**

Remember: Direct-object pronouns are **me, te, lo, la, nos, os, los, las** and indirect-object pronouns are **me, te, le, nos, os, les**.

Act. 25A: Assign as HW and check in class.

Act. 25B: Have all groups practice and then have one group present it for the class. If groups of four aren't possible, form some groups of five and have one work as the director. As a follow-up ask them to write a script to act out. Assign one person to be the group secretary; allow sufficient time. Circulate and make corrections as needed. Have each secretary read the description as the group performs.

Act. 26A: Before doing the activity, review relevant business vocabulary. Then form groups of four assigning two to Pair A and two to Pair B, explain the roles of each pair, have them read their role cards, and allow a few minutes for them to prepare.

Act. 26B: Allow a few minutes for the negotiations. Check by asking what the different groups agreed to do.

Vocabulario activo

Conjunciones adverbiales

Ver página 191.

Palabras relacionadas con el trabajo

Ver páginas 199–200.

Expresiones útiles

darle igual (a alguien)	*to be all the same (to someone)*
un montón	*a lot*
ni (siquiera)	*not even*
ni . . . ni	*neither . . . nor*
No, en absoluto.	*No, not at all.*
o . . . o	*either . . . or*
el uno al otro/ la una a la otra	*each other*
los unos a los otros/las unas a las otras	*one another (more than two)*

Vocabulario personal

CAPÍTULO

Es una obra de arte

▲ *Dos indígenas otavaleños hilan lana en Ecuador para sus famosos tejidos.*

COMMUNICATIVE GOALS

- expressing past influence, emotions, and other feelings and reactions
- reporting what someone said (part one)
- discussing art

ADDITIONAL GOALS

- shifting the focus in a sentence
- using transitional phrases

May be assigned: Grammar, vocabulary, ¿**Lo sabían?**, Act. 3A, Act. 4A, Act. 11, Act. 12, Act. 16, Act. 22.

Entrevista a una experta en artesanías

llevarle (a alguien) + *time period*	to take (someone) + *time period*
¡Qué barbaridad!	Wow! (Literally, What a barbarity!)
se me fueron las ganas	I didn't feel like + *verb* + *ing* anymore
de + *infinitive*	
un dineral	a great deal of money

Practice expressions by creating a context: Write expressions on the board. Tell about a real or fictitious person who has been an artist for the last 10 years: **Hace 10 años que pinta . . . pero antes trabajaba en una corporación y ganaba un dineral. Cuando dejó su trabajo la gente decía ¡Qué barbaridad!** etc. Explain how it was a good move because **se le fueron las ganas de ir a la oficina, pero le llevó mucho tiempo tomar esa decisión.** End the story, then continue to practice expressions by asking questions such as in which professions people earn **un dineral.**

Actividad 1: El sombrero   Parte A: El locutor de un programa de radio entrevista a una experta acerca de un sombrero muy famoso. Antes de escuchar la entrevista, mira la foto que aparece arriba y usa la imaginación y la lógica para intentar contestar las siguientes preguntas.

1. ¿Sabes cómo se llama ese tipo de sombrero?
2. ¿Quiénes hacen esos sombreros?
3. ¿Dónde crees que lo hagan?
4. ¿Cuánto tiempo lleva hacer un sombrero bueno? ¿Y uno muy bueno?
5. ¿Dónde se venden y cuánto cuestan?

Parte B: Ahora, para confirmar tus predicciones, escucha la entrevista. Busca también la respuesta a las siguientes preguntas.

1. ¿En qué momento del día se hacen esos sombreros y por qué?
2. ¿Quiénes reciben la mayor parte del dinero de la venta de los sombreros?

Actividad 2: La interpretación   En la entrevista, la Sra. Gómez le comenta al locutor del programa que la hija y la nieta de una artesana no están interesadas en continuar esta tradición porque "Ud. ya sabe cómo son los jóvenes". ¿Qué quiere decir con esta frase?

Act. 1A: Refer students to the photo of the hat when answering these questions. They are not expected to give correct answers. Wild guesses are fine.

Act. 1B: Play the interview and go over questions in 1A again and the questions in 1B. Answers for 1A: 1. sombrero Panamá 2. aproximadamente veinte personas mayores 3. en Ecuador 4. dos meses (los buenos), ocho meses (los mejores) 5. Nueva York y Hawai; US $350–$750 (los buenos), US $10.000 (los mejores). Answers for 1B: 1. por la noche pues la transpiración puede echar a perder la paja 2. los intermediarios.

Act. 2: Whole class activity or pairs. Encourage opinions about the loss of arts with the passing of generations. Ask them what their favorite dish is that their grandmother or grandfather prepares and if they know the recipe. This may help spark discussion at a more personal level.

E ntre los artesanos de Hispanoamérica se destacan los otavaleños, un grupo indígena de Ecuador que produce mantas y telas. En 1966, los otavaleños abrieron su primera tienda propia y sólo doce años más tarde ya tenían setenta y cinco tiendas. Hoy en día, se dedican a la exportación de sus productos a Europa, Canadá y los Estados Unidos. Por ser tan industriosos y buenos comerciantes, se considera a los otavaleños como uno de los grupos indígenas más prósperos de Hispanoamérica.

▲ *Bolsas otavaleñas*

While discussing artisans and their work, you may want to focus on how they are frequently exploited by vendors and on the existence of organizations that ensure the artisans, particularly in third world nations, will receive a larger portion of the monies. Ask what **artesanía** is produced in the U.S.: Native American beadwork (**artesanías con cuentas**), Kachina dolls, birch bark canoes (**canoas de corteza de abedul**), Amish quilts, etc. Many artisans also produce tools or items relating to farming, cooking, or other such activities.

I. Expressing Past Influence, Emotions, and Other Feelings and Reactions

The Imperfect Subjunctive

Review uses of present subjunctive.

Drill the imperfect subjunctive:

1. Make statements about the present and have students change them to the past: **Busco un novio que sea inteligente . . . Quiero que su familia me conozca. Debe saber que estoy enojada sin que yo se lo diga. Dudo que encuentre una persona así. No hay nadie que sea así.** (etc.)

2. Have students state what they wanted or hoped for about the university before they came, based on cues such as: **las clases son fáciles, hay pocos exámenes, los profesores son excelentes, los libros son baratos. Ss: Esperaba que las clases fueran fáciles.** (etc.)

In previous chapters you learned many uses of the subjunctive:

Chapter 5: influencing, suggesting, persuading, and advising
Chapter 6: expressing feelings, emotions, opinions, belief, and doubt
Chapter 7: describing the unknown
Chapters 7 and 8: expressing pending actions

In this chapter you will learn how to express all of the preceding uses, but in reference to the past. In the interview you heard, the Panama hat expert used the imperfect subjunctive when she discussed an artisan's past desire that her daughter and granddaughter learn to make the hats: **"Había una artesana que quería que su hija y su nieta *aprendieran* (este arte)."**

1. To form the imperfect subjunctive, use the third person plural of the preterit, drop the **-ron** ending, and add the following subjunctive endings.

pagar→paga~~ron~~		poder→pudie~~ron~~		pedir→pidie~~ron~~	
pagara	pagáramos	pudiera	pudiéramos	pidiera	pidiéramos
pagaras	pagarais	pudieras	pudierais	pidieras	pidierais
pagara	pagaran	pudiera	pudieran	pidiera	pidieran

Note: To review formation of the preterit, see pages 302–304. There is an optional form, frequently used in Spain and in some areas of Hispanic America, in which you substitute -**se** for -**ra**; for example: **pagara = pagase; pidiéramos = pidiésemos.**

3. Have students finish ideas about when they were in high school: **Siempre dudaba que . . . , Buscaba novios/as que . . . , Quería que mis amigos. . . , No había ningún estudiante que . . .** Contrast with indicative: **Había estudiantes que . . .**

2. Once you have determined that a subjunctive form is needed, you must decide which of the following to use:

present subjunctive	**compre, compres,** etc.
present perfect subjunctive	**haya comprado, hayas comprado,** etc.
imperfect subjunctive	**comprara, compraras,** etc.

Use the following guidelines to determine which is needed:

a. As you studied in previous chapters, when the verb in the independent clause refers to the present or the future, use the present subjunctive in the dependent clause to refer to a present or future action or state.

Independent Clause Present/Future	Dependent Clause Present Subjunctive (Present/Future Reference)
Influencing: Chapter 5	Mi jefe **va a querer** *My boss is going to want*	que yo **trabaje** en su estudio de arte. *me to work in his art studio.*
Indirect commands: Chapter 5	**Dice** *He's telling you*	que tú **traigas** las esculturas. *to bring the sculptures.*
Feelings: Chapter 6	**Me alegra** *I'm glad*	que el Museo de Arte Contemporáneo **abra** mañana. *that the Museum of Contemporary Art will open tomorrow.*
Unknown: Chapter 7	**Buscamos** un diseño *We are looking for a design*	que **sea** moderno. *that is modern.*
Pending actions: Chapter 7	**Quiero vender** mi cuadro *I want to sell my painting*	**en cuanto termine** de pintarlo. *as soon as I finish painting it.*
Pending actions: Chapter 8	**Vas a tener que reescribir** el contrato *You are going to have to rewrite the contract*	**antes de que lleguen** los clientes. *before the clients arrive.*

Note: The chapter labels in the left margin — "Influencing: Chapter 5", "Indirect commands: Chapter 5", "Feelings: Chapter 6", "Unknown: Chapter 7", "Pending actions: Chapter 7", "Pending actions: Chapter 8" — align with each row of the table above.

b. As you studied in previous chapters, when the verb in the independent clause refers to the present and the dependent clause refers to a past action or state, use the present perfect subjunctive in the latter.

You may want to point out it is possible to use the imp. subj. instead of the pres. perf. subj. when using the present tense in the independent clause, if the action referred to in the dependent clause is in the distant past: **Mucha gente duda que Cristóbal Colón fuera italiano.**

Independent Clause Present	Dependent Clause Present Perfect Subjunctive (Past Reference)
Doubt: Chapter 6	**Es probable** *It's probable*	que el artesano **haya terminado** el proyecto. *that the artisan has finished the project.*
Feelings: Chapter 6	No **me sorprende** *It doesn't surprise me*	que **hayan censurado** tu obra de arte. *that they have censored your work of art.*

c. When the verb in the independent clause is in a past tense and the dependent clause refers to a past action or state, use the imperfect subjunctive in the dependent clause.

Independent Clause Past	Dependent Clause Imperfect Subjunctive (Past/Past Pending Reference)
Influencing: Chapter 5 — Ella me **aconsejó** *She advised me*	que **comprara** esa reproducción. *to buy that reproduction.*
Doubt: Chapter 6 — Nosotros **dudábamos** *We doubted*	que la pintura **fuera** auténtica. *that the painting was authentic.*
Unknown: Chapter 7 — **Quería** un sombrero Panamá *I wanted a Panama hat*	que no **costara** un dineral. *that didn't cost a fortune.*
Pending Action: Chapter 8 — **Estudió** muchísimo / *She studied a lot*	**para que** la **admitieran** en la escuela de Bellas Artes. *so that they would admit her to the Fine Arts school (When she studied, her being accepted was still pending.)*
Pending Action: Chapter 7 — Le **iba a hablar** *I was going to talk to him*	**cuando** él **llegara** a casa. *when he arrived home.*

Actividad 3: El arte del pasado **Parte A:** Lee la siguiente información sobre el arte en España y elige el verbo y su forma del imperfecto del subjuntivo para completar cada espacio en blanco.

Museo del Prado

Internet

Act. 3A: Assign as HW and check in class. If possible, bring a photo of *The Family of Carlos IV* by Goya.

admirar
aprender
comenzar
hacer
parecer
pintar
representar
tener
utilizar

Antes de la Primera Guerra Mundial (1914–1918), existía en España el llamado arte oficial. El rey contrataba pintores para su corte y les indicaba lo que quería que ellos ___hicieran/pintaran___. En general, antes de que el artista ___comenzara___ su trabajo, se hacía un contrato en el cual se especificaba quiénes aparecerían en la pintura y qué estilo y materiales se esperaba que el pintor ___utilizara___. No había muchos pintores famosos que ___tuvieran___ la oportunidad de expresar sus propias ideas, ya que el artista seguía el estilo de la corte. Dos excepciones fueron Diego Velázquez (1599–1660) y Francisco de Goya (1746–1828) que lograron expresarse y, a la vez, complacer a sus reyes al hacer lo que éstos querían que ellos ___hicieran___. Velázquez retrató no sólo a la familia real, sino también a los bufones (*buffoons*) de la corte. Entre sus obras famosas se encuentra *Las meninas*. Goya se hizo famoso por el realismo de sus retratos de la familia real, en los cuales no hizo nada para que los miembros de la familia ___parecieran___ físicamente más atractivos de lo que en realidad eran. Uno de sus cuadros más conocidos es *La familia de Carlos IV.*

Había también, por otro lado, un arte llamado religioso comisionado por la iglesia. Ésta contrataba a artistas para que ___representaran___ escenas de la Biblia. Casi siempre estas escenas eran descriptivas y dramáticas y con ellas la iglesia buscaba que el pueblo ___aprendiera___ el contenido de las Sagradas Escrituras.

Después de la Segunda Guerra Mundial (1939–1945), hubo una reacción contra lo oficialmente establecido y los artistas comenzaron a buscar que la gente ___admirara___ su individualismo. Es así como aparecieron múltiples estilos de pintura que más tarde se trajeron al continente americano donde influyeron en los diversos estilos artísticos.

Act. 3B: Form pairs, set a brief time limit, and check by calling on individuals. You may want to bring in slides of some works by Goya and Velázquez, especially *Las meninas* (in the Prado Museum in Madrid). It measures 125 3/16 inches in height by 108 1/8 inches in width. All but one character have been identified by art historians in the painting. The young child in the center is the Princess Margarita. There are two dwarfs at the right. The reflections of Felipe IV and his second wife, María Ana de Austria, can be seen in the mirror in the center of the painting. Velázquez is looking out of the painting at the king and queen who are observing the scene being painted.

Parte B: En parejas, miren el cuadro de Velázquez, *Las meninas*, y contesten estas preguntas.

1. ¿A cuántas personas pintó Velázquez en este cuadro?
2. ¿Pueden encontrar al artista en el cuadro? ¿Hacia dónde mira?
3. Sabiendo que Velázquez pintó a los reyes y a la Princesa Margarita en el cuadro, ¿quiénes quería el pintor que fueran las personas principales?
4. Hay dos personas en un espejo al fondo del cuadro. ¿Quiénes creen que sean?
5. ¿Pueden encontrar a los bufones?
6. ¿Es una pintura estática o hay movimiento?
7. ¿Pueden deducir algo sobre la vida diaria del palacio real?

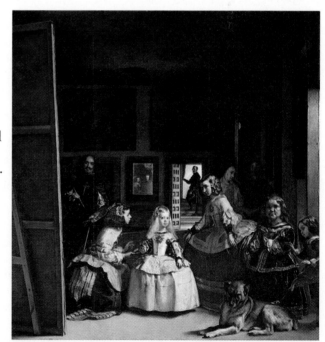

Actividad 4: Oído en un bar   Parte A: Estás en un bar y escuchas las siguientes frases de gente que está a tu alrededor. Complétalas con la forma apropiada de los verbos correspondientes.

1. Me alegré de que IBM me _____contratara_____. (contratar)
2. Nos rogó que lo _____hiciéramos_____ lo antes posible. (hacer)
3. Dudo que ayer ella los _____haya convencido_____. (convencer)
4. Sentí mucho que tú no _____pudieras_____ ir al picnic. (poder)
5. Les recomendé que _____vinieran_____ a las doce. (venir)
6. Mañana, quiero que tú _____invites_____ a los Ramírez a comer en el mejor restaurante. (invitar)
7. ¿Crees que nosotros _____vendamos_____ algunos en la exhibición de mañana? (vender)
8. La policía dice que no hay nadie que lo _____haya visto_____. (ver)
9. Lo hizo sin que tú _____estuvieras_____ presente. (estar)
10. Ella no iba a descansar hasta que la _____terminara_____. (terminar)

Parte B: Ahora, en parejas, usen la imaginación y creen un contexto para cinco o seis de las frases. El contexto debe contener la siguiente información:
- quién la dijo
- a quién se la dijo
- en referencia a qué

Usen expresiones como: **Es posible/probable que se la haya dicho . . . a . . . porque . . .**

Actividad 5: Las exigencias de nuestros padres   Parte A: Cuando Uds. estaban en la escuela secundaria, probablemente escuchaban muchas exigencias de sus padres. En parejas, túrnense para decir si éstas eran o no algunas de las exigencias de sus padres. Para formar oraciones, combinen una frase de la primera columna con una de la segunda. Sigan el modelo.

→   exigirte / volver a casa temprano

—¿Te exigían tus padres que volvieras a casa temprano?

—Sí, mis padres me exigían que volviera a casa temprano.

—No, mis padres no me exigían que volviera a casa temprano.

preferir	(no) poner la música a todo volumen
insistir en	sacar buenas notas en la escuela
esperar	(no) andar con malas compañías
exigirte	hacer la cama
recomendarte	(no) ver mucha televisión
prohibir	(no) pelearte con tu hermana/o
pedirte	(no) beber alcohol / consumir drogas
(no) querer	(no) hacerte tatuajes
	¿ ? ?

un bar = a bar (by American standards); a coffee shop that also sells alcohol

Act. 4A: Assign as HW and check in class.

Act. 4B: Model by discussing possibilities for the first sentence or two. Form pairs, set a time limit, and begin. Check by calling on a few volunteers to discuss a few sentences.

Act. 5A: As a review, point out the use of the imperfect for describing habitual actions in the past. If practice is needed before beginning, have students simply form sentences or questions using any logical verb from the first column and a phrase from the second. Then form pairs, model the activity, and begin. Check by finding out what was the number one item about which parents were concerned.

Parte B: En parejas, hablen de las exigencias que les hacen sus padres ahora. ¿Son iguales a las que les hacían cuando estaban en la secundaria o diferentes? Usen oraciones como: **Cuando era menor me exigían que . . . , pero ahora me exigen que . . .**

Actividad 6: Era importante que . . .   Di qué cosas de la siguiente lista eran importantes para ti cuando tenías diez años. Usa expresiones como: **interesarle, querer, ser preciso, ser importante.**

→ tus amigos / ser / populares

Cuando tenía diez años, me interesaba que mis amigos fueran populares.

1. tener muchas cosas
2. tus amigos / respetarte
3. llevar ropa de moda
4. tus padres / estar / orgullosos de ti
5. cuidar el físico
6. fumar
7. tus maestros / no darte / mucha tarea
8. tener muchos amigos
9. tus hermanos / no tocar / tus cosas
10. ¿ ? ?

Actividad 7: Tus amigos de la secundaria   En grupos de tres, digan qué tipo de amigos querían y tenían cuando estaban en la escuela secundaria. Pueden usar las siguientes ideas. Sigan el modelo.

→ Tenía amigos que consumían drogas.

→ Buscaba amigos que fueran cómicos.

(no) hablar mal de mí
(no) practicar deportes
(no) tener mucho dinero
(no) vivir cerca de mi casa
(no) gustarles fumar

(no) tener carro
(no) chismear (*gossip*)
(no) estudiar mucho
(no) ser divertidos
¿??

Actividad 8: Los mejores y los peores   En parejas, terminen estas frases para hablar de los mejores y peores trabajos que han tenido y hacerle sugerencias a su compañero/a.

Los trabajos terribles

El/La jefe/a siempre quería que nosotros . . .
Nos exigía que . . .
Nos prohibía que . . .
Me molestaba que mi jefe/a . . .
Siempre hacía/decía . . . para que . . .

Los trabajos fantásticos

El/La jefe/a siempre quería que nosotros . . .
Nos exigía que . . .
Nos prohibía que . . .
Me encantaba que mi jefe/a . . .
Siempre hacía/decía . . . para que . . .

Por eso te sugiero que . . .

Act. 5B: Model possible sentences, form pairs, and begin. Check by asking what parents say and list the advice on the board in three columns: **muy válido, válido, absurdo.**

Remember: if you have no change of subject, use the infinitive.

Act. 6: First, have students say what things are important for ten-year-olds. Then, form pairs, model the activity, set a time limit, and begin. Check by polling students: **¿A cuántos de Uds. les interesaba que sus amigos fueran populares? ¿Es más o menos importante que sus amigos sean populares ahora que cuando eran menores?**

Act. 7: Do in groups of three or as a whole class activity.

Act. 8: Have students glance at phrases in the text and brainstorm good and bad things a boss wants employees to do. Set up the premise, form pairs, and begin. Check by asking for their suggestions. If the suggestions seem strange, ask them to expand.

Actividad 9: Creencias del pasado Forma oraciones para expresar las creencias falsas que tenía la gente en el pasado y contrástalas con lo que se sabe ahora. Sigue el modelo.

→ no creer / el insecticida DDT / causar / problemas para el ser humano

—En el pasado la gente no creía que el insecticida DDT causara problemas para el ser humano.
—Es verdad, pero ahora sabemos que . . .

1. no creer / el asbesto / ser / peligroso para el ser humano
2. estar segura / la tierra / ser / plana
3. creer / el consumo de muchas proteínas / ser / bueno para la salud
4. no creer / la cocaína / ser / una droga
5. dudar / el hombre / poder / volar

Actividad 10: La hipótesis del cuadro **Parte A:** En grupos de tres, miren este cuadro y contesten las preguntas para formar una hipótesis sobre su contenido y su historia.

1. ¿Es una escena estática o hay movimiento? Den ejemplos para justificar su respuesta.
2. ¿En qué año más o menos creen Uds. que el artista haya pintado el cuadro?
3. ¿De qué país creen que sea este cuadro?
4. ¿Creen que lo haya pintado un hombre o una mujer? ¿Por qué?
5. La persona que pintó el cuadro usaba modelos al pintar. Para encontrar sus modelos, ¿buscaba personas que fueran de la alta sociedad, de la clase media, de la clase baja o personas marginadas de la sociedad? Justifiquen su respuesta.
6. ¿Quién es la figura central del cuadro? ¿Cómo era? ¿Qué hacía un día normal?
7. ¿Qué sentimientos quería el/la artista que viéramos en la cara de cada persona?
8. ¿Qué quería el/la artista que sintiéramos al ver esta escena: tristeza, orgullo, felicidad, melancolía? ¿Algo más? Justifiquen su respuesta.

Parte B: Ahora escuchen la información que les va a dar su profesor/a sobre el cuadro para ver qué adivinaron de la Parte A.

FLR link: Lectura 3

II. Reporting What Someone Said (Part One)

A. Reported Speech

1. Telling or reporting what was said in a conversation is called reported speech. Look at the following exchange.

Act. 9: Pairs or full class activity. Expand by asking students to create other similar sentences. Encourage students to engage in connected discourse.

Act. 10A: Encourage students to make guesses about the content of the painting and its artist. Check by asking individuals their opinion. They may disagree with each other. Encourage people to justify their responses. Remember: there are no right or wrong responses, only opinions.

Act 10B: See annotation on the next page.

Pedro: ¿**Vas a ir** al concierto de Marc Anthony?
Teresa: Sí. ¿**Y tú?**
Pedro: **No, no voy a ir. Me invitaron** a una fiesta.

Now look at a report of what was said:

Pedro le preguntó a Teresa si **iba a ir** al concierto. Ella le respondió que sí y le preguntó a Pedro si él **iba a ir.** Pedro dijo que **no** porque lo **habían invitado** a una fiesta.

2. Study the combinations in the following examples showing how to report what was said.

Estilo directo	Estilo indirecto
Presente "**Asiste** a clase todos los días."	**Presente** Dice que **asiste** a clase todos los días.
Presente "**Toca** el piano."	**Imperfecto** Dijo que él **tocaba** el piano.
Ir a + infinitivo "**Vamos a ir** más tarde."	Le comentó que **iban a ir** más tarde.
Imperfecto "**Tomaba** clases de dibujo."	Nos explicó que ella **tomaba** clases de dibujo.
Presente Perfecto "¿**Has hecho** la escultura?"	**Pluscuamperfecto** Le preguntó si **había hecho** la escultura.
Pretérito "Sí, la **terminé** anoche."	Le respondió que la **había terminado** la noche anterior.
Pluscuamperfecto "Nunca **había estado** allí."	Añadió que nunca **había estado** allí.
Presente del subjuntivo "Sara quiere que le **regale** una escultura."	**Imperfecto del subjuntivo** Dijo que Sara quería que le **regalara** una escultura.
Órdenes "**Haz** el trabajo."	Me pidió que **hiciera** el trabajo.
"**No diga** nada."	Le pidió que **no dijera** nada.

Actividad 11: ¿Qué dijo?   Cambia esta conversación de estilo directo al indirecto (*reported speech*) usando el pasado. Sigue el modelo.

→   Mauricio le preguntó a Virginia qué iba a hacer el sábado.

→   Ella le contestó que . . .

Mauricio: ¿Qué vas a hacer el sábado?
Virginia: Tengo que ir a ver a una restauradora.
Mauricio: ¿Qué pasó?
Virginia: El cuadro de la sala se cayó y quiero que ella lo vea.
Mauricio: ¿Le ha pasado algo?
Virginia: Bueno, tiene un agujero (*hole*) pequeño y además está muy sucio. Voy a llevarlo el sábado por la mañana, pero después podemos hacer algo.

Act. 11: Assign as HW and check in class. Suggest that they use a variety of expressions: **dijo que, explicó que, añadió que, preguntó qué/cuándo/si, contestó que, respondió que**. Answers: iba a hacer, tenía que ir a ver, había pasado, se había caído, quería que/viera, había pasado, tenía, estaba, iba a llevarlo, podían.

Actividad 12: El estudio de restauración   Trabajas en un estudio de restauración y tu jefa, que está enferma, llamó por teléfono y dejó algunos mensajes para los empleados. Di qué dijo que hicieran estas personas.

Act. 12: Either do in class or assign as HW and check in class.

→   Javier / mandar / un fax a la galería de arte

La jefa dijo que Javier mandara un fax a la galería de arte.

1. Patricia / examinar / el cuadro de Virginia Ramírez
2. Paco / hacer / el presupuesto (*estimate*) para el Sr. Contreras
3. Santiago y Roberto / obtener / los materiales de trabajo
4. Maricarmen / restaurar / la estatua de la Sra. Gómez
5. Marcos / terminar / de arreglar el cuadro de Laura
6. todos / trabajar / mucho

Actividad 13: Las exigencias del ladrón   En parejas, una persona es el señor Pérez, director de un museo, y la otra persona es un/a detective de la policía. Lean sólo el papel que les corresponde.

ladrón = thief

Act. 13: Form pairs assigning Mr. Pérez's and detective's roles. Tell students to look at their role only, allow time for them to study their parts and formulate some questions or responses, begin the activity. Check by calling on individuals to relate what was said.

El/La detective

El director de un museo llama para informarte que alguien robó una escultura muy valiosa. Hazle preguntas.

1. recibir Ud. alguna comunicación del ladrón
2. cuándo / llamar
3. cuánto dinero / querer / Ud. / darle
4. adónde / querer / Ud. / llevarlo
5. cuándo / exigirle / a Ud. / estar / allí
6. decirle / algo más

Tú empiezas diciendo: ¿Recibió Ud. alguna comunicación del ladrón? Quiero saber qué le dijo.

El Sr. Pérez

Alguien robó una escultura muy valiosa del museo en que trabajas y te llamó por teléfono. Ésta fue la conversación que tuviste <u>ayer</u> con el ladrón.

Ladrón	Pérez, tengo la escultura y quiero dos millones de pesos, ¿entendió?
Pérez	¡Dos millones de pesos!
Ladrón	Así es. Y llévelos a la esquina de las calles Triunvirato y Paso. Los quiero ahí mañana a las 12 de la noche.
Pérez	Está bien, está bien.
Ladrón	Es importante que la policía no lo acompañe. Debe ir solo.

Contesta las preguntas del detective usando el estilo indirecto.

→   Me dijo que tenía la escultura.

Actividad 14: ¿Alguna vez?   En grupos de tres, háganse las siguientes preguntas para hablar de diferentes situaciones personales.

1. ¿Alguna vez te has vuelto a encontrar con un vecino o un amigo de tu niñez? ¿Qué te preguntó? ¿Qué te contó de su vida? ¿Qué le contaste tú?
2. Cuando eras niño/a, ¿tuviste novio/a alguna vez? ¿Qué le dijiste para comenzar el noviazgo?
3. ¿Alguna vez alguien te ha ofrecido en su casa una comida que te disgustaba mucho? ¿Qué le dijiste?
4. ¿Alguna vez has rechazado la invitación de alguien con una mentira? ¿Qué le dijiste?
5. ¿Alguna vez le has dicho a alguien una verdad muy difícil de aceptar? ¿Qué le dijiste?

Actividad 15: Una obra de arte   **Parte A:** En parejas, busque cada uno un cuadro de este capítulo que le guste mucho o que no le guste y explíquele a su compañero/a por qué lo eligió.

Parte B: Ahora muéstrale el cuadro a la clase y cuéntale lo que dijo tu compañero/a.

B. *Pedir* and *preguntar*

When reporting what someone asked or requested, it is common to use the verbs **pedir** and **preguntar**. Read the following explanations to help you understand their use.

hacer preguntas = to ask questions

1. Use **preguntar** when reporting a question someone asked, asks, or will ask.

Ella me **preguntó** cuánto costaba la entrada.   *She asked me how much the ticket cost.*

Act. 14: Form groups of three, model responses to a few questions, and begin. Check by asking about #4. Expand by asking students if it is OK to tell a lie. If they say yes, ask when. Ask if they have ever lied to protect someone and what they said. Encourage connected discourse.

Act. 15: If you are using FLR, have students look at Ch. 9 for paintings they like or dislike.

Él me **pregunta** si quiero ir a la exhibición.	*He's asking me if I want to go to the exhibition.*
Voy a preguntarle si quiere ir conmigo.	*I'm going to ask her if she wants to come with me.*

2. Use **pedir** when either making or reporting a request someone made, makes or will make. In a request, you often ask someone else *for* something or *to do* something. In the latter case, **pedir** expresses influence and is followed by a dependent clause containing a verb in the subjunctive.

Le **pedí** a Marta su computadora.	*I asked Marta for her computer.*
Juan le **pidió** a Marta que le **prestara** su computadora.	*Juan asked Marta to lend him her computer.*
Te **pido** que no **hables** en voz alta.	*I'm asking you not to speak loudly.*
Voy a pedirle que me **traiga** el libro que le presté.	*I'm going to ask him to bring me the book that I lent him.*

Actividad 16: ¿Quién dijo qué?   A continuación hay tres columnas: (1) nombres de personas famosas, (2) individuos a quienes las personas famosas les pidieron o preguntaron algo, (3) lo que pidieron o preguntaron. Utiliza una expresión de cada columna y **pedir** o **preguntar** para formar oraciones lógicas en estilo indirecto. Sigue el modelo.

→   El Rey Felipe IV le pidió a Velázquez que le pintara un cuadro.

Felipe IV	Isabel la Católica	"Tráigame un café colombiano, por favor."
Hernán Cortés	Sancho Panza	"Recuéstese Ud. en el sofá porque le voy a hacer algunas
Don Quijote	todos	preguntas."
Julieta	un mesero	"Tráeme mi lanza *(lance).*"
la Madre Teresa	una huésped	"¿Tienen Uds. oro?"
Cristóbal Colón	una empleada doméstica	"¿Me puede dar el dinero para el viaje?"
Rita Moreno	Romeo	"¿Dónde estás, mi amor?"
Juan Valdéz	un paciente	"¿Quiere Ud. una habitación con o sin ducha?"
Freud	Velázquez	"Vayan a ayudar a los pobres."
Norman Bates	los aztecas	"Quiero que me pinte un cuadro."
		"Ponga mi Óscar al lado de mi Emmy que está delante de mi Tony que está a la derecha de mi Grammy."

Actividad 17: La entrevista de español   En parejas, Uds. tuvieron una entrevista con su profesor/a de español y están comparando qué les preguntó y qué les pidió que hicieran. Cada uno debe leer una de las listas de preguntas de la página siguiente y turnarse para decir qué ocurrió en su entrevista.

→   ¿Te gusta la música? Cuéntame cómo fue el último concierto que viste.

—Primero me preguntó si me gustaba la música y después me pidió que le contara cómo había sido el último concierto que había visto.

Lista de preguntas A:

1. Mira esta foto. Cuenta una historia.
2. ¿Qué haces generalmente en tus vacaciones de verano? Dime qué hiciste el verano pasado.
3. ¿Dónde vivías cuando eras niño/a? Descríbeme tu ciudad.
4. Dime cuál es tu pasatiempo favorito.

Lista de preguntas B:

1. Dime quién es tu pariente preferido. Cuéntame cómo es.
2. ¿Dónde y con quién viviste el año pasado?
3. ¿Quién era tu profesor favorito en la escuela secundaria? Dime qué te gustaba de esa persona.
4. Mira este dibujo. Háblame de las personas. ¿Quiénes son? ¿Qué están haciendo?

If you conduct oral interviews as part of the course grade, expand by discussing these interviews and how these questions are typical since they are open-ended and require students to expand on a theme.

III. Discussing Art

El arte

El arte, when singular, generally takes masculine adjectives: **el arte moderno.** When plural, it takes feminine modifiers: **las bellas artes.**

Algunos movimientos artísticos: abstracto, barroco, cubismo, impresionismo, realismo.

Review basics (**pincel, escultura, esculpir, dibujar, la escena, pintar, mural**) or expand vocabulary depending on level or class interest (**primer plano, fondo, artesano**). Basic art vocabulary is presented in Appendix E.

La obra de arte

el autorretrato	self-portrait
la naturaleza muerta/el bodegón	still life
la obra maestra	masterpiece
el paisaje	landscape
la reproducción	
el retrato	portrait
la burla, burlarse de . . .	mockery, to mock/joke (make fun of)
la imagen	
expresar	
la fuente de inspiración	source of inspiration
glorificar	to glorify
el mensaje	message
la sátira	satire
simbolizar, el símbolo	

Apreciación del arte

la censura, el censor, censurar	
la crítica, el/la crítico/a, criticar	critique, critic, to critique; to criticize
la interpretación, interpretar	
(no) tener sentido	(not) to make sense

Actividad 18: Categorías Asocia las siguientes personas o instituciones con un mínimo de tres palabras de la lista de vocabulario y explica por qué elegiste esas palabras.

Act. 18: Whole class activity or pairs. Accept any association students give as long as they can justify the more obscure choices.

1. un crítico
2. una artista
3. el gobierno
4. una actriz
5. un comediante
6. una universidad

Actividad 19: Los símbolos Las obras de arte están llenas de símbolos y mensajes. Habla del simbolismo en el arte combinando un símbolo con un concepto.

→ El color blanco representa/simboliza . . .

calavera

Símbolos	Conceptos
el color blanco	la muerte
el color rojo	la esperanza
una calavera	la religión
una cruz	la paz
una paloma *(dove)*	la pureza
el color verde	la violencia, la pasión

Actividad 20: ¿Dónde están? En grupos de tres, digan dónde están las siguientes obras maestras. Sigan el modelo.

→ Estoy seguro/a de que . . . , la obra maestra de (nombre del artista), está en . . . / Sé que no . . . / (No) es posible que . . . / (No) creo que . . .

Obra maestra	Lugar
El David / Miguel Ángel	la Secretaría de Educación en la ciudad de México
La piedad / Miguel Ángel	la Galería de la Academia en Florencia
La vista de Toledo / El Greco	el Centro Reina Sofía en Madrid
La maja vestida / Goya	el Louvre en París
El Guernica / Picasso	el Museo Metropolitano en Nueva York
La Mona Lisa / da Vinci	el Vaticano
Cantando el corrido / Rivera	el Museo del Prado en Madrid

Act. 19: Whole class activity or pairs. Answers: blanco = pureza; rojo = violencia/pasión; calavera = muerte; cruz = religión; paloma = paz; verde = esperanza.

Act. 20: With books closed, see if students can say where the painters mentioned in the activity are from; say the name of the work and see if they can say who painted it. Then have students open their text. Form groups of three, explain premise of activity, and begin. All students are not expected to know all responses. Check by having volunteers say where they think the works of art are located. If possible, bring in pictures of the works mentioned. (Continues on the next page.)

FLR link: **Lectura 2**

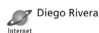

Diego Rivera
Internet

¿LO SABÍAN?

En 1923, un grupo de artistas mexicanos que habían vivido bajo la dictadura de Porfirio Díaz y habían pasado por un período de revolución cuando eran estudiantes de arte, formaron un sindicato de pintores y escultores. Entre ellos estaban los famosos muralistas Diego Rivera, David Alfaro Siqueiros y José Clemente Orozco. Debido a que este sindicato apoyaba el papel revolucionario del nuevo gobierno, éste les ofreció a los pintores diferentes paredes de la ciudad y de edificios públicos para que hicieran pinturas sobre ellas. Así comenzó el movimiento llamado Muralismo, el primero de la historia que desarrolló temas sociopolíticos en la pintura.

See annotation on p. 225.

▶ Cantando el corrido, *Diego Rivera.*

Actividad 21: El arte en California Mucha gente cree, erróneamente, que el arte de los artistas mexicoamericanos en los Estados Unidos ha recibido influencia del arte hispanoamericano en general. La mayor influencia que se encuentra en el arte mexicoamericano es la de los muralistas mexicanos. En parejas, comparen el siguiente mural de una artista chicana con el del *¿Lo sabían?* de la página anterior. Usen palabras de la lista de vocabulario para decir en qué se parecen y en qué se diferencian.

Actividad 22: ¿Qué es realmente arte? En parejas, discutan estas preguntas sobre el arte.

1. ¿Cuál es la diferencia entre arte y artesanía?
2. Cuando un niño hace un dibujo, ¿se considera arte?
3. ¿Cuál es la diferencia entre un grafiti y un mural? ¿Conocen a alguien que haya pintado grafiti? ¿Cómo era el grafiti y dónde lo pintó?
4. Muchos artistas de tiras cómicas (*comic strips*) usan sátira o se burlan de algo, pero existen periódicos que censuran estas tiras cómicas y no las publican. ¿Cuándo y por qué creen que los periódicos hacen esto? ¿Cuál es su tira cómica favorita y por qué?
5. Otro tipo de arte es el diseño gráfico. Las empresas gastan un dineral en crear sus logotipos (*logos*). ¿Qué logotipos te gustan? ¿Simbolizan algo en especial? Miren los logotipos que se presentan aquí y digan qué simbolizan y qué promocionan.

▲ *Parte del mural* La ofrenda, *Yreina Cervantez.*

Act. 20: Answers: David/Galería de la Academia; La piedad/El Vaticano; La vista de Toledo/Museo Metropolitano; La maja vestida/El Prado; El Guernica/Centro Reina Sofía; La Mona Lisa (also referred to as La Gioconda)/El Louvre; Cantando el corrido/Secretaría de Educación.

¿Lo sabían? Using the last item in Act. 20, discuss Rivera as a muralist as a lead-in to this reading. Bring photos of murals or show slides to give students an idea of the topics and style of these murals. To expand, ask if there are any murals at the university or in their city and what their contents are.

Act. 21: Encourage students to use their powers of observation in this discussion of themes. *La ofrenda* features Dolores Huerta, a leader of United Farmer Workers Union (she will be discussed in Chapter 12). Yreina Cervantez (1952–) is a painter, printmaker, and teacher born in Kansas and raised near San Diego.

Act. 22: Could be assigned as HW and/or done in class in pairs. Encourage students to be as specific as possible in their answers. Check by asking for different opinions. Question 5: Some famous American logos are the Nike swish, the CBS eye, and the NBC peacock.

Note: **el grafiti = la pintada** (Spain).

Actividad 23: El arte en la ropa Camiseta, un par de jeans y unos zapatos de tenis es la vestimenta más común que llevan los jóvenes de hoy en día. En parejas, averigüen qué tipo de mensajes tienen las camisetas que Uds. generalmente llevan. Sigan el modelo.

→   —¿Tienes una camiseta que tenga una imagen simbólica?

—Sí, tengo una con la paloma de la paz de Picasso.

—No, no tengo ninguna que tenga una imagen simbólica.

1. tener una imagen simbólica
2. tener un mensaje político o ecológico
3. glorificar la universidad, un equipo, etc.
4. criticar algo directamente
5. hacer sátira de algo
6. tener una obra de arte
7. tener algo gracioso

Act. 23: If students are wearing T-shirts, start by commenting on their content. If you have different T-shirts, bring them in and comment on them. Before beginning the activity, you may want to have students quickly jot down what T-shirts they own. After introducing the theme, form pairs and check by seeing what types of T-shirts people own.

Act. 24: Form groups. Check by discussing students' responses. It deals with the Spanish Inquisition: The inquisitors are holding court; two men in hats in the foreground represent Jews who converted and the other two, Jews who refused to convert and are being burned at the stake.

Actividad 24: La comunicación El artista suele querer transmitir algo a los que ven su obra y, de hecho *(in fact)*, durante muchos siglos, se usaba el arte para educar al público. En parejas, miren el cuadro de la derecha y digan qué historia quiere contar.

Actividad 25: Críticos de arte Mira el cuadro que está abajo y después, en grupos de tres, discutan las ideas que se presentan a continuación.

1. su reacción al mirar el cuadro
2. por qué tienen esa reacción
3. describan todos los detalles que hay en el cuadro: la luz, las sombras, las figuras, las líneas diagonales y las curvas, los colores
4. cuál creen que haya sido la fuente de inspiración de la artista
5. cuál es el mensaje de este cuadro

Act. 25: Annotation is on p. 227.

◄ Sueño y premonición, *María Izquierdo (México)*.

▲ Auto de fe, *Pedro Berruguete (España)*.

¿LO SABÍAN?

Durante muchos siglos las artes estuvieron dominadas por los hombres. En general, ellos eran quienes las patrocinaban *(sponsored)* y quienes tenían fama mundial. Actualmente se reconocen las contribuciones de las artistas también. Entre las más conocidas de Hispanoamérica se encuentran las mexicanas Frida Kahlo (1907–1954) y María Izquierdo (1902–1955), que lograron reconocimiento gracias a su conexión con Diego Rivera. Otras artistas conocidas en la actualidad son Lidy Prati (1921–) y Liliana Porter (1941–), ambas argentinas, la venezolana Marisol (1930–), la colombiana Ana Mercedes Hoyos (1942–) y la cubana Ana Mendieta (1948–1985). Intenta nombrar alguna artista norteamericana famosa del pasado o del presente. ¿Qué sabes sobre ella?

Act. 25: Form groups of three and have students discuss their impressions. When finished, have a give-and-take of perceptions between groups.

Before reading this ¿Lo sabían?, ask students to tell you all the famous artists they can name. Do this as a class shout-out and write the names on the board. Without telling the students what you are doing, put men on one side of the board and women on the other. The latter list should be quite short. Without further comment, have them read the information. You may want to show works by the artists mentioned.

FLR link: Lectura 1 discusses Frida Kahlo.

Drill passive voice:

Have students change the following ideas to passive voice: **La galería va a exponer las obras de Botero. Los expertos publicaron una crítica. El gobierno censuró la escultura. El gobierno patrocina a artistas jóvenes.** (etc.)

IV. Shifting the Focus in a Sentence

The Passive Voice

Many sentences you have dealt with up to this point have been in the active voice. That is to say that the subject (agent or doer of the action) does something to someone or something (the object of the action).

Botero pintó *La familia presidencial.*

Botero painted The Presidential Family.

Examine the following active sentences containing *subject + verb + object.*

Active Voice		
Subject (Agent)	Action	Object
Siqueiros	pintó	muchos murales.
Siqueiros	*painted*	*many murals.*
La prensa	ha publicado	los resultados de las elecciones.
The press	*has published*	*the results of the election.*
La ciudad	va a construir	una casa para ancianos.
The city	*is going to build*	*a nursing home.*

1. The passive voice, which in Spanish is mainly found in writing, is used to place emphasis on the action and the receiver of the action instead of the doer of the action: *The movie was panned by the critics.* In Spanish, as in English, the passive construction is formed by reversing the word order and changing the form of the verb according to the following formula.

Passive Voice			
Object (Passive Subject)	ser + *past participle*	por	Agent
Muchos murales	**fueron** pintad**os**	por	Siqueiros.
Many murals	*were painted*	*by*	*Siqueiros.*
Los resultados	**han sido** publicad**os**	por	la prensa.
The results	*have been published*	*by*	*the press.*
Una casa de ancianos	**va a ser** construid**a**	por	la ciudad.
A nursing home	*is going to be built*	*by*	*the city.*

Note: The past participle agrees in gender and in number with the object of the action.

2. Compare the following active and passive sentences.

Active	Passive
El presidente proclamó la paz.	La paz **fue proclamada** (por el presidente).
Las compañías petroleras van a explotar la selva.	La selva **va a ser explotada** (por las compañías petroleras).
La galería vendió el cuadro en un millón de pesos.	El cuadro **fue vendido** en un millón de pesos (por la galería).

Note: In many passive sentences it is possible to omit the agent (the phrase with **por**) when it is obvious or unimportant.

In Spanish, the passive voice isn't frequently used in the present. It is preferable to use the **se** construction instead.

3. When there is no clear agent, the **se** + *singular/plural verb* construction is preferred. To review, see Chapter 5, pages 130–131.

Se toma mate en Bolivia.	*Mate is drunk in Bolivia.*
Se ven muchos **anuncios** de mate en la televisión.	*Many ads for mate are seen on television.*

Actividad 26: Ciertas o falsas   Pon estas oraciones sobre el arte y la arqueología en la voz pasiva y después decide si son ciertas o falsas. Corrige las falsas.

1. Los romanos construyeron La Alhambra en Granada.
2. Velázquez pintó el cuadro *Las meninas*.
3. Los aztecas construyeron Machu Picchu.
4. Ritchie Valens cantó "La bamba".
5. Salvador Dalí pintó muchos murales en México.
6. María Izquierdo pintó *Sueño y premonición*.

Act. 26: Instruct students that some of the sentences are false, but that first they're going to turn the sentences into the passive voice. Do one by one calling on individuals. Then, as a class or in pairs, ask them to decide if the sentences are true or false and to correct the false. Check responses. Answers: 1. los moros; 2. cierto; 3. los incas; 4. cierto; 5. Orozco/Siqueiros/Rivera/etc.; 6. cierto.

Actividad 27: Acontecimientos importantes   Forma oraciones con la voz pasiva usando palabras de las tres columnas. Si no estás seguro/a, adivina.

→   El primer transplante de corazón fue realizado (*carried out*) por Christiaan Barnard.

La canción "*Volveré*"	componer	Pierre y Marie Curie
La vacuna contra la polio	crear	Pablo Picasso
Mujeres al borde de un ataque	desarrollar	Enrique Iglesias
de nervios	grabar	Pedro Almodóvar
La quinta sinfonía	dirigir	Alberto Einstein
El cuadro *Guernica*	descubrir	Isabel Allende
La teoría de la relatividad	pintar	Tomás Salk
La novela *Afrodita*	escribir	Beethoven
El metal radio		

Act. 27: Do as a full-class activity. Encourage students to guess if they don't know. Answers: *Volveré* grabado por E. Iglesias; vacuna contra la polio creada por T. Salk; *Mujeres al borde de un ataque de nervios* dirigida por P. Almodóvar; quinta sinfonía compuesta por Beethoven; *Guernica* pintado por P. Picasso; teoría de la relatividad desarrollada por A. Einstein; *Afrodita* escrita por I. Allende; metal radio descubierto por P. y M. Curie.

V. Using Transitional Phrases

Expressions with *por*

Por is frequently used in transitional phrases that help to move a conversation or a narrative along. The following list contains common expressions with **por:**

por casualidad	by chance
por cierto	by the way
por ejemplo	for example
por eso/por esa razón	that's why, for that reason
por lo general	in general
por lo menos	at least
por un lado . . . por el otro	on one hand . . . on the other
por una parte . . . por la otra	
por otro lado/por otra parte	on the other hand
por (si) las dudas	
por si acaso	just in case
por si las moscas	
por lo tanto/por consiguiente	therefore

Drill expressions with **por:**

Have students complete sentences: **Mañana voy a traer un paraguas . . . ¿Han visto mis anteojos . . . ? Por un lado es bueno estudiar un poco todos los días, . . . Necesito . . . cuatro voluntarios para un juego.**

Actividad 28: Miniconversaciones   **Parte A:** Completa las siguientes conversaciones usando expresiones con **por.**

Act. 28: Other answers are possible.

1. —¿Adónde vas con esos prismáticos (*binoculars*)?
   —Los llevo ———— por si las moscas ————. Sé que tenemos asientos en la séptima fila, pero quiero ver bien a los actores.

2. —_____Por un lado_____, me gusta esta escultura, pero _____por el otro_____,
me parece carísima.
—Entonces no la compres.

3. —Me fascinan las canciones de Ricky Martin, el ex integrante de Menudo.
—_____Por cierto/Por casualidad_____,¿escuchaste su última canción? Es excelente.

4. —¿Has visto mi flauta _____por casualidad_____?
—Creo que la vi en la mesa de la cocina, debajo del periódico.

5. —Esta exhibición me parece malísima; _____por lo tanto_____ me voy.
—Espérame, espérame que quiero ver algunos cuadros más.

6. —¿Cuánto crees que cueste esa obra de arte?
—No estoy seguro, pero debe costar _____por lo menos_____ 100.000 pesos.

Parte B: Ahora en parejas, escojan una de las conversaciones y continúenla.

Actividad 29: Los comentarios   En parejas, digan qué piensan sobre cada una de las siguientes ideas usando por lo menos tres expresiones con **por** para cada situación.

→   las artesanías no son arte

   Por lo general eso es lo que piensa mucha gente y **por eso** no aprecia el trabajo de los artesanos. Pero **por otro lado,** . . .

1. el grafiti es arte
2. hay censura artística en este país
3. algún día van a desaparecer los libros

Actividad 30: ¿Censura o no?   Muchos gobiernos patrocinan (*sponsor*) las artes, pero siempre existe la posibilidad de la censura. Por ejemplo, en los Estados Unidos, están los casos del fotógrafo Mapplethorpe, con sus fotos eróticas, y del

Act. 29: Form pairs, give instructions, and begin. Check by having students use sentences with **por** expressions.

FLR link: **Lectura 2**

Act. 30: See p. 232 for suggestions.

Internet

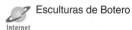 Esculturas de Botero

artista Serrano, cuyas imágenes causaron repugnancia y ofendieron a mucha gente. Cuando en Madrid se exhibieron, en un bulevar, esculturas de mujeres gordas desnudas del colombiano Fernando Botero, la gente se ofendió. Las encontraba desproporcionadas *(out of proportion)* y, por lo tanto, sin valor artístico y se opinaba que el estado no debería comprarlas. Desde hace algún tiempo se ha despertado en un sector del público un interés por controlar el dinero que gasta el gobierno en las artes. Así como el arte provoca reacciones, también provoca controversia.

Divídanse en dos grupos para debatir la siguiente idea:

> Los gobiernos no deben patrocinar obras de arte que la mayor parte de la población no acepta.

Cada grupo tiene cinco minutos para preparar su argumento a favor o en contra. Su profesor/a va a moderar el debate.

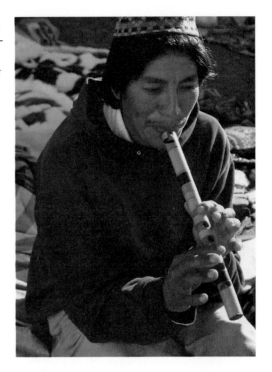

▲ *La quena: instrumento prohibido en Chile durante la dictadura de Pinochet.*

▼ *Alicia Alonso, bailarina y coreógrafa cubana. Se prohibió su entrada en los Estados Unidos durante casi todo el régimen de Castro por apoyarlo a él.*

▲ Pareja bailando, *Fernando Botero (Colombia).* © Fernando Botero/ Licensed by VAGA, New York, NY. Courtesy The Marlborough Gallery, New York. Photo courtesy of Mary-Anne Martin/Fine Art, New York.

Vocabulario activo

El arte

Ver página 223.

Expresiones con *por*

Ver página 229.

Expresiones útiles

un dineral	*a great deal of money*
llevarle (a alguien) + *time period*	*to take (someone)* + *time period*
¡Qué barbaridad!	*Wow! (Literally, What a barbarity!)*
se me fueron las ganas de + *infinitive*	*I didn't feel like* + verb + ing *anymore*

Vocabulario personal

Act. 30: Discuss briefly censorship of art, books, songs, ideas, etc. for political or moral reasons. Ask students to give examples of items that have been banned. Examples include: Christmas decorations in public places; songs and prayer in public schools; the teaching of the theory of evolution; *The Adventures of Huckleberry Finn; Catch 22;* some plays by Shakespeare; etc. Refer students to: (1) the **quena,** which was banned in Chile in the 1970s due to its use in music frequently associated with Allende's government and which was a symbol of freedom and self determination; (2) Alicia Alonso, a world-acclaimed Cuban ballerina, who was at the peak of her career during the Castro regime, and could not enter the U.S. for being a Castro supporter; (3) Fernando Botero, Colombian artist known for depiction of oversized people.

Divide the class into two groups and inform them of the side they are to support. Tell them to disregard their personal opinions and to argue intensely for the side of the issue to which they are assigned. This may avoid people having to choose sides and thus expose their own personal views. Allow time for each side to prepare. Have a debate.

10

Matrimonios y algo más

▲ *Una pareja guatemalteca charla en un parque de la ciudad de Guatemala.*

COMMUNICATIVE GOALS

- stating future actions
- expressing conditions, giving advice, and making requests
- expressing probability
- discussing societal issues
- reporting what someone said (part two)
- hypothesizing about the future and the present

May be assigned: Grammar, vocabulary, **¿Lo sabían?**, Act. 6A, Act. 8, Act. 9A, Act. 10, Act. 12, Act. 21A, Act. 24A, Act. 25, Act. 26A.

¡Que vivan los novios!

La boda
Internet

un/a amigo/a íntimo/a	a very close friend
¿No te/le/les parece?	Don't you think so?
mientras más vengan, mejor	the more, the merrier

Practice expressions: Write them on the board. Tell students that you are organizing your birthday party and that you are planning to invite a lot of people because **mientras más vengan, mejor.** Ask them **¿no les parece una buena idea?** Ask them whether they think it's better to invite only **mis amigos íntimos.**

Act. 1: Have students share their answers. 2. In many Hispanic countries, a civil wedding is mandatory; a growing number of couples only celebrate this type of wedding 3. Sometimes in Venezuela (believed to be an import from the U.S.) 4. In Mexico, the best man and maid of honor are a married couple who are friends of the bride and groom. Other traditions will be discussed in the listening passage.

▲ *Chicas argentinas tiran las cintitas de un pastel de boda.*

Actividad 1: Las bodas   Marca qué costumbres asocias generalmente con bodas de tu país (MP), de países hispanos (PH) o de ambos (A).

1. __MP__ ceremonia civil o religiosa
2. __PH__ ceremonia civil y religiosa
3. __A__ damas de honor como madrinas
4. __PH__ madres y padres como padrinos
5. __A__ pajes con anillos
6. __A__ tirarles arroz a los novios al salir de la iglesia
7. __A__ fiesta con baile
8. __A__ pastel de boda

Actividad 2: Otras costumbres   **Parte A:** Escucha el programa de radio "Charlando con Dolores" para enterarte sobre por lo menos dos costumbres hispanas relacionadas con las bodas.

Parte B: Escucha el programa de radio otra vez y apunta todas las costumbres hispanas que se mencionan. Debes estar preparado/a para contárselas con detalle al resto de la clase.

Act. 2A: Tell students not to concentrate on the details of the traditions since they will do that in Part B.

Act. 2B: Discuss how to take notes. Tell students to write phrases or words, not sentences. You may want to pause after each tradition is discussed in the call-in show, and have students retell it.

Parte C: En parejas, describan costumbres norteamericanas relacionadas con las bodas que no se hayan mencionado en la actividad anterior.

Actividad 3: ¿Qué opinas?   En grupos de tres, discutan las siguientes ideas relacionadas con las bodas en su país.

1. Los padres de la novia deben pagar todos los gastos de la fiesta.
2. Los invitados sólo deben comprar regalos de la lista de regalos.
3. Las madrinas de la novia deben comprar el vestido que la novia elija por más feo que sea.
4. El novio y la novia pueden celebrar su despedida de soltero/a como quieran.

¿LO SABÍAN?

Entre las muchas tradiciones en torno a las bodas de los países hispanos se encuentran las serenatas en Colombia. Aunque esta costumbre parezca anticuada, todavía a veces se dan serenatas. En el pasado, el novio generalmente le mandaba a su futura esposa uno o varios músicos que le tocaban canciones frente a la ventana muy tarde por la noche.

Hoy día, es más común que el novio le lleve el conjunto de "serenateros" uno o dos días antes de la boda, generalmente la noche que reciben los regalos, y juntos con la familia pasan un rato escuchando música. Comenta qué piensas de esta tradición y si te gustaría recibir o mandarle una serenata a alguien.

I. Stating Future Actions

The Future Tense

In the radio program, you heard a caller say, **"Y la que se saque el anillo es la que se casará el año que viene"**, in reference to an action that will take place in the future. To do this, she used the future tense. You are already familiar with the two most common ways to refer to future actions: a construction with **ir a** + *infinitive* and the present tense.

1. The present tense is frequently used to refer to the near future, and a sense of certainty about the future is implied. **Ir a** + *infinitive* can be used to talk about both the near and distant future.

Esta noche **comemos** en casa de Wilson y Marta.

Tonight we are eating at Wilson and Marta's. (near future and sense of certainty)

Ellos **van a hacer** una fiesta el sábado.	*They are going to have a party on Saturday. (near future)*
El año que viene **voy a estudiar** en el extranjero.	*I'm going to study abroad next year. (distant future)*

2. Another way to refer to actions both in the near and distant future is by using the future tense. In everyday speech, this tense is not as common as the present or a construction with **ir a** + *infinitive*. The future tense is formed by adding the following endings to the infinitive form of the verb.

usar		vend**er**		viv**ir**	
usar**é**	usar**emos**	vender**é**	vender**emos**	vivir**é**	vivir**emos**
usar**ás**	usar**éis**	vender**ás**	vender**éis**	vivir**ás**	vivir**éis**
usar**á**	usar**án**	vender**á**	vender**án**	vivir**á**	vivir**án**

For additional information on the formation of the future tense, see page 304.

Mi tío se murió el mes pasado, pero siempre lo **recordaré** con mucho cariño.	*My uncle died last month, but I will always remember him fondly.*
Con todo lo que está pasando hoy en día, no sé cómo **será** el mundo para mis nietos.	*With everything that is happening today, I don't know what the world will be like for my grandchildren.*
Él **querrá** que tú vayas a la boda.*	*He will want you to go to the wedding.*

*Note: In sentences requiring the subjunctive, if the independent clause contains the future, use the present subjunctive in the dependent clause.

3. You can use the future tense to make promises.

—Quiero verte pronto en casa.	*I want to see you at home soon.*
—**Estaré** ahí a las ocho.	*I'll be there at eight.*

Act. 4: Begin by predicting what you will look like at 75. Encourage creativity in responses. Check by asking some students to share their responses.

Actividad 4: ¿Cómo serán? En parejas, describan cómo creen que será físicamente la otra persona cuando tenga setenta y cinco años. A continuación hay algunas ideas que pueden ayudarlos. Justifiquen su descripción.

Follow-up: Ask students to predict other aspects of their partners' lives (type of house, wealth, memberships in clubs, etc.)

tener pelo blanco, canoso o teñido	llevar anteojos bifocales o trifocales
ser calvo/a	tener arrugas *(wrinkles)*
llevar peluca *(wig, toupee)*	ser fuerte o débil
ser activo/a o sedentario/a	ser musculoso/a o fofo/a
tener buena o mala salud	estar senil
ser gordo/a o delgado/a	

Actividad 5: ¿Lo harán? En parejas, túrnense para preguntarse cuáles de las actividades de la página siguiente no harán nunca y cuáles harán si pueden. Expliquen sus respuestas.

Act. 5: Stress that by using the future they are saying they **will** do these items. When finished, check by asking who will do a few of the activities mentioned.

→   —¿Tendrás gatos?

—Sí, tendré gatos porque me   —No, jamás tendré gatos porque
encantan los animales.   les tengo alergia.

1. ganar un dineral	6. hacer el doctorado
2. hacer un viaje al Oriente	7. aspirar a ser famoso/a
3. vivir en la misma ciudad que sus padres	8. presentarse como candidato/a para un puesto del gobierno
4. dedicarse a ayudar a los necesitados	9. matricularse en otro curso de español
5. adoptar a un niño	10. aprender a hacer alas delta

Actividad 6: El pasado y el futuro   **Parte A:** Lee cómo era la vida en el año 1900 y luego di cómo será el mundo en el año 2075.

1. En el año 1900 las personas no viajaban mucho porque usaban caballos, barcos o trenes y cada viaje llevaba muchos días. En el año 2075 . . .
2. En el año 1900 se pagaba en las tiendas con monedas o billetes. En el año 2075 . . .
3. En el año 1900 la gente cerraba las puertas con llave y para entrar tenía que tener la llave. En el año 2075 . . .
4. En el año 1900 casi ninguna mujer ocupaba un puesto en el gobierno. En el año 2075 . . .
5. En el año 1900 existían tiendas donde se compraba comida, ropa, etc. En el año 2075 . . .

Parte B: Ahora usa la imaginación e imita el estilo de la Parte A para describir otros aspectos de la vida del año 1900 y después di qué pasará en el futuro.

1. las bodas	4. trabajar 40 horas o más por semana
2. hacer las labores domésticas	5. las guerras
3. el cáncer	6. las escuelas públicas

Actividad 7: La estructura familiar   En grupos de tres, lean las siguientes descripciones sobre la estructura familiar actual de los Estados Unidos y digan cómo creen que será esta estructura dentro de veinte años.

1. la mujer trabaja en la casa más que el hombre
2. hay desigualdad entre el sueldo que ganan los hombres y las mujeres
3. las parejas se casan entre los 25 y los 30 años
4. las familias tienen generalmente 2 hijos
5. hay bastante gente soltera con hijos
6. muchos jóvenes no pueden seguir sus estudios por falta de dinero
7. los adolescentes salen por la noche con permiso de los padres
8. el porcentaje de divorcios es alto
9. existen familias no tradicionales, pero son una minoría

Act. 6A: As a review, point out the use of the imperfect for describing habitual actions in the past. Do in class (whole class activity or pairs) or assign as HW. Collect HW and/or have students compare answers and share in class.

Act. 6B: Follow same procedure as in Part A. You may need to brainstorm some vocabulary so that students can express their ideas.

Act. 7: List answers given on the board. When finished, ask students which changes will occur sooner than others.

FLR link: **Lectura 2** discusses traditonal ideas about men and women in the Hispanic world.

Actividad 8: Promesas   Te vas a casar y quieres preparar una lista de cinco promesas para leerle a tu novio/a el día de la boda. Puedes usar las siguientes ideas:

La pareja
Internet

serle fiel

ayudarlo/la en todo

decirle la verdad siempre

quererlo/la para toda la vida

apoyarlo/la

hacerlo/la feliz

respetarlo/la

escucharlo/la siempre

no gritarle

tener presente sus deseos

estar con él/ella en las buenas y en las malas

II. Expressing Conditions, Giving Advice, and Making Requests

The Conditional Tense

FLR link: Lectura 1

1. To express what someone would do in a given situation, use the conditional tense.

Sería interesante hacer un estudio sobre los hombres que ganan menos dinero que su esposa. ¿Cómo **describirían** ellos su papel en la familia?

It would be interesting to do a study about men who earn less money than their wives. How would they describe their role in the family?

2. The conditional is formed by adding the following endings to the infinitive form of the verb.

usar		vender		vivir	
usaría	usaríamos	vendería	venderíamos	viviría	viviríamos
usarías	usaríais	venderías	venderías	vivirías	viviríais
usaría	usarían	vendería	venderían	viviría	vivirían

For additional information about the formation of the conditional, see page 305.

3. The conditional is frequently used to give advice when prefaced by the phrases **yo que tú/él/ella/ellos . . .** and **(yo) en tu/su lugar.**

Yo que tú, me casaría con ella.

If I were you, I would marry her.

(Yo) en tu lugar, les **diría** la verdad.

If I were in your place, I would tell them the truth.

You may want to explain that **quisiera** is frequently used instead of **querría** to create a softer request: ¿**Querría**/ **Quisiera** hacerme un favor?

4. You can also use the conditional to make very polite requests. The following requests are listed from the most direct (commands), to the most polite (conditional).

Dime dónde está el correo.	Haz esto.
¿Me dices dónde está el correo?	Quiero que hagas esto.
¿Puedes decirme dónde está el correo?	¿Quieres hacer esto?
¿**Podrías** decirme dónde está el correo?	**Me gustaría** que hicieras esto.*
	Querría que hicieras esto.*

*Note: When expressing influence, if the independent clause contains the conditional, use the imperfect subjunctive in the dependent clause.

Actividad 9: Situaciones de la vida diaria   **Parte A:** Lee individualmente las siguientes situaciones de la vida diaria y marca qué harías en cada una.

Act. 9A: Assign as HW or do quickly in class.

1. Estás en el banco y la mujer que está delante de ti sólo habla español y tiene problemas porque el cajero sólo habla inglés. ¿Qué harías?
   a. ayudarla y traducir para ella   b. no hacer nada
   c. buscar un cajero que hablara español
2. Llegas a tu casa solo/a de noche y encuentras la puerta abierta. ¿Qué harías?
   a. entrar para investigar   b. buscar a un vecino
   c. llamar a la policía
3. Un vendedor te devuelve diez dólares de más en una tienda. ¿Qué harías?
   a. devolverle el dinero   b. darle las gracias e irte
   c. comprar algo más en esa tienda
4. Un amigo que tiene novia te cuenta que está saliendo con otra chica. ¿Qué harías?
   a. decirle la verdad a la novia   b. no hablarle más a tu amigo
   c. sugerirle a él que se lo dijera a su novia
5. Viste a una señora poner un disco compacto en su bolso, pero no la vio nadie de la tienda. ¿Qué harías?
   a. avisarle a un/a vendedor/a   b. decirle algo a ella
   c. no decirle nada a nadie
6. Hay un incendio (*fire*) en una casa y hay niños gritando adentro, pero parece muy peligroso entrar. ¿Qué harías?
   a. buscar un teléfono y llamar a los bomberos
   b. entrar en la casa y sacar a los niños de allí
   c. buscar a un vecino para que te ayude
7. Un amigo que bebió seis cervezas mientras miraba un partido de basquetbol en tu casa quiere manejar a su casa. ¿Qué harías?
   a. llevarlo a casa   b. dejarlo ir solo
   c. ofrecerle un lugar para dormir en tu casa

Parte B: En parejas, miren las situaciones de la Parte A otra vez y marquen individualmente lo que creen que respondió su compañero/a. No pueden consultar con él/ella.

Act. 9B: Form pairs and have students predict responses. You may want to have students sit back-to-back so as not to peek at responses.

Parte C: Ahora hablen sobre las respuestas y las predicciones que hicieron.

→   A: ¿Qué haría yo en la primera situación?
  B: Yo creo que no la ayudarías porque eres muy tímido/a.
  A: Soy tímido/a, pero también soy amable y hablo bien español.

Act. 9C: Encourage students to support their opinions. Check by asking about one or two specific items.

Actividad 10: ¿Qué harías?   Di qué harías en las siguientes situaciones y por qué.

1. Alguien te ha desafiado (*has challenged*) a saltar con una cuerda "bungee".
2. Has gastado más de $4.000 con la tarjeta de crédito y no tienes más crédito. En la cuenta bancaria tienes sólo $1.600 y quieres hacer un viaje a México con tus amigos durante las vacaciones.
3. Has chocado contra un auto estacionado y a tu auto no le ha pasado nada, pero el otro está un poco dañado. Calculas que el arreglo no costará más de $200. Nadie ha visto el choque y estás solo/a.

Act. 10: Assign as HW or do in class. If done in class, have students take notes about responses. Share responses in pairs. Check by asking for different possible courses of action in each circumstance. Encourage connected discourse.

Option: Check what a person who is **decidida/responsable/irresponsable** would say.

Actividad 11: Yo que tú . . .   En parejas, un estudiante mira las situaciones A y la otra persona mira las situaciones B. Cuéntense sus problemas y dense consejos usando las expresiones **yo que tú/él/ella/ellos** y **yo en tu/su lugar.**

Act. 11: Form pairs assigning A and B roles. Model the activity and begin. Check by asking for advice about a few of the situations.

A

1. Mi madre no quiere que yo acepte un trabajo en Bolivia, quiere que me quede aquí.
2. Mis padres van a ir a Europa y no saben si alquilar un carro o comprar un "Eurail pass".
3. Un amigo quiere que yo salga en el programa de Jerry Springer.

B

1. Un amigo me acusó de robarle el radio.
2. Mi padre no quiere que mi madre trabaje, pero ella quiere trabajar.
3. A mi hermano le ofrecieron un trabajo en una fábrica, pero es por la noche y no sabe qué hacer.

Actividad 12: Una emergencia   Estás en el trabajo y acabas de enterarte que tu padre tuvo un accidente y está en el hospital. Fuiste a pedirle algunos favores a una compañera, pero ella no está hoy. Por eso, decides pedirle los mismos favores a tu jefa, pero con ella necesitas ser más formal. Cambia lo que ibas a pedirle a tu compañera a la forma de Ud. y usa frases como: **¿Me podría . . . ?** , **Querría . . .** , **Me gustaría . . .**

Act. 12: Assign as HW or do in class.

1. "¿Me puedes ayudar?"
2. "¿Me dejas usar tu carro?"
3. "¿Puedes cancelar mis citas con los clientes?"
4. "¿Me puedes prestar cien dólares?"
5. "Quiero que llames a mi madre para decirle que iré enseguida al hospital."
6. "No quiero que le digas nada a nadie en la oficina."

III. Expressing Probability

The Future and Conditional Tenses

When you are not sure about something, you may express probability. For example, you may wonder about how old someone is, or if a person is late, you may wonder where he/she might be.

1. To wonder or to express probability about the present, use the future tense.

—¿Qué **estarán haciendo** los niños?	*I wonder what the kids are doing.*
—**Harán** alguna travesura porque están tan callados.	*They must be doing something bad because they are so quiet.*
—¿Cuántos años **tendrá** Ramón?	*I wonder how old Ramón is.*
—**Tendrá** unos cincuenta.	*He's probably about fifty.*

2. To wonder or to express probability about the past, use the conditional tense.

—¿Cómo ocurrió el accidente?	*How did the accident happen?*
—De verdad no sé, pero **sería** por exceso de velocidad. Ella siempre maneja como una loca.	*I don't really know, but it was probably speeding. She always drives like (a) crazy (woman).*
—¿A cuánto **iría**?	*I wonder how fast she was going.*
—**Iría** a 150 por lo menos.	*She must have been going at least 150.*

Actividad 13: ¿Qué pasará?   En parejas, miren las situaciones y usen la imaginación para hacer tres conjeturas sobre qué pasará en este momento en cada situación.

Actividad 14: Solos en casa   Ha habido muchos robos últimamente y te has puesto un poco paranoico/a. En parejas, Uds. están solos en una casa por la noche y hacen conjeturas acerca de lo que pasa. Sigan el modelo y miren la lista de la página siguiente.

→ oyen un ruido en otra habitación

    A: ¿Oíste ese ruido?
    B: Sí. ¿Qué será?
    A: Será el viento. / Dejaría abierta la ventana.

1. un perro empieza a ladrar
2. suena el teléfono y al contestar, la otra persona cuelga
3. están mirando la televisión y de repente se corta la transmisión
4. escuchan la sirena de la policía
5. alguien llama a la puerta
6. se va la luz en toda la casa

Actividad 15: ¿En qué año sería?   Intenta decir el año exacto en que ocurrieron los siguientes acontecimientos. Si no estás seguro/a, mira las tres fechas aproximadas que se presentan y usa expresiones como: **sería a principio de los . . . / a fines de los . . .**

→   llegar / Armstrong a la luna

a. a principios de los 60   b. a fines de los 60   c. a principios de los 70

Armstrong llegó a la luna en 1969.   Sería a fines de los sesenta que Armstrong llegó a la luna.

1. México, Canadá y los Estados Unidos / firmar / el Tratado de Libre Comercio
   a. a mediados de los 80   b. a fines de los 80   c. a principios de los 90
2. ser / las Olimpiadas en Barcelona
   a. a principios de los 70   b. a fines de los 80   c. a principios de los 90
3. ser / la Copa Mundial de Fútbol en los Estados Unidos
   a. a mediados de los 70   b. a mediados de los 80   c. a mediados de los 90
4. Hernán Cortés / derrotar / a los aztecas
   a. a mediados del siglo XIV   b. a mediados del siglo XV   c. a mediados del siglo XVI
5. En Ecuador el gobierno / darle / el voto / a la mujer
   a. a fines de los 20   b. a fines de los 30   c. a fines de los 40
6. Arantxa Sánchez Vicario y Carlos Moya, españoles / ganar / el Abierto de Francia de Tenis
   a. a principios de los 90   b. a mediados de los 90   c. a fines de los 90

Act. 14: Introduce activity by acting paranoid about a sound you hear in the hall. Inform students that they are somewhat paranoid. Form pairs and do activity. Check by asking how they responded to the different items or by role-playing different situations.
Act. 15: Do as a whole class activity or in groups of three. Answers: 1. 1993 2. 1992 3. 1994 4. 1521 5. 1929 (U.S.: 1920) 6. 1998
The Olympics were hosted in Barcelona in 1992 because it was the 500th anniversary of Columbus' arrival in this city from the Americas. Barcelona was his first port of call because Ferdinand and Isabella were there.

◀ *La española Arantxa Sánchez Vicario celebra la victoria de una final de tenis.*

IV. Discussing Societal Issues

La sociedad

pareja = couple; partner

Practice vocabulary:

1. Give definitions and have students say the corresponding word. T: **Es la acción de no comunicarse con su pareja.**

2. Give a verb and have students give a related noun or viceversa: **crianza, ser fiel, independencia, comunicarse.**

3. Ask students ¿Qué problemas tienen las parejas? ¿Qué problemas existen entre padres e hijos?

La pareja

la falta de comunicación	lack of communication
la fidelidad, la infidelidad	
la igualdad de los sexos	equality of the sexes
el machismo	
ser(le) fiel/infiel (a alguien)	to be faithful/unfaithful (to someone)
sumiso/a	submissive
vivir juntos	to live together

La familia

la casa de ancianos	nursing home
la crianza, criar	raising/rearing, to raise/rear
ejercer autoridad	to exert authority
entrometerse (en la vida de alguien)	to intrude/meddle (in someone's life)
la generación anterior	previous generation
inculcar	to instill/inculcate
independizarse (de la familia)	to become independent (from his/her family)
los lazos familiares	family ties
malcriar	to spoil/to pamper (a child)
matriarcal, patriarcal	
moral, inmoral	
la niñera	nanny

You may want to tell students that the term "baby sitter" does not exist in Spanish.

Actividad 16: ¿Iguales o diferentes?   En parejas, una persona mira solamente la columna A y la otra mira la columna B. A debe definir las palabras pares y B debe definir las palabras impares. Al escuchar a tu compañero/a, di si la palabra que tienes bajo ese número es igual o diferente. Recuerda que no puedes utilizar la palabra en la definición. Usa frases como: **Es la acción de . . . , Es el lugar donde . . . , Es una cosa que . . .**

A	B
1. criar	1. inculcar
2. serle fiel a alguien	2. serle fiel a alguien
3. sumiso/a	3. sumiso/a
4. malcriar	4. criar
5. independizarse	5. vivir juntos
6. inmoral	6. inmoral
7. entrometerse	7. ejercer autoridad
8. matriarcal	8. patriarcal

Act. 16: This activity practices circumlocution. Form pairs and have one student in the pair cover column B while the other covers column A or copy lists A and B on separate pages and distribute. Model activity by describing the first word in column A, and have B students tell you whether their word under #1 is the word you are describing. If they are not sure, they can ask you questions until they are sure enough to tell you **igual** or **diferente**. Set a time limit and begin. Check by giving definitions and have the class shout out responses.

Actividad 17: El matrimonio en el futuro En una época, el matrimonio por amor y no por conveniencia se consideraba una idea muy radical. En parejas, discutan las siguientes preguntas sobre el matrimonio.

1. Cuando en generaciones anteriores el matrimonio era un arreglo, ¿qué tipo de conflictos tendrían los hombres y las mujeres?
2. ¿Qué tipo de problemas tendrán ahora que las parejas generalmente se casan por amor?
3. ¿Qué tipo de lazo creen que se establecerá entre dos personas en el futuro?

Act. 17: Encourage students to be inventive when answering question #3.

Follow-up: Ask for what other reasons people marry (money, status, to have children, to get out of their home, etc.)

Actividad 18: La mujer mexicana **Parte A:** El siguiente párrafo es parte de un artículo que apareció en una revista mexicana. Léelo para enterarte de cómo predice que será la mujer del año 2025.

Act. 18A: Allow students a moment to skim this portion of the article. When finished, ask comprehension questions about content.

ASÍ SERÁ LA MUJER

La mujer del año 2025 será realista, optimista y se sentirá cómoda con su incorporación a todos los ámbitos de la vida social. Formará una familia distinta a la tradicional, basada en las nuevas relaciones de pareja: el hogar dejará de ser el "reposo del guerrero", y el hombre compartirá las labores domésticas. Las cualidades que más valorará en su compañero serán la ternura, la inteligencia y el sentido del humor. Rechazará el papel de superwoman y no deseará ser perfecta. En el trabajo accederá a puestos de mayor responsabilidad, pero no cambiará su calidad de vida por conseguir el éxito a cualquier precio.

Parte B: Ahora en parejas, deduzcan las respuestas a estas preguntas sobre la vida de la mujer mexicana de hoy basándose en lo que acaban de leer.

1. ¿Cómo será la mujer mexicana actual?
2. Por lo general, ¿que tipo de familia tendrá ahora?
3. El hogar se ve en la actualidad como el "reposo del guerrero". ¿Qué significará esta frase?
4. ¿Qué tareas hará el hombre mexicano en el hogar hoy día?
5. ¿Cuáles séran las cualidades que más valora la mujer en un hombre?
6. ¿Qué papel creen que le asigne ahora la sociedad a la mujer?
7. Generalmente, ¿qué tipo de trabajo tendrá ahora la mujer fuera del hogar?

Act. 18B: Instruct students that to determine what the Mexican woman is like today, they must read between the lines. Remind them to use the future of probability. Example: **El artículo dice que en el futuro será** (future) **realista y entonces ahora será** (future of probability) **idealista o no muy realista, soñará demasiado.** Form pairs and begin activity. Check by asking student opinion of each response. Have students justify responses based on the reading.

Follow-up: Ask if they believe whether the article's predictions will be possible or not and why.

Actividad 19: La tele y la familia   En grupos de tres, miren el siguiente chiste de Quino, caricaturista argentino, y comenten las ideas que lo acompañan.

Act. 19: When finished doing the activity, discuss answers to each question. Follow-up questions may include: **¿Aproximadamente cuántas horas de televisión ves por semana? ¿Sabías que la familia típica de este país tiene el televisor encendido más de siete horas por día? ¿Qué clase de programas ves? ¿Son educativos? Imagina que tu televisor está descompuesto y no te lo van a arreglar hasta el mes próximo. ¿Qué harías durante ese tiempo? Crees que la computadora afecte la comunicación entre miembros de una familia?**

1. la televisión y la falta de comunicación en la familia
2. la televisión como un miembro más de la familia
3. la televisión como niñera
4. la televisión para inculcar valores tanto positivos como negativos

Actividad 20: Los más jóvenes y los ancianos   En grupos de tres, discutan estas preguntas sobre la educación infantil y el cuidado de los ancianos.

1. Imaginen que tienen un niño de un año. ¿Lo dejarían en una guardería todo el día? Den tres ventajas y tres desventajas.
2. ¿Quién debe ser responsable de la crianza de los niños y por qué?
3. ¿De qué forma creen que los padres malcríen a los niños? ¿Por qué creen que lo hagan?
4. ¿Qué papel desempeñan/desempeñaron sus abuelos en su familia?
5. Imagínense que sus padres son ancianos y necesitan cuidados especiales. ¿Cuáles serían tres ventajas y tres desventajas de que ellos vivieran con Uds.?
6. ¿Los pondrían en una casa de ancianos? ¿Cuáles serían las ventajas y desventajas de hacerlo?

Act. 20: When checking and getting student opinion, if there is no controversy sparked in the class, spark it yourself by making provocative statements.

Actividad 21: ¿Costumbres semejantes?   Parte A: En parejas, lean las siguientes nueve preguntas y discutan sus respuestas basándose en sus ideas sobre la sociedad norteamericana.

1. ¿Es común que un hombre soltero o una mujer soltera de treinta años viva con sus padres?
2. ¿Con quién viven los ancianos? ¿Tienen Uds. algún pariente en una casa de ancianos?
3. ¿Hay presión para que los recién casados tengan hijos?
4. ¿Comparten los padres por igual la crianza de los niños?
5. ¿Quiénes cuidan a los niños durante el día?

Act. 21: This activity, **¿Lo sabían?,** and Act. 22 all revolve around the topic of attitudes and customs. Option 1: Have students answer questions in Part A as an American would and then in Part B as they think a Hispanic would. Option 2: Have half the pairs answer questions as an American would and the other half as they think a Hispanic would. Do 21A as HW and share in class, or do as an in-class activity. If you have foreign students, have them respond about their culture.

6. ¿Cómo dividen las responsabilidades de la casa las parejas casadas?
7. ¿Tiene la mujer de hoy más independencia que antes? Expliquen.
8. En la actualidad, ¿ejerce el padre la misma autoridad que ejercían su padre o su abuelo?
9. Cuando se presenta una situación crítica en una familia, por ejemplo, un divorcio, ¿creen que los familiares se preocupan por el qué dirán *(what others may say)*?

Parte B: En parejas, lean las preguntas nuevamente y traten de imaginar lo que contestaría un hispano.

→ Un hispano diría que (no) es común que un hombre de treinta años viva con sus padres.

Discuss the significance of **el qué dirán** in Hispanic culture.

¿Lo sabían?: Have students compare their responses with those given by a young Hispanic. Emphasize that the answers given by this Hispanic are not representative of the views of all Hispanics.

Act. 22: Form pairs, stress that the marriage is between a Hispanic man and an American woman, and do the activity. Share answers when finished.

¿LO SABÍAN?

A continuación hay una lista de respuestas que dio un joven hispano a las preguntas de la actividad anterior.

• Es común y aceptable que un hombre o una mujer de treinta años viva con sus padres si todavía no se ha casado.
• Relativamente pocas personas tienen parientes en casas de ancianos.
• En general, la madre es la que más se ocupa de la crianza de los niños.
• La familia espera que los recién casados tengan hijos pronto.
• Dentro de la casa, generalmente la mujer sigue ocupándose de la mayoría de las labores domésticas. El padre, normalmente, es el que mantiene a la familia y todavía se lo ve como el protector del hogar.
• Los abuelos y otros familiares ayudan a cuidar a los niños cuando los padres lo necesitan y suelen vivir en la misma ciudad.
• La mujer de clase media tiene cada vez más independencia y trabaja más fuera del hogar.

• Un padre tiene menos autoridad en el hogar que su padre o su abuelo, pero no mucho menos.
• Los mayores se preocupan más que los jóvenes por el qué dirán.

▼ *Un abuelo y su nieta se divierten en un parque de La Habana, Cuba.*

Actividad 22: Una pareja hispano-norteamericana Después de discutir las preguntas de la Actividad 21 y de leer la información del **¿Lo sabían?**, en grupos de tres, hagan conjeturas sobre qué conflictos habría si se casaran una mujer norteamericana y un hispano.

Follow-ups: 1. Ask if problems would be different between an American man and a Hispanic woman. 2. Ask which combination they think would have fewer cultural conflicts and why.

V. Reporting What Someone Said (Part Two)

Reported Speech

In Chapter 9 you learned some ways to report what someone said. Study the combinations in the following examples showing how to report what someone said he/she will or would do.

Estilo directo	Estilo indirecto
Futuro	**Futuro**
"**Tendremos** dos hijos."	Dice que **tendrán** dos hijos.
Futuro	**Condicional**
"**Vendré** a la reunión de mañana."	Dijo que **vendría** a la reunión de mañana.*
Condicional	
"¿Qué **harías** en mi lugar?"	Me preguntó qué **haría** yo en su lugar.
"Le **diría** la verdad."	Le respondí que le **diría** la verdad.

*Note: The conditional follows a reporting verb in the preterit.

Actividad 23: ¿Qué dice?   En grupos de tres, todos Uds. están en un lugar donde hay mucho ruido y, por eso, necesitan que les repitan las cosas. Intenten mantener una conversación sobre los planes para esta semana. Sigan el modelo.

→   A: ¿Qué piensas hacer mañana?
     B: Voy a ir al cine.
     C: ¿Cómo?
     A: Dice que irá al cine. / Dijo que iría al cine.

Actividad 24: Las promesas de fin de año   **Parte A:** A fin de año, todos solemos hacer promesas para el año que comienza. Escribe alguna promesa que hiciste este año. Si no hiciste ninguna promesa, inventa una.

Parte B: Pregúntales por lo menos a cinco personas qué promesa hicieron este año y averigua si la cumplieron.

Parte C: Ahora, en parejas, cuéntenle a su compañero/a lo que dijeron las personas que entrevistaron.

→   Diane prometió que llamaría a sus abuelos de vez en cuando, pero todavía no lo ha hecho.

VI. Hypothesizing About the Future and the Present

Si Clauses

Drill hypothetical future situations:

Do a chain drill: Have students say what they will do if they get a good job when they graduate. S1: **Si consigo un buen trabajo, no estudiaré más.** S2: **Si consigue un buen trabajo, ella no estudiará más, pero yo comenzaré a hacer la maestría.** (etc.)

In this chapter you will learn to discuss hypothetical situations about the future and the present.

1. When making a hypothetical statement about possible future situations, use the following formula:

Si Clause	Result Clause
si + *present indicative*,	present indicative **ir a** + *infinitive* future command
Si llueve, *If it rains,* *(which it may or may not)*	**no patino hoy.** *I am not rollerskating today.* **no voy a patinar.** *I am not going to rollerskate.* **no patinaré.** *I will not rollerskate.* **no patines.** *don't rollerskate.*

FLR link: Lectura 3

2. When you want to express hypothetical situations about the present, use the following formula. Notice that the **si** clause contains a contrary-to-fact statement (if I were a rich man—which I am not).

Drill contrary-to-fact situations:

Do a chain drill: **Si ganara la lotería, yo no trabajaría más.** S1: **Si ella ganara la lotería, no trabajaría más. Si yo ganara la lotería, no estudiaría más.** S2: **Si ellos ganaran la lotería, ella no trabajaría más, y él no estudiaría más. Si yo ganara la lotería, alquilaría un apartamento más grande.** S3: (etc.)

Si Clause si + *imperfect subjunctive*,	Result Clause *conditional*
Si tuviera el dinero, *If I had the money, (which I do not)*	te lo **daría**. *I would give it to you.*
Si vivieras en Santo Domingo, *If you lived in Santo Domingo,* *(which you do not)*	**irías** a la playa todos los días. *you would go to the beach every day.*
Mi hermana me dijo que **si** ella **fuera** presidenta, *My sister told me that if she were president, (which she is not)*	**acabaría** con la violencia de una vez por todas. *she would end violence once and for all.*

3. In all sentences with **si** clauses, either the result clause or the **si** clause can come first.

The present subjective is not used in a **si** clause.

Si Uds. me ayudan, terminaremos pronto.	=	Terminaremos pronto si Uds. me ayudan.
Si nos escucháramos más, nos pelearíamos menos.	=	Nos pelearíamos menos si nos escucháramos más.

Actividad 25: Situaciones para niños   Imagina que eres un/a niño/a y acabas de participar en un taller *(workshop)* sobre seguridad personal. Di qué harías en las siguientes situaciones.

Act. 25: This could be assigned as HW and checked in class.

1. Si alguien en la calle te preguntara cómo llegar a un lugar, . . .
2. Si un amigo o una amiga te ofreciera un cigarrillo, . . .
3. Si un amigo o una amiga te sugiriera que Uds. robaran algo en una tienda, . . .
4. Si tú estuvieras solo o sola en casa y una persona llamara por teléfono y preguntara por uno de tus padres, . . .
5. Si en la calle alguien te ofreciera un dulce, . . .

Actividad 26: ¿Alondra o búho?   **Parte A:** Los cronobiólogos aseguran que existen personas orgánicamente más dispuestas al trabajo físico y mental diurno y otras al trabajo nocturno. Contesta este cuestionario para averiguar a qué grupo perteneces.

Act. 26A: Assign as HW or allow a short period of time in class to complete.

1. De poder elegir[1] con toda libertad y sin ninguna restricción laboral o de otro tipo, ¿a qué hora se levantaría?
   A- entre las 5 y las 6
   B- entre las 6 y las 7
   C- entre las 7.30 y las 10
   D- entre las 10 y las 11
   E- entre las 11 y las 12

2. Supongamos que Ud. se ha presentado a un nuevo trabajo y que tiene que realizar una prueba psicofísica que dura algunas horas y es mentalmente cansadora, ¿a qué hora le gustaría que le tomaran la prueba?
   A- entre las 8 y las 10
   B- entre las 11 y las 13
   C- entre las 15 y las 17
   D- entre las 19 y las 21

3. Si pudiera planear su noche con toda libertad y sin ninguna restricción laboral o de otro tipo, ¿a qué hora se acostaría?
   A- entre las 20 y las 21
   B- entre las 21 y las 22.15
   C- entre las 22.15 y las 0.30
   D- entre las 0.30 y la 1.45
   E- entre la 1.45 y las 3

4. Supongamos que se ha decidido a hacer ejercicio físico (un deporte, como el tenis, por ejemplo) y un amigo le sugiere hacerlo entre las 7 y las 8 de la mañana. En base a su predisposición natural, ¿cómo se encontraría Ud. si aceptara la invitación?
   A- estaría en muy buena forma
   B- estaría bastante en forma
   C- me sería difícil
   D- me sería muy difícil

5. Si tuviera que realizar dos horas de ejercicio físico pesado, ¿cuáles de estos horarios elegiría?
   A- de 8 a 10
   B- de 11 a 13
   C- de 15 a 17
   D- de 19 a 21

6. Si Ud. se fuera a dormir a las 23, ¿en qué nivel de cansancio se sentiría?
   A- nada cansado
   B- algo cansado
   C- bastante cansado
   D- muy cansado

7. ¿Se siente cansado durante la primera media hora luego de levantarse?
   A- muy cansado
   B- medianamente cansado
   C- sin cansancio pero no en forma plena
   D- en plena forma

8. ¿A qué hora del día se siente mejor?
   A- de 8 a 10
   B- de 11 a 13
   C- de 15 a 17
   D- de 19 a 21

[1] si pudiera elegir →

9. Supongamos que otro amigo le sugiere hacer jogging entre las 22 y las 23, tres veces por semana. Si no tuviera otro compromiso y en base a su predisposición natural, ¿cómo se encontraría Ud. si aceptara la invitación?

A- estaría en muy buena forma
B- estaría bastante en forma
C- me sería difícil
D- me sería muy difícil

Puntaje

Pregunta 1: A=1, B=2, C=3, D=4, E=5
Pregunta 2: A=1, B=2, C=3, D=4
Pregunta 3: A=1, B=2, C=3, D=4, E=5
Pregunta 4: A=1, B=2, C=3, D=4
Pregunta 5: A=1, B=2, C=3, D=4
Pregunta 6: A=4, B=3, C=2, D=1
Pregunta 7: A=4, B=3, C=2, D=1
Pregunta 8: A=1, B=2, C=3, D=4
Pregunta 9: A=4, B=3, C=2, D=1

Interpretación del resultado

9-15: Definidamente matutino
16-20: Moderadamente matutino
21-26: Ni búho[2] ni alondra[3], intermedio
27-31: Moderadamente vespertino
32-38: Definitivamente vespertino

RESULTADO

Sume los puntos obtenidos de acuerdo con el siguiente puntaje:

[2] owl   [3] lark (known for its early morning song)

Parte B: Ahora comparte tu resultado con la clase.

Actividad 27: Acciones poco comunes   **Parte A:** Entrevista a personas de la clase para averiguar si han hecho o harían, si pudieran, las actividades de la siguiente lista. Debes hacerle sólo una pregunta a cada persona que entrevistes y escribir sólo un nombre para cada acción. Sigue el modelo.

→
A: ¿Alguna vez has comido ancas de rana?

B: Sí, lo he hecho.

A: ¿Cuándo?

B: El verano pasado y me gustaron mucho.

B: No, nunca lo he hecho.

A: ¿Lo harás si puedes?

B: No, nunca lo haré. / Creo que sí lo haré.

	Lo ha hecho	Nunca lo hará	Lo hará si puede
1. correr un maratón	___	___	___
2. escalar una montaña muy alta	___	___	___
3. asistir al partido final de una Copa Mundial de Fútbol	___	___	___
4. hacer un viaje por la selva amazónica	___	___	___
5. vivir por lo menos un año en un país de habla española	___	___	___
6. actuar en una película de Hollywood	___	___	___
7. trabajar en su casa y no en una oficina	___	___	___
8. ser reportero/a para un periódico de chismes	___	___	___

Parte B: Ahora en parejas, díganle a la otra persona los datos que obtuvieron.

→   Beth dice que si puede, comerá ancas de rana.

Act. 26B: Before sharing answers, have students predict if certain people are night owls or early birds. Do a poll by show of hands to see how many are early birds or night owls. Discuss characteristics of each.

Act. 27A: Instruct students to ask a question and write the name of the respondent in the appropriate space. Only one question to one person and then they must move on.

Act. 27B: Do in pairs or simply run check as full class.

Actividad 28: ¿Cómo serías?   En parejas, túrnense para decir cómo sería su vida si Uds. fueran diferentes en ciertos aspectos.

→   ser más alto

Si fuera más alto, podría ser un buen jugador de basquetbol. Practicaría todos los días y también viajaría mucho para jugar partidos.

1. ser más bajo/a o alto/a
2. ser más inteligente
3. tener más/menos dinero
4. ser más/menos deportista
5. ser famoso/a
6. estar casado/a o soltero/a
7. tener seis hijos
8. tener pelo de otro color

Actividad 29: La clonización   En grupos de tres, discutan las siguientes preguntas sobre la clonización (*cloning*).

1. ¿Qué significa el término "planificación familiar"?
2. Si tuviéramos clonización y mapas genéticos de embriones, ¿cómo cambiaría la definición de "planificación familiar"?
3. ¿Creen que la clonización sea moral o inmoral? Justifiquen su respuesta.
4. ¿Crees que muchas personas se harían un clon de sí mismas si pudieran?
5. ¿Cómo se sentiría un niño si supiera que es producto de una clonización?
6. ¿Qué consecuencias tendría la clonización para la estructura familiar? ¿Cómo cambiaría el concepto de "hermanos" o el de "padres"?

Actividad 30: Un anuncio publicitario   **Parte A:** Mira el anuncio de la derecha y contesta estas preguntas.

1. ¿Qué ofrece este anuncio?
2. ¿A quién está dirigido?
3. ¿Qué supone el anuncio que la persona esté haciendo?
4. Si una empresa quisiera ofrecerle algo a ese consumidor en los Estados Unidos, ¿aceptaría el consumidor este tipo de anuncio o lo interpretaría como ofensivo?
5. Si tuvieras que hacer un anuncio para ofrecerle este tipo de servicio a un hombre, ¿qué dirías en el anuncio?

Parte B: En grupos de tres, lean las siguientes ideas sobre los anuncios comerciales y digan qué opinan.

1. El hombre vende productos caros en los anuncios y la mujer vende productos baratos.
2. Los anuncios para adelgazar son para las mujeres.
3. Los anuncios de juguetes para niños están dirigidos a las mujeres.
4. Muchos anuncios presentan a la mujer como un "premio".

Actividad 31: Lectura entre líneas **Parte A:** En grupos de cuatro, Uds. son empleados de una fábrica. Uno de Uds. tocó una tecla equivocada en la computadora y aparecieron en su pantalla los mensajes electrónicos entre Pura Morales, que es la nueva presidenta del sindicato, y el dueño de la fábrica. Lean los mensajes y hagan conjeturas sobre lo que ocurrió. Usen frases como: **Aquí dice que . . . , pero antes decía que . . .; Sería que ellos . . .; Esto implicaría que . . .; Será posible que . . .**

Act. 31A: Form groups of four and set up the activity. Tell students to be office gossips while doing the activity. Tell them they must read a few e-mails before being able to discern what they think happened. Allow sufficient time for groups to form opinions. As they work, ask how much more time they need to help move them along. When finished, share possible scenarios.

A: Felipe Bello   Fecha: 30/3
De: Pura Morales   Tema: Reunión

Sr. Bello: Me gustaría hablar con Ud. el lunes, 3 de abril, a las 15:00. ¿Estaría bien y le convendría esa hora? La cita no es para hablar de trabajo.

A: Pura Morales   Fecha: 31/3
De: Felipe Bello   Tema: Reunión

Srta. Morales: No tengo ningún inconveniente. Ya es hora de que nos conozcamos personalmente.

A: Pura Morales   Fecha: 4/4
De: Felipe Bello   Tema: Nuestro secreto

Pura, no sabes cuánto me gustó conocerte. Eres una persona muy especial. ¡Hay pocas mujeres tan valientes! Confía en mí, no voy a decir nada a nadie de lo nuestro. Dime cuándo puedes reunirte conmigo.

A: Felipe Bello   Fecha: 5/4
De: Pura Morales   Tema: El secreto

Felipe, ¿qué te parece si vamos al restaurante Le Rendezvous este sábado? El dueño es un íntimo amigo mío y es de confianza. Él no le dirá nada a nadie. Seguro que el dueño nos puede dar una sala especial sólo para nosotros donde podamos escuchar tangos.

A: Pura Morales   Fecha: 6/4
De: Felipe Bello   Tema: Le Rendezvous

Pura, me es imposible. Este sábado me toca cuidar a los niños ya que no me gusta dejarlos con la niñera. Lo siento mucho, pero ¿qué tal el sábado que viene? Seguro que puedo decirle a mi mujer que voy a un partido de fútbol, y así no podrá comunicarse conmigo.

A: Felipe Bello   Fecha: 7/4
De: Pura Morales   Tema: A las ocho

Felipe, obviamente no quiero entrometerme en tu vida familiar. El sábado que viene está perfecto. Estaré allí a las ocho.

A: Pura Morales   Fecha: 18/4
De: Felipe Bello   Tema: Una rosa roja

Pura, ¡qué día! Hace mucho tiempo que no me divertía tanto. Desde luego, entre nosotros no existe falta de comunicación. Cuando te vea el viernes, tendré una rosa roja para que la lleves entre los dientes. Hasta el viernes próximo en Le Rendezvous a las ocho.

Parte B: Para ver qué pasó de verdad, lean el artículo que salió en el boletín *(newsletter)* de la fábrica a principios de mayo y comparen sus deducciones con la información del boletín. (Ver página 298.)

Act. 31B: Have students read the article to confirm or reject their theories.

Parte C: Ahora discutan las siguientes preguntas sobre la infidelidad.

1. ¿Creen que sea común la infidelidad entre personas que tienen un vínculo amoroso? Si supieran que la pareja de un amigo íntimo es infiel, ¿bajo cuáles de estas circunstancias le dirían algo?
   - si fueran novios
   - si vivieran juntos, pero no estuvieran casados
   - si pensaran casarse
   - si estuvieran casados sin hijos
   - si estuvieran casados con hijos

2. ¿Cambiaría su respuesta si fuera una amiga íntima?
3. Si estuvieran Uds. en cualquiera de estas situaciones, ¿les gustaría que alguien les dijera la verdad? ¿Preferirían enterarse de otra forma? ¿Preferirían no saber nada?

Vocabulario activo

La sociedad

Ver página 243.
el qué dirán   *what others may say*

Vocabulario personal

Expresiones útiles

un/a amigo/a íntimo/a   *a very close friend*
mientras más vengan, mejor   *the more, the merrier*
¿No te/le/les parece?   *Don't you think so?*

Drogas y violencia

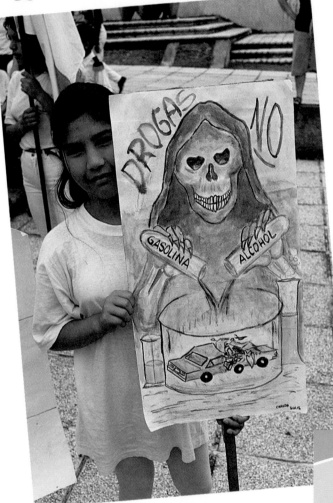

◀ *Una estudiante muestra un cartel en una campaña antidrogas en San José, Costa Rica.*

May be assigned: Grammar, vocabulary, **¿Lo sabían?**, Act. 14, 16, 18, 19, 20A, 24A, 27, 28A, 29, 30, 31A.

COMMUNICATIVE GOALS

- hypothesizing about the future and the past
- expressing past influence, emotions, and other feelings and reactions
- discussing crime and violence
- expressing accidental or unintentional occurrences

ADDITIONAL GOAL

- using transitional words

¿Coca o cocaína?

 La coca
Internet

Pretende aprobar el examen cuando no ha estudiado.

 FLR links: **Lectura 1** and **2** discuss drug trafficking and ramifications in the Hispanic world.

Practice expressions: Create a context around a news item or something pertinent to the class. Write the expressions on the board and say: **El gobierno pretende convencer a los jóvenes que no consuman drogas con campañas que son malas. Se espera que para dentro de 10 años no tengamos problemas de drogas. A veces la juventud les lleva la contraria a las autoridades a propósito.**

a propósito	on purpose
(para) dentro de (diez) horas/días/años/etc.	in (ten) hours/days/years/etc.
pretender + *infinitive*	to try + *infinitive*

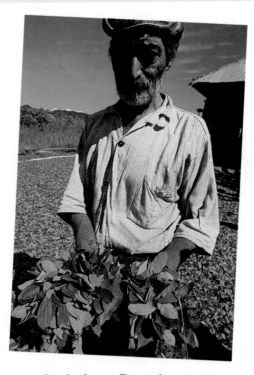

▶ *Hombre boliviano en una plantación de coca en Cochabamba, Bolivia.*

Actividad 1: ¿Es droga o no? Lee la siguiente definición sobre la droga. Después, decide cuáles de las siguientes sustancias son drogas.

> Droga: "Se dice de cualquier sustancia de origen vegetal, mineral o animal que tiene un efecto depresivo, estimulante o narcótico."

Act. 1: Do in pairs or as a whole group. Have students account for their answers. Explain that **droga** can have a positive or negative connotation.

el café	la hoja de coca	el cigarrillo
el alcohol	LSD	la heroína
los somníferos	las pastillas para	la mariguana
el té	adelgazar	la Coca-Cola

Actividad 2: ¿Cuál es su opinión? Mientras escuchas a un boliviano hablar sobre la diferencia entre la coca y la cocaína, determina cuál de las siguientes ideas representa su opinión.

Act. 2: Ask students the difference between **coca** and **cocaína.** Play the interview, then check response.

1. _____ la cocaína es una droga, pero no debe ser ilegal
2. _✓_ la coca no es una droga y no debe ser ilegal
3. _____ la coca y la cocaína son drogas que deben ser ilegales

Actividad 3: ¿Qué es la coca? Ahora, lee las siguientes preguntas y después, para contestarlas, escucha la entrevista otra vez.

1. ¿Cuál es la diferencia entre la coca y la cocaína?
2. ¿En qué países se consume la coca?
3. ¿Con qué bebida compara el narrador el mate de coca?
4. Según el narrador, ¿cuáles son algunos de los grupos que consumen coca y por qué la consumen?
5. ¿Qué ha hecho el gobierno boliviano con respecto a la coca?
6. ¿Qué hizo la Reina Sofía de España cuando llegó a La Paz?

Act. 3: Have students read the questions prior to listening.

Option 1: Play the interview and then check responses.

Option 2: Play the interview pausing it whenever an answer is given and checking responses.

Answers: 1. la coca es una planta; la cocaína es una droga 2. en los países andinos (Perú, Ecuador, Bolivia) 3. con un café fuerte 4. las clases trabajadoras para aguantar jornadas de trabajo largas; estudiantes de clase media cuando tienen que trasnochar; turistas para combatir el soroche 5. campañas para erradicar las plantaciones de coca 6. tomó mate de coca

¿LO SABÍAN?

La hoja de coca es utilizada de diferentes maneras por indígenas en Perú, Bolivia, el norte de Argentina, Ecuador, Colombia, Venezuela, Brasil y Chile:

• como unidad monetaria para intercambiar alimentos ya que los indígenas tienen poco acceso a la moneda
• en ceremonias religiosas (nacimientos, bautizos, casamientos, actos relacionados con la naturaleza, etc.) porque se considera una planta sagrada

• como medicamento para enfermedades de la piel, el aparato digestivo y el sistema circulatorio, se considera un remedio popular y de bajo costo.

En los Estados Unidos esta hoja se utilizó por primera vez en 1884 en una bebida llamada Vino Francés de Coca inventado por el Dr. Pemberton en Atlanta. Años después él creó la Coca-Cola (con la hoja de coca y la nuez kola) que era una gaseosa y a la vez un medicamento para el dolor de cabeza.

Actividad 4: ¿Qué harían? En grupos de tres, discutan qué harían en las siguientes situaciones.

1. ¿Tomarían mate de coca si estuvieran en La Paz como turistas?
2. Si Uds. fueran el/la presidente de los Estados Unidos y estuvieran de visita en Bolivia, ¿tomarían mate de coca si se lo ofreciera el alcalde de una ciudad? Si aceptaran, ¿cómo lo interpretaría el pueblo norteamericano? ¿Y el pueblo boliviano?

Act. 4: While checking, discuss ramifications of the actions of people in power. Relate this to the drinking of **mate de coca** by Queen Sofía upon arrival in La Paz. Discuss the political implications of this.

I. Hypothesizing About the Future and the Past

A. The Future Perfect and the Conditional Perfect

In Chapter 10, you studied how to express probability about the present and the past using the future and the conditional. In this chapter you will learn how to hypothesize about the future and the past.

1. In the interview you heard at the beginning of this chapter, the Bolivian says that he believes that **"para dentro de diez años, el mundo ya habrá entendido la diferencia entre uno y otro"** to express what *will have happened* in ten years. When talking about what will have happened by a certain time in the future, use the future perfect, which is formed as follows:

haber (future)		
habré	habremos	
habrás	habréis	+ *past participle*
habrá	habrán	

To review the formation of past participles, see page 308.

—Dentro de un mes **habré dejado** de fumar.

In a month I will have quit smoking.

—Y ¿**habrás comenzado** a sentirte mejor dentro de tres meses?

And will you have started to feel better in three months?

2. When talking about what *would have happened* in the past, use the conditional perfect, which is formed as follows:

haber (conditional)		
habría	habríamos	
habrías	habríais	+ *past participle*
habría	habrían	

To review the formation of past participles, see page 308.

—La muchacha les contó a sus padres que su hermano era drogadicto. ¿Qué **habrías hecho** en su lugar?

The young woman told her parents that her brother was a drug addict. What would you have done in her place?

—Yo le **habría hablado** a mi hermano primero.

I would have talked to my brother first.

Actividad 5: El cigarrillo   Hoy en día se habla mucho del cigarrillo y sus efectos. En parejas, miren la página siguiente para hablar de cuál será la actitud hacia el cigarrillo dentro de cinco años. Sigan el modelo.

→   el gobierno / prohibir / fumar en presencia de los niños

—¿Crees que dentro de cinco años el gobierno ya habrá prohibido fumar en presencia de los niños?

—Sí, el gobierno ya lo habrá prohibido.   —No, el gobierno no lo habrá prohibido todavía.

▶ *Grupo de jóvenes fuman mientras charlan en una discoteca de Valencia, España.*

1. el gobierno / prohibir / fumar en todos los bares y restaurantes
2. los médicos / inventar / un método para dejar de fumar en un día
3. algún niño / demandar *(to sue)* / a sus padres por fumar en casa
4. las máquinas que venden cigarrillos / desaparecer
5. las compañías tabacaleras / hacer / un cigarrillo que no produzca humo *(smoke)*
6. el número de fumadores menores de 18 años / bajar / drásticamente
7. el gobierno / limitar / la cantidad de nicotina en los cigarrillos

Actividad 6: Tu futuro En parejas, entrevisten a su compañero/a para averiguar cómo habrán cambiado ciertos aspectos de su vida dentro de tres y diez años, y escriban la información en forma telegráfica.

→ —¿Cómo habrá cambiado tu vida amorosa dentro de tres años?
—Me habré casado/a . . .

Vida	3 años	10 años
amorosa	_____	_____
familiar	_____	_____
profesional	_____	_____
turística	_____	_____

Act. 6: Practice question formation, form pairs, and do activity. Check by calling on individuals to say what their partners will be doing.

Actividad 7: La mejor excusa En parejas, inventen el contexto en que se dijeron estas preguntas y las excusas que se dieron en cada caso. Sigan el modelo.

→ —¿Por qué no le prestaste el coche a tu hermano?
—Estábamos en el centro y él quería irse a casa *(contexto)*. Se lo habría prestado, pero él estaba borracho *(excusa)*.

1. ¿Por qué no lo invitaste a salir?
2. ¿Por qué no te pusiste los pantalones negros que te regalé?
3. ¿Por qué no devolviste el video?
4. ¿Por qué no le abriste la puerta?

Act. 7: Model by reading the example and giving and eliciting other excuses such as: **Se lo habría prestado, pero yo tenía que usarlo.** Form pairs and begin. Check by having a few pairs report back to the class.

Actividad 8: Situaciones difíciles   En grupos de tres, lean cada situación y luego discutan qué habrían hecho Uds. en cada caso y por qué.

1. Teresa estaba en una tienda de regalos y sin querer rompió un animalito de cristal muy caro, pero nadie vio lo que ocurrió. En la tienda había un cartel que decía: "Si lo rompe, es suyo". ¿Qué habrían hecho Uds. en el lugar de Teresa y por qué?
2. John estaba en una discoteca en un país extranjero con leyes muy estrictas y conoció a unos muchachos que lo invitaron a ir a un bar. En el carro uno de los muchachos encendió un porro *(lit a joint)* y se lo ofreció a John. ¿Qué habrían hecho Uds. en el lugar de John y por qué?
3. Mariano y Silvia siempre se pelean a causa de los amigos del otro. El sábado organizaron una cena y un amigo de Silvia encendió un cigarrillo inmediatamente después de terminar de comer. Mariano odia el humo y no sabía qué hacer porque no quería causar tensión entre él y su esposa. ¿Qué habrían hecho Uds. en el lugar de Mariano y por qué?
4. Era un día lindísimo y la playa estaba llena de gente. Patricio se metió en el mar para refrescarse y una ola gigantesca lo revolcó en el agua. Cuando se recuperó, se dio cuenta de que había perdido el traje de baño. ¿Qué habrían hecho Uds. en el lugar de Patricio y por qué?

Act. 8: Option 1: Form groups of three, set a time limit, and call time for students to go to the next situation. When finished, have some groups report back.

Option 2: Assign a different scenario to each group, have them discuss and, when finished, have groups report back.

Follow-up: For HW, assign students to write statements on each situation.

Drill hypothetical situations about the past:

1. Tell students they missed a great party yesterday for the reunion of the Seinfeld cast. Have them say what they

 FLR link: Lectura 3.

B. *Si* Clauses

In Chapter 10 you studied how to make hypothetical statements about the future and the present: **Si tengo tiempo, iré. Si tuviera tiempo, iría.** In this chapter you will learn how to hypothesize about the past.

1. When you want to make hypothetical statements about the past, use the following formula. Notice that the **si** clause contains a contrary-to-fact statement.

Si Clause si + *pluperfect subjunctive*	Result Clause *conditional perfect*
Si hubiera ido a la fiesta, *If I had gone to the party,* *(which I didn't)*	**habría visto** a Isabel Allende. *I would have seen Isabel Allende.*
Si hubiéramos tenido más dinero, *If we had had more money,* *(which we didn't)*	**habríamos ido** a más países. *we would have gone to more countries.*

2. The pluperfect subjunctive is formed as follows:

haber (imperfect subjunctive)		
hubiera	hubiéramos	
hubieras	hubierais	+ *past participle*
hubiera	hubieran	

would have done if they had gone to the party. List cues on the board: **bailar, comer, cantar, pedir un autógrafo, darle un beso, darle un abrazo.** S: **Si hubiera ido a la fiesta, le habría pedido un autógrafo a Elaine.**

2. Do a chain drill: Have students say what their life would have been like if they had been born in a big/small family, in a big/small town. S1: **Si hubiera nacido en una familia numerosa, habría tenido muchos hermanos.** S2: **Si ella hubiera nacido en una familia numerosa, habría tenido muchos**

Remember that either the result clause or the **si** clause can come first.

hermanos; si yo hubiera nacido en una familia numerosa, mis padres no habrían podido pagar mis estudios.

There is an optional form, frequently used in Spain and in some areas of Hispanic America, in which you may substitute -**se** for -**ra**; for example: **hubiera = hubiese.**

To review the formation of past participles, see page 308.

Drill **como si:**

Use knowledge of students to have them make contrary-to-fact statements: **Jason juega al tenis como si . . . , Mary habla español como si . . . ,** etc.

3. The phrase **como si** is always followed by the imperfect subjunctive to make contrary-to-fact statements about the present or past, or by the pluperfect subjunctive to indicate that a situation is not how it appears or appeared.

Habla **como si fuera** el rey de España.	*He talks as if he were the king of Spain (which he is not).*
Corría **como si fuera** un atleta.	*He ran as if he were an athlete (which he was not).*
Me mira **como si** yo **hubiera cometido** un crimen.	*She's looking at me as if I had committed a murder (which I didn't).*
Comían **como si no hubieran comido** en un mes.	*They were eating as if they hadn't eaten in a month (which they did).*

4. The following chart summarizes hypothetical situations with **si** and **como si.**

Future situation ⟶	**si** + present, + future

Si **tengo** tiempo, **iré** a la fiesta mañana.	*If I have time, I will go to the party tomorrow.*

Present situation ⟶	**si** + imperfect subjunctive, + conditional **como si** + imperfect subjunctive

Si **tuviera** tiempo, **iría** a la fiesta.	*If I had time (which I don't), I would go to the party.*
Ella vive **como si ganara** mucho dinero.	*She lives as if she earned a lot of money (which she doesn't).*

Past situation ⟶	**si** + pluperfect subjunctive, + conditional perfect **como si** + imperfect subjunctive **como si** + pluperfect subjunctive

Si **hubiera tenido** tiempo, **habría ido** a la fiesta.	*If I had had time (which I didn't), I would have gone to the party.*
Gastaba **como si fuera** millonario.	*He used to spend money as if he were a millionaire (which he wasn't).*
Estaba cansada **como si hubiera corrido** un maratón.	*I was as tired as if I had run a marathon (which I didn't).*

Actividad 9: La seguridad en la universidad   Imagina que ya terminaste la universidad. Di qué habrías hecho para mejorar la seguridad en tu universidad si hubieras podido.

→   Si hubiera podido, yo . . .

1. aumentar el número de policías
2. crear un servicio de guardias que acompañara a la gente de noche
3. mejorar el sistema de alumbrado (*lighting*) de los estacionamientos
4. instalar más teléfonos de emergencia
5. expulsar a los estudiantes problemáticos
6. financiar un sistema de transporte nocturno gratis
7. poner cámaras de video en las bibliotecas
8. ofrecerles a los estudiantes un curso sobre seguridad personal

Actividad 10: Un mundo diferente   En grupos de tres, terminen estas frases con una cláusula que explique de qué manera habría sido diferente el mundo en las siguientes situaciones.

1. Si en 1491 los aztecas hubieran descubierto Europa, . . .
2. Si Portugal, en vez de España, hubiera financiado los viajes de Colón, . . .
3. Si México hubiera ganado la guerra con los Estados Unidos en 1848, . . .
4. Si no hubieran construido el Canal de Panamá, . . .
5. Si no hubieran asesinado a JFK, . . .

Actividad 11: La tecnología en la historia   **Parte A:** En parejas, miren estos chistes de la versión mexicana de la revista *MAD* y contesten las preguntas para hablar sobre lo que habría pasado si la tecnología hubiera invadido la historia.

Act. 9: Be sure that students realize that they are pretending to be finished with their studies. Therefore, set the scene by saying that it is the year X and that they are at an alumni gathering and are discussing campus safety.

Follow-up: When finished, ask them to rank the items from most to least important.

Act. 10 and Act. 11: Encourage students to be creative with their responses. Check by calling on individuals for responses. Get multiple responses for each situation.

Due to advances in technology, it is common to borrow words from other languages for newly created items. Use may vary from country to country and it takes time for a lexical item to become accepted as standard. Such is the case with *fax, walkman,* and *beeper.*

Act. 11A: Elicit a quick summary of the historical facts before moving on to the hypotheses.

¿Y si Moisés hubiera tenido un fax?

¿Y si Vincent Van Gogh hubiera tenido un walkman?

¿Y si Alexander Graham Bell hubiera tenido espera de llamadas?

¿Y si los caballeros medievales hubieran tenido imanes para refrigerador?

¿Y si Nerón hubiera tenido una máquina de Cantaré?

¿Y si Paul Revere hubiera tenido un beeper?

Parte B: Ahora, inventen dos preguntas semejantes sobre la tecnología y la historia. Luego háganle sus preguntas al resto de la clase.

Actividad 12: Los remordimientos   **Parte A:** Mucha gente se arrepiente de *(regret)* no haber hecho ciertas cosas en su vida o de haber hecho otras. Escribe los remordimientos *(regrets)* de conciencia que podrían haber tenido tres personas famosas. No menciones el nombre de las personas.

→   Si yo no hubiera mentido, no habría tenido que renunciar a la presidencia. (Richard Nixon)

Parte B: Ahora, léele tu mejor oración a la clase para que tus compañeros adivinen quién podría haber tenido ese remordimiento.

Actividad 13: ¿Cómo habría sido tu vida?   En parejas, cuéntense con detalle cómo habría sido su vida si hubieran ocurrido las siguientes cosas. Sigan el modelo.

→   (no) ser hijo único

Si yo no hubiera sido hijo único, habría tenido pocos juguetes. También me habría peleado mucho con mis hermanos y habría tenido que compartir la habitación con ellos.

1. (no) ser hijo único
2. (no) crecer en una ciudad pequeña
3. (no) ir a una escuela secundaria privada

Actividad 14: Como si . . .   Anoche estuviste en una fiesta y oíste sólo partes de algunas conversaciones. Escribe posibles finales para estas frases que oíste.

1. Odio a la gente que habla como si . . .
2. Hay gente que va muy elegante a la universidad como si . . .
3. Mi profesor de historia nos manda leer un montón de libros como si . . .
4. Ayer mi mejor amigo/a tenía una cara larga como si . . .
5. En el último partido, nuestro equipo jugó como si . . .

Actividad 15: Un anuncio comercial   En parejas, inventen un anuncio comercial de treinta segundos para uno de los productos de la siguiente lista. Incluyan un lema *(motto)* y la expresión **como si** en su anuncio. Sigan el modelo.

→   Gap, la tienda que lo soluciona todo. Ropa para cada ocasión. Con la ropa de Gap, lucirán como si fueran modelos.

un carro Saturn
un televisor Zenith
los donuts de Dunkin Donuts
un viaje por Nueva Inglaterra en autobuses
  Greyhound
las bebidas de Snapple

Act. 12A: Make sure that when students do Part A they not mention the person's name in the sentence since it will be used in Part B. While students are formulating sentences, circulate to correct errors.

Act. 12B: Model by reading a sentence and having the class guess who it refers to: **Si no hubiera comido la manzana, no habría tenido que salir del paraíso.** Have students read their sentences and have the class guess who it is.

Act. 13: Set up the activity by listing or eliciting some of the differences between being an only child vs. having brothers and sisters, living in a small vs. a big city, going to a private vs. a public school. Form pairs, do the activity, and follow with a group sharing.

Act. 14: Assign as HW and check in class.

Act. 15: Set up the activity, then form pairs, set a time limit, and begin. Check by having groups read their ads.

II. Expressing Past Influence, Emotions, and Other Feelings and Reactions

The Pluperfect Subjunctive

1. You have already seen in this chapter how to use the pluperfect subjunctive to hypothesize about the past. Like other tenses of the subjunctive, the pluperfect can be used after expressions of emotion, doubt, influence, or desire, and in descriptions of the unknown. In all these cases, the pluperfect usually refers to an action that preceded another past action. Look at the following sentences.

<table>
<tr><td>Unknown: Chapter 7</td><td>La policía **buscaba** a alguien que **hubiera visto** a la narcotraficante.</td><td>*The police were looking for someone who had seen the drug dealer.*</td></tr>
<tr><td>Feelings: Chapter 6</td><td>**Me alegré** de que ella **hubiera dejado** el alcohol.</td><td>*I was happy that she had quit drinking.*</td></tr>
<tr><td>Influencing: Chapter 5</td><td>**Habría querido** que la policía **hubiera sido** más dura con los ladrones.*</td><td>*I would have liked the police to have been tougher with the thieves.*</td></tr>
</table>

Remind students that the present perfect subjunctive is used when expressing present emotions, doubt, etc., about the past. **Me alegra que ella haya dejado el alcohol.**

Drill pluperfect subjunctive:

1. Do a transformation drill. T: **Me alegra que tú hayas venido a clase hoy.** S: **Ayer le alegró que yo hubiera venido a clase.** Other cues: **Busco un estudiante que haya estado en México. Dudo que Uds. hayan ido al laboratorio hoy.** (etc.)

2. Put phrases on the board and have students express hindsight, hopes, and desires about their childhood. For example: **Habría querido que mi escuela . . . , Habría querido que mis profesores/consejeros . . . , Me habría gustado que mis padres . . . ,** etc.

*Note: This combination of **habría** + *past participle* + **que** + **hubiera** + *past participle*, is frequently used to express hindsight: **Habríamos preferido que él no hubiera venido el domingo.**

2. Compare the following sentences containing either the imperfect subjunctive or the pluperfect subjunctive.

La policía **buscaba** a alguien que **trabajara** con drogadictos.

The police were looking for someone who worked with drug addicts.

La policía **buscaba** a alguien que **hubiera trabajado** con drogadictos.

The police were looking for someone who had worked with drug addicts.

Actividad 16: No estaba de acuerdo Completa con detalle estas situaciones para indicar cómo se sintieron las personas en cada caso. Usa el pluscuamperfecto del subjuntivo.

1. Marta me dijo que ella había visto un robo en la calle y que unos policías habían atrapado al delincuente y le habían pegado mucho, pero como Marta siempre cuenta historias, yo no creía que . . . porque . . .

3. Have students express what others felt about them: **Mis padres habrían querido que yo . . . , A mis profesores les habría gustado que yo . . .**

Act. 16: Assign as HW and check in class.

2. José, de catorce años de edad, llegó a casa después de una fiesta con un olor a alcohol muy fuerte, pero les juró a sus padres que él no había bebido. Ellos dudaban que . . . porque . . .
3. La hija del Sr. Salinas era contadora, tenía cuarenta años y estaba en la cárcel por haber cometido fraude en el trabajo. Su padre habría querido que . . . porque . . .
4. Hace unos años quedé embarazada y fumé durante todo el embarazo. Mi médico habría preferido que . . . porque . . .

Actividad 17: Mirar el pasado   En grupos de tres, digan cómo habrían querido que hubieran sido ciertos aspectos de su infancia y adolescencia. Sigan el modelo.

→   mis profesores / darme / materia más/menos difícil

Habría querido que mis profesores me hubieran dado materia más difícil porque así (yo) habría estudiado más y . . .

1. mi escuela / ofrecer / más/menos actividades extracurriculares
2. mis padres / ser / más/menos estrictos
3. mis padres / tener / más/menos hijos
4. mi escuela / dar / explicaciones más/menos explícitas sobre la sexualidad
5. mi familia / residir / en una zona más urbana/rural
6. mis amigos / participar / más/menos en las actividades de la escuela

Act. 17: Encourage connected discourse by having students justify their choices. Poll members of the class to see how many wish their parents had been stricter or more lenient, etc.

III. Discussing Crime and Violence

La violencia
Internet

Asesinar refers to all homicides and not just to those of important people. **Crimen** doesn't mean crime but rather homicide. **Delincuente** is someone of any age who breaks the law.

FLR link: **Lectura 2** discusses criminality in the Hispanic world.

Practice vocabulary:

Give definitions and have students guess the words. Then pair up students, and have them take turns giving definitions and guessing the words.

Delitos y consecuencias

Personas	Hechos y cosas	Acciones
el/la asesino/a	el asesinato	asesinar
	el atraco (*holdup; mugging*)	atracar
	el castigo (*punishment*)	castigar
el/la carcelero/a (*jailer, warden*)	la cárcel (*jail, prison*)	encarcelar
el/la condenado/a (*the convict*)	la condena	condenar (a alguien) a (10) meses/años de prisión
el/la delincuente (*criminal*)	la delincuencia	
el/la drogadicto/a	la droga	drogarse
	la legalización	legalizar
el/la narcotraficante	el narcotráfico	traficar en drogas
el/la pandillero/a (*gang member*)	la pandilla (*gang*)	
	la prohibición	prohibir
	el rescate (*ransom*)	rescatar (*to rescue*)
	el robo (*robbery*)	robar

el/la secuestrador/a (kidnapper; hijacker)	el secuestro	secuestrar
el/la sentenciado/a	la sentencia	sentenciar
	el soborno (bribe)	sobornar
el/la suicida	el suicidio	suicidarse
el/la terrorista	el terrorismo	
el/la violador/a (rapist)	la violación	violar (a alguien)

Otras palabras relacionadas con el delito

la adicción	addiction
la cadena perpetua	life sentence
el cartel (de drogas)	
consumir drogas	to use drugs
el delito	offense, crime
detener	to arrest
el homicidio	
el ladrón/la ladrona	thief
la libertad condicional	parole
la pena de muerte/pena capital	death penalty
el/la preso/a	prisoner
el/la ratero/a	pickpocket
la sobredosis	drug overdose
el toque de queda	curfew
la víctima	
la violencia	

Víctima is always feminine even when referring to men: Él fue **la única víctima.**

El no dejó de inyectarse drogas... por eso lo dejé.

No sé si compartió con otros las agujas. Sólo sé que se inyectaba, y eso es peligroso. Creo que yo no le importaba tanto como para dejar las drogas. Él sabía que los dos podíamos adquirir el SIDA, y le rogué que no lo hiciera. Hasta le pedí que buscara consejo y tratamiento contra las drogas. Yo hice todo lo posible, pero él no me hizo caso. Por eso . . . lo dejé.

AMÉRICA RESPONDE AL SIDA
1-800-344-SIDA
1-800-344-7432

Actividad 18: ¿Cuánto sabes?   Habla sobre las siguientes personas, instituciones o cosas usando palabras de la lista de vocabulario. Sigue el modelo.

Act. 18: Assign as HW and check in class.

→   Jesse James fue un **ladrón** que participó en muchos **robos** durante el siglo XIX. **Robaba** bancos y trenes y finalmente fue **asesinado**, pero nunca estuvo en la **cárcel**.

1. Charles Manson
2. Bonnie y Clyde
3. Alcatraz
4. la silla eléctrica
5. la escuela Columbine de Colorado
6. John Wilkes Booth
7. John Lennon
8. ? ? ?

Act. 19: Assign as HW or do in class. Point to the possible use of historical present in headlines. Have students expand on the headlines by describing what they think happened or will happen.

Actividad 19: Los titulares   Lee los siguientes titulares (*headlines*) y complétalos con palabras de la lista de vocabulario.

Se discute en el Senado la _____ legalización _____ de la mariguana

Se _____ suicida/suicidó _____ la jueza Roviralta
Salta del balcón de un 10° piso

Comienza el _____ toque de queda _____
Calles sin menores de 18 después de las 22 hrs.

_____ Detienen/Detuvieron _____ a 8 jugadores de fútbol
No pasan el control antidrogas

Condenan al _____ secuestrador _____ del avión de
Aeroméxico a _____ (10) años / cadena perpetua _____

Actividad 20: Delitos mayores y menores   **Parte A:** Piensa en este país y numera del 1 al 11 los siguientes actos criminales, del que más te preocupa al que menos te preocupa.

Act. 20A: Assign as HW or quickly do individually in class.

a. _____ las violaciones

b. _____ los robos de bancos

c. _____ la corrupción

d. _____ los robos de casas

e. _____ la delincuencia

f. _____ el narcotráfico

g. _____ el terrorismo

h. _____ el soborno en el gobierno

i. _____ la destrucción de la propiedad

j. _____ los asesinatos

k. _____ las pandillas

Parte B: Ahora, en grupos de tres, comparen el orden que escogió cada uno y expliquen por qué ciertos delitos les preocupan más/menos que a sus compañeros. Intenten decidir cuáles son los dos más importantes y los dos menos importantes.

→ A mí me preocupa más/menos . . . porque . . .

Act. 20B: Form groups of three, compare responses, and discuss reasons behind choices. See if answers are different for men and women. Have the class vote on most and least important.

▲ *Manifestación en contra de los actos terroristas de la ETA en España.*

¿LO SABÍAN?

La ETA es una organización terrorista en España que busca la secesión del llamado País Vasco —región que se encuentra en la parte norte del país— del resto de España. En septiembre de 1998 la ETA y el gobierno español acordaron una tregua *(truce)* como un principio para resolver este conflicto, pero aún no se sabe cómo se resolverá la situación.

Actividad 21: La culpabilidad La siguiente es una estrofa del poema "Contra las injusticias del hombre al hablar de las mujeres" de Sor Juana Inés de la Cruz, una monja mexicana del siglo XVII. En la estrofa, la monja pregunta si son más culpables las prostitutas o los hombres que contratan sus servicios.

> O ¿cuál es más de culpar,
> aunque cualquiera mal haga,
> la que peca por la paga
> o el que paga por pecar?

Hoy en día se discute mucho el tema de la culpabilidad en lo que a la oferta y la demanda de las drogas ilegales se refiere: ¿Quién es más culpable por el alto nivel de consumo de drogas estupefacientes *(narcotic)*, los que las venden o los que las compran o son culpables por igual? En grupos de tres, discutan esta pregunta y estén preparados para justificar su opinión.

Actividad 22: La demanda En los Estados Unidos hay un alto índice de consumo de drogas ilícitas. En grupos de tres, hagan una lista de lo que hace y de lo que podría hacer el gobierno para reducir la demanda en este país. Luego digan cuáles les parecen más eficaces y por qué.

Actividad 23: La violencia En grupos de tres, discutan las siguientes preguntas relacionadas con la violencia.

1. ¿Cuáles son las cinco causas más importantes de la violencia en este país? ¿Cómo se podría solucionar este problema?
2. Algunos dicen que la televisión fomenta la violencia en la sociedad, pero para otros la programación es sólo un reflejo de una sociedad enfermiza. Den dos argumentos a favor de la primera idea y dos a favor de la segunda.
3. ¿Qué tipo de programas televisivos prefieren los niños de hoy? ¿En qué se diferencian estos programas de los que veían Uds. de niños? ¿Son más o menos violentos? ¿Más o menos educativos? Mencionen algunos ejemplos.
4. ¿Creen que los programas de noticias que muestran la reconstrucción de un asesinato sean beneficiosos para la sociedad? ¿Es buena idea dejar que los niños vean ese tipo de programa? Si contestan que no, ¿cómo se podría lograr que no lo vieran?

¿LO SABÍAN?

En varios países hispanos como Colombia, España y Argentina el gobierno les prohíbe a los canales de televisión presentar programas de contenido pornográfico o con mucha violencia antes de las diez de la noche y exige que se le recuerde al televidente la finalización de este horario con anuncios como "Aquí termina el horario de protección al menor. La presencia de los niños frente al televisor queda bajo la exclusiva responsabilidad de los padres." Di si crees que sería bueno utilizar este sistema de control en los Estados Unidos.

Sexo y violencia en televisión

El Congreso de los Diputados aprobó el jueves 30 con carácter definitivo, la ley por la cual se incorpora al derecho español la directiva comunitaria de "televisión sin fronteras". En ella se atribuye al Ministerio de Obras Públicas el control e inspección de todas sus disposiciones, incluidas las emisiones pornográficas o de "violencia gratuita", que los espectadores no podrán recibir entre las seis de la mañana y las diez de la noche.

—El País

Actividad 24: Decidan ustedes   **Parte A:** Lee las siguientes situaciones y di cuál es tu reacción.

1. Un criminal violó y mató a una niña de ocho años y fue condenado a cadena perpetua. Después de ocho años, salió en libertad condicional.
2. Un muchacho de quince años que mató a una anciana de setenta y cinco años y le robó su dinero, fue encarcelado, pero a los veintiún años lo soltaron por haber cometido el crimen cuando era menor de edad.

Parte B: En grupos de tres, cuéntenles a sus compañeros, con detalle, un crimen o un delito reciente.

Act. 24A: Assign as HW and compare answers and justifications in groups of three in class. When finished, have groups share answers and try to reach group consensus in each case.

Actividad 25: ¿Una solución final?   Un cuarto de la población de los Estados Unidos está a favor de la pena de muerte. En parejas, hagan una lista de cinco razones a favor y cinco en contra de la pena de muerte.

Act. 25: Form pairs and set a time limit. Have a group sharing when finished. Write all pros and cons on the board.

Follow-up: Have a debate on the death penalty.

IV. Expressing Accidental or Unintentional Occurrences

Unintentional *se*

1. To express accidental or unintentional occurrences use the following construction with **se** and an *indirect-object pronoun*:

Note that the singular and plural nouns function as subjects of the verbs in this construction even though they are placed after the verb.

Drill accidental **se**:

Hand out cards and have students mime the sentences for the class to guess. For example: **Se le quemó el pastel. Se les cayeron las botellas. Se le rompió la taza. Se le perdió la llave. Se les acabó el agua.**

se me		
se te	+ *singular verb + singular noun*	
se le		+ (a + *noun / pronoun*)
se nos		
se os	+ *plural verb + plural noun*	
se les		

Se nos cayó la **computadora**.   *We dropped the computer.*

Se le perdieron las **llaves**.   *He/She/You lost the keys.*

Se le perdieron las **llaves** (a María).*

(A María) **se le** perdieron las **llaves**.   *María lost the keys.*

*Note: A phrase introduced by **a** can be used to provide clarity or emphasis of the indirect object pronoun (**me, te, le, nos, os, les**). It can be placed at the beginning or end of a sentence.

270   FUENTES: CONVERSACIÓN Y GRAMÁTICA

2. Compare the following sentences, one involving an intentional occurrence and the other an unintentional one:

Intentional Occurrence	Unintentional Occurrence
El otro día me enfadé con mi novio y **quemé su foto** para no tener ningún recuerdo de él.	El otro día prendí una vela cerca de la foto de mi novio y me fui; cuando volví **se me había quemado la foto.**
The other day I got mad at my boyfriend, and I burned his picture so as not to have any reminder of him.	*The other day I lit a candle near my boyfriend's picture and I left. When I returned, the picture had burned.*

3. The following list presents verbs commonly used with this construction.

Descomponer (some countries in Hispanic America) = **averiar** (Spain).

acabar/terminar	**Se me acabó** el dinero. No tengo ni un centavo.
caer	**Se le han caído** dos platos al suelo (a Jorge).
descomponer	**Se me descompuso** el televisor y me costó 250 pesos arreglarlo.
olvidar	Siempre **se le olvidan** las llaves del carro (a ella).
perder	¡Qué lástima que **se te haya perdido** el perrito!
quedar	**Se me quedaron** los anteojos en casa.
quemar	¡Qué mala suerte! **Se nos quemó** la cena.
romper	**Se les va a caer** el estéreo y **se les va a romper**.

Actividad 26: La boda   Dos parejas que se casaron ayer tuvieron bastante mala suerte el día de su boda. En parejas, una persona mira la información del matrimonio A y la otra la información del matrimonio B. Después, cuéntense qué le ocurrió a cada pareja y luego decidan cuál creen que tuvo peor suerte y por qué.

A: Clara Gómez y Aldo Portillo
(a ella) caer / un pedazo de pastel de boda / en el vestido
(a él) romper / la cremallera de los pantalones
(a él) perder / el anillo de matrimonio
(a ellos) quedar / los pasaportes en la casa

B: Santiago Vélez y Sara Sosa
(a él) romper / una botella de champaña
(a ellos) olvidar / los pasajes de avión en la casa
(a ellos) acabar / la gasolina camino al aeropuerto
(a ella) perder / la maleta

Act. 26: Emphasize that the indirect–object pronouns already indicate who the affected person is so that students say **se le rompió el** (not **su**) **vestido**. Form pairs assigning A and B couples. Have students tell each other what happened. When checking, ask which couple had worse luck and have students justify responses.

Actividad 27: Excusas por llegar tarde   Mañana cinco policías van a llegar tarde al trabajo para protestar contra los sueldos bajos. Escribe las cinco excusas que van a dar por llegar tarde, usando la construcción con **se**. Empieza las oraciones con frases como: **Una policía va a decir que . . . , Un policía se va a disculpar diciendo que . . .**

Act. 27: Assign as HW and check in class.

V. Linking Ideas

A. *Pero, sino,* and *sino que*

Pero, sino, and **sino que** are conjunctions, that is, they join different parts of a sentence.

1. Pero means *but* (when *but* means *however*) and can be used after affirmative or negative clauses.

<table>
<tr><td>Iba a ir a clase, **pero** estaba muy cansado.</td><td>*I was going to go to class, but/however I was very tired.*</td></tr>
<tr><td>No iba a ir a clase, **pero** tenía un examen.</td><td>*I wasn't going to go to class, but/however I had an exam.*</td></tr>
</table>

Note the use of a comma before **pero.**

2. Sino and **sino que** also mean *but* (when *but* means *but rather* or *but instead*). These words can only be preceded by a negative clause. **Sino** is followed by a word or a phrase that does not contain a conjugated verb, and **sino que** introduces a clause that contains a conjugated verb.

<table>
<tr><td>**No** fui a clase **sino** a la cafetería.</td><td>*I didn't go to class but rather to the cafeteria.*</td></tr>
<tr><td>**No** quería estudiar **sino dormir.**</td><td>*He didn't want to study but rather to sleep.*</td></tr>
<tr><td>**No** estaba estudiando **sino durmiendo.**</td><td>*He wasn't studying but rather sleeping.*</td></tr>
<tr><td>**No** fui a clase **sino que me quedé** en la cafetería.</td><td>*I didn't go to class but instead I stayed in the cafeteria.*</td></tr>
<tr><td>**No** manejaban al trabajo **sino que caminaban.**</td><td>*They didn't use to drive to work but instead they walked.*</td></tr>
</table>

Drill **pero, sino,** *and* **sino que:**

Have students finish these ideas about last weekend: Iba a estudiar, pero . . . , No fui al cine sino . . . , No fui a una discoteca sino que . . . , etc.

Actividad 28: Consejos a un amigo **Parte A:** Tienes que darle consejos a un/a amigo/a que está por irse de viaje al extranjero. Termina las ideas usando **pero, sino** o **sino que.**

Act. 28: Assign as HW and check in class.

1. No debes llevar joyas de oro _____*sino*_____ de fantasía.
2. No debes llevar bolsa _____*sino que*_____ debes llevar una riñonera *(fanny pack)*.
3. Puedes llevar dinero en efectivo, _____*pero*_____ es mejor usar el cajero automático.
4. Nunca debes dejar la cámara fotográfica en el asiento de un auto estacionado _____*sino*_____ tenerla contigo en todo momento.

$\rightarrow$

5. Puedes llevar el pasaporte contigo, _____ pero _____ también es buena idea tener una fotocopia del pasaporte en el hotel.

6. No debes cambiar dinero en el aeropuerto _____ sino _____ en un banco o casa de cambio porque te dan más dinero.

7. En el aeropuerto no debes dejar las maletas solas _____ sino que _____ debes llevarlas contigo a todos lados.

Parte B: En grupos de tres, discutan si han estado en algunas de las situaciones que se mencionan en la Parte A, en el extranjero o en este país. Digan si les han robado algo alguna vez. Describan qué ocurrió.

Act. 28B: When finished, call on individuals to tell their stories.

B. *Aunque, como,* and *donde*

The conjunction **aunque,** and the adverbs **como,** and **donde** are used as follows:

You may want to explain the difference between **siempre estudian aunque están cansadas** (certainty) and **siempre estudian aunque estén cansadas** (doubt).

Drill **aunque, como,** and **donde:**

1. Write cues on the board and have students talk about their habits: **estudiar / aunque / costar mucho; comer / aunque / querer perder peso; vestirse / como / querer; estacionar / donde / poder.**

Don't confuse **cómo** and **dónde,** which are question words, with **como** and **donde,** which are adverbs.

2. Drill **aunque** + *imperfect subjunctive* by writing cues on the board and having students say what they would do: **ir a una fiesta / tener un examen.** S: **Iría a una fiesta aunque tuviera un examen al día siguiente.** Other clues: **dar la vuelta al mundo / quedarse sin dinero; comprar un coche / tener que pedirle dinero al banco.**

pupusas = a Salvadoran round flat dough, which is generally stuffed with cheese or pork

1. Aunque *(even if, even though, although)* is used to disregard information. It is usually followed by the subjunctive.

Siempre estudian por la noche **aunque estén** cansadas.
They always study at night although they may be tired.

Aunque te vayas temprano mañana, quiero ir contigo al aeropuerto.
Even though you may be leaving early tomorrow, I want to go to the airport with you.

Paco nunca probaría drogas **aunque** se las **ofrecieran.**
Paco would never try drugs even if they were offered to him.

2. Como *(as, how, any way)* and **donde** *(where, wherever)* use the indicative when referring to a specific manner or place, and the subjunctive when referring to an unknown manner or place.

Specific: Indicative	Unknown: Subjunctive
Lo escribí **como** yo **prefería.** *I wrote it as I preferred.*	Bueno, escríbelo **como prefieras.** *OK, write it any way you prefer.*
Se vistió **como quería.** *She went dressed as she wanted.*	Dile que se vista **como quiera.** *Tell her to go dressed any way she wants.*
Cuelga el cuadro **donde** yo **quiero;** allí. *Hang the painting where I want; over there.*	Cuelga el cuadro **donde quieras.** *Hang the painting wherever you want.*
Busqué el restaurante **donde servían** pupusas. *I looked for the restaurant where they served pupusas.*	Busqué un restaurante **donde sirvieran** pupusas. *I looked for a restaurant where they served pupusas.*

Actividad 29: Combinaciones   Combina cada idea de la columna A con una de la columna B para formar oraciones lógicas.

Act. 29: Assign as HW and correct in class.

A

Seguiremos viajando aunque
Nunca te dejaría aunque
Ayer trasnochamos aunque
Ella volvió al lugar donde
Busco un apartamento donde
Puedes venir vestido a mi fiesta como
Prepara el mate de coca como yo

B

enseñarte / la semana pasada
estar / muy cansados
pasar / su adolescencia
dejarme / de querer
querer
poder vivir / cómodamente
quedarse / sin dinero

Actividad 30: Delitos mayores   Termina las siguientes ideas sobre delitos mayores.

Act. 30: Assign as HW and check in class. Ask for multiple responses to each situation.

1. El hombre que violó a esa mujer salió en libertad condicional aunque . . .
2. Quisiéramos vivir en un lugar donde . . .
3. Muchos criminales cometen crímenes horribles aunque . . .
4. Es necesario implementar el toque de queda donde . . .
5. Muchos asesinos parecen personas normales aunque . . .
6. El acusado del secuestro le dijo al juez que su abogado no lo trataba como . . .

Actividad 31: ¿Legalización o no?   **Parte A:** La legalización de las drogas en varios países del mundo, inclusive en los Estados Unidos, es un tema muy controvertido. Lee las siguientes ideas sobre la legalización de las drogas e indica si crees que muestran una posición a favor (AF) o en contra (EC). Luego comparte tus ideas con el resto de la clase.

Act. 31A: Assign as HW and check in class.

 FLR link: **Lectura 1.**

1. _____ Una de las formas de destruir el narcotráfico es la legalización, pero esto no significa legalizar a los capos del narcotráfico.
2. _____ Los narcotraficantes obtienen ganancias increíbles debido a la prohibición de la droga. Hay que acabar con esta situación.
3. _____ Sería muy peligroso legalizar la mariguana en un país democrático. Esto podría crear la imagen de una narcodemocracia.
4. _____ Es factible que la legalización de la droga traiga como resultado un aumento del consumo.
5. _____ La legalización no es una buena solución pues la droga siempre va a estar prohibida para alguien, como por ejemplo, los menores de edad.
6. _____ Para terminar con la droga hay que acabar con los narcotraficantes.
7. _____ La muerte de poderosos narcotraficantes no ha afectado el mercado.
8. _____ Legalizar las drogas sería como perdonar y olvidar todos los crímenes cometidos por el narcoterrorismo.
9. _____ Los países productores no producirían tanta droga si no hubiera una demanda tan intensa de parte de los países consumidores. Hay que reducir la demanda.

Parte B: Ahora, formen dos grupos: uno a favor de la legalización de la droga en los Estados Unidos y el otro en contra. Tomen unos minutos para preparar sus argumentos usando ideas de la Parte A como punto de partida. Luego, hagan un debate sobre la legalización de la droga.

Vocabulario activo

Delitos y consecuencias

Ver páginas 264–265.

Expresiones útiles

a propósito	*on purpose*
(para) dentro de (diez) horas/días/años/etc.	*in (ten) hours/days/ years/etc.*
pretender + *infinitive*	*to try* + infinitive

Verbos que se usan con la construcción *se* + pronombre de complemento indirecto

acabar/terminar	*to finish*
caer	*to fall*
descomponer	*to break down*
olvidar	*to forget*
perder	*to lose*
quedar	*to leave behind*
quemar	*to burn*
romper	*to break*

Vocabulario personal

Act. 31B: Separate the class into two groups: pro and con. Have them get together on different sides of the room. Assign a leader for each group. You may have students select the side they would like to debate or simply assign members to a group. Allow five minutes for students to compile information to support their argument. Then seat the two groups facing each other and conduct the debate.

La comunidad latina en los Estados Unidos

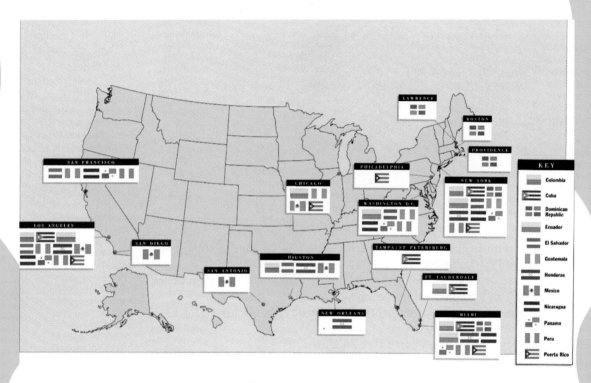

LAWRENCE

BOSTON

PROVIDENCE

SAN FRANCISCO

PHILADELPHIA

CHICAGO

NEW YORK

WASHINGTON D.C.

LOS ANGELES

SAN DIEGO

SAN ANTONIO

HOUSTON

TAMPA/ST. PETERSBURG

FT. LAUDERDALE

NEW ORLEANS

MIAMI

KEY

Colombia

Cuba

Dominican Republic

Ecuador

El Salvador

Guatemala

Honduras

Mexico

Nicaragua

Panama

Peru

Puerto Rico

COMMUNICATIVE GOALS

- discussing immigration
- narrating and describing in the past, present, and future (a review)

ADDITIONAL GOAL

- using the infinitive

May be assigned: Grammar, vocabulary, ¿Lo sabían?, Act. 9, Act. 10, Act. 11, Act. 12, Act. 14A and B, Act. 16, Act. 17, Act. 18, Act. 19, Act. 22, Act. 24, Act. 25.

Un poema

Actividad 1: Proyecciones   Mira el siguiente mapa sobre la población de los Estados Unidos y discute las preguntas que lo acompañan.

**Personas de 10 a 24 Años de Edad
como Porcentaje del Total de la Población**

Proporción de Negros y Latinos

	Año		Latinos / Negros / Otros
35.0%	2030		
27.6	2000		
24.7	1987		
22.1	1980		
19.0	1970		

0   5   10   15   20   25   30

Porcentaje del Total de la Población

Note: The chart reflects a trend in population growth that has been referred to as the browning of America.

Review the meanings and uses of the following words before doing this chapter: **hispano, latino, mexicoamericano, chicano.**

Act. 1: Ask students for possible ramifications of these changes: **¿Cuántos hispanos hay en la Corte Suprema de los Estados Unidos? ¿Los candidatos hacen anuncios en la radio o en la televisión en español?** (etc.) Encourage students to use future tense when discussing the possible changes.

1. ¿Crece o disminuye el porcentaje de personas de 10 a 24 años en los Estados Unidos entre 1970 y 2030?
2. Entre la gente de 10 a 24 años, ¿cuál era el porcentaje de la población negra y latina en 1970? ¿Y cuál será el porcentaje en 2030?
3. ¿Disminuyen o aumentan los siguientes sectores de la población en los Estados Unidos entre 1970 y 2030?
   a. los negros y latinos juntos entre 10 y 24 años
   b. los negros entre 10 y 24 años
   c. los latinos entre 10 y 24 años

Actividad 2: Un poema   **Parte A:** La locutora de un programa de radio de Laredo, en Texas, va a leer un poema. Antes de escucharlo, busca la ciudad de Laredo en el mapa que está al final del libro y contesta las siguientes preguntas.

FLR link: **Lectura 3** presents other poems.

1. ¿Cómo crees que sea la población de esa ciudad?
2. ¿Crees que sea una ciudad típica de los Estados Unidos? ¿Por qué?
3. ¿Qué idiomas crees que se hablen allí?

Parte B: Ahora vas a trabajar con algunas palabras que aparecen en el poema. Lee las siguientes oraciones y luego asocia las palabras en negrita con su significado.

• Antonio tenía un puesto muy bueno, pero se sintió **desplazado** cuando le dieron su puesto a otro empleado.
• No me importan los problemas **ajenos.** Sólo me preocupo por los míos.

- A ella le molesta **andarse con tiento** y no poder decir lo que piensa.
- Cada vez que recuerdan la comida deliciosa que les hacía su madre, a los hermanos **se les hace agua la boca.**
- Tengo 60 años **¿y qué?** Puedo comprarme ropa para gente joven si me gusta.
- ¡Qué terrible! Cuando escuché la noticia del accidente de avión, **se me hizo un nudo en la garganta.** Traté de no llorar, pero no pude contener las lágrimas.
- Para hacerle un **injerto** a esa planta, le hice un corte y le puse otra. Pero mi experimento no resultó pues la planta no **pegó** y se murió.
- Odio que me llamen **pocho.** Yo soy mexicano, vivo en EE.UU. y punto.
- Cuando el nadador olímpico escuchó el himno nacional al recibir el premio en los Juegos Olímpicos, **se le enchinó el cuero.**

1. __j__ andarse con tiento
2. __d__ ajenos
3. __b__ desplazado
4. __c__ hacérsele agua la boca
5. __a__ ¿y qué?
6. __g__ hacérsele un nudo en la garganta
7. __h__ injerto
8. __f__ pegar
9. __i__ pocho
10. __e__ enchinársele el cuero

a. y no importa lo que piensen los demás
b. que lo han quitado de su lugar
c. recordar con gran placer una comida
d. de otras personas
e. emocionarse tanto que se le pone la piel de gallina
f. implantarle una planta a otra con éxito
g. estar a punto de llorar
h. implante de parte de una planta a otra
i. mexicano o de ascendencia mexicana que vive en EE.UU.
j. tener cuidado con lo que se dice o hace

Parte C: Ahora usa la información de la Parte A y el vocabulario de la Parte B para predecir el tema del poema llamado "Soy Como Soy Y Qué" de Raquel Valle Sentíes. Luego escucha el poema para confirmar tu predicción.

Soy flor injertada que no pegó.
Soy mexicana sin serlo.
Soy americana sin sentirlo.
La música de mi pueblo,
la que me llena,
los huapangos, las rancheras,
el himno nacional mexicano,
hace que se me enchine el cuero,
que se me haga un nudo en la garganta,
que bailen mis pies al compás,
pero siento como quien se pone
sombrero ajeno.
Los mexicanos me miran como diciendo
¡Tú, no eres mexicana!

El himno nacional de Estados Unidos
también hace
que se me enchine el cuero,
que se me haga un nudo
en la garganta.
Los gringos me miran
como diciendo,
¡Tú no eres americana!
Se me arruga el alma.
En mí no caben dos patrias
como no cabrían dos amores.
Desgraciadamente,
no me siento ni de aquí,
ni de allá. →

Act. 2C: You may choose to have students read the poem along as they hear it or simply listen to it with books closed. You might want to tell students that titles in Spanish do not usually take caps except for the first word. The use of caps in the name of this poem is the author's choice.

Raquel Valle Sentíes was born in Laredo, Texas, and she has lived both in Veracruz, Mexico, and in Laredo, Texas. In 1997 she received an award for Chicano literature from la Universidad Autónoma de Ciudad Juárez. She has been writing since 1988. Her play *Alcanzando un Sueño* received an award at the Chicano Literary Contest at UC Irvine in 1990. Her play *La Mala Onda de Johnny Rivera* was done at the Teatro de la Esperanza in San Francisco in 1996.

Ni suficientemente mexicana.
Ni suficientemente americana.
Tendré que decir
Soy de la frontera.
De Laredo.
De un mundo extraño
ni mexicano,
ni americano.
Donde al caer la tarde
el olor a fajitas asadas con mesquite,
hace que se le haga a uno agua la boca.
Donde en el cumpleaños
lo mismo cantamos
el *Happy Birthday* que las mañanitas.
Donde festejamos en grande
el nacimiento de Jorge Washington
¿quién sabe por qué?
Donde a los foráneos
les entra *culture shock*
cuando pisan Laredo
y podrán vivir cincuenta años
aquí y seguirán siendo
foráneos.
Donde en muchos lugares
la bandera verde, blanca y colorada
vuela orgullosamente
al lado de la *red, white and blue*.

Soy como el Río Grande,
una vez parte de México,
desplazada.
Soy como un títere
jalado por los hilos de dos culturas
que chocan entre sí.
Soy la mestiza,
la pocha,
la Tex-Mex, la Mexican-American,
la hyphenated,
la que sufre
por no tener identidad propia
y lucha por encontrarla,
la que ya no quiere cerrar los ojos
a una realidad que golpea,
que hiere
la que no quiere andarse con tiento,
la que en Veracruz
defendía a Estados Unidos
con uñas y dientes.
La que en Laredo
defiende a México
con uñas y dientes.
Soy la contradicción andando.

En fin, como Laredo,
soy como soy y qué.

Actividad 3: La "hyphenated"   Antes de escuchar el poema otra vez, lee las siguientes ideas. Luego escucha el poema para buscar la información correspondiente.

1. de quién habla y dónde vive
2. de qué país es y de dónde se siente que es
3. qué conflicto tiene con los mexicanos y con los americanos
4. qué problema tienen los foráneos (las personas de otro país) en Laredo
5. a qué conclusión llega la persona que habla

Actividad 4: Tu opinión   **Parte A:** Después de escuchar el poema, expresa tu reacción al conflicto que tiene la poeta.

Parte B: En parejas, una persona es el/la locutor/a del programa de radio donde se leyó el poema y la otra persona llama para decir si le gustó. Justifiquen su opinión.

¿LO SABÍAN?

La autora de "Soy Como Soy Y Qué" escribe en español, pero usa el inglés para describirse a sí misma como *"la Mexican-American, la hyphenated"*. Es posible que ella haga esto porque la terminología para describir lo que quiere decir es más precisa en inglés, porque el concepto no existe en la cultura hispana o porque quiere expresar con la mezcla de idiomas su cultura mezclada. En los Estados Unidos muchos hispanos alternan entre el español y el inglés dentro de una misma conversación y, con frecuencia, lo hacen inconscientemente. ¿Cómo le explicarías a una persona que no habla inglés el término *hyphenated* que usa la autora?

I. Discussing Immigration

La inmigración

Act. 5: Do this as a full class activity or in pairs followed by a group sharing. Also encourage students to guess what **"el coyote"** and **"la migra"** mean. After they have guessed, tell them that: **Un "coyote" es una persona que recibe dinero por ayudar a las personas a entrar en los Estados Unidos ilegalmente. Cruza la frontera con un grupo de personas y vuelve**

los antepasados
la ascendencia
el asilo político
asimilarse
el bilingüismo, bilingüe
la ciudadanía, el/la ciudadano/a
el "coyote"
el/la descendiente
el/la emigrante, emigrar (de)
el exilio, el/la exiliado/a, vivir en el exilio

la frontera, fronterizo
el/la indocumentado/a
el/la inmigrante, inmigrar (a)
legal, ilegal
la "migra"
el/la "migrante"
la nostalgia, sentir nostalgia
el/la refugiado/a político/a
la residencia, el/la residente
la tarjeta verde

Actividad 5: Explícalo   Las palabras de la lista de vocabulario no están traducidas porque muchas son cognados y las otras se pueden adivinar con un poco de imaginación. Intenta explicar estas palabras que aparecen en el vocabulario anterior.

la nostalgia
el/la residente
la tarjeta verde
el/la indocumentado/a
el asilo político

el "coyote"
el/la ciudadano/a
la "migra"
el bilingüismo
el/la "migrante"

a México para hacer lo mismo al día siguiente. La "migra" es el Servicio de Inmigración de este país. La tarjeta verde, que ya no es verde, se le da al inmigrante cuando se le otorga la residencia en este país. Explain to students that **el coyote, la migra** and **el/la migrante** are terms that are used and understood only in the U.S.

Actividad 6: Emigración e inmigración   En parejas, hagan una lista de cinco motivos por los cuales hay más inmigración a los Estados Unidos y menos emigración de los Estados Unidos a otros países. Estén preparados para explicar los motivos.

Actividad 7: La nostalgia   Ésta es la idea que expresó una inmigrante mexicana en los Estados Unidos. En parejas, discutan si alguna vez han sentido nostalgia de algo, y digan de qué y por qué.

> "Cuando vine a este país comencé a extrañar *(miss)* todas las cosas de mi país, inclusive a los mariachis que en México los odiaba."

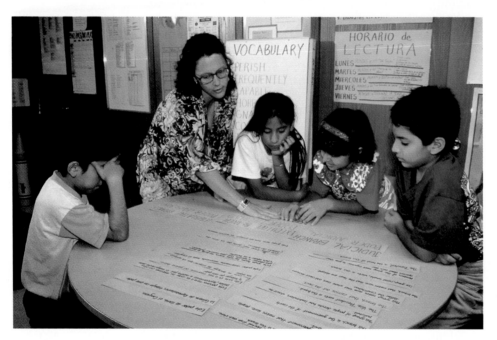

◀ *Estudiantes y su maestra en una clase bilingüe de Austin, Texas.*

Actividad 8: Un cuestionario   Vas a dar una opinión **anónima** sobre puntos importantes concernientes a los hispanos en este país. Escribe en una hoja los números del 1 al 12 y, mientras lees cada oración del cuestionario, asígnale una letra (a, b, c). Luego entrégale la hoja a tu profesor/a y sigue sus instrucciones.

    a. estoy de acuerdo
    b. no estoy completamente de acuerdo
    c. no estoy en absoluto de acuerdo

1. Muchos inmigrantes intentan pasar por refugiados políticos cuando lo que en realidad buscan es dinero.
2. Los inmigrantes son muy trabajadores.
3. Debemos mandar a todos los inmigrantes ilegales a su país de origen.
4. Los inmigrantes ilegales sólo deben recibir servicio médico en caso de emergencia.
5. La pobreza de México es la causa del alto índice de inmigrantes de ese país a los Estados Unidos.

Act. 6: Form pairs, set a time limit, and begin. Check by asking pairs to give some reasons. Write these on the board in two columns: **Hay mucha inmigración porque . . . / Hay poca emigración porque . . .**

Act. 7: Discuss when you have been nostalgic. Then form pairs. When finished, ask general questions like: **¿Quién asistió a un campamento de verano cuando era pequeño?** Some students raise their hands. **¿Sentiste nostalgia?**

Act. 8: It is important that students realize that they'll be doing this anonymously so they'll be more apt to say what they really think. You may want to create a handout to fill out. Once anonymity is assured, follow this procedure, which will help students explore different opinions and attitudes, and possible reasons for them while never

having to express their own opinion publicly: 1. Have students rate each item. 2. Collect the papers. 3. Shuffle them. 4. Hand them out to the students in a random fashion. 5. Poll the class for each item (students report what is on the paper they have). 6. After each item, ask why some people may have said what they did.

6. La gente que emplea a los trabajadores indocumentados tiene la culpa de que haya tantos inmigrantes ilegales.
7. Los inmigrantes ilegales pagan más dólares en impuestos de lo que el gobierno gasta en servicios públicos para ellos.
8. El gobierno acepta cuotas mayores de inmigrantes europeos que de personas de países tercermundistas.
9. La inmigración ilegal existe porque hay una relación de oferta y demanda: los Estados Unidos necesitan la mano de obra barata y los inmigrantes ilegales necesitan trabajo.
10. Los inmigrantes indocumentados contribuyen al progreso de la economía del país.
11. Si pudieran, muchos inmigrantes no saldrían de su país de origen; sólo lo hacen por necesidad económica o política.
12. El gobierno debe vigilar más las fronteras del país.

Note on #7: Many illegal immigrants, after getting a social security card, do pay taxes. Statistics show that they pay more into the system than they take out in benefits.

Actividad 9: Una amiga norteamericana   Lee la siguiente anécdota y luego di cómo te sentirías si estuvieras en el lugar de esta muchacha norteamericana.

Tengo una amiga norteamericana a la que le ocurre algo muy curioso. En los Estados Unidos mucha gente le pregunta de dónde es y cuando ella dice que es de Crystal City, una ciudad de Texas, le vuelven a preguntar de qué parte de México es. Como ella tiene la piel oscura y ciertos rasgos que tienen muchos mexicanos, la gente piensa que ella es mexicana sin lugar a dudas. Pero hace cuatro generaciones que su familia vive en los Estados Unidos y ella no habla ni una palabra de español. Ella no es inmigrante. Es tan estadounidense como cualquiera y es muy incómodo que constantemente le hagan esta pregunta porque la pregunta implica: "Con ese color de piel, tú no puedes ser de los Estados Unidos".

Act. 9: Assign reading as HW. In class, ask students how they would feel in this situation. The purpose of this activity is for students to become aware that there are millions of Hispanics in this country who are born in the U.S. and are not recent immigrants.

II. Using the Infinitive

Review and Other Uses of the Infinitive

During this course you have used the infinitive in a variety of situations. The following rules will help you review the different uses.
Use an infinitive:

Drill infinitive:

Write the following on the board and have students talk about their future: **Quiero . . . por eso es necesario . . . y también tengo que . . . así en el futuro puedo . . . Es importante . . .**

1. after verbs such as **querer, necesitar, deber, desear** and **poder**

Los inmigrantes sólo **quieren dar**les una vida mejor a sus hijos.

Immigrants only want to give their children a better life.

Ella **desea tener** un buen trabajo, **dar** de comer a sus hijos y **vivir** en paz.

She wants to have a good job, feed her children, and live in peace.

Note: A present participle follows verbs such as **continuar** and **vivir** to denote actions in progress or repetitive actions: **Los inmigrantes continúan trabajando por necesidad.**

2. after **tener que** and **hay que**

Tengo que sacar un número de seguro social.

I have to get a social security number.

Hay que obtener un permiso de residencia.

It's necessary to get a residence permit.

3. after impersonal expressions such as **es posible** or **es necesario** when there is no specific subject mentioned

Es necesario tener buen seguro médico.

It's necessary to have a good health insurance plan.

Spanish: preposition + infinitive (**después de obtener**)
English: preposition + gerund (*after getting*)

4. directly after a preposition

Los inmigrantes, tanto legales como ilegales, suelen pagar impuestos **después de obtener** una tarjeta del seguro social.

Immigrants, both legal and illegal, normally pay taxes after getting a social security card.

No puedes entrar a este país **sin tener** visa.

You can't enter this country without having a visa.

5. after **al**

Al llegar, encontraron un lugar para vivir.

Upon arriving, they found a place to live.

6. when a verb is the subject of the sentence

(El) **Emigrar** es a veces necesario.

Emigrating is a necessity at times.

The infinitive also functions as the subject after verbs that follow the pattern of **gustar.**

A los niños **no les gusta cambiar** de escuela con frecuencia.

Children do not like to change schools frequently.

Actividad 10: Ideas sobre la inmigración   Completa estas ideas sobre la inmigración usando el infinitivo y otras palabras necesarias.

Act. 10: Assign as HW or do in class.

1. Si quieres cruzar la frontera con México es imprescindible . . .
2. . . . un país extranjero es una experiencia muy valiosa.
3. El refugiado político sufre mucho al . . .
4. Un indocumentado no puede . . .
5. Un coyote gana mucho dinero por . . .
6. . . . a la nueva cultura lleva tiempo, pero esta integración es de suma importancia.
7. Toda la familia le ayudó a ese pariente, un nuevo residente, a . . .
8. . . . trabajo cuando no se habla el idioma del país no es nada fácil.

Actividad 11: Bienvenidos al programa   Uds. son locutores de una emisora de radio y tienen que escribir una serie de mensajes cortos para educar a la comunidad. Pueden estar dirigidos a los jóvenes que dejan los estudios, que venden drogas o se drogan, que pertenecen a pandillas y que no escuchan a sus padres; también pueden estar dirigidos a los padres que están muy preocupados y no saben qué hacer con sus hijos. Usen el infinitivo cuando sea posible.

→   **Utilizar** agujas usadas para **drogarse** es una de las maneras más comunes **de contraer** el SIDA. **Deben dejar de drogarse,** o por lo menos, **usar** siempre una jeringa nueva. **Drogarse** es un pasaje de ida solamente.

Act. 11: Prior to doing the activity, brainstorm possible topics: **abuso del alcohol, inmunización de los niños, embarazo en la adolescencia,** etc. This could be assigned as HW or done in class in small groups or in pairs. Students pick topics or you could assign them. When finished, have students read their ad to the class or collect and correct.

III. Narrating and Describing in the Past, Present, and Future (A Review)

Have students analyze uses vertically and horizontally. This will help focus them for the rest of the chapter.

In this chapter you will review how to narrate and describe in the past, present, and future. Before reviewing each, read the following chart, which is a synopsis of the life of a man and his family. First, read the columns vertically. Then go back and compare the horizontal columns to each other.

Past	Present	Future
Cuando era joven, Juan vivía en Puerto Rico.	Ahora Juan vive en Nueva York con su familia.	Juan va a comprar una casa en Puerto Rico y vivirá allí durante los veranos.
Tenía 17 años cuando terminó la secundaria.	Tiene 40 años y trabaja en el Hospital Mount Sinai.	Tendrá 65 años cuando se jubile.
Sus padres querían que él fuera a los Estados Unidos a estudiar medicina.	Tiene una hija y quiere que ella pase los veranos con sus abuelos en Puerto Rico para que aprenda bien el español.	Él y su esposa querrán que su hija también estudie en Harvard.
Como había sacado buenas notas en la escuela, lo aceptaron en Harvard.	Como ella saca buenas notas en la escuela, no tiene que estudiar durante el verano.	Seguramente ella sacará buenas notas y será médica como sus padres.
Mientras estaba estudiando en Harvard, conoció a su esposa, Marta.	Mientras su esposo está en el hospital, Marta, que también es médica, trabaja con niños que padecen de SIDA.	Mientras ella esté estudiando la carrera universitaria, trabajará como voluntaria en un hospital.
Siempre decía que si se hubiera quedado en Puerto Rico, nunca la habría conocido.	Si Marta tuviera más tiempo, iría a las escuelas para hablar sobre la prevención del SIDA.	En caso de que pueda, tratará de trabajar con niños que padezcan de SIDA, igual que su madre.

Now you will review how to discuss past, present, and future actions and states. If you feel you need more in-depth explanations, you should consult the pages given in the annotations in the margin.

A. Discussing the Past

To review narration and description in the past, see pages 67–76 and 87–96. Note that throughout the chapter, topic titles and page references are given in the margin to tell you where you can review the topic.

1. Look at how the preterit and imperfect are used to talk about the past as you read this brief summary of Cuban immigration to the United States.

Preterit	Imperfect
	• **Setting the scene** Durante la década de los 50, **había** en Cuba mucha corrupción en la dictadura de Batista.
• **Completed action** **Hubo** una revolución en 1959 y después Fidel Castro **subió** al poder.	• **Age** Castro **tenía** sólo 32 años.
• **End of action** La revolución le **puso fin** a la dictadura de Batista.	• **Action or state in progress** Pero muchas personas le **tenían** miedo al nuevo régimen comunista.
• **Beginning of action** En 1959 **empezó** el gran éxodo de cubanos hacia los Estados Unidos y en 1966 **comenzó** la salida de otra ola de refugiados.	• **Habitual or repeated action** Cada día **llegaba** más y más gente a las costas y aeropuertos de los Estados Unidos, la cual **buscaba** asilo político.
	• **Action in progress interrupted** Cuando **intentaban/estaban intentando** salir de Cuba en embarcaciones pequeñas, muchos **murieron**.
• **Action over specific period of time** Algunos de los marielitos (los inmigrantes que llegaron en 1980), **permanecieron cuatro años** en bases militares o cárceles de los Estados Unidos antes de ser deportados. Otros todavía están en este país.	• **Simultaneous ongoing actions** Mientras **llegaban** los marielitos en 1980, mucha gente **protestaba** contra su entrada a los Estados Unidos porque muchos eran delincuentes.
	• **Ongoing emotion or mental state** En los Estados Unidos, muchos cubanos **sentían** nostalgia por su isla y por su vida anterior al gobierno de Castro.

<table>
<tr><td>

Past action preceded by other past actions, see page 78.

</td><td>

2. To denote a past action that preceded another past action, use the pluperfect.

En 1980 Fidel Castro **dejó emigrar** a miles de cubanos desde el puerto de Mariel, pero antes **había abierto** las cárceles para deshacerse de personas no gratas.

</td></tr>
</table>

<table>
<tr><td>

Narrating in the past, see page 196.

</td><td>

3. To ask the question *Have you ever?* and to refer to past events with relevance to the present, use the present perfect.

—¿**Has leído** algún artículo sobre la situación cubana actual?
—Últimamente no **he visto** nada sobre Cuba en el periódico.

</td></tr>
</table>

<table>
<tr><td>

Imperfect subjunctive, see page 212.

</td><td>

4. To describe something that may or may not have existed, use the imperfect subjunctive in dependent adjective clauses.

Los cubanos que salieron de Cuba querían ir a **un lugar donde pudieran** empezar una vida nueva.

</td></tr>
</table>

<table>
<tr><td>

Pending actions, see pages 173, 190, 212.

</td><td>

5. To refer to a pending or not yet completed past action in relation to a point of reference in the past, use the imperfect subjunctive in dependent adverbial clauses.

Muchos refugiados políticos pensaban quedarse en los Estados Unidos sólo **hasta que cambiara** el gobierno de su país.

Trabajaban **para que** sus hijos **tuvieran** un futuro mejor.

</td></tr>
</table>

<table>
<tr><td>

Present perfect subjunctive, imperfect subjunctive and pluperfect subjunctive, see pages 142, 212, 263.

</td><td>

6. To talk about past actions or states after expressions of influence, emotion, and other feelings and reactions, use the present perfect subjunctive, the imperfect subjunctive, or the pluperfect subjunctive in the dependent clause.

Es una pena que tantas familias **se hayan separado** por razones políticas.

Mucha gente quería que Kennedy **interviniera** militarmente en contra de Castro.

Cuando era pequeño me sorprendía que mis padres **hubieran dejado** a mis abuelos en Cuba y **venido** a Miami, pero ahora lo entiendo.

</td></tr>
</table>

<table>
<tr><td>

Hypothesizing about the past, see page 259.

</td><td>

7. To hypothesize about a past occurrence that is contrary to fact, use **si** + *pluperfect subjunctive,* + *conditional perfect.*

Si yo **hubiera sido** un exiliado político, no **habría podido** volver a mi país.

</td></tr>
</table>

Actividad 12: Los inmigrantes hispanos   Habla de la llegada de los tres grupos principales de hispanos (mexicanos, cubanos, puertorriqueños) a los Estados Unidos usando los datos que aparecen en la página siguiente. Incorpora el nombre del grupo apropiado en tus oraciones.

→ en 1959 / empezar a salir de la isla / cuando subir / al poder Fidel Castro

En 1959 los cubanos empezaron a salir de la isla cuando subió al poder Fidel Castro.

Puerto Rico y Cuba
Internet

FLR link: **Lectura** 2 discusses Hispanics in the U.S.

Act. 12: Could be assigned as HW or done in class (whole class or paired activity) followed by a check phase.

1. vivir / en la zona que se extiende de Texas a California antes de los primeros inmigrantes anglosajones
2. llegar / como refugiados políticos
3. en 1917 / recibir / el estatus de ciudadanos estadounidenses
4. en 1848 / firmar / el Tratado de Guadalupe Hidalgo con los Estados Unidos
5. para 1980 / ya / vivir / en Chicago, Los Ángeles, Miami, Filadelfia y el norte de Nueva Jersey
6. establecerse / principalmente en Miami
7. después de la Segunda Guerra Mundial / comenzar / la movilización a Nueva York
8. traer / a EE.UU. / la industria del puro *(cigar)*
9. no querer / que sus hijos / vivir / bajo un régimen comunista

Answers: 1. mexicanos 2. cubanos 3. puertorriqueños 4. mexicanos 5. puertorriqueños 6. cubanos 7. puertorriqueños 8. cubanos 9. cubanos

Actividad 13: Otros inmigrantes   Di por qué llegaron los siguientes grupos a los Estados Unidos y más o menos cuándo lo hicieron.

1. los judíos
2. los irlandeses
3. los africanos
4. los vietnamitas, camboyanos y laosianos

Act. 13: You may want to discuss other groups as well.

Actividad 14: Un anuncio comercial   **Parte A:** Mira el siguiente anuncio comercial y busca pistas *(clues)* que indiquen que está dirigido específicamente a hispanos inmigrantes en los Estados Unidos.

Act. 14A: Could be assigned as HW and checked in class.

© 1994 McDonald's Corporation

¡Qué chiquito es el mundo! Mira que encontrarme a Rubén aquí en Estados Unidos después de tanto tiempo.
Yo estaba almorzando con una compañera del trabajo en el McDonald's de aquí a la vuelta y lo vi entrar.
"Rubén", le grité.
"¡Ernesto!", y nos dimos tremendo abrazo.
"¿Qué haces aquí?", pregunté.
"Lo mismo que tú, a punto de comerme un Big Mac", me contestó vacilándome como lo hacía antes.
Me contó que se casó con Lupe, su novia de toda la vida, que tienen dos niñas preciosas y que lo acaban de transferir aquí a Estados Unidos.
Y así se nos pasó el tiempo.
Si no hubiera sido porque teníamos que regresar a trabajar, nos hubiéramos quedado el resto de la tarde platicando en McDonald's.
¡Qué agradable reencontrarnos!

Lo que quieres, aquí está. McDonald's

Note: The use of **hubiéramos** in the result clause in the ad is common throughout the Spanish-speaking world.

vacilar = to kid (around)

Parte B: Contesta las seis preguntas que siguen.

1. ¿Por qué crees que McDonald's haya hecho un anuncio comercial dirigido a inmigrantes? Justifica tu respuesta.
2. Si este anuncio hubiera aparecido en inglés en una revista como *Time* o *Sports Illustrated*, ¿habría tenido éxito? Justifica tu respuesta.
3. En el anuncio Ernesto dice: "¡Qué chiquito es el mundo!" ¿Estás de acuerdo con esta frase?
4. Mientras estabas en otra ciudad u otro país ¿alguna vez te has encontrado con *(have you run into)* alguien a quien conocías? ¿Qué pasó?
5. Estando de vacaciones, ¿has conocido a alguien que era de tu estado o tu ciudad? ¿Sentiste alguna afinidad con esa persona?
6. Si cuando eras niño/a se hubieran tenido que trasladar *(transfer)* tus padres a otro país, ¿dónde te habría gustado vivir? ¿Por qué?

Actividad 15: Inmigrantes ilustres   Los siguientes inmigrantes han aportado mucho a la cultura norteamericana. En grupos de tres, digan de dónde son y qué han hecho las siguientes personas.

1. Martina Navratilova
2. Alberto Einstein
3. Henry Kissinger
4. la Dra. Ruth Westheimer
5. Mikhail Baryshnikov
6. Arnold Schwarzenegger
7. Ted Koppel
8. Andrew Carnegie

Actividad 16: Contribuciones hispanas a los EE.UU.   En parejas, lea cada uno la información sobre uno de los siguientes hispanos famosos para luego contársela a la otra persona, usando verbos en el pasado.

Roberto Clemente (1934–1972)

- nacer / en Puerto Rico
- mientras / jugar / con los Piratas de Pittsburg / dar / 3000 batazos *(hits)*
- ayudar / a su equipo a ganar dos Series Mundiales
- llegar a ser / cuatro veces bateador campeón de la Liga Nacional
- los puertorriqueños / considerarlo / héroe nacional
- ser / muy generoso
- mientras / viajar / a Managua, Nicaragua para ayudar a víctimas de un terremoto / morir / en un accidente de avión en 1972
- ser / elegido al Salón de la Fama de Béisbol en 1973

Act. 14B: Could be assigned as HW and checked in class or done as a full in-class activity or in pairs followed by a group sharing.

Act. 15: Form groups of three, instruct students to discuss the origin and contributions of these immigrants. Tell them that if they are doubtful of their responses to use the subjunctive: **Es posible que haya . . .** When finished have a group sharing. Answers: 1. checoslovaca, tenista 2. alemán, físico, teoría de la relatividad 3. alemán, Secretario de Estado bajo Nixon, asesor de presidentes 4. alemana, terapeuta sexual 5. ruso, bailarín clásico 6. austríaco, actor y director 7. inglés, periodista y locutor del programa *Nightline* 8. escocés, hombre de negocios y filántropo, fundó el Instituto de Tecnología Carnegie en Pittsburg y el Instituto Carnegie en Washington, D.C.

Hispanos famosos
Internet

Act. 16: Option 1: Assign half the class to do Clemente and the other half Escalante as HW and read in class to a partner the next day. Option 2: Form pairs assigning roles, with a moment to prepare, then have them tell about their person's life.

Jaime Escalante (1930–)

- nacer / en Bolivia
- enseñar / matemáticas y física en La Paz 11 años
- en 1964 / mudarse / a Los Ángeles
- California / no reconocer / su experiencia laboral
- trabajar / como cocinero y / ser / técnico electrónico mientras / estudiar / matemáticas en la universidad
- en 1964 / graduarse / con título de matemáticas
- trabajar / en la escuela secundaria Garfield en East Los Ángeles
- lograr / que muchos estudiantes / aprobar / el examen de cálculo de AP
- su historia / ser / la fuente de inspiración para la película *Con ganas de triunfar (Stand and Deliver)*

▲ *El actor Edward James Olmos con Jaime Escalante durante un alto en la filmación de la película* Con ganas de triunfar.

Actividad 17: Mujeres mexicoamericanas   Lee las siguientes biografías que están escritas en el presente histórico y cámbialas al pasado.

Dolores Huerta

Nace en Nuevo México en 1930 y al dejar la casa de sus padres, se muda con su madre, dos hermanos y su abuelo a Stockton, California, donde tiene parientes. Puesto que su madre llega a tener un restaurante y un hotel, puede vivir con cierta comodidad. Después de fracasar en su primer matrimonio, durante el cual nacen dos hijas, obtiene un título universitario. Después de la Segunda Guerra Mundial participa en un grupo que se dedica a inscribir a la gente para votar y organiza clases de ciudadanía; finalmente termina trabajando como la mano derecha de César Chávez en la organización y administración del sindicato de trabajadores agrícolas *United Farm Workers*. Llega a tener un total de once hijos.

Act. 17: Assign as HW or do in class. Discuss the use of the **presente histórico** briefly and follow instructions for Act. 16.

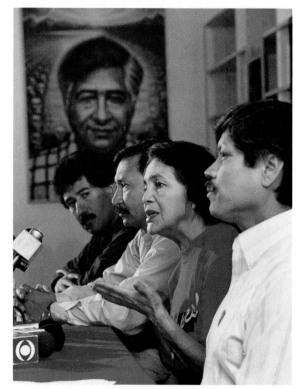

▲ *Dolores Huerta en una conferencia de prensa en Keene, California.*

Ellen Ochoa

Nace en 1958 en Los Ángeles y con el tiempo sus padres se divorcian y vive con su madre y cuatro hermanos. Durante su infancia, su madre les habla con frecuencia de la importancia de estudiar para triunfar. Sus materias favoritas en la escuela secundaria son matemáticas y ciencia, pero en la universidad cambia de carrera cinco veces; de música a negocios a periodismo a ciencias de la computación y finalmente a física. Se gradúa en la Universidad de Stanford con un doctorado en ingeniería electrónica. En 1991, llega a ser la primera astronauta hispana.

◀ *Ellen Ochoa toca la flauta para distraerse en un vuelo del taxi espacial Discovery.*

Actividad 18: Tus antepasados   En grupos de tres, discutan las siguientes preguntas para hablar de sus antepasados. Si tienen alguna anécdota, cuéntensela a sus compañeros/as.

1. ¿De dónde vinieron sus antepasados? Si alguno de Uds. pertenece a un grupo indígena de este país, puede hablar de cómo era la vida de sus antepasados y los cambios que ocurrieron por la llegada de inmigrantes.
2. ¿Cuántas generaciones de su familia han nacido en este país?
3. ¿Sufrieron sus antepasados algún tipo de discriminación? Expliquen por qué sí o no.
4. Cuando eran niños, ¿se hablaba en su casa un idioma que no fuera inglés? ¿Y cuando sus padres eran niños? ¿Y cuando sus abuelos eran niños?
5. ¿Qué querían los inmigrantes de su familia que hicieran sus hijos en este país?

Act. 18: Could be assigned as HW and answers shared in class in groups of three. Introduce this activity by discussing your family history. When finished, discuss background of students' families.

B. Discussing the Present

Narrating in the present, see pages 18 and 41.

1. To talk about present habitual actions or present events or states, use the present indicative.

Nunca **tengo** tiempo para hacer todo lo que **quiero.**

Hoy en día muchos hispanos **ocupan** puestos importantes en el gobierno.

Hace calor y **estoy** cansada.

Actions in progress, see page 46.

2. To discuss actions in progress at the moment of speaking, you may use either the present indicative or the present progressive.

Ellos **estudian/están estudiando** en la biblioteca ahora.

Describing the unknown, see page 168.

3. To describe something that may or may not exist, use the present subjunctive in the dependent clause.

Quiero ir a un lugar donde no **existan** los prejuicios.

Present subjunctive, see pages 114 and 138.

4. To talk about present actions or states after expressions of influence, emotion, and other feelings and reactions, use the present subjunctive in a dependent clause.

Resulta sorprendente que el 90 por ciento de los trabajadores agrícolas de California **sean** hispanos.

Present subjunctive, see pages 114 and 119.

Commands, see pages 121 and 123.

5. To influence someone's actions, use a command or the present subjunctive after an expression of influence.

Ayúdame.

Dile que me **ayude.**

Quiero que me **ayudes.**

Hypothesizing about the present, see page 248.

6. To hypothesize about present contrary-to-fact situations, use **si** + *imperfect subjunctive, + conditional.*

Si fuera político *(which I am not)*, **haría** todo lo posible para obtener el voto hispano.

Actividad 19: ¿Cuánto sabes?   Haz el siguiente test para ver cuánto sabes sobre la población hispana de los Estados Unidos.

1. En el año 2010, se calcula que la población negra va a representar el 12,5% de la población estadounidense y que la hispana va a representar el:
   a. 8,5%   b. 12,9%   c. 14,4%
2. El porcentaje de hispanos que vive en áreas suburbanas es del:
   a. 17%   b. 34%   c. 43%
3. El porcentaje de hispanos que no habla español como lengua materna en los Estados Unidos es del:
   a. 20%   b. 30%   c. 40%
4. En la población norteamericana hay 2,6 personas por familia. En la familia hispana hay:
   a. 2,8   b. 3,4   c. 4,5
5. El norteamericano (no hispano) mira un promedio de 3,2 horas de televisión al día. El hispano mira un promedio de:
   a. 1,7   b. 2,5   c. 3,6
6. El sueldo promedio en los Estados Unidos es de $30.500; el del hispano es:
   a. $18.500 b. $23.900   c. $26.500

Act. 19: Assign as HW or do in class. Have students react to the statistics saying **(No) Me sorprende que los hispanos** . . .

Answers: 1. b 2. c 3. b 4. b 5. c 6. b 7. b 8. a.

Note: One Hispanic contribution to the U.S. included the utmost sacrifice: **Los hispanos sufrieron el 20% de las bajas en Vietnam aunque solo constituían el 5% de las tropas.** To find out more about Hispanic participation in the armed forces, read Hispanics in America's Defense, Gordon Press Publisher.

→

7. El 25% de la población estadounidense es católica. El porcentaje de hispanos católicos es del:
   a. 55%   b. 70%   c. 80%
8. En los Estados Unidos la edad promedio es de 34 años; entre los hispanos es de:
   a. 25   b. 30   c. 38

Actividad 20: El poder adquisitivo   El poder adquisitivo de los hispanos en los Estados Unidos es de 348 mil millones de dólares y, por supuesto, las grandes empresas no pueden darle la espalda a este mercado. En grupos de tres, Uds. trabajan en una empresa de mercadeo y deben hacerles recomendaciones a compañías de *Fortune 100* teniendo en cuenta lo que aprendieron en la actividad anterior. Piensen en los siguientes factores.

- a qué sector de la población hispana le ofrecerían productos
- qué tipos de productos ofrecerían
- qué medios de comunicación usarían
- a qué lugares de la comunidad irían para regalarle muestras *(samples)* gratis a la gente

Actividad 21: Un anuncio de Coca-Cola   Lee el siguiente guión de un anuncio comercial que ha hecho la empresa Coca-Cola para la televisión. Después, contesta las preguntas que le siguen.

A: ¡Oye! ¡Qué padre! Un jueguito de fútbol ¿no?
B: Muchacho, ¿cómo que "padre"? Se dice "chévere".
C: Ya comenzaron de nuevo.
B: ¿Qué pasa? . . . Mira, "gaseosa".
A: Que ya se dice "soda".
C: No, "refresco".
B: No, no, no, no, no, ya . . . una Coca-Cola.
A: Ándale, ya nos entendemos.
B: Salud.
C: Salud.
B: ¡Oye! Mira, flaco, nos va a dejar la guagua.
C: ¿La "guagua"?
A: Es el "camión".
C: No, es el "bus".
A: No, el "camión".
C: No, es el "bus".
B: "Guagua."

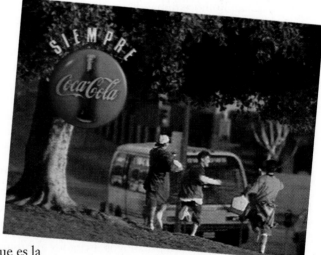

1. ¿Cuáles son las dos expresiones sinónimas de **¡qué bien!**? Hay tres expresiones diferentes que usan los muchachos para referirse al tipo de bebida que es la Coca-Cola, ¿cuáles son? ¿Qué palabras usan para decir autobús?
2. ¿A quién está dirigido este anuncio comercial?
3. ¿Usaría la empresa Coca-Cola este anuncio comercial en España? ¿En Chile? ¿En Venezuela? ¿Por qué sí o no?

mil millones = one billion

Act. 20: Tell students to justify each response through the statistics provided in the preceding activity.

Act. 21: Begin by discussing differences in English between the U.S. and England (lift/elevator), or between different parts of the U.S. (pop/soda, water fountain/bubbler, milk shake/frappé). Then have students read the text of the TV ad, which features people of Mexican and Caribbean descent, and answer the questions, justifying all responses.

padre (México) = **chévere** (Caribe)

camión (México) = **guagua** (Caribe)

¿LO SABÍAN?

En los Estados Unidos la población consumidora hispana consta de unos veinte subgrupos que incluyen doce millones de mexicanos, dos millones y medio de puertorriqueños, dos millones de centro y suramericanos y un millón de cubanos. Cada subgrupo se caracteriza por tener su propia cultura y diferencias lingüísticas, lo cual presenta un dilema al promocionar un producto. Algunos anuncios presen-tados en el oeste son dirigidos a la comunidad mexicana, mientras que los anuncios presentados en la Florida se dirigen principalmente a los cubanos. Por supuesto, muchas veces resulta más eficaz crear anuncios comerciales más generales para toda la comunidad hispana y usar un acento y vocabulario relativamente comunes y fáciles de entender para todos.

Actividad 22: Elementos para comerciales   Teniendo en cuenta lo que sabes de los hispanos en los Estados Unidos, marca para qué grupo o grupos se utilizarían los siguientes elementos al hacer un anuncio comercial. Justifica tus respuestas.

a. puertorriqueños   b. mexicanos   c. cubanos

1. _____ música de fondo: salsa
2. _____ abogados para conseguir una tarjeta verde
3. _____ música de fondo: mariachis cantando rancheras
4. _____ colores verde, blanco y rojo
5. _____ protagonistas negros y blancos
6. _____ colores blanco, rojo y azul
7. _____ un jugador de fútbol
8. _____ un jugador de béisbol
9. _____ un hombre fumando un puro (*cigar*)
10. _____ un político del partido republicano

Act. 22: Could be assigned as HW or done in class. Students may not know all the answers but will learn during the activity.

Answers: 1. a, c 2. b, c 3. b 4. b (colors of Mexican flag) 5. a, c 6. a, c (colors of Cuban, Puerto Rican, and U.S. flags) 7. b 8. a, b, c 9. c 10. c (a large percentage of Cubans are registered Republicans, while a large percentage of Puerto Ricans and Mexicans are registered Democrats).

Actividad 23: El show de Cristina   Uno de los programas más populares de la televisión hispana de los Estados Unidos es "El show de Cristina", un programa semejante al de Oprah Winfrey. El tema del programa de hoy es "Padres hispanos, hijos rebeldes". Éste es un tema de interés en la comunidad hispana ya que muchos padres tienen conflictos cuando sus hijos comienzan a relacionarse con niños y adolescentes de otras culturas de este país y a rebelarse contra las tradiciones familiares. Las siguientes son algunas de las cosas que dicen los padres y los hijos:

Act. 23: Read the quotes with students and discuss possible reasons for these statements. Then form pairs and have them give advice. Check by sharing advice with the class.

Comentarios de los padres	Comentarios de los hijos
"Mi niña es una rebelde. Nunca llega a casa a la hora que le digo."	"Mamá no habla inglés."
"Ahora anda con unos pandilleros."	"Odio el español."
	"Me controlan constantemente."

En parejas, Uds. son psicólogos invitados al programa de Cristina. Piensen en las citas (*quotes*) anteriores al preparar por lo menos tres consejos para darles a padres e hijos hispanos.

→ Es importante que Uds. aprendan a escucharse el uno al otro.

→ Les recomiendo que conozcan a los amigos de sus hijos.

Actividad 24: La discriminación   Contesta las siguientes preguntas sobre la discriminación.

Remember: **discriminar a alguien.**

Act. 24: Assign as HW and discuss answers in class.

1. ¿Qué significa discriminar? ¿Por qué discrimina la gente?
2. ¿Alguna vez has sido víctima de discriminación?
3. ¿Quiénes discriminan a quiénes?
4. ¿A quién se discrimina en este país?
5. ¿A qué grupos discriminaba la gente en el pasado?
6. ¿Existe discriminación en tu universidad? En los Estados Unidos, se habla de *reverse discrimination*. ¿Qué significa? ¿Crees que exista?

Actividad 25: ¿Qué falta aquí?   En parejas, lean este anuncio y discutan las preguntas de la página siguiente.

Act. 25: Assign as HW and discuss answers in class.

¿QUÉ FALTA AQUÍ?

Observa detenidamente este grupo de personas. Todas ellas tienen algo. Algunas tienen herramientas, otras portan una maleta, conducen un vehículo o llevan cualquier utensilio. Todas ellas podrían considerarse normales, gente corriente.

Sin embargo, hay una excepción. Ese buen hombre, el segundo por la derecha, en la tercera fila, parece no tener nada.

En efecto, no tiene nada. Es un refugiado. Y, como en principio habrás podido notar, es una persona como todas las demás. Porque los refugiados son gente corriente. Como tú y como yo. Gente normal con una pequeña diferencia: todo lo que tenían ha sido destruido

o confiscado, arrebatado tal vez a cambio de sus vidas.

No tienen nada.

Y nunca más lo tendrán si no les ayudamos.

Por supuesto, no podemos devolverles aquello que les fue arrebatado. Pero sí podemos ofrecerles nuestra solidaridad. Por eso no te pedimos dinero, aunque la más mínima

contribución siempre es una gran ayuda. Ahora lo que más necesitan es sentirse recibidos con cordialidad.

Tal vez una sonrisa no parezca gran cosa. Pero para un refugiado puede significarlo todo.

El ACNUR es una organización con fines exclusivamente humanitarios, financiada únicamente por contribuciones voluntarias. En la actualidad se ocupa de más de 19 millones de refugiados en todo el mundo.

ACNUR
Alto Comisionado para los Refugiados
Apartado 69045
Caracas 1062a
Venezuela

Cambio 16

ACNUR
Naciones Unidas
Alto Comisionado para los refugiados

1. ¿De quiénes habla el anuncio y cómo los describe?
2. ¿A quién está dirigido?
3. ¿Cuál es el propósito del anuncio y quién lo patrocina *(sponsors)*?
4. Durante el régimen de Castro, muchos cubanos han venido a los Estados Unidos como refugiados políticos. ¿Conocen Uds. a hispanos de otros países que también hayan sido aceptados como refugiados políticos? ¿Cuál era la causa?

◀ *Una familia de refugiados salvadoreños se cubren la cara para no ser identificados por las autoridades de Inmigración (Cincinnati, Estados Unidos, 1982).*

¿LO SABÍAN?

Durante los años 70 y 80 muchos de los habitantes de El Salvador, Guatemala y Nicaragua huyeron de su patria porque su vida corría peligro, cruzaron México e intentaron entrar en los Estados Unidos. A excepción de los nicaragüenses, que fueron bien recibidos pues el gobierno nicaragüense no era reconocido por los Estados Unidos, se prohibió la entrada a los inmigrantes de los otros dos países, y el gobierno norteamericano decidió no aceptarlos como refugiados políticos. Fue así como muchas iglesias se organizaron y fundaron el movimiento "Santuario" para ayudarles a cruzar la frontera y darles casa, comida y apoyo tanto económico como espiritual. Algunos de los líderes norteamericanos del movimiento fueron encarcelados por su participación. Di si crees que un grupo religioso que quebranta la ley debe ser procesado *(prosecuted)* por participar en lo que considera actividades humanitarias.

C. Discussing the Future

Future actions, see pages 11 and 235.

1. To refer to a future action, you can use the following:

a. the present indicative	Esta noche **hay** una reunión de inmigrantes guatemaltecos.
b. **ir a** + *infinitive*	Los hispanos **van a formar** el grupo minoritario más grande de los Estados Unidos.
c. the future tense	En el futuro los hispanos **ocuparán** más puestos en el gobierno.

Present subjective, see pages 114 and 138.

2. To talk about future actions or states after expressions of influence, emotion, and other feelings and reactions, use the present subjunctive in dependent clauses.

Las grandes compañías querrán que los hispanos **compren** sus productos.

Para educar a la gente, es importante que **hagan** más anuncios sobre los efectos del cigarrillo.

Pending actions, see pages 173 and 190.

3. To describe actions that are pending or have not yet taken place, use the present subjunctive in dependent adverbial clauses.

Pienso ir a México a hacerle una visita a mi familia cuando **tenga** vacaciones.

Hypothesizing about the future, see page 256.

4. To say something will have happened by a certain time in the future, use the future perfect.

Para el año 2010 la población hispana de los Estados Unidos **habrá alcanzado** el 12,9 por ciento.

Hypothesizing about the future, see page 248.

5. To hypothesize about the future use **si** + *present indicative*, + *future* / **ir a** + *infinitive*.

Si los Estados Unidos **incrementan** sus exportaciones a Hispanoamérica, **crearán/van a crear** más empleos.

Actividad 26: Un poco de imaginación   Una familia migratoria va a viajar por los Estados Unidos, de pueblo en pueblo, para trabajar en la agricultura. En parejas, identifiquen por lo menos tres problemas que creen que puedan tener los niños de esa familia, los cuales tienen siete y once años.

Actividad 27: English Only   En 1983, el entonces senador Hayakawa de California creó el movimiento de *U.S. English* para lograr, entre otros, los siguientes objetivos:

FLR link: **Lectura 1** presents an article on bilingual education.

- adoptar una enmienda (*amendment*) constitucional para que el inglés fuera el idioma oficial de este país
- limitar los fondos gubernamentales para la educación bilingüe

Dividan la clase en dos grupos para debatir si el inglés debe convertirse en el idioma oficial de este país. Cada grupo tiene que preparar un argumento a favor o en contra. Lean las siguientes citas para apoyar sus ideas. Su profesor/a va a moderar el debate.

Act. 27: Read through all information in the instructions, divide the class in two groups: pro and con. Assign one person to be a secretary in both groups, allow time to prepare arguments, and conduct the debate.

"Si se hablan muchos idiomas, ¿cómo es posible conducir los asuntos oficiales?"
"Los niños hispanos sufren un shock muy fuerte cuando entran en la escuela y no entienden a los maestros ni a sus compañeros."
"El inglés sigue siendo el idioma predominante aunque se hablen otros idiomas."
"Quiero que mis empleados hablen sólo inglés para saber de qué hablan."
"La educación bilingüe es necesaria para que nuestros niños sean competitivos en un mercado global. Privarlos de esa ventaja afectaría el futuro económico de este país." →

"Las clases bilingües han creado dos sistemas educativos paralelos: uno en inglés y otro bilingüe. Esto lleva a que ciertos estudiantes se gradúen con deficiencias en inglés."

"El 94 por ciento de la población de los Estados Unidos habla inglés. Estamos gastando millones de dólares en clases bilingües."

"Los inmigrantes pueden tener una vida mejor si aprenden inglés."

"Hablar una variedad de idiomas contribuye a la riqueza cultural de un país."

"Los estudiantes americanos que hablan inglés van a 'English class' durante doce años. Los niños hispanos deberían estudiar tanto el inglés como el español durante doce años también."

Actividad 28: El futuro ¡Felicitaciones por haber terminado este curso de español de nivel intermedio! Algunos de Uds. van a dejar el estudio del idioma después de este curso, otros irán a un país de habla española el año que viene para poner en práctica lo que han aprendido y otros van a continuar sus estudios del idioma en la universidad. En el futuro, todos Uds. van a usar el español de una forma u otra, sea en un viaje a un país de habla española, al mirar una película en español o posiblemente al usarlo en el trabajo. En grupos de tres, discutan cómo creen que puedan usar el español en el futuro.

Act. 28: Encourage students to be very creative in their responses. When they finish giving their responses, tell them about past students you may have had and how they have used their knowledge of Spanish. If you are a beginning instructor, discuss how knowledge of Spanish is helping your peers. This is also a good time to encourage students to continue their lan-

 La página del idioma
Internet español.

guage studies at your university or to participate in programs abroad (upon successful completion of this course, students will meet the linguistic requirements for most of these programs).

Vocabulario activo

La inmigración

el bilingüismo, bilingüe
el/la emigrante, emigrar (de)
el exilio, vivir en el exilio,
  el/la exiliado/a
el/la inmigrante, inmigrar (a)
legal, ilegal
la nostalgia, sentir nostalgia
el/la refugiado/a político/a
la residencia, el/la residente

los antepasados	*ancestors*
la ascendencia	*ancestry*
el asilo político	*political asylum*
asimilarse	*to assimilate*
la ciudadanía	*citizenship*
el/la ciudadano/a	*citizen*
el "coyote"	*person who helps another to cross the border with Mexico illegally (slang)*
el/la descendiente	*descendant*
la frontera, fronterizo	*the border, adj. meaning on or near the border*
la "migra"	*Immigration and Naturalization Service (slang)*
el/la "migrante"	*immigrant (slang)*
el/la indocumentado/a	*undocumented person*
la tarjeta verde	*green card*

Vocabulario personal

Buena comida y ¿un tango sensual?

Como todos los años, los trabajadores de la fábrica tuvieron una fiesta en el restaurante Le Rendezvous después de Semana Santa. Esta reunión fue algo extraordinario. La nueva presidenta del sindicato ha sido fiel a su palabra: dijo que mejoraría las relaciones entre la dirección y los empleados y prometió que no lo haría de una manera convencional. Este viernes cumplió con su palabra cuando bailó un tango sensacional con Felipe Bello.

El tango fue una representación cómica e irónica de las relaciones entre la gerencia y el sindicato. Él

llevaba un saco con sus iniciales y ella una camiseta blanca con el símbolo del sindicato. Él ejercía el control mientras ella bailaba con una rosa entre los dientes. Los dos se burla-

ban del control que tiene un jefe y de cómo puede abusar de los empleados. Pero poco a poco cambió el baile y al final, él tenía la rosa entre los dientes y era ella quien ejercía el control.

Un reportero le preguntó al Sr. Bello qué significaba el final cuando él estaba tendido en el suelo con la rosa en una mano y el pie de la mujer sobre su estómago. Él le explicó que la presidenta había negociado un aumento de sueldo a partir del primero de mayo. El anuncio inesperado fue recibido con grandes aplausos del público eufórico.

Reference Section

Appendix A: Formation of Tenses

Appendix A contains rules for verb conjugations in all tenses and moods. Since you may already be familiar with much of the information in this appendix, you should read through the explanations and focus on what is new to you or what you feel you may need to review in more detail. Highlighting portions of the explanations might help you study more efficiently. Inexpensive reference books that may help you find specific verb conjugations are *201 Spanish Verbs* and *501 Spanish Verbs*, published by Barron's Educational Series.

- While studying these rules, remember that most compound verbs are conjugated like the base verb they contain: con*seguir*, ob*tener*, re*volver*, etc.
- Reflexive verbs can be used in all tenses and moods. To review placement of reflexive pronouns and other object pronouns, see page 313.
- To review accentuation rules, see page 314.

The Present Indicative Tense—*El presente del indicativo*

A. Regular Forms

1. To form the present indicative of regular verbs, drop the **-ar, -er,** or **-ir** ending of the infinitive and add the appropriate endings to the stem.

dibuj**ar**		corr**er**		viv**ir**	
dibuj**o**	dibuj**amos**	corr**o**	corr**emos**	viv**o**	viv**imos**
dibuj**as**	dibuj**áis**	corr**es**	corr**éis**	viv**es**	viv**ís**
dibuj**a**	dibuj**an**	corr**e**	corr**en**	viv**e**	viv**en**

2. Certain verbs are regular but need spelling changes in the **yo** form to preserve the pronunciation. Remember these spelling conventions to help you:

   Hard "g" sound: **ga gue gui go gu**
   extin**gu**ir: extin**go**, extingues, extingue, etc.

   Soft "g" sound: **ja ge gi jo ju**
   diri**g**ir: diri**jo**, diriges, dirige, etc.
   esco**g**er: esco**jo**, escoges, escoge, etc.

   "z": **za ce ci zo zu**
   ven**c**er: ven**zo**, vences, vence, etc.

B. Irregular Forms

1. The following verbs have irregular **yo** forms. All other forms are regular.

   caber → quepo; caer → caigo; dar → doy; haber → he;
   hacer → hago; poner → pongo; saber → sé; salir → salgo;
   traer → traigo; valer → valgo; ver → veo

Most verbs that end in **-cer** and **-ucir** have irregular **yo** forms.

cono**cer**: conozco, conoces, conoce, etc.
trad**ucir**: traduzco, traduces, traduce, etc.

2. Verbs that end in **-uir** have the following irregular conjugation:

constr**uir**: construyo, construyes, construye, construimos, construís, construyen

3. Verbs ending in **-uar** (but not **-guar**) and some verbs ending in **-iar** (**confiar, criar, enviar**) require an accent to reflect pronunciation.

contin**uar**: continúo, continúas, continúa, continuamos, continuáis, continúan.
But: averi**guar**: averiguo, averiguas, etc.
conf**iar**: confío, confías, confía, confiamos, confiáis, confían

4. The following verbs require an accent on certain verb forms.

reunir: **reú**no, **reú**nes, **reú**ne, reunimos, reunís, **reú**nen
pr**ohi**bir: pr**ohí**bo, pr**ohí**bes, pr**ohí**be, prohibimos, prohibís, pr**ohí**ben

5. The following verbs are irregular and should be memorized.

estar: estoy, estás, está, estamos, estáis, están
ir: voy, vas, va, vamos, vais, van
oír: oigo, oyes, oye, oímos, oís, oyen
oler: huelo, hueles, huele, olemos, oléis, huelen
ser: soy, eres, es, somos, sois, son

Note: *There is/are* = **hay.**

C. Stem-Changing Verbs

Stem-changing verbs have a change in spelling and pronunciation in the stem in all forms except the **nosotros** and **vosotros** forms, which retain the vowel of the infinitive. The change occurs in the *stressed* syllable of the conjugated verb which is also the last syllable of the stem. There are four categories: **e > ie, o > ue, e > i,** and **u > ue.** All stem-changing verbs are noted in vocabulary lists and in dictionaries by indicating the change in parentheses: **volver (ue).**

perder (e > ie)		probar (o > ue)	
pierdo	perdemos	pruebo	probamos
pierdes	perdéis	pruebas	probáis
pierde	pierden	prueba	prueban

pedir (e > i)		jugar (u > ue)	
pido	pedimos	juego	jugamos
pides	pedís	juegas	jugáis
pide	piden	juega	juegan

Stem-changing verbs that also have irregular **yo** forms include the following: **decir (e > i)→ digo; tener (e > ie)→ tengo; venir (e > ie)→ vengo.**

Note that **reírse** has an accent on all forms: **me río, te ríes, se ríe, nos reímos, os reís, se ríen.**

The Present Participle—*El gerundio*

1. The present participle is formed by dropping the **-ar** of regular and stem-changing verbs and adding **-ando** and by dropping the **-er** and **-ir** of regular verbs and the **-er** of stem changers and adding **-iendo** (for **-ir** stem changers, see point 2 below).

> cerrar → cerr + ando → cerr**ando**
> vivir → viv + iendo →   viv**iendo**
> correr → corr + iendo → corr**iendo**

2. The **-ir** stem changers have a change in the stem: **dormir (ue, u), vestirse (i, i), sentir (ie, i).** In dictionary listings, the first vowel or vowel combination refers to the change in the stressed vowel in the present indicative tense; the second refers to changes made when forming the present participle (see also the discussions of the preterit and present subjunctive).

dormir → d**u**rmiendo; vestirse → v**i**stiéndose*; sentir → s**i**ntiendo

3. Verbs with stems ending in a vowel + **-er** or **-ir** (except a silent **-u-**, as in **seguir**) take a **-y-** instead of the **-i-** in the ending.

constr**uir** → constr**uyendo**

Common verbs that fit this pattern include the following: **leer → leyendo; creer → creyendo; oír → oyendo; destruir → destruyendo; caer → cayendo.**

The Preterit—*El pretérito*

A. Regular Forms

1. To form the preterit of regular **-ar, -er,** and **-ir** verbs and **-ar** and **-er** stem changers (but not **-ir** stem changers), drop the **-ar, -er,** or **-ir** ending of the infinitive and add the appropriate endings to the stem.

cerr**ar**		vend**er**		viv**ir**	
cerr**é**	cerr**amos**	vend**í**	vend**imos**	viv**í**	viv**imos**
cerr**aste**	cerr**asteis**	vend**iste**	vend**isteis**	viv**iste**	viv**isteis**
cerr**ó**	cerr**aron**	vend**ió**	vend**ieron**	viv**ió**	viv**ieron**

---

* To review placement of object pronouns with present participles, see page 313. To review accents, see page 314.

Notice that the **-ar** and **-ir** endings for **nosotros** are identical in the present and the preterit.

2. Certain verbs are regular but need spelling changes in the **yo** form to preserve the pronunciation. Remember these spelling conventions to help you:

Hard "g" sound: **ga gue gui go gu**
  pa**g**ar: pa**gué**, pagaste, pagó, etc.

Hard "c" sound: **ca que qui co cu**
  bus**c**ar: bus**qué**, buscaste, buscó, etc.

"z": **za ce ci zo zu**
  empe**z**ar: empe**cé**, empezaste, empezó, etc.

B. Irregular Forms

1. The following verbs have irregular forms in the preterit.

dar: di, diste, dio, dimos, disteis, dieron
ir: fui, fuiste, fue, fuimos, fuisteis, fueron
ser: fui, fuiste, fue, fuimos, fuisteis, fueron

estar: estuve, estuviste, estuvo, estuvimos, estuvisteis, estuvieron
tener: tuve, tuviste, tuvo, tuvimos, tuvisteis, tuvieron

poder: pude, pudiste, pudo, pudimos, pudisteis, pudieron
poner: puse, pusiste, puso, pusimos, pusisteis, pusieron
saber: supe, supiste, supo, supimos, supisteis, supieron

hacer: hice, hiciste, hizo, hicimos, hicisteis, hicieron
venir: vine, viniste, vino, vinimos, vinisteis, vinieron

2. The verbs **decir, traer,** and verbs ending in **-ducir** take a **-j-** in the preterit. Notice that they drop the **-i-** in the third person plural and are followed by **-eron.**

decir: dije, dijiste, dijo, dijimos, dijisteis, di**jeron**
traer: traje, trajiste, trajo, trajimos, trajisteis, tra**jeron**
producir: produje, produjiste, produjo, produjimos, produjisteis, produ**jeron**

3. Verbs with stems ending in a vowel **+ -er** or **-ir** (except the silent **-u-**, as in **seguir**) take a **-y-** in the third person singular and plural instead of the **-i-.**

construir: construí, construiste, constru**y**ó, construimos, construisteis, constru**y**eron
leer: leí, leíste, le**y**ó, leímos, leísteis, le**y**eron
oír: oí, oíste, o**y**ó, oímos, oísteis, o**y**eron

Note: *There was/were* = **hubo.**

C. *-Ir* Stem-Changing Verbs

Stem-changing verbs ending in **-ir** only have a stem change in the third person singular and plural. In dictionary listings, these changes are the second change listed: **morir (ue, u).**

dormir (ue, **u**): dormí, dormiste, d**u**rmió, dormimos, dormisteis, d**u**rmieron
mentir (ie, **i**): mentí, mentiste, m**i**ntió, mentimos, mentisteis, m**i**ntieron
vestirse (i, **i**): me vestí, te vestiste, se v**i**stió, nos vestimos, os vestisteis, se v**i**stieron

The Imperfect—*El imperfecto*

A. Regular Verbs

To form the imperfect of regular verbs, drop the **-ar, -er,** or **-ir** ending of the infinitive and add the appropriate endings to the stem. Notice that all **-ar** verbs end in **-aba** and **-er** and **-ir** verbs end in **-ía.**

cerrar*		conocer		servir*	
cerraba	cerrábamos	conocía	conocíamos	servía	servíamos
cerrabas	cerrabais	conocías	conocíais	servías	servíais
cerraba	cerraban	conocía	conocían	servía	servían

* Note: Stem-changing verbs do not change in the imperfect.

B. Irregular Verbs

Common irregular verbs are:
ir: iba, ibas, iba, íbamos, ibais, iban
ser: era, eras, era, éramos, erais, eran
ver: veía, veías, veía, veíamos, veíais, veían

Note: *There was/were* = **había.**

The Future—*El futuro*

A. Regular Verbs

To form the future of regular verbs, add **-é, -ás, -á, -emos, -éis, -án** to the entire infinitive.

hablar		comer		ir	
hablaré	hablaremos	comeré	comeremos	iré	iremos
hablarás	hablaréis	comerás	comeréis	irás	iréis
hablará	hablarán	comerá	comerán	irá	irán

Note: There is no accent in the **nosotros** form.

B. Irregular Verbs

Some verbs have irregular stems in the future, but all use the same endings: add **-é, -ás, -á, -emos, -éis, -án** to the irregular, future stem.

Infinitive	Future stem	Infinitive	Future stem
caber	cabr-	querer	querr-
decir	dir-	saber	sabr-
haber	habr-	salir	saldr-
hacer	har-	tener	tendr-
poder	podr-	valer	valdr-
poner	pondr-	venir	vendr-

Note: *There will be* = **habrá.**

The Conditional—*El condicional*

A. Regular Verbs

To form the conditional of regular verbs: add **-ía, -ías, -ía, -íamos, -íais, -ían** to the entire infinitive.

hablar		comer		ir	
hablaría	hablaríamos	comería	comeríamos	iría	iríamos
hablarías	hablaríais	comerías	comeríais	irías	iríais
hablaría	hablarían	comería	comerían	iría	irían

B. Irregular Verbs

Irregular conditional forms use the same irregular stems as for the future (see the explanation for the future tense) but with the following endings added to the irregular stems: **-ía, -ías, -ía, -íamos, -íais, -ían.**

Note: *There would be* = **habría.**

The Present Subjunctive—*El presente del subjuntivo*

A. Regular Forms

1. The present subjunctive of most verbs is formed by following these steps:

   • Take the present indicative **yo** form: **hablo, leo, salgo**
   • Drop the **-o: habl-, le-, salg-**
   • Add endings starting with **-e-** for **-ar** verbs and **-a-** for **-er** and **-ir** verbs:

hablar		leer		salir	
que hable	hablemos	que lea	leamos	que salga	salgamos
hables	habléis	leas	leáis	salgas	salgáis
hable	hablen	lea	lean	salga	salgan

2. Certain verbs are regular but need spelling changes to preserve the pronunciation. Remember these spelling conventions to help you:

Hard "g" sound: **ga gue gui go gu**
   pa**g**ar: pa**gue**, pa**gues**, pa**gue**, etc.

Soft "g" sound: **ja ge gi jo ju**
   ele**g**ir: eli**j**a, eli**j**as, eli**j**a, etc.

Hard "c" sound: **ca que qui co cu**
   sa**c**ar: sa**que**, sa**ques**, sa**que**, etc.

"z": **za ce ci zo zu**
   empe**z**ar: empie**ce**, empie**ces**, empie**ce**, etc.

B. Irregular Forms

Common irregular forms include the following:
dar: dé, des, dé, demos, deis, den
estar: esté, estés, esté, estemos, estéis, estén
haber: haya, hayas, haya, hayamos, hayáis, hayan
ir: vaya, vayas, vaya, vayamos, vayáis, vayan
saber: sepa, sepas, sepa, sepamos, sepáis, sepan
ser: sea, seas, sea, seamos, seáis, sean

Note: *There is/are* = **haya.**   *There will be* = **haya.**

C. Stem-Changing Verbs

1. Stem-changing verbs ending in **-ar** or **-er** have the same stem changes as in the present indicative tense.

almorz**ar**: alm**ue**rce, alm**ue**rces, alm**ue**rce, almorcemos, almorcéis, alm**ue**rcen
quer**er**: qu**ie**ra, qu**ie**ras, qu**ie**ra, queramos, queráis, qu**ie**ran

2. Stem-changing verbs ending in **-ir** have the same stem changes as in the present indicative except for the **nosotros** and **vosotros** forms, which require a separate stem change. In dictionary listings, this is the second change indicated and is the same change as in the preterit and the present participle: **dormir** (ue, **u**).

mentir (ie, **i**): m**ie**nta, m**ie**ntas, m**ie**nta, m**i**ntamos, m**i**ntáis, m**ie**ntan
morir (ue, **u**): m**ue**ra, m**ue**ras, m**ue**ra, m**u**ramos, m**u**ráis, m**ue**ran
pedir (i, **i**): p**i**da, p**i**das, p**i**da, p**i**damos, p**i**dáis, p**i**dan

Commands—*El imperativo*

A. Negative Commands

All negative commands use the corresponding present subjunctive forms.

	¡No comamos eso!
¡No comas eso!	¡No comáis eso!
¡No coma (Ud.) eso!	¡No coman (Uds.) eso!

B. Affirmative Commands

1. Use the third person forms of the present subjunctive to construct affirmative **Ud.** and **Uds.** commands

hable (Ud.)	salga (Ud.)	vaya (Ud.)
hablen (Uds.)	salgan (Uds.)	vayan (Uds.)

Note: If the pronoun **Ud.** or **Uds.** is used, it must be placed after the verb.

2. To form regular affirmative **tú** commands, use the third person singular of the verb in the present tense.

habla (tú)	come (tú)	duerme (tú)

Irregular affirmative **tú** commands include the following:

Infinitive	Tú Command	Infinitive	Tú Command
decir	di	salir	sal
hacer	haz	ser	sé
ir	ve	tener	ten
poner	pon	venir	ven

3. Affirmative **nosotros** commands (*let's* + *verb*) use the corresponding present subjunctive forms.

comamos	salgamos	hablemos

Note: **Vamos** is often used instead of **vayamos** as the affirmative **nosotros** command form of **ir.**

4. The affirmative **vosotros** commands are formed by replacing the **-r** of the infinitive with a **-d.** If a reflexive pronoun is added, the **-d** is deleted.

habla**d**   come**d**   sali**d**   lenvataos*

Note: It is common simply to use the infinitive form as an affirmative **vosotros** command in colloquial speech.

---

* To review placement of object pronouns with commands, see page 313.

The Imperfect Subjunctive—*El imperfecto del subjuntivo*

1. The imperfect subjunctive is formed by following these steps:

    *   Take the third person plural of the preterit: **decir = dijeron**
    *   Drop **-ron** to create an imperfect subjunctive stem: **dije-**
    *   Add either of the following sets of endings:

-ra	-ramos	-se	-semos
-ras	-rais	-ses	-seis
-ra	-ran	-se	-sen

Note: The **-ra** endings are used by more speakers of Spanish. The **-se** endings are common in Spain and in some areas of Hispanic America.

Infinitive	3rd person pl. pret.	Imp. sub. stem	Imp. sub.
venir ⟶	vinieron ⟶	vinie ⟶	viniera/viniese

-ra Forms		-se Forms	
que viniera	viniéramos	que viniese	viniésemos
vinieras	vinierais	vinieses	vinieseis
viniera	vinieran	viniese	viniesen

Note: The **nosotros** form always takes an accent.

2. All imperfect subjunctive verbs follow this pattern. There are no irregular verbs in the imperfect subjunctive, since all are based on the third person plural of the preterit. Review the preterit tense, especially the third person plural, to ensure proper formation of the imperfect subjunctive.

    Note: *There was/were* = **hubiera/hubiese**.

The Past Participle—*El participio pasivo*

The past participle is a verbal form that can be used either as part of a verb phrase or as an adjective modifying a noun. When used as part of a verb phrase, the past participle has only one form, which ends in **-o.** When used as an adjective modifying a noun, the past participle agrees with the noun in gender and number.

A. Regular Forms

The past participle of **-ar** verbs is formed by adding **-ado** to the stem. The past participle of **-er** and **-ir** verbs is formed by adding **-ido** to the stem.

comprar → comprado   vender → vendido   decidir → decidido

The past participle of **ser** is **sido** and of **ir** is **ido.**

B. Irregular Forms

1. Common irregular past participles include the following:

Infinitive	Past Participle	Infinitive	Past Participle
abrir	abierto	morir	muerto
cubrir	cubierto	poner	puesto
decir	dicho	resolver	resuelto
describir	descrito	romper	roto
escribir	escrito	ver	visto
hacer	hecho	volver	vuelto

Note: Compound verbs are usually conjugated like the verb they contain: **de**volver → **de**vuelto, **des**hacer → **des**hecho, **re**poner → **re**puesto.

2. Some past participle forms differ if used as part of a verb phrase (e.g., **he bendecido**) or as an adjective **(está bendito).** The following is a list of common verbs that have two different forms.

Infinitive	Past Participle in a Verb Phrase	Past Participle as an Adjective
bendecir	bendecido	bendito/a
confundir	confundido	confuso/a
despertar	despertado	despierto/a
freír	freído	frito/a
imprimir	imprimido	impreso/a
soltar	soltado	suelto/a

The Perfect Tenses—*Los tiempos perfectos*

The perfect tenses are formed by using a form of the verb **haber** + *past participle*. See the explanation of the formation of past participles if needed.

The Present Perfect—*El presente perfecto*			
he	hemos		
has	habéis	+	past participle
ha	han		

The Present Perfect Subjunctive—*El presente perfecto del subjuntivo*			
haya	hayamos		
hayas	hayáis	+	past participle
haya	hayan		

The Pluperfect—*El pluscuamperfecto*

había	habíamos	
habías	habíais	} + past participle
había	habían	

The Pluperfect Subjunctive—*El pluscuamperfecto del subjuntivo*

hubiera	hubiéramos	
hubieras	hubierais	} + past participle
hubiera	hubieran	

Note: There is an optional form, frequently used in Spain and in some areas of Hispanic America, in which you may substitute **-se** for **-ra**: **hubiera = hubiese.**

The Future Perfect—*El futuro perfecto*

habré	habremos	
habrás	habréis	} + past participle
habrá	habrán	

The Conditional Perfect—*El condicional perfecto*

habría	habríamos	
habrías	habríais	} + past participle
habría	habrían	

Appendix B: Gender of Nouns

1. Most nouns that end in **-l, -o, -n,** and **-r** are masculine.

    un carte**l**   **el** partid**o**   **el** exame**n**   **el** televiso**r**

    Common exceptions: **la imagen, la mano.** Remember that **la foto (fotografía)** and **la moto (motocicleta)** are feminine.

2. Most nouns that end in **-a, -ad, -ión, -umbre,** and **-z** are feminine.

    la lámpar**a**   **la** libert**ad**   **una** canc**ión**   **la** cost**umbre**   **una** lu**z**

    Common exceptions: **el camión, el avión, el día, el lápiz, el pez**

3. Feminine nouns that begin with a stressed **-a** sound **(agua, área, arpa, hambre),** use the articles **el/un** in the singular, and the articles **las/unas** in the plural. If adjectives are used with these nouns they are feminine.

    el alm**a** pur**a**   **las** alm**as** pur**as**   **el** agu**a** fresc**a**   **las** agu**as** fresc**as**

    Note: Nouns like **actitud** and **armonía** that do not begin with a stressed **-a** sound and are feminine, use the article **la: No me gusta la actitud de mi jefe.**

4. Memorize the gender of nouns that end in **-e.** Common words include:

    Masculine: **el accidente, el cine, el coche, el diamante, el hombre, el pasaje, el viaje**

    Feminine: **la clase, la fuente, la gente, la noche, la tarde**

5. Many nouns that are borrowed from languages other than Latin are usually masculine in Spanish. Here are a few nouns that are borrowed from English: **los blue jeans, el hall, el kleenex.**

6. Many masculine nouns that end in **-ma** and **-ta** are of Greek origin: **el drama, el idioma, el planeta, el poema, el problema, el programa, el sistema, el tema.**

Appendix C: Position of Object Pronouns

Prior to studying the position of object pronouns (direct, indirect, and reflexive), you may want to familiarize yourself with the following terms.

A. Infinitives—*Infinitivos*

- In the following sentence, *to work* is an infinitive.

  I have *to work* tomorrow.

- The infinitive is the verb form listed in Spanish dictionaries.
- Infinitives in Spanish always end in **-ar, -er,** or **-ir.**
- In the following sentence, **trabajar** is an infinitive.

  Tengo que **trabajar** mañana.

B. Present Participles—*Gerundios*

- In the following sentence, *studying* is a present participle. In English, present participles end in *-ing*.

  I am *studying*.

- In Spanish, present participles end in **-ando, -iendo,** or **-yendo.**
- In the following sentence, **estudiando** is a present participle.

  Estoy **estudiando.**

C. Commands—*Órdenes*

- Commands are direct orders given to people to do something. In the following sentence, *help* is a command.

  Help me!

- In the following sentence, **ven** is a command.

  Niño, ¡**ven** aquí en seguida!

D. Conjugated Verbs—*Verbos conjugados*

- In the following sentence, *am* and *is* are conjugated verbs. Their infinitive is the verb *to be*.

  I *am* smart, and this *is* easy.

- Conjugated verbs are any verbs that are not infinitives, commands, or present or past participles.
- Conjugated verbs can be in the present, past, future or conditional tense, as well as part of the perfect tenses, and they can be in both the indicative and subjunctive moods.

- In the following sentences, the conjugated verbs are in bold.

  Ella **trabaja** para IBM.

  ¿Dónde **comieron** Uds. anoche?

  Quería que ellos **vinieran** a mi casa.

Object pronouns include direct-objects (**me, te, lo, la, nos, os, los, las**), indirect objects (**me, te, le, nos, os, le**), and reflexive pronouns (**me, te, se, nos, os, se**).

When an indirect and a direct object pronoun are used in succession, **le** becomes **se** when followed by **lo, la, los,** or **las.** When two object pronouns are used in the same phrase, they are not separated and must be used in succession.

The placement of object pronouns is as follows:

1. Before a conjugated verb:
   Lo habré hecho para el lunes.
   Lo haré el lunes.
   Te lo voy a hacer el lunes.*
   Quiero que **lo hagas** el lunes.
   Lo hago los lunes.
   Te lo estoy haciendo.**
   Si **lo hiciera** ahora, no podría terminar.

   Lo hice el lunes pasado.
   Lo hacía los lunes.
   Lo había hecho el lunes antes de trabajar.
   Si él **lo hubiera hecho,** yo no **lo habría sabido.**

2. Before the verb in a negative command:
   ¡No **lo hagas**!   ¡No **se lo compre**!

3. After and attached to an affirmative command:
   ¡Hazlo!   **¡Cómpreselo!**†   **¡Dáselo!**†

   When the reflexive pronoun **os** is attached to the **vosotros** command, the **-d** is dropped.
   bes**aos**   quer**eos**

   The only exception is the verb **irse: idos.**

   When the reflexive pronoun **nos** or the indirect-object pronoun **se** is attached to the **nosotros** command, the **-s** is dropped.
   Comprémonos un coche.   **Comprémosela.**

4. After and attached to an infinitive:
   Voy a **hacerlo** el lunes.   Voy a **hacértelo** el lunes.

5. After and attached to a present participle:
   Estoy **haciéndolo.**   Estoy **haciéndotelo.**

---

* See point 4.
** See point 5.
† When another syllable is added to a command consisting of two or more syllables, or when two pronouns are added to monosyllables, place an accent over the stressed syllable.

Appendix D: Accentuation and Syllabication

Stress—*Acentuación*

1. If a word ends in **-n, -s,** or a *vowel,* the stress falls on the *next-to-last syllable.*

    lava**pla**tos   exa**men**   **hol**la   aparta**men**to

2. If a word ends in any **consonant** other than **-n** or **-s,** the stress falls on the *last syllable.*

    espa**ñol**   us**ted**   regu**lar**   prohi**bir**

3. Any exception to rules 1 and 2 has a written accent mark on the stressed vowel.

    televi**sión**   te**lé**fono   **ál**bum   cen**tí**metro

    Note: **Nación,** *but* **naciones.**

4. Question and exclamation words, e.g., **cómo, dónde, cuál, qué,** always have accents.

5. Certain words change their meaning when written with an accent although the pronunciation remains the same.

cómo	how	**como**	like, I eat
dé	give (*command*)	**de**	of, from
él	he/him	**el**	the
más	more	**mas**	but
mí	me	**mi**	my
sé	I know	**se**	*3rd person pronoun*
sí	yes	**si**	if
sólo	only (*adv.*)	**solo**	alone
té	tea	**te**	you (*object pronoun*)
tú	you	**tu**	your

6. Demonstrative pronouns usually have a written accent to distinguish them from demonstrative adjectives (except for **esto, eso,** and **aquello,** which are neuter pronouns and never have an accent).

    este niño   éste   estas blusas   éstas

Diphthongs—*Diptongos*

1. A diphthong is the combination of a weak vowel (**i, u**) and a strong vowel (**a, e, o**) or the combination of two weak vowels in the same syllable. When two

vowels are combined, the strong vowel or the second of the weak vowels takes a slightly greater stress in the syllable:

vue*l*vo   *au*tomático   t*ie*ne   conc*ie*nc*ia*   c*iu*dad

2. When the stress of the word falls on the weak vowel of a strong-weak combi-nation, the weak vowel takes a written accent mark to break the diphthong. No diphthong occurs because the vowels belong to different syllables.

   pa-ís   **dí-a**   **tí-o**   **en-ví-o**   **Ra-úl**

   Note: **Ma-rio,** *but* **Ma-rí-a.**

Syllabication—*Silabeo*

1. A single consonant between vowels always goes with the second vowel. Re-member that **ch, ll,** and **rr** are considered a single consonant in Spanish.

   A-mé-ri-ca   **to-ma-te**   **ca-je-ro**   But: pe-**rr**o

2. When there are two or more consonants between vowels, the second vowel takes as many consonants as can be found at the beginning of a Spanish word (English and Spanish allow the same consonant groups at the beginning of a word, except for **s** + consonant). The other consonants remain with the first vowel.

   Pa-**bl**o (*bl*-starts words, as in **blanco**)
   e**s**-**p**e-ran-za (**s** + consonant does not start words in Spanish)
   ex-**pl**o-rar (**xpl** does not begin words)
   tra**ns**-por-tar (**nsp** does not begin words)

3. A diphthong is never separated unless the stress of the word falls on the weak vowel of a strong-weak vowel combination.

   a-m**ue**-blar   c**iu**-dad   ju-l**io** But: dí-a

   Note: Two strong vowels never form a diphthong: **po-e-ta, le-er.**

Appendix E: Thematic Vocabulary

The following lists contain basic vocabulary. For more advanced vocabulary on some of these topics, see the vocabulary entries in the glossary.

La ropa

la blusa	*blouse*
la camisa	*shirt*
la chaqueta	*jacket*
la corbata	*tie*
la falda	*skirt*
las medias	*socks*
los pantalones	*pants*
el saco	*sports coat*
el sombrero	*hat*
el traje de baño	*bathing suit*
el vestido	*dress*
los zapatos	*shoes*

Los colores

amarillo/a	*yellow*
anaranjado/a	*orange*
azul	*blue*
blanco/a	*white*
gris	*gray*
marrón	*brown*
morado/a	*purple*
negro/a	*black*
rojo/a	*red*
rosa, rosado/a	*pink*
verde	*green*

Los días de la semana

lunes	*Monday*
martes	*Tuesday*
miércoles	*Wednesday*
jueves	*Thursday*
viernes	*Friday*
sábado	*Saturday*
domingo	*Sunday*

Los meses del año

enero	*January*
febrero	*February*
marzo	*March*
abril	*April*
mayo	*May*
junio	*June*
julio	*July*
agosto	*August*
septiembre	*September*
octubre	*October*
noviembre	*November*
diciembre	*December*

Las estaciones

el invierno	*winter*
la primavera	*spring*
el verano	*summer*
el otoño	*fall*

La comida

el ajo	*garlic*
la carne de res	*beef*
la cebolla	*onion*
el cerdo	*pork*
la coliflor	*cauliflower*
el cordero	*lamb*
los espárragos	*asparagus*
la fruta	*fruit*
las habichuelas	*green beans*
los huevos	*eggs*
el jamón	*ham*
el jugo	*juice*
la lechuga	*lettuce*
la mantequilla	*butter*
la mermelada	*marmalade*
el pan	*bread*
la pimienta	*pepper*
el pollo	*chicken*
el queso	*cheese*
la sal	*salt*
el tomate	*tomato*
la tostada	*toast*
el vinagre	*vinegar*
el yogur	*yoghurt*

Los deportes

el basquetbol	*basketball*
el béisbol	*baseball*
el fútbol	*soccer*
el fútbol americano	*football*
el golf	*golf*
la natación	*swimming*
el squash	*squash*
el tenis	*tennis*
el voleibol	*volleyball*

El arte

el/la artista	*artist*
la copia	*copy*
el cuadro/la pintura	*painting*
dibujar	*to draw*
el dibujo	*drawing*
la escena	*scene*
el/la escultor/a	*sculptor*
la escultura	*sculpture*
la estatua	*statue*
la exhibición	*exhibition*
el mural	*mural*
el original	*original*
el pincel	*brush*
pintar	*to paint*
el/la pintor/a	*painter*

El medio ambiente

la basura	*trash*
la ecología	*ecology*
en peligro	*in danger*
la energía nuclear	*nuclear energy*
la energía solar	*solar energy*
la fábrica	*factory*
la lluvia ácida	*acid rain*
el reciclaje	*recycling*
reciclar	*recycle*

Los números ordinales

primer(o)	*first*
segundo	*second*
tercer(o)	*third*
cuarto	*fourth*
quinto	*fifth*
sexto	*sixth*
séptimo	*seventh*
octavo	*eighth*
noveno	*ninth*
décimo	*tenth*

Los números cardinales

0 cero	40 cuarenta
1 uno y un/a*	50 cincuenta
2 dos	60 sesenta
3 tres	70 setenta
4 cuatro	80 ochenta
5 cinco	90 noventa
6 seis	100 cien + *noun*, ciento
7 siete	101 ciento uno/a* (un)
8 ocho	110 ciento diez
9 nueve	200 doscientos*
10 diez	300 trescientos*
11 once	400 cuatrocientos*
12 doce	500 quinientos*
13 trece	600 seiscientos*
14 catorce	700 setecientos*
15 quince	800 ochocientos*
16 dieciséis (diez y seis)	900 novecientos*
17 diecisiete (diez y siete)	1.000 mil
18 dieciocho (diez y ocho)	2.000 dos mil
19 diecinueve (diez y nueve)	100.000 cien mil
20 veinte	200.000 doscientos mil*
21 veintiuno (veintiún/ veintiuna)*	500.000 quinientos mil*
22 veintidós (veinte y dos)	1.000.000 un millón (de)**
30 treinta	2.000.000 dos millones (de)**
31 treinta y uno (un/a)*	1.000.000.000 mil millones (de)**
32 treinta y dos	

→

* These numbers agree in gender with the nouns they modify.
   Había *trescientas personas* en la conferencia.
** **De** is used before a noun: **Había un millón de personas.**

Notes:

a. Numbers ending in **uno** drop the **-o** before a masculine noun: **veintiún libros, cuarenta y un libros.** But: **veintiuna chicas.**

b. The numbers 16 through 19 are more commonly written as one word: **veintitrés.**

c. The numbers **dieciséis, veintidós, veintitrés,** and **veintiséis** have an accent.

d. The word **y** is only used between the numbers 16 through 99: **treinta y dos,** *but* **tres mil doscientos cuatro.**

e. *1,000,000,000 = one billion,* but **1.000.000.000 = mil millones.**

Spanish-English Vocabulary

This vocabulary includes both active and passive vocabulary found throughout the chapters. The definitions are limited to the context in which the words are used in the book. Exact or reasonably close cognates of English are not included, nor are certain common words that are considered to be within the mastery of a second-year student, such as numbers, articles, pronouns, and possessive adjectives. Adverbs ending in **-mente** and regular past participles are not included if the root word is found in the vocabulary or is a cognate.

The gender of nouns is given except for masculine nouns ending in **-l, -o, -n, -r,** and **-s** and feminine nouns ending in **-a, -d, -ión,** and **-z.** Nouns with masculine and feminine variants are listed when the English correspondents are different words (*son, daughter*); in most cases, however, only the masculine form is given (**carpintero, operador**). Adjectives are given only in the masculine singular form. Irregular verbs are indicated, as are stem changes in the present and preterit.

The following abbreviations are used in this vocabulary:

adj.	adjective	*inf.*	infinitive	*pl.*	plural
adv.	adverb	*irreg.*	irregular verb	*p.p.*	past participle
conj.	conjunction	*m.*	masculine	*prep.*	preposition
f.	feminine	*n.*	noun	*sing.*	singular

a: a fines de at the end of; **a las. . .** at . . . o'clock; **a la vuelta de** around the corner from; **a menos que** unless; **a menudo** often, frequently; **a principio(s) de** at the beginning of (time); **a propósito** on purpose; **a través de** through; **a veces** sometimes
abarrotar to become packed (with people)
abierto open
absoluto: no, en absoluto no, not at all
abuela grandmother
abuelo grandfather; *pl.* grandparents
aburrido bored; boring
aburrirse (de) to become bored (with)
acabar to finish
acabar de to have just
acallar to stifle, silence
acampar to go camping
acceder to assent, consent
aceite *m.* oil
acogedor welcoming, warm
aconsejable advisable
aconsejar to advise
acontecimiento event
acordarse (ue) de to remember

acoso harassment
acostarse (ue) to go to bed
acostumbrarse (a) to become accustomed (to)
actitud attitude
actriz actress
actual present-day, current
actualidad: en la actualidad at the present time
actualmente at present, nowadays
acuerdo *n.* agreement; pact; **de acuerdo a** according to; **estar de acuerdo** to be in agreement
acusado accused
adelgazar to lose weight
adivinar to guess
afeitarse to shave
agobiante exhausting
agrandarse to grow larger
agregar to add
agridulce sweet and sour
agrio sour
aguantar to tolerate, stand
águila *f. (but* **el águila***)* eagle
aguinaldo end-of-the-year bonus
aguja needle
agujero hole
ahorrar to save

aire *m.* air; **al aire libre** outdoors
aislado isolated
ajo garlic
ajustado tight
alcalde *m./f.* mayor
alcanzar to be sufficient; to reach, attain
alegrarse (de) to become happy (about)
alemán *n., adj.* German
alfabetización literacy
algo something; **algo así** something like that
alguien someone
alianza alliance
alimenticios *adj.* eating
alimento food
almorzar (ue) to have lunch
alondra lark
alquilar to rent
alquiler *n.* rent
alto stop
alto en calorías high in calories
altura height
alumbrado *n.* lighting
ama *f. (but* **el ama***)* **de casa** housewife
amante *m./f.* lover
amargo bitter
ámbito atmosphere; field

ambos both
amenaza threat
amenazar to threaten
analfabeto *n., adj.* illiterate
ancas *pl.* **de rana** frogs' legs
andar *irreg.* to work, function
anidamiento nesting
anillo ring
año: año clave key year; **año escolar**
   school year
anoche last night
anorak *m.* parka
anteanoche night before last
anteayer day before yesterday
antepasado ancestor, forefather
anterior previous
antes *adv.* before; **antes de** *prep.*
   before; **antes (de) que** *conj.* before
apagar to turn off
apariencia appearance
apenas hardly
apoyar to support
apoyo *n.* support
apreciar to appreciate
aprieto: sacar a alguien de un aprieto
   to get someone out of a jam
aprobar (ue) to pass (a course); to
   approve
apuntar to write down; to make note of
apuntes *pl. m.* class notes
armario closet
arquitecto architect
arrancar to start (a motor); to tear
   out
arrebatar to snatch, seize
arrecife *m.* reef
arreglarse to make oneself presentable
arreglo *n.* repair; agreement
arrepentirse to regret
arroz *m.* rice
arruga *n.* wrinkle
artesanía crafts
artista *m./f.* artist
asado barbecue
ascendencia ancestry
asegurar to assure
asemejarse a to resemble, be like
asignatura *n.* subject, course
asilo político political asylum
asimilarse to assimilate
asimismo in the same way, likewise
asistir a una clase/reunión to attend
   a class/meeting
asombro amazement
asombroso astonishing

aspiradora vacuum cleaner
aspirar a ser to aspire to be
astuto clever
asunto político/económico political/
   economic issue
atentado *n.* attempt
atento polite, courteous
atrevido *adj.* daring; *n.* daredevil, bold
   person (negative connotation)
atroz huge
atún tuna
audaz daring (positive connotation)
aumentar to raise, increase
aumento *n.* raise, increase
auto de fe punishment by the
   Inquisition tribunal
autorretrato self-portrait
ave *f. (but* **el ave***)* bird
averiguar to find out (about)
avisar to inform, notify; to warn
avisos clasificados classified ads
ayer yesterday
ayudante de cátedra *m./f.* teaching
   assistant
ayunas: en ayunas before breakfast
azafata airline stewardess

ballena whale
bandeja tray
bañarse to bathe
barajar to shuffle
barba beard
barbaridad: ¡Qué barbaridad! Wow!
   (*Literally:* What a barbarity!)
barra (de chocolate) (chocolate) bar
bastante quite, very
basura garbage
batalla *n.* battle
batazo *n.* hit (baseball)
batido *n.* shake (drink)
bautismo baptism
bautizar to baptize
beber to drink
beca scholarship
belleza beauty
beneficio laboral work benefit
bigotes mustache
bisabuela great-grandmother
bisabuelo great-grandfather
blando soft
boda wedding
bodegón still life
boletín newsletter
bolsa bag

bombero firefighter
boquiabierto open-mouthed, shocked
borrador first draft
bosque *m.* woods
botella *n.* bottle
botón *n.* button
breve brief (in length)
brillante brilliant
brocha paintbrush
bruscamente abruptly
bucear to scuba dive
buceo *n.* scuba diving
bueno: ¡Qué bueno. . .! How
   good . . . !
bufón buffoon
búho owl
bullicio noise, din
burla *n.* mockery
burlarse de to mock, make fun of
búsqueda *n.* search

caballero gentleman; knight
cabe: no cabe duda there is no doubt
cabina telefónica telephone booth
cadena chain; **cadena perpetua** life
   sentence
caer: caerle bien/mal (a alguien)
   to like/dislike (someone); **caerse** to
   fall down
caja box; cash register
cajero cashier
calentar (ie) to heat
calidad quality
callarse to shut up
calorías: alto/bajo en calorías
   high/low in calories
calvo bald
calzoncillos *pl.* boxer shorts; briefs
camarera waitress
camarero waiter
camarón shrimp
cambio: en cambio instead
camino a on the way to
camiseta T-shirt
campaña electoral political campaign
camping campsite
Canal de la Mancha English Channel
canoso white-haired, grey-haired
cansancio tiredness
capacitación *n.* training
capa de ozono ozone layer
capaz capable
caprichoso capricious, naughty
cara larga long face

cárcel *f.* jail, prison
carcelero jailer, warden
cariño affection; **con cariño** fondly
cariñoso loving, affectionate
carnet *m.* ID card
carpintero carpenter
carrera professional studies
carrito cart
cartero mail carrier
casa de ancianos nursing home
casado married
casamiento marriage, wedding
casarse (con) to get married (to)
casero homemade
castigar to punish
castigo *n.* punishment
casualidad: por casualidad by chance
cautiverio: en cautiverio in captivity
celoso jealous
cenar to have dinner/supper
censura censorship
cepillarse (el pelo, los dientes)
    to brush (one's hair, teeth)
cerrado closed; narrow-minded
cerrar (ie) to close
cesante *adj.* unemployed
césped *m.* lawn
chaleco vest
chaqueta jacket
charlar to chat
chisme *m.* piece of gossip
chismear to gossip
chismoso gossipy
chiste *m.* joke; **chiste verde**
    dirty joke
chocar to crash
chofer *m./f.* chauffeur, driver
cicatriz scar
ciego blind
cielo heaven; sky
ciencias políticas *pl.* political science
científico scientist
cierre *m.* zipper
cierto certain; **(no) es cierto** it's
    (not) true; **por cierto** by the way
cinturón belt
cirugía surgery
cita *n.* appointment; quote
ciudadanía citizenship
ciudadano citizen
claro clear; **tener en claro** to have it
    clear in your mind
clase particular *f.* private class
clavo: dar en el clavo to hit the nail
    on the head

clérigo clergy
clonización cloning
cocinero *n.* cook
código code
codo *n.* elbow
coger el sueño to fall asleep
cola de caballo pony tail
colar (ue) to drain
colgar (ue) to hang
colocar to place
color café brown
colorín, colorado esta leyenda ha
    terminado and so the legend ends
combinar to match
comenzar a (ie) to begin, start to
comer to eat; **comérselo todo** to eat
    it all up
comestible *m.* food
cometer to commit
cómico *adj.* funny
comienzo beginning
como si as if
compartir to share
complacer to please
completar una solicitud to fill out an
    application
comportamiento behavior
comprobar (ue) to prove
comprometerse (con) to get
    engaged (to)
compromiso commitment,
    engagement
con: con cafeína with caffeine; **con**
    frecuencia frequently; **con gran**
    esmero with great care; **con tal (de)**
    que provided that
concienzudo conscientious
concurso contest
condena *n.* sentence (jail)
condenado *n.* convict
conejo rabbit
confianza *n.* trust
confiar to trust
congelado frozen
conjetura *n.* conjecture
conmover (ue) to move, touch
    (emotion)
conquista *n.* conquest
conquistador conqueror
conquistar to conquer
consciente aware
conseguir (i, i) to obtain
consejero advisor
consejo *n.* (piece of) advice
conservador *adj.* conservative

consiguiente: por consiguiente
    therefore
constar de to consist of
consumir drogas to use drugs
contabilidad accounting
contador accountant
contaminación pollution
contaminante *adj.* contaminating
contaminar to contaminate, pollute
contar (ue) to tell
contenido *n.* content
contraer *irreg.* to contract, catch
contratar a alguien to hire someone
contribuir (y) to contribute
convenir (ie, i): te conviene it's better
    for you
convivencia living together
convivir to live together
cónyuge *m./f.* spouse
coquetear to flirt
cordón shoelace
corona crown
correo electrónico e-mail
correr to run
corriente *adj.* ordinary
corto short
cosechar to harvest
cosquillas: hacer cosquillas to tickle
costar (ue) to cost
costumbre *f.* custom, habit
creador creator
crear to create
creativo creative
creencia belief
creído vain
cremallera zipper
crianza upbringing, raising
criar to bring up, raise (a child)
crimen homicide
cristal glass (material)
cristiano Christian
crítica *n.* critique
criticar to criticize; to critique
crítico *n.* critic
cuadrado square
cuadro painting
cuando when
cuanto: en cuanto as soon as; **en**
    cuanto a with reference to
cuchara *n.* spoon
cuello *n.* collar
cuenta *n.* bill
cuerda rope; string
cuerdo sane
cuesta *n.* hill

cuidar (a) niños   to baby-sit
culpa *n.*   guilt, blame
culpabilidad   guilt
culpar   to blame
cultivo *n.*   crop
cumplir   to fulfill
cuñada   sister-in-law
cuñado   brother-in-law
curriculum (vitae) *m.*   résumé
cursar (una clase)   to take, study
   (a class)
curso *n.*   course
cuyo   whose, of which

dañado   damaged
dar *irreg.* : **dar a luz**   to give birth;
   darle igual   to be all the same
   to someone; **darle la espalda a**   to
   turn one's back on; **darse cuenta (de)**
   to realize
de: de acuerdo a   according to; **de
   alto/bajo contenido graso**
   high/low fat content; **de hecho**   in
   fact; **de por vida**   for life; **de
   repente**   suddenly; **de todos modos**
   anyway; **de una vez por todas**   once
   and for all; **de vez en cuando**   every
   now and then; **estar de acuerdo**   to
   be in agreement
deber *n.*   duty; *v.*   should, ought to
debido a   due to
década   decade
decano   dean
decidir   to decide
decir *irreg.*   to say, tell; **el qué dirán**
   what others may say; **¡No me digas!**
   Don't tell me, You don't say, Wow!;
   Te lo digo en serio.   I'm not
   kidding.
dedicarse a   to devote oneself to
deducir   to deduce
degenerarse   to degenerate
dejar   to quit, stop; **dejar a medias**   to
   leave unfinished
delantal   apron
delincuencia   criminality
delincuente *m./f.*   criminal
delito   offense, crime
demandar   to sue
demás: los demás   others
dentro de (diez) horas/días/años/etc.
   in (ten) hours/days/years/etc.
deportista   athlete
Derecho   Law

derechos humanos   human rights
derrotar a   to defeat
desafiar   to challenge
desaparecer   to disappear
desaparición   disappearance
desarrollo *n.*   development
desbordar   to overflow
descafeinado   decaffeinated
descansar   to rest
descendiente *m./f.*   descendant
descomponerse *irreg.*   to break down
descompuesto (*p.p.* of **descomponerse**)
   broken
desconocido *n., adj.*   stranger
descortés   impolite
descubridor   discoverer
descubrimiento   discovery
descubrir   to discover
descuidar   to neglect
desde luego   of course
desechable *adj.*   throwaway, disposable
desechar   to throw away
desecho *n.*   rubbish, waste
desempeñar   to fill; to occupy; to play
   (a part)
desempleado: estar desempleado
   to be unemployed
desequilibrar   to throw off balance
desequilibrio   imbalance
desesperado   desperate
desfile *m.*   parade
desgracia: por desgracia
   unfortunately
deshacer *irreg.*   to undo
deshacerse de *irreg.*   to get rid of
deshecho (*p.p.* of **deshacer**)   undone
desigualdad   inequality
desnudo   naked
desovar   to lay eggs (turtles)
desove *m.*   egg laying (turtles)
despacho   office
despedida de soltero/a
   bachelor/bachelorette party
despedir (i, i)   to fire, dismiss;
   despedirse de   to say good-bye to
desperdiciar   to waste
desperdicio *n.*   waste
despertarse (ie)   to wake up
desproporcionado   disproportionate,
   out of proportion
después *adv.*   later, then, afterwards;
   después de *prep.*   after; **después
   (de) que** *conj.*   after
destierro   exile, banishment
destruir   to destroy

desventaja   disadvantage
desvestirse (i, i)   to undress
detener *irreg.*   to arrest; to stop
detenidamente   thoroughly, closely
devolver (ue)   to return, give back
   (something)
día *m.* **feriado**   holiday
dibujar   to draw
dibujo *n.*   drawing
dictadura   dictatorship
dieta: hacer una dieta   to be on a
   diet
difícil   difficult
difundir   to spread (news)
dineral   great deal of money
dirán: el qué dirán   what others
   might say
dirección   address, management
director de cine   movie director
discriminar (a alguien)   to
   discriminate (against someone)
disculpar   to forgive
disculparse   to apologize
discutir   to discuss; to argue
diseñador   designer
diseño *n.*   design
disfrazar   to disguise
disfrutar   to enjoy
disgustarle   to dislike, displease
disminuir   to decrease, diminish
disponerse (*irreg.*) **a**   to get ready to
dispuesto   willing, ready
diurno *adj.*   day
divertido   fun
divertirse (ie, i)   to have fun, have a
   good time; **divertirse un montón**
   to have a ball, a lot of fun
divorciado   divorced
divorciarse (de)   to get divorced
   (from)
dolor   ache, pain
domicilio   domicile, residence
dominador   dominator
dominar   to dominate
dominio   mastery, command
dorar   to brown
dormir (ue, u)   to sleep; **dormirse**
   to fall sleep
dormitorio   bedroom
drogarse   to take drugs; to get high
ducharse   to take a shower
dudas: sin lugar a dudas   without a
   doubt
dudoso   doubtful
dulce *adj.*   sweet

duque *m.* duke
durante during
durar to last

echar to pour, put in; **echar a perder** to waste; **echar de menos** to miss; **echar un vistazo** to glance at
ecologista *m./f.* ecologist
economía sumergida underground economy
efecto invernadero greenhouse effect
eficaz effective
eficiencia efficiency
egoísta *m./f.* selfish
ejemplo: por ejemplo for example
ejercer to exercise; **ejercer autoridad** to exercise authority
ejército army
electricista *m./f.* electrician
elegir (i, i) to choose, select, elect
embarazada pregnant
emborracharse to get drunk
embrión *m.* embryo
emisora broadcasting station
empezar a (ie) to begin, start to
empleado employee
empleo job
empresa company, business
en: en absoluto not at all; **en ayunas** before breakfast; **en cambio** instead; **en caso (de) que** in the event that, if; **en cuanto** as soon as; **en cuanto a** with reference to; **en el extranjero** abroad; **en la actualidad** at the present time; **en plena forma** fully awake, alert; **en seguida** at once; **en torno** around
enamorarse (de) to fall in love (with)
encantador charming
encantarle to really like
encarcelar to incarcerate, imprison
encender (ie) to light
encontrar (ue) to find; to meet; **encontrarse a/con** to run into
encuentro *n.* finding; meeting
encuesta *n.* survey
enfadarse to get angry
enfermarse to get sick
enfermero *n.* nurse
enfermizo sickly
enfocar to focus
enlatado canned
enmienda amendment
enojarse (con) to become angry (with)

enorme enormous
enseguida at once
enseñanza *n.* teaching
entender (ie) to understand
enterarse de to find out about
entregar to hand in
entrenamiento *n.* training
entrevista *n.* interview
entrevistarse (con alguien) to be interviewed
entrometerse to intrude, meddle, interfere
entusiasmarse to become excited
envase *m.* container
envolver (ue) to wrap
envuelto (*p.p.* of **envolver**) wrapped
época era, period of time
equivocado wrong
equivocarse to err, make a mistake
escalar to climb
escaleras staircase
esclavo slave
escoger to choose
escrito (*p.p.* of **escribir**) written
escritor writer
esforzarse to make an effort
espalda: darle la espalda a to turn one's back on
especia spice (food)
espejo mirror
esperanza *n.* hope; **esperanza de vida** life expectancy
esperar to hope
espesar to thicken
espiar to spy
esposa wife
esposo husband
esquí: hacer esquí acuático to water-ski; **hacer esquí alpino** to downhill ski; **hacer esquí nórdico** to cross-country ski
esquina corner
estacionamiento parking lot
estampilla stamp
estar *irreg.*: **estar de acuerdo** to be in agreement; **estar de moda** to be in style; **estar pasado de moda** to be out of style; **estar rebajado** to be on sale
estupefaciente *adj./m.* narcotic
etapa era, period of time; state, phase
evitar to avoid
exigencia *n.* demand
exigente demanding
exigir to demand

éxito success
expectativa expectation; hope; prospect
experiencia laboral work experience
experimentado experienced
explotador exploiter
expulsar to expel
extinguirse to become extinct
extranjero *n.* foreigner; *adj.* foreign, alien; **en el extranjero** abroad
extrañar to miss
extraño *n.* stranger; *adj.* strange
extremo *n.* end

fábrica factory
fácil easy
factible feasible, possible
facultad academic department
falta de comunicación lack of communication
faltar to be lacking, missing; **faltar (a)** to be absent (from)
fascinarle to really like
fastidio: ¡Qué fastidio! What a nuisance/bother!
faz face (metaphorical)
felicidad happiness
feliz happy
ferrocarril railroad
ficha index card
fiel faithful; **serle fiel/infiel (a alguien)** to be faithful/unfaithful (to someone)
fijarse (en) to notice
filosofía philosophy
final: al final de at the end of
fines: a fines de at the end of (time)
flauta flute
flequillo bangs
flujo flow
fofo flabby
folleto pamphlet
fomentar to foment, stir up
foráneo foreigner
forma: en plena forma fully awake, alert
frac *m.* tuxedo
fracasar to fail
francés *n., adj.* French
frasco *n.* jar
frecuencia: con (gran) frecuencia frequently
freír (i, i) to fry
frenillos braces

frente: hacer frente a to stand up to
fresco fresh
frijol bean
frontera *n.* border
fronterizo on or near the border
fuego heat; fire
fuente *f.* fountain; **fuente de inspiración** source of inspiration
fuerza: por la fuerza by force, forcibly
fumar to smoke
fundación founding
fundador founder
fundar to found

ganancia earning, profit
ganas: se me fueron las ganas de I didn't feel like (doing something) anymore; **tener ganas de** to feel like (doing something)
gandules *pl. m.* pigeon peas
ganga good buy, bargain
gaseosa soda pop
gastar to spend
generación anterior previous generation
general: por lo general in general
genial brilliant (idea)
gerencia management
gerente *m./f.* manager
glorificar to glorify
golpe de estado *m.* coup d'état
gorra *n.* cap (hat)
gozar to enjoy
gracioso funny, amusing
gratis free of charge
grato pleasing, agreeable
grave serious
gritar shout
guapo good-looking
guardería daycare center
guerra war
guerrero warrior
guión *m.* script
gustar: me gustaría... I would like to...

había there was/were; **había una vez...** once upon a time, there was/were...
habichuela bean
habilidad innata innate ability

hacer *irreg.* to make; to do; **hacer alas delta** to hang-glide; **hacer cosquillas** to tickle; **hacer ecoturismo** to do ecotourism; **hacer esquí acuático** to water-ski; **hacer esquí alpino** to downhill ski; **hacer esquí nórdico** to cross-country ski; **hacer frente a** to stand up to; **hacer investigación** to do research; **hacer preguntas** to ask questions; **hacer una dieta** to be on a diet
hacia toward
hasta que until
hecho fact
hecho (*p.p.* of **hacer**) made, done; **de hecho** in fact
heredar to inherit
herida wound
hermana sister; **media hermana** half sister
hermanastro/a stepbrother/sister
hermano brother; **medio hermano** half brother
hervir (ie, i) to boil
hija daughter; **hija adoptiva** adoptive daughter; **hija única** only daughter
hijastra stepdaughter
hijastro stepson
hijo son; **hijo adoptivo** adoptive son; **hijo único** only son
histérico hysterical
hogar home
holgado loose
holgazán lazy
honradez honesty
honrado honest
hora: ¿A qué hora es...? What time is... at?
horario schedule, timetable
hormiga ant
hormiguero anthill
hoy: hoy en día these days
huérfano orphan
hueso bone
huésped *m./f.* guest
humo smoke
humor: sentido de humor sense of humor

idioma *m.* language
iglesia church
igualdad de los sexos equality of the sexes

imagen *f.* image, picture
impar odd
impermeable *m.* raincoat
importarle to matter
imprescindible essential
impuesto *n.* tax
incendio *n.* fire
inclusive even
incómodo uncomfortable
inculcar to instill, inculcate
independizarse (de) to become independent (from)
índice *m.* rate
indígena *m./f.* native person; *adj.* indigenous, native
inesperado unexpected
infiel: serle infiel (a alguien) to be unfaithful (to someone)
influir en to have an influence on
informe *m.* report
ingeniería engineering
ingeniero engineer
ingenioso resourceful
inglés *n., adj.* English
ingresos *pl.* income
inmaduro immature
insistir en to insist on
insoportable unbearable
insulso bland (food)
intentar to try, attempt
interesar: interesarle to interest; **interesarse (por)** to take an interest (in)
íntimo amigo very close friend
inundación flood
invasor invader
inversión investment
invertir (ie, i) to invest
investigación *n.* research; **hacer investigación** to do research
irritarse to become irritated
irse *irreg.* **(de)** to go away (from), leave
isla island

jamás never
jarabe *m.* syrup
jarrón vase
jaula cage
jefe *m.* boss
jerga *m.* slang
jeringa syringe
jeroglífico hieroglyph
jornada working day
joya de fantasía costume jewelry

jubilado: estar jubilado   to be retired
judío *n.* Jew; *adj.* Jewish
jugar (ue) to play; **jugar al (nombre de un deporte)** to play (a sport)
juguete *m.* toy
juguetón *adj.* playful
junta militar military junta
juntos *adv.* together; **vivir juntos** to live together
jurado *n.* jury
jurar to swear
justo fair, just
juventud youth

lacio: pelo lacio straight hair
lado: por un lado on the one hand; **por otro lado** on the other hand
ladrón thief
lamentable: es lamentable it's a shame
lamentar to lament, be sorry
lanza lance
lápiz de labios lipstick
largo long
lástima: es una lástima it's a shame; **¡Qué lástima!** What a shame!
lata *n.* can
lavaplatos *sing./pl.* dishwasher
lavarse (el pelo, las manos, la cara, etc.) to wash (one's hair, hands, face, etc.)
lazo *n.* tie, bond
lealtad loyalty
lechería dairy store
lechón suckling pig
lector reader
leer *irreg.* to read
lengua materna mother tongue
lenteja lentil
lento slow
leve *adj.* light (weight)
leyenda legend
libertador liberator
libertad: freedom; **libertad condicional** parole; **libertad de palabra/de prensa** freedom of speech/of the press
licencia por maternidad/enfermedad maternity/sick leave
ligero *adj.* light (weight)
linterna flashlight
liquidación sale
liviano *adj.* light (weight)
llamarle la atención to find something interesting

llanta *n.* tire
llanura plain
llevar: llevarle a alguien. . . to take someone (+ time period); **llevar a cabo** to carry out (a task)
locutor announcer, commentator, speaker
logotipo logo
lograr to achieve
logro achievement
luchar to fight
luego later
lugar: tener lugar to take place
luna de miel honeymoon
lunar beauty mark
lunes: el lunes on Monday; **el lunes pasado** last Monday; **los lunes** on Mondays
luz: dar a luz to give birth

machacar to crush, mangle
madera wood
madrastra stepmother
madre *f.* mother
madrina maid-of-honor
madrugada daybreak, early morning
maestría master's degree
mago magician
mal evil
malcriar to spoil, pamper, raise badly
maletín briefcase
malhumorado moody, ill-humored
mancha stain
mandamiento commandment
maní *m.* (*pl.* **maníes**) peanut
manifestación demonstration, protest
mano *f.* **de obra** labor, manpower
manta blanket
mapa *m.* map
maquillarse to put on makeup
maravilloso: es maravilloso it's marvelous
marca brand name
marcha: ponerse en marcha to start off (on a trip); to start up
mariposa butterfly
más: más de lo debido more than required; **más seguido** more often; **más tarde** later
masticar to chew
matar to kill
materia subject, course; material
materno *adj.* on your mother's side

matrícula tuition
matricularse to register
matutino *adj.* morning
mayorista wholesaler
mecánico mechanic
media: media hermana half sister
medicamento medicine
médico *n.* doctor
medida measurement
medio: medio ambiente environment; **medio hermano** half brother
mejilla cheek
mejor: es mejor it's better
mejorar to improve
membrete *m.* letterhead
menor de edad minor (age)
menos less, lesser, least; **a menos que** unless; **echar de menos** to miss; **por lo menos** at least
mensaje *m.* message
mentir (ie, i) to lie
mentira *n.* lie
menudo: a menudo often, frequently
mercadeo marketing
mermelada jelly
mestizo person of mixed European and American indigenous blood
mezclar to mix
mientras: mientras (que) while, as long as; **mientras más vengan, mejor** the more, the merrier
militar *m./f.* military person
minusválido handicapped
mochila *n.* backpack
moda: estar de moda to be in style; **estar pasado de moda** to be out of style
modales de la mesa *m.* table manners
modos: de todos modos anyway
mojado wet
mojados *n.* wetbacks (derogatory slang)
molestarle to be bothered by, find annoying
molesto bothersome, annoying
moneda currency; coin
monja nun
monje *m.* monk
montón a lot; **divertirse un montón** to have a ball, a lot of fun
morir(se) (ue, u) to die
moro *n.* Moor, Moslem; *adj.* Moorish
mostrador counter (store, airline)
mostrar (ue) to show

mucama chambermaid
muchas: muchas personas many people; **muchas veces** many times
mudarse to move
muerto (*p.p.* of **morir**) dead; **estar muerto** to be dead
muestra *n.* sample
mujeriego womanizer
multa *n.* fine
mundial *adj.* world, worldwide

nacimiento birth
nada nothing, anything
nadie no one
naturaleza muerta still life
navaja suiza Swiss army knife
navegante *m./f.* navigator
necesitado needy, poor
negar (ie) to deny; to negate
negarse (ie) a to refuse
negocio business
negocios *pl.*: **hombre/mujer de negocios** businessman/woman
nevar (ie) to snow
ni: ni. . . ni neither . . . nor; **ni (siquiera)** not even
nieta granddaughter
nieto grandson
niñera nanny
nivel del mar sea level
no obstante nevertheless
noche *f.*: **la noche está en pañales** the night is young; **noche de boda** wedding night
noticias news
novato novice, beginner
noviazgo courtship
nuera daughter-in-law
nuez nut (food)
número par/impar even/odd number
nunca never

o. . . o either . . . or
obra maestra masterpiece
obvio obvious
occidente *m.* West
ocio leisure time; relaxation
ocuparse (de) to take care (of)
odiar to hate
oferta y demanda supply and demand
oficina de reclamos complaint department

ola *n.* wave
oler to smell
olla *n.* pot
olor smell, odor
olvidarse (de) to forget (about)
olvido *n.* forgetfulness
ondulado wavy
orgullo *n.* pride (emotion)
oriundo *adj.* originated, derived from
osito de peluche teddy bear
ostra oyster
ovalado oval

padecer to suffer from
padrastro stepfather
padre *m.* father; priest
padres parents; fathers
padrino best man
pago *n.* **mensual/semanal** monthly/weekly pay
paisaje *m.* landscape
paja straw
paladar palate
paloma *n.* dove
palomitas *pl.* **de maíz** popcorn
pandilla gang
pandillero gang member
pantalla screen
pañales *pl.*: **la democracia/la noche/la fiesta está en pañales** the democracy/night/party is young
pañuelo scarf, handkerchief
papel role
paquete *m.* package
par even (number)
para que in order to, so that
pardos *adj.* hazel (eyes)
parecer: ¿no te/le/les parece? don't you think so?
pareja pair; partner; significant other; couple
parentela relatives
pariente *m./f.* relative; **pariente político** in-law
parte *f.*: **por una parte** on the one hand; **por otra parte** on the other hand
particular *adj.* private, personal
partido *n.* game; party (politics)
pasa *n.* raisin
pasado: el lunes/fin de semana/mes/año/siglo pasado last Monday/weekend/month/year/century

pasaje de ida *m.* one-way ticket
pasar una noche en vela to pull an all-nighter; to stay awake all night
pasarlo bien/mal to have a good/bad time
pasatiempo hobby
pasear el perro to walk the dog
pastilla pill
paterno *adj.* on your father's side
patillas sideburns
patinar to skate
patrocinar to sponsor
pavo turkey
pecar to sin
pecas freckles
pedazo piece, slice
pedir (i, i) to ask (for)
peinarse to comb one's hair
peligroso dangerous
pelirrojo redhead
pellizcar to pinch
peluca wig, toupee
pena: es una pena it's a shame; **pena capital (de muerte)** death penalty; **¡Qué pena!** What a shame!
pensar (ie) (+ *inf.*) to plan to (do something); **pensar en** to think about
perder (ie) to lose (someone/something); **echar a perder** to spoil, ruin
pérdida loss
perdonar to forgive
perfil *n.* profile
periódico newspaper
perjudicial harmful
personaje *m.* character
pertenecer to belong
pertenencias *pl.* belongings
pesa weight
pesado heavy; **ser un pesado** to be a bore
pescar to fish
pez vela sailfish
picar to chop
piel *f.* skin
pila battery
pincel paintbrush
piscina swimming pool
pista *n.* clue
placa license plate
plátano plantain
platicar to chat
pleno: en plena forma fully awake, alert

plomero plumber
pluma feather
pobreza poverty
pocas: pocas personas few people
poder (ue) *irreg.* to be able to, can;
  (no) puede ser it can/can't be
poderoso powerful
policía *m./f.* policeman/woman; *f.*
  police
política *n.* politics; policy
político *n.* politician; *adj.* political
poner *irreg.:* **poner la mesa** to set the
  table
ponerse *irreg.:* **ponerse** (+ item of
  clothing) to put on; **ponerse de
  acuerdo** to agree, reach an
  agreement; **ponerse en marcha**
  to start off (on a trip); to start up
por: por casualidad by chance; **por
  cierto** by the way; **por consiguiente**
  therefore; **por desgracia**
  unfortunately; **por ejemplo** for
  example; **por eso (por esa razón)**
  that's why, for that reason; **por lo
  general** in general; **por lo menos**
  at least; **por lo tanto** therefore; **por
  otro lado (por otra parte)** on the
  other hand; **por si las dudas (por si
  acaso, por si las moscas)** just in
  case; **por supuesto** of course; **por
  una parte/por la otra** on the one
  hand/on the other; **por un lado/por
  el otro** on the one hand/on the
  other
porción *n.* serving
porquería *n.* junk
porro joint (marijuana)
portar to carry
posgrado *adj.* postgraduate
postal: tarjeta postal post card
postura stand
precioso lovely, adorable
preciso: es preciso it's necessary
predecir *irreg.* to predict
preferible: es preferible
  it's preferable
preferir (ie, i) to prefer
premio prize
prendedor *n.* pin, brooch
prender to start (a motor)
preocuparse to become worried;
  preocuparse (de, por) to worry
  (about)
prepararse (para) to prepare oneself
  (for)

presencia: la buena presencia
  good appearance
presión *n.* pressure
preso prisoner
préstamo *n.* loan
prestar atención to pay attention
presupuesto *n.* estimate, budget
pretender (+ *inf.*) to try (+ *inf.*)
prever *irreg.* to foresee
previsto (*p.p.* of **prever**) foreseen
primero *adj.* first
primo cousin
primordial primary, fundamental
principio *n.* beginning; **a principios
  de** at the beginning of
prisa: tener prisa to be in a hurry
prismáticos binoculars
privar to deprive
probador dressing room
probar (ue) to taste; to try
probarse (ue) to try on (clothing)
producto lácteo dairy product
profecía prophesy
profesorado faculty
prohibir to prohibit
promedio *n.* average
prometer to promise
promoción advertising
propietario owner
propina gratuity, tip
propio *adj.* own
propósito purpose; **a propósito**
  on purpose
protector solar sunblock
proteger to protect
provecho: ¡Buen provecho!
  Enjoy your meal!; **sacar provecho**
  to take advantage of
proveedor supplier
provenir *irreg.* to come from
psicólogo psychologist
pudrir to rot
pueblo people, nation; town
puesto *n.* position (job); (*p.p.* of
  poner) put, placed, set (table)
pulir to polish
pulpo octopus
puntaje *m.* score (sports)
punto: punto de partida point of
  departure; **y punto** and that's that
puro *n.* cigar; *adj.* pure

quebrantar to break
quedar to leave behind

quedarle to fit
quejarse (de) to complain (about)
quemar to burn
querer (ie) *irreg.* to want; to wish; to
  love
química chemistry
químico *n.* chemist; *adj.* chemical
quiosco kiosk
quisiera. . . I would like to . . .
quitarse to take off (clothes)

raptar to kidnap
raro strange, unusual
rasgo feature
ratero *n.* pickpocket
realizar to carry out (a plan)
rebaja sale; **estar rebajado** to be
  on sale
rebanada (de pan) slice (of bread)
recargable rechargeable
receta recipe
rechazar to reject
rechazo *n.* rejection
recién casados newlyweds
reclamo claim, complaint
reclutar to recruit
recoger información to gather
  information
reconocimiento gratitude,
  recognition
recto *adj.* straight
recuerdo *n.* memory; souvenir
recursos: recursos humanos *pl.*
  human resources, personnel; **recursos
  naturales** *pl.* natural resources
redactar to compose (prose), write
redondo round
reducir to reduce
reemplazar to replace, substitute
reemplazo *n.* replacement
reflejo *n.* reflection
refrán proverb
regalo gift
reina queen
reírse (i, i) (de) to laugh (at)
relaciones: relaciones exteriores *pl.*
  foreign affairs; **relaciones públicas** *pl.*
  public relations
remojar to soak
remordimiento *n.* remorse, regret
renta income
repente: de repente suddenly
repetir (i, i) to repeat
reposo resting place, repose

rescatar   rescue
rescate *m.*   ransom; rescue
resolver (ue)   to solve
respetar   to respect
respirar   to breathe
restringir   to restrict
resuelto (*p.p.* of **resolver**)   resolved
resumir   to summarize
retratar   to paint a portrait of;
   to photograph
retrato   portrait
reunión   meeting; gathering
reunirse (con)   to meet (with)
revalorizar   to revalue
revivir   to revive
revolcar (ue)   to knock over
revolver (ue)   to mix
revuelto (*p.p.* of **revolver**)
   overturned, scrambled
rezar   to pray
rígido   rigid, stiff
riñonera   fanny pack
riqueza   riches
rizado   curly
róbalo   bass (type of fish)
robar   to rob, steal
robo *n.*   robbery, theft
rogar (ue)   to beg
romper   to break
roto (*p.p.* of **romper**)   broken
rubio   blond
ruido   noise

sábalo   shad (type of fish)
saber *irreg.*   to know; **¿Acaso no
   sabías?**   But didn't you know?; **¿A
   que no saben. . . ?**   Bet you don't
   know . . . ?; **No saben la sorpresa
   que se llevó cuando. . .**   You
   wouldn't believe how surprised he was
   when . . . ; **¡Ya sé!**   I've got it!
sabio   wise
sacar   to get, obtain; **sacar buena/mala
   nota**   to get a good/bad grade; **sacar
   provecho**   to take advantage of
saco de dormir   sleeping bag
sagrado   sacred
salado   salty
salario mínimo   minimum wage
salir *irreg.*   to leave, go out; **salir
   bien/mal (en un examen)**   to do
   well/poorly (on an exam)

saltar   to jump
salvar   to save
salvavidas *m./f. sing./pl.*   lifeguard
sangre *f.*   blood
sano   healthy
sátira   satire
secarse (el pelo, la cara, etc.)   to dry
   (one's hair, face, etc.)
secuestrador   kidnapper; hijacker
secuestrar   to kidnap; to hijack
secuestro *n.*   kidnapping; hijacking
seda   silk
seguida: en seguida   at once
seguir (i, i)   to follow
según   according to
segundo *adj.*   second
seguro: es seguro   it's certain
seguro médico/dental/de vida
   health/dental/life insurance
selva   forest
semana pasada   last week
semilla *n.*   seed
sencillamente   simply
Sendero Luminoso   Shining Path
   (Peruvian guerrilla group)
sensato   sensible
sensible   sensitive
sentarse (ie)   to sit down
sentido: (no) tener sentido   (not) to
   make sense; **sentido de humor**
   sense of humor
sentirse (ie, i)   to feel
señal   signal
ser *n.*   being
ser *irreg.*: **serle fiel/infiel (a alguien)**
   to be faithful/unfaithful (to someone);
   ser un pesado   to be a bore
serio   serious; **¿En serio?**   Really?; **Te
   lo digo en serio.**   I'm not kidding.
servir (i, i)   to serve
siempre   always; **siempre y cuando**
   provided (that)
silvestre   wild
sin: sin embargo   nevertheless; **sin
   lugar a dudas**   without a doubt; **sin
   que**   without
sindicato *n.*   union (workers)
smoking *m.*   tuxedo
sobornar   to bribe
soborno *n.*   bribe
sobredosis *f.*   drug overdose
sobrina   niece
sobrino   nephew

sofreír (i, i)   to fry lightly
sofrito   lightly fried dish
soga   rope
solapa   lapel
soler (ue)   to do . . . habitually
solicitar un puesto/empleo   to apply
   for a job
solicitud   application
soltar (ue)   to free
soltero   single (marital status)
sombra   shadow
somnífero   sleeping pill
sonreír (i, i)   to smile
sonrisa   smile
sordo   deaf
soroche *m.*   altitude sickness
sorpresa: ¡Qué sorpresa!
   What a surprise!
soso   bland
sostén   bra
subir   to raise
subrayar   to underline
suceder   to happen
suceso   event
sucio   dirty
sudadera   sweatsuit, sweatshirt
suegra   mother-in-law
suegro   father-in-law
suela   sole (shoe)
sueldo   salary; **bajar/aumentar el
   sueldo**   to lower/raise salary
sugerencia   suggestion
sugerir (ie, i)   to suggest
suma   enormous, great
sumar   to add
sumergida   underground
sumiso   submissive
superar   to overcome; to surpass
suplicar   to implore, beg
supuesto: por supuesto   of
   course

tacaño   stingy, cheap
tachar   to cross out
taller   workshop
tamaño   size
tambor   drum
tan pronto como   as soon as
tanto   so much; as much; **por lo tanto**
   therefore; **¡Tanto tiempo!**   Such a
   long time!
tapar   to cover

tarjeta card; **tarjeta verde** green card (residency card given to immigrants in the United States)

tarta pie

tatuaje *m.* tattoo

taxista *m./f.* taxi driver

tecla key (typewriter, piano)

tejer to weave; to knit

tela material, fabric, cloth

telenovela soap opera

tema *m.* theme, topic

temprano early

tendido stretched, spread out

tener *irreg.* to have; **(no) tener sentido** (not) to make sense; **tener en claro** to have it clear in your mind; **tener ganas de** (+ *inf.*) to feel like (doing something); **tener lugar** to take place; **tener prisa** to be in a hurry; **tengo que. . .** I have to . . .

teñido dyed

tercero *adj.* third

terminar: al terminar after finishing

ternura tenderness

terremoto earthquake

tesoro treasure

tía aunt; **tía política** aunt-in-law

tibio lukewarm

tiempo: ¿Cuánto tiempo hace que. . . ? How long have you . . . ?; **¡Tanto tiempo!** Such a long time!; **trabajar medio tiempo** to work part-time; **trabajar tiempo completo** to work full-time

tienda de campaña tent

tiernamente tenderly

tijeras scissors

tío uncle; **tío político** uncle-in-law

tira cómica comic strip

tirar to throw away

título degree

todavía still, yet; **todavía no** not yet

todo everything; **todo el mundo** everyone

todos everyone; **todos los días/domingos/meses** every day/Sunday/month

tomar cursos de perfeccionamiento/capacitación to take continuing education/training courses

torno: en torno around

torpe clumsy

tostar (ue) to toast

trabajar: trabajar de sol a sol to work from sunrise to sunset; **trabajar medio tiempo/tiempo completo** to work part/full-time

trabajo escrito written paper

traducir to translate

traición betrayal

traidor traitor

trampa *n.* trick, trap

tranquilo calm

transpiración perspiration

trasladar to transfer

trasnochar to stay up all night

trastorno *n.* inconvenience, upheaval

tratado treaty

través: a través de through

travieso mischievous

trenza braid

triangular triangular

trigo wheat

trillizos triplets

tristeza sadness

tronco trunk (of a tree)

trozo piece

turnarse to take turns

turquesa turquoise

ubicarse to be located

unirse to unite

uno a(l) otro each other

(los) unos a (los) otros one another (more than two)

útil useful

vacilar to kid around

vacuna vaccine

vaina pod (bean)

valer la pena to be worthwhile

valioso valuable

valor value; valor, courage

variedad variety

vasco *n.*, *adj.* Basque

veces: a veces sometimes

vecino neighbor

vencedor conqueror

vencer to defeat

vencimiento conquest

vendedor salesperson

vender to sell

veneno poison

venir *irreg.* to come

venta sale

ventaja advantage

verdad: no es verdad it's not true

verdura vegetable

vergüenza: ¡Qué vergüenza! What a shame!

verter (ie) to shed (tears)

vespertino *adj.* evening

vestido de fiesta evening dress

vestimenta clothes, garment

vestirse (i, i) to get dressed

vez: de una vez por todas once and for all; **de vez en cuando** every now and then; **una vez** once

víctima *m./f.* victim

vida: de por vida for life

violación *n.* rape

violador rapist

violar to rape; **violar los derechos humanos** to violate human rights

viruela smallpox

vistazo: echar un vistazo to glance at

vitrina store window

viuda widow

viudo widower

vivienda housing

vivir to live; **vivir juntos** to live together

vivo *adj.* smart; alive

volver (ue) to return, come back; **volver a** (+ *inf.*) to do something again

ya already; yet; **ya no** no longer, not anymore; **¡Ya sé!** I've got it!; **¡Ya voy!** I'm coming!

yerno son-in-law

y punto and that's that

Index

Permissions and Credits

Text Sources

(continued from p. vi)
Chapter 4: page 86 (also IAE 30), Legend based on Otilia Meza, "La leyenda del maíz," *Leyendas del antiguo México: Mitología prehispánica* (México, D.F.: Edamex, 1985). **Chapter 5:** page 130, Data taken from Raymond Sokolov, *Why We Eat What We Eat* (New York: Summit Books, 1991). **Chapter 7:** page 170, Data taken from 1993 *Earth Journal Environmental Almanac and Resource Directory* (Boulder: Buzzworm Books, 1993). **Chapter 9:** page 211 (also IAE 34–35), Some data taken from Harry Rosenholtz, "On Top," *Cigar Aficionado*, vol. 1, no. 4 (New York: M. Shanken Communication, 1993). **Chapter 11:** page 256, Data taken from Instituto Indigenista Interamericano (III), *La coca: Tradición, rito, identidad* (México, D.F.: Instituto Indigenista Interamericano, 1989). **Chapter 12:** pages 277–278, Reprinted by permission of the author; 287–288, Some data taken from *The Hispanic American Calendar*, ed., Nicolas Kanellos (Detroit: Gale Research, 1992); 288–289, Some data taken from *Notable Hispanic American Women*, ed. Diane Tenglen and Jim Kamp (Detroit: Gale Research, April and June 1993); 292, Data taken from *Census Bureau Statistics* (1996) and *American Demographics* (Ithaca: Dow Jones and Co., February 1990).

Realia

Chapter 1: page 25, Reprinted with permission from Moto Paella, Madrid, Spain; 27, Reprinted with permission from *Guía de Ocio*, Madrid, Spain. **Chapter 2:** page 47, Copyright © Quino/Quipos. **Chapter 5:** page 112, Reprinted with permission from El Colmao Restaurant, Los Angeles, CA; 122, Reprinted with permissions from *Univisión*, New York, NY; 124, Reprinted with permissions from *Univisión*, New York, NY; 132, Reprinted with permissions from *Univisión*, New York, NY. **Chapter 6:** page 148, Copyright © Quino/Quipos; 206, Courtesy AquaBells/ *Magellan's*. **Chapter 9:** page 225, Reprinted with permission from Aeroméxico, New York, NY; 225, Reprinted with permission from Estancia el Carmen S.R.L.; 225, © Café de Colombia. **Chapter 10:** page 244, *Revista Mía de México*, Editorial Televisa/Publicaciones Continentales de México; 245, Copyright © Quino/Quipos; 251, Reprinted with permission from *La Nación*, Buenos Aires, Argentina. **Chapter 11:** page 261, Reprinted with permission from *MAD en México*; 265, Center for Disease Control, Atlanta, GA; 268, Copyright © 1994 *El País*. **Chapter 12:** page 275, Reprinted from American Demographics Magazine, February 1994. Copyright © 1994. Courtesy of Intertec Publishing Corp., Stamford, Connecticut. All Rights Reserved; 276, Univisión Publications; 286, Reprinted with permission of McDonald's Corporation; 293, Reprinted with permission from The United Nations High Commission for Refuges; 296, top middle, Reprinted with permission from Community Action, Inc. Haverhill, MA; 296, bottom left, Reprinted with permission from Ross, Martel & Silverman, Boston, MA; 296, bottom right, Cabletron Systems.

Illustrations

Anna Veltfort

Photo Credits

Preliminary Chapter: page 1, Ulrike Welsch; 2, Ulrike Welsch; 3, Frerck/ Odyssey/Chicago; 12, Frerck/Odyssey/Chicago. **Chapter 1:** page 16, Robert Fried; 17, Richard T. Nowitz/Photo Researchers, Inc.; 32, Robert Fried; 33 *tl*, Jaffe/Liaison Agency; 33 *bl*, Pool Mondial/Liaison Agency; 33 *tr*, Jorge Núñez/ SIPA Press; 33 *br*, Marion Stallens/Sygma; 37, Shahn Kermani/Liaison Agency. **Chapter 2:** page 39, Suzanne Murphy; 40, Frerck/Odyssey/Chicago; 45 *l*, Ron Dahlquist/Tony Stone Images; 45 *r*, Chip & Rosa Maria Peterson; 60, Cosmo Condina/Tony Stone Images. **Chapter 3:** page 65, Owen Franken/Stock Boston; 66, Frerck/Odyssey/Chicago; 77 *tr*, Rob Crandall/Stock Boston; 77 *bl*, Nik Wheeler; 82, Corbis-Bettmann. **Chapter 4:** page 85, Corbis-Bettmann; 87, Nik Wheeler; 92, Comstock; 109, Guillermo Aldana E. **Chapter 5:** 111 *tl*, Victor Englebert; 111 *br*, Cover/The Image Works; 113, Stephen Ferry/Liaison Agency; 129, Martha Cooper/Viesti Associates; 133, David Simson. **Chapter 6:** page 136, Martin Thomas/Liaison Agency; 137, Jean Claude Francolon/Liaison Agency; 145, Alyx Kellington/Liaison Agency; 155, Rafael Wollmann/Liaison Agency. **Chapter 7:** page 162, Cindy Karp/Black Star; 163, James D. Nations/DDB Stock Photo; 172 *tr*, DDB Stock Photo; 172 *bl*, Frerck/Odyssey/Chicago; 172 *br*, Frances S./Explorer/Photo Researchers, Inc.; 174, Beryl Goldberg; 178, Kent Coorrell/Sygma; 185, Buddy Mays/Travel Stock; 186, Alan and Sandy Carey/ Sygma. **Chapter 8:** page 188, Huntly Hersch/DDB Stock Photo; 193, Oscar Bonilla/Impact Visuals. **Chapter 9:** page 210, Victor Englebert; 211, B. Brent Black; 212, Jeff Greenberg/The Image Works; 215, Velásquez, Diego Rodríguez de Silva y (1599–1660) Las Meninas 1656. Prado, Madrid/Bridgeman Art Library, NY; 218, Ayuntamiento de Córdoba. Area de Servicios Socioculturales. Dirección de Museos Municipales; 224, Schalkwijk/Art Resource, NY; 225, Barbara Alper/ Stock Boston; 226 *l*, Courtesy of Ma. Estela E. de Santos; 226 *r*, Art Resource, NY; 231, *tr*, Ulrike Welsch; 231 *br*, Jack Picone/Liaison Agency. **Chapter 10:** page 233, Robert Fried/Stock Boston; 234, Marcelo A. Geiler; 242, Art Seitz/ Liaison Agency. **Chapter 11:** page 254; David J. Sams/Stock Boston; 255, Carrion/ Sygma; 258, Peter Menzel; 267, Serge Moulia/Liaison Agency. **Chapter 12:** page 280, Bob Daemmrich/The Image Works; 288 *t*, Sygma; 288 *b*, Wide World Photos; 289, NASA/Liaison Agency; 291, Courtesy the Coca-Cola Company. "Coca-Cola Classic" and "The Genuine Coca-Cola Bottle" are registered trade marks of The Coca-Cola Company. 294: Wide World Photos.

MÉXICO, AMÉRICA CENTRAL Y LAS ANTILLAS